EL ARTE MODERNISTA CATALÁN

A. CIRICI PELLICER

EL ARTE MODERNISTA CATALÁN

Concepto de lo Modernista • Los movimientos predecesores La lucha contra el espíritu de la civilización industrial • La Síntesis Modernista • El triunfo de lo irracional • La reacción clásica • Panorama de la arquitectura • Arquitectura ruskiniana • Gaudinismo • De lo ciclópeo a lo lírico • La Escultura • Las Artes decorativas revividas • Los decoradores • Las fuentes del Modernismo pictórico • La pintura naturalista • La pintura idealista La generación central • La generación joven • El formalismo final

AYMÁ, EDITOR - BARCELONA
MCMLI

Printed in Spain

Impresión: Sociedad Anónima Horta de Impresiones y Ediciones
Sobrecubierta y guardas: R. Giralt Miracle. "Filograf"
Grabados: Clisés Roldán - *Litografía:* Isidro Rosés
Encuadernación: Guimerá
Papel fabricado especialmente por Almacenes Generales de Papel

PRÓLOGO

Parodiando a Duhamel, podríamos decir que, en la agitación destructiva de este mundo, conservar algo del espíritu de un tiempo ya ido es crear. Conservar un poco del espíritu del arte modernista catalán ha sido el deseo que nos ha llevado a la realización del presente libro, creyendo con ello contribuir en algo a la creación de la fisonomía estética de nuestro país.

Opinamos que es ahora, a medio siglo de distancia, el momento oportuno para enfocar aquellos años, a través de unos ojos que no estén corrompidos por los bandos entonces en lucha, ni por los entusiasmos iniciales, ni por las críticas posteriores, y que, sin haber vivido la época, puedan enfrentarse con ella con el mismo desinterés y a la vez con el mismo interés con que un cirujano se enfrenta con el enfermo a operar.

Ahora bien: si es cierto que no hemos vivido la época, tenemos, en cambio, algo que es mucho más que el simple conocimiento histórico de los documentos y los monumentos. Tenemos una imagen global del ambiente, viviente, palpitante todavía, que nos ha sido transmitida con la sangre de nuestros padres y que no se ha evaporado todavía.

De niño, oí execrar muchas veces el «mal gusto» modernista. Modernista era sinónimo de ilógico, y en mi adolescencia contribuí a hacer arrinconar de la decoración de la casa paterna cachivaches y muebles de aquel momento. Pero no dejó de ir germinando lentamente algo más profundo, sembrado en mi sensibilidad de niño por las insidiosas penetraciones de un misterio dominador. De los libros, alargados verticalmente, y de los de cubierta amarilla con dibujos recortados y reseguidos, con elegantes manchas negras, de la biblioteca de «*Joventut*», de los pequeños libritos rojos de *L'Avenç*, fluía una conspiración en favor de lo misterioso y de lo insólito. Oscar Wilde quedó sembrado en mi corazón a los diez años, y Tolstoi le siguió. Los cuentos negros de «Víctor Catalá» y aquellos *Cuentos Extraños* de los que no recuerdo el autor, de nombre raro, me revelaban, con las obras misteriosas de Erckmann-Chatrian, el poder de un ambiente del que sólo me llegaban reflejos. Oír hablar a mi madre de *La Intrusa*, de Maeterlinck, era como oír hablar a alguien que hubiese asistido a un gran misterio. Se hablaba de aquello como de algo escalofriante e inolvidable. Los ojos de la gente mayor, a menudo apagados, se encendían al hablar de los tiempos heroicos del *Orfeó*, del *Teatre Íntim*, de Rusiñol y de su teatro, y de las anécdotas pintorescas de los artistas de fin de siglo.

Aprendí las canciones populares catalanas sentado al pie del piano, encima de la alfombra, mirando los pequeños pliegues del 1900, con tan bellos y tan ingenuos dibujos modernistas, y nunca podrá borrarse en mí la impresión que mi madre supo transmitirme de que *L'alegria que passa* es algo de una gran poesía melancólica. Lo aprendí cuando me enseñaba el viejo cartel, cortándose por los dobleces, en que se veía, en colores pálidos, al pobre saltimbanqui solitario en medio de la carretera, y lo aprendí en aquel lánguido final de la tarde de los días de los santos familiares, cuando se había desvanecido el ruido de las visitas y en la casa sola, con marcado desorden de sillas y todas las lámparas todavía encendidas, mi madre, que hacía años que ya no tocaba el piano, se sentaba a él para enternecerse y, sin saberlo, hacíame brotar las lágrimas tocando el vals que Morera compuso para *L'Alegria que passa*, que se me antoja todavía una de las piezas musicales más patéticas.

Cuando, en una primavera feliz, a los seis años de edad, descubrí por primera vez el espectáculo del campo al brotar las flores por doquier, me sentía llevado a una existencia maravillosa y cerraba los ojos oliendo ávidamente, tendido bajo el sol, creyéndome en un cénit de bienaventuranza, mientras una voz, sin saberlo, cantaba para mí un canto modernista:

Papallons d'or; dormiu, dormiu...
Dormiu pensant que el cel és blau,
l'estiu etern,
i que les flors no moren...

Después, todo se ha ido apagando. Ni canciones dulcemente anacrónicas, ni música de piano en la casa desierta... Pero quedan todavía en mi retina las postales que mi padre, de soltero, había recibido, en francés o en alemán, de sus amigos y sus amigas, con zigzagueantes caricaturas, y que se alineaban en el álbum ornado de lirios... los programas floridos e irisados de los conciertos que nunca oí... el dibujo, tantas veces estudiado en detalle, durante las enfermedades, de los viejos empapelados de los muros, desaparecidos... los juegos de café de cuando mis padres se casaron, el nacarado juego de cerveza... y, por encima de todo, aquel encenderse los ojos de los que habían vivido el 1900 cuando recordaban una época tan febrilmente entusiasta por el arte.

Este libro pretende presentar las artes plásticas de la época modernista, otorgando su debida importancia a las formas artísticas que tuvieron un papel preponderante en la formación y en la vida del estilo, o sea la arquitectura y las artes decorativas.

Desde aquí nos complacemos en dar las gracias a los que nos han ayudado con sus informaciones o sus consejos, o nos han prestado valiosos originales, libros raros o revistas de la época: Juan Ainaud, Director del Museo de Arte Moderno de Barcelona; el mosaísta Luis Bru; el arquitecto Granell; el polifacético artista Gaspar Homar; el coleccionista Víctor María de Imbert; el dibujante Carlos Llobet; el decorador José Mainar; el pintor y orfebre Luis Masriera; el arquitecto Antonio de Moragas y Gallissá; el dibujante Ricardo Opisso; Santiago Pey y el pintor José Pey; el escritor Jaime Picas Guiu; el tratadista J.-F. Ráfols; el decorador Antonio Saló; los ceramistas Antonio y Enrique Serra; el presidente del *Cercle Artístic de Sant Lluc*, Luis Serrahima Camín; el escritor y crítico Mauricio Serrahima; el pintor Vidal-Ventosa; a cuantos coleccionistas nos han brindado las visitas de sus colecciones o la reproducción de sus obras, especialmente a los señores Julio Barbey (hijo), Graells, Santiago Juliá, Sebastián y Carlos Junyer-Vidal, Salvio Masoliver, Luis Plandiura, Alberto Puig Palau y José Sala, y de un modo particular a quienes, después de habernos aconsejado e informado, han muerto durante la redacción de este libro, como el mueblista Juan Busquets y el decorador y presidente del *Fomento de las Artes Decorativas*, Santiago Marco.

A. CIRICI PELLICER

GASPAR HOMAR : Marquetería

CONCEPTO DE LO MODERNISTA

Como dice Holbrook Jackson en *A note on the period* (selección de NEVILE WALLIS : *Fin de Siècle,* Londres, 1947), el interés por los años de fin de siglo ha sido incrementado por la predisposición de los miembros de las generaciones jóvenes a ver en aquella época un descanso, en su desencanto de una era *post bellum,* y de los de la generación mayor a recordarlo como un momento paradisíaco de paz y prosperidad, aunque no hayan faltado la ironía ni la más recia de las indignaciones a propósito de alguna de sus formas culturales. Cuando, desde la mitad del siglo XX, contemplamos el bloque de cultura del 1900, unos lo ven como un final del siglo pasado, otros como el comienzo del presente. Hay quien se afianza en la evidente relación con los románticos de París (algún holandés y suizo entre ellos) de los años treinta, con los prerrafaelitas británicos de los cincuenta y con el ambiente que, en los setenta, pudieron crear William Morris y Walter Pater. Pero hay también quien mide el poder de aquella época sobre los tiempos posteriores y se da cuenta de que la gran revolución artística que han representado el expresionismo alemán y belga, la pintura metafísica italiana, los ismos de la escuela de París, la arquitectura funcional, el cine de vanguardia, esta insurrección contra las formas del arte, caras a la cristalización burguesa del siglo XIX, es hija de la era de Peardsley y de Wilde.

La característica fundamental de esta insurrección fué considerar suspecto lo corriente, lo generalmente aceptado, lo obvio, y apreciar toda aventura que abriera nuevas libertades al arte.

Dice Flaubert que «el mal gusto es siempre el gusto de la época precedente». Por ello ha podido ser condenado de un modo tan general el Modernismo, hasta el punto de obligar a renegar de él a muchos de sus mismos promotores. Cuando hoy hablamos con ellos, muchos se esconden bajo un escudo de evasivas, avergonzados, y entonando un «mea culpa», repitiendo que fué aquella una época de mal gusto. Algunos reaccionan al ver, sorprendidos, el interés que por ellos podemos tomar los que no hemos tenido tiempo de ver el Modernismo como moda y, por lo tanto, si bien nos han educado en su horror, por la misma resistencia natural a las opiniones de la generación de padres y maestros, estamos dispuestos a examinar en frío lo que el Modernismo fué. Son pocos los que, como Puig y Cadafalch o Gaspar Homar, desde lo alto de su edad majestuosa sostienen bravamente el estandarte de su juventud.

Origen, nombre y límites. — El Modernismo fué una corriente artística que tuvo caracteres muy propios en los últimos años del siglo XIX y los primeros del XX en Cataluña y, casi de un modo exclusivo, en Barcelona.

Fué un movimiento de una gran unidad, creador realmente de un estilo, que dominó en aquellos años no ya en reductos selectos, como ciertos *ismos* posteriores, ni en el gusto popular solamente, sino que invadió toda la contextura social y dio forma a las manifestaciones plásticas de una época.

Sus ingredientes fueron muchos y muy distintos, y complejos, incluso contradictorios. En realidad fué la suma de una serie de reflejos de corrientes extranjeras que perdieron su significación propia para ponerse al servicio de un punto de vista apropiado al país.

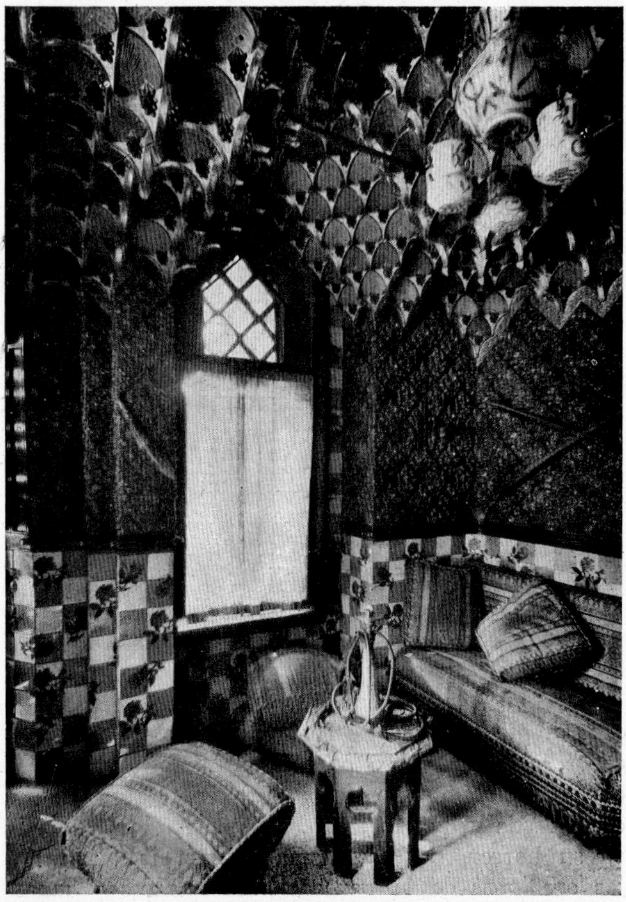

ANTONIO GAUDÍ: Salón íntimo de la casa Vicens, de la calle Carolinas, con adaptación de elementos islámicos

La posición inglesa, orientada a la simplicidad práctica; el gratuito neorococó francés que hacía para combatiría, estimulado por Edmond de Goncourt; el secesionismo austríaco y el arte de Loos, que lo tacha de «juego de niños»; el *Jugend-Stil* y las concepciones de sus oponentes de la Exposición de Darmstadt, el Impresionismo y el Simbolismo, el Decadentismo y el Primitivismo, el Neofranciscanismo y Zarathustra, el cultivo del enfermismo y la admiración por el Superhombre, lo ruralista y lo ultracivilizado, el espiritualismo y el sensualismo más extremos, el medievalismo y el progresismo se encontraron en una misma ruta, camino de la voluntad de expresión original subjetiva y, por lo tanto, individualista y romántica.

Entre los otros países se estableció una lucha. Unos siguieron una corriente, otros la contraria, pero en el núcleo barcelonés hubo un acuerdo tácito y se elaboró una síntesis cultural cuya unidad era la primera que se forjaba en el país después del siglo XV.

Por eso en Cataluña no hay *modern-style,* ni *Jugend-Stil,* ni secesionismo, ni ninguna de estas corrientes puras, sino un movimiento sincrético que recibió la denominación local de *modernista.*

Al igual que al gótico, al barroco o al cubismo, el nombre le fué dado como despreciativo. Leemos en Doménech y Estapá [1] que el calificativo de *Modernismo* se aplica a ciertas manifestaciones del arte de su tiempo «porque tiene muchos puntos de contacto con las del llamado modernismo religioso que recientemente ha tenido que ser severamente condenado por nuestro actual pontífice Pío X, pues uno y otro, aunque no rechazan, aparentemente, y respetan, según dicen, los fundamentos y verdades iniciales que informan el arte y la religión cristiana, porque sin aquéllos no habría ni uno ni otra, recaban o pretenden recabar para el hombre el derecho a utilizar exclusivamente su razón para dilucidar ciertos problemas y para decidir de ciertos procedimientos, haciendo caso omiso de tota autoridad, que si dentro de las creencias del alma es el supremo pontífice y las doctrinas sentadas por los santos padres de la Iglesia, dentro del arte... son las verdades inconcusas que el hombre, desde que fué creado y a través de todos los siglos y de todas las civilizaciones, ha respetado, sellando su existencia en todos los momentos...»

La palabra «modernista» había sido empleada durante todo el siglo XIX, en el lenguaje corriente catalán, para aludir despectivamente a los innovadores artísticos que despreciaban la tradición. Los mismos neoclásicos del grupo de Celles tuvieron que soportar el epíteto durante su época de lucha contra los restos de la organización gremial y en favor de un concepto académico del arte que hacía doblegar las formas arquitectónicas ante la rigidez de las estructuras de las fachadas, italianas, aunque fuera a base de falsificadas ventanas en las que se pintaban fingidas persianas.

Más tarde fué modernista el intento de socavar la validez universal del clasicismo. Esta reacción se apoyó en el medievalismo romántico y en gran parte en el Orientalismo. En este último campo fué muy importante el papel desempeñado por tres reusenses: el general Prim, que puso de actualidad Marruecos, particularmente con la victoria que consiguieron el año 1860 los voluntarios catalanes en Wad-Ras; Mariano Fortuny, que anduvo por el mismo campo de batalla poco después y que se convirtió en un enamorado de los temas orientales, en los que buscó un color que había emigrado del arte académico, y Antonio Gaudí, que proyectó en fiel estilo árabe el pabellón de la Trasatlántica en la Exposición Universal de 1888, después de basarse en la misma corriente orientalista para su fantástica arquitectura policroma de la Casa Vicens, construída entre 1878 y 1880.

RAMÓN CASAS: *La Carga*. Pintura al óleo. Museo Nacional de Arte Moderno, Madrid

Gaudí se había conducido en esta obra con una libertad que no hallamos en la pintura de Fortuny, todavía emparentada, ya con el orientalismo romántico, ya con el realismo anecdótico de los pintores holandeses y flamencos de *tableautins*. Por ello podríamos considerar que su obra marca el comienzo del Modernismo. Los años de su construcción coinciden con los de las primeras poesías de Juan Maragall y las primeras audiciones parciales de Wagner, cuya primera ópera completa se representó en Barcelona en 1882 [2]. En 1890 Rusiñol daba a conocer el Impresionismo [3] y en 1893 Pompeyo Gener daba a conocer Nietzsche [4]. La decoración floral, de inspiración japonesa, que empezó a aparecer en viñetas de la *Illustració Catalana* del año 1892 [5] cobró importancia en el 93. En este último año Rusiñol presentaba en Sitges la primera representación de Maeterlinck [6], que daba pretexto para la afirmación del Modernismo como conjunto armónico, como la unidad de cultura que había de continuar siendo hasta el triunfo del mediterraneísmo de 1911.

El hecho de citar unos límites cronológicos no debe inducirnos a error. El Modernismo fué una tendencia, y parte de sus mismos cultivadores se apartó a menudo de ella. Particularmente le fueron infieles los pintores y los escritores, seducidos por el prestigio todavía revolucionario y explosivo del Impresionismo y del Realismo, y entiéndase bien que en este último nombre no comprendemos la corriente postromántica de los artistas de 1848, como Courbet y Millet, sino el naturalismo de Zola. Las obras que éste publicó entre 1870 y 1880 eran contemporáneas de las primeras apariciones en París de los pintores impresionistas, alguno de los cuales, como Manet, sintió la comunidad de sus ideales con los del escritor. Tales obras las vendía *L'Avenç* en Barcelona en 1891, cuando Narciso Oller publicaba *La febre d'or*. Entre los pintores, el modernista Ramón Casas sacrificaría a la misma musa naturalista en sus pinturas de una carga de la Guardia Civil o una ejecución capital a garrote.

Los más fieles al modernismo fueron los arquitectos y los decoradores. Principalmente estos últimos fueron los encargados de conducir el timón del gusto y la línea general de los modos de sentir y de expresarse. Mueblistas, mosaístas, ceramistas, orfebres, forjadores... tuvieron un papel más decisivo en el sentido del conjunto cultural que los cultivadores de las artes puras y que los mismos pensadores. Cuando se contempla un edificio, una escultura o una pintura; cuando hoy se leen textos literarios, e incluso filosóficos, de la época, lo que más resalta de ellos es su contenido decorativo que llegó a afectar poderosamente a la ideología religiosa, social y política. Fué una época preocupada por la decoratividad, lo mismo que en el ocaso del goticismo.

Los que sólo miraron el arte desde puntos de vista exteriores a él, como el propio doctor Torras y Bages, a pesar de que fué consiliario del *Cercle Artístic de Sant Lluc* y escribió opúsculos de estética como *La Llei de l'Art*, solieron combatir el modernismo juzgándolo como un «exceso anárquico».

Lo que les llevaba al ataque era la misma posición moderada y realista, tan catalana, de los que defendían los derechos de la Naturaleza objetiva en el arte contra el subjetivismo, que empezó a aflorar muy temprano como base fundamental del modernismo. En efecto, ya en 1871 había quien combatía con ardor «el orgullo satánico de los que dicen *el arte soy yo*» [7].

En el número especial de sátira contra los modernistas que publicó, con firmas imaginarias, *La Esquella de la Torratxa* el 17 de junio de 1898, encontramos las más exactas concreciones sobre el programa modernista. Allí encontramos el *slogan* de que *Barcelona está llamada a ser la Atenas del modernismo en letras, en artes plásticas y auditivas*, y se enjuician bien los caracteres de estas artes. Así, la literatura se caracteriza por las *inspiraciones de matices diferentes, ora moradas, ora azules, ora de tono de ala de mosca o de* «gos com fuig». *Ya no es preciso decir las cosas tal como son, sino pintarlas con palabras bien escogidas y con inflexiones bien musicales, vagas y solemnes...* que se imprimen *en libros unas veces muy alargados, otras veces cuadrados*. El sistema es *hacer modernas, modernísimas, viejas piezas de poesía, como hacen los sastres con las viejas prendas de vestir sin más que volverlas al revés y plancharlas de nuevo*, refiriéndose a las canciones populares.

Se trata de *sentir vibraciones nerviosas nunca sentidas en los grandes conciertos de música modernista...* y de *pintar en búsqueda del efecto directo sin necesidad* (sic) *de dibujo y de color*.

En un irónico *Manual del Perfecto Modernista*, se dice que *lo primero que hay que cuidar, para ser modernista, es la indumentaria: sombrero blando de alas anchas y abollado a puntapiés. El traje, háztelo de terciopelo de color de castaña hervida y sobrado de tela. Los pantalones debes llevarlos siempre arremangados como si por la calle hubiese barro o vinieras del huerto.*

Después, el físico. Es necesario que te dejes la cabellera bien larga. Si eres calvo ya puedes retirarte ...o ponerte peluca, aunque sea de esparto. Un modernista que no lleve los cabellos a la romana es como un perro esquilado o un ciudadano sin cédula. Nadie lo conoce.

Disfrazado así, ya puedes empezar a hacer cosas raras.

Todo lo de aquí debes criticarlo y hallarlo mal. Si hablas de literatura, no debe haber ningún escritor español que valga dos cuartos. Los únicos que saben son los del Norte. Ibsen, ¡oh!, Björson, ¡ah!... Cítalos siempre. No importa que no los conozcas. ¡Tampoco te conocen ellos a ti! Estaréis en paces.

En música, debes ser partidario de Grieg y de Franck, sobre todo de la de Franck, que es la más barata. Cuando hables de Clavé debes hacer: ¡Psé!— ...con mueca compasiva...

En cuanto a pintura, cuando veas un cuadro terminado tienes que enfadarte. El arte no es esto. ¿Dónde se ha visto hierba que parezca hierba, nubes que sean nubes y figuras que tengan cara y ojos?... La hierba debe representarse por medio de un velludo de tono morado, las nubes de algodón o lana, y en cuanto a las figuras, ¿qué más natural que pintarlas de modo que no se sepa si son hombres o mujeres o sacos de carbón?

Por la calle debes ir siempre en dirección contraria...

El saludo rigurosamente modernista consiste en dar, con la mano plana, un golpe a la espalda de la persona a quien se saluda...

Si fumas, hazlo en pipa, pero no en una pipa sencilla o artística. No: debe de ser algo monstruoso, ciclópeo: una pata de elefante, una rama de roble, un cubo de tamaño natural...

Conviene mucho que vayas en bicicleta. Este ejercicio, aparte el tono que da al individuo, lo dobla naturalmente y ¡es tan modernista caminar ya encorvado en la flor de la juventud!...

Cuando hables, usa términos rebuscados de los que la mitad de la gente no sabe qué significan y la otra mitad no los entiende.

Cuando bebas, bebe cerveza, que no sea del país, porque lo de aquí todo es ordinario.

... ...

Este manual se acompañaba de parodias de dibujo para ser grabado en sicomoro, de verticalísimos makimonos como el *Idili Estret*, de notas a lo Beardsley, a lo japonés, etc., con abundantes cebollas, símbolo de los ideales renovadores. Literariamente, había parodias de Gual en un *drama de color de ceniza* y poesías en las que leemos siempre:

El firmament es gris, molt gris...
mandrosament la boyra sura...
Un mas morat al lluny se veu...

y con cuadritos modernistas como este:

Va una donzella, poch á poch,
en primer terme de la plana
penjada al bras d'un jove groch
que du'ls cabells á la romana.
Com encenalls recargolats
son els cabells de la donzella.

Sos ulls verdosos, desmayats,
clava frisosa en sa parella.

O la sátira del Maragall modernista :

Qué tenen aquestes malves?
Aquest matí les he vistes
totes balves,
totes tristes...

O de los negros efectistas :

No's veu re alegre,
lo cel es negre,
la mar tremola
y'l llop que udola
fa esferehí...

O fragmentos «ipsuistas», verdaderos programas del gusto modernista, como el que dice :

Soc neurotich, decadent,
simbolista, incöherent,
esteta, deliqüescent
i admirador de'n D'Annunzio.
També n Gual m'agrada molt,
peró més En Rusiñol,
qu'es capás de «parí un sol»
per dá gust a n Zarathustra.

M'entussiasmen les fades,
anémiques, desdibuxades,
i m donan gust les cascades
que ns fa n Pichot «cap al tart».

De gosar ne dich fruí,
i trobo que no fa fi
dir alló :—¡S'ha de patí!
i passihobé, senyô Mauri...
Jo l'únic qu'a dret i a tort
uso y am molt bona sort,
es alló :—El baf de la mort
i la tarda assoleiada.

M'agradan els tons negrencs
esblaimats i moradencs,
fins m'agradan els verdencs,
pero'ls *verdancs* no m'agradan.
M'agrada l'ensopiment,
la pluja que va caient...
caient...
i així succesivament
fins que s'acaba l'estrofa.

Ma memoria es molt feliç;
recordo cent-trenta-sis
noms extranys i un de suís
de dibuixants i poëtes.
Pro la que més uso y retinc
son Björson, Mæterlinck;
Baudelaire, Verlaine, Blockling,
Sudermann i Perez Jorba.
No m'agrada n Guimerá,
i fins trobo que n Zola
no és *chicha ni limoná*
comparat amb en Nietzche.
... ...
¡Si seré deliqüescent,
neurotic i decadent!

Motivo ornamental, por Apeles Mestres

LUIS DOMÉNECH Y MONTANER : Estudio para la reforma interior de Barcelona

LOS MOVIMIENTOS PREDECESORES

El medievalismo. — Algunos ingredientes importantísimos del modernismo tenían ya larga historia en el siglo XIX catalán. El espíritu de rebeldía, el anticlasicismo medievalista, la fe en lo primitivo y popular, la mirada vuelta hacia la naturaleza y la primacía del sentimiento aletean ya en plena época romántica en la famosa «Oda a la patria» de Aribau, tenida comúnmente como punto de partida del renacimiento de la literatura catalana. Es cierto que en determinados países estas posiciones fueron las que condicionaron todo el movimiento romántico, pero hay que tener presente que en Cataluña las artes plásticas siguieron una orientación muy particular. La arquitectura del romanticismo catalán fué, como la del alemán, el más puro neoclasicismo. Tanto los humildes *mestres de cases,* como los arquitectos del tipo de Celles, de Oriol Mestres, de Rovira y Trias o de Francisco Daniel Molina, dieron al mundo romántico un delicado marco de formas italianas simplificadas, arcaizantes, pretendidamente cercanas a una pureza primitiva helénica, como la que buscaron los puros neoclasicistas del romanticismo germánico, Schinkel o Von Klenze.

En la escultura pasó algo semejante. La costumbre que las historias del arte tienen de tratar un estilo tras otro, generalmente enmascara el hecho de que Bertel Thorvaldsen, el gran escultor neoclásico continental, vivió hasta 1844, y su paralelo catalán, Damián Campeny, hasta 1855, lo que acredita que presidieron toda la primera mitad del siglo.

En cuanto a la pintura, ninguna forma de romanticismo penetró en ella hasta que llegaron noticias de los jóvenes que fueron a Roma pensionados por la Junta de Comercio, o particularmente, entre 1832 y 1843, como Pablo Milá y Fontanals, Joaquín Espalter, Peregrino Claver, Francisco Cerdá y Claudio Lorenzale. En estos pintores es difícil hoy apreciar el espíritu de rebelión que, en efecto, tuvieron contra la superficialidad del arte abarrocado, de influencia francesa, pero saltan a la vista la preocupación de alejarse de los temas clásicos para acogerse a la literatura y a las evocaciones del medioevo, y el culto a la manera simple de expresarse de los primiti-

LUIS DOMÉNECH Y MONTANER: Hotel Internacional, construído con motivo de la Exposición Universal de Barcelona, en 1888

vos, y al sentimiento, siguiendo la orientación de los nazarenistas alemanes de Overbeck, que fueron su guía.

Milá inculcó el medievalismo en sus compañeros. De Roma pasó a Siena, Pisa, Perusa, Asís, etc., y pintó temas del Dante. Desde su cátedra, obtenida en 1851, en la escuela de Llotja, influyó sobre las nuevas generaciones y favoreció las investigaciones sobre el arte de la Edad Media desde la Comisión de Monumentos Históricos, de la cual fué uno de los promotores. En 1868 pronunciaba una conferencia sobre *Las excelencias de la arquitectura gótica en su aplicación al arte cristiano*, cinco años antes de que Viollet-le-Duc publicara su *Dictionnaire Raisonné*, vehículo de la expansión universal del neogoticismo. En realidad pertenecía a la misma generación de Arcisse de Caumont, quien daba en 1830 el primer curso de arquelogía medieval en Francia. Antes de que Quichérat diera a estos estudios carácter oficial (1847), ya Milá influyó a través de Pablo Piferrer en la reivindicación del arte de los siglos medios que apareció en los *Recuerdos y Bellezas de España* (1839). La *Barcelona antigua y moderna*, de Avelino Pi Arimón (1854), representa una continuación del espíritu de Piferrer, que pierde gran parte de su contenido romántico para aliarse con ideas positivistas desde la publicación de los *Estudios sobre la Edad Media*, de Pi y Margall (1873). Los estudios de Elías Rogent sobre Sant Cugat del Vallès abren, en 1881, la etapa científica de los estudios medievalistas, perfilada en los estudios de Jaime Gustá y Bondía (desde 1887), Joaquín Bassegoda (desde 1889), Juan Bautista Pons y Traval (desde 1896) y Buenaventura Bassegoda (desde 1903), que terminan en el momento de las aportaciones, de carácter ya moderno, de José Gudiol y Cunill (1902) y de José Puig y Cadafalch, cuya obra fundamental, *L'arquitectura romànica a Catalunya*, fué terminada en 1907 (se publicó a partir de 1909).

Vitrales con mezcla de elementos medievalistas y realistas, dentro de la tradición de William Morris. Talleres Rigalt. Hacia 1899

El medievalismo literario, que ya se destaca en algunos versos de la *Oda a la Pàtria* (1833), en los que se incita a descolgar del muro sagrado el estro de los trovadores, estuvo en la base de *Lo Gayter del Llobregat,* de Joaquín Rubió y Ors (1839), y de los que, como Manuel Milá Fontanals, hermano de Pablo, y los hermanos Próspero y Antonio de Bofarull, tomaron parte en la resurrección de los Juegos Florales (1859). La *Historia de Cataluña* de Víctor Balaguer (1860) facilitó temas a toda la literatura floralesca. *La Orfeneta de Menàrguens,* de Antonio de Bofarull, fué una aclimatación de la novela histórica a lo Walter Scott.

El *Canigó,* de Jacinto Verdaguer, cierra con broche de oro la etapa romántica del medievalismo literario, con acentos que en gran parte son ya los de la fantasía naturalista del Modernismo. Más fiel al espíritu de un romanticismo victorhuguesco fué la otra gran figura de final del medievalismo ochocentista, Angel Guimerá, que lo cultivó desde 1875 en la poesía y dió su carácter a muchos de sus dramas, desde el año 1879.

Artísticamente, el gran fundador del medievalismo ochocentista fué el estudioso y ya citado arquitecto Elías Rogent y Amat, que construyó en estilo románico, con reflejos orientalistas, el grandioso edificio de la Universidad de Barcelona, comenzado en el mismo año de la restauración de los Juegos Florales y terminado en el 1881; que restauró el Monasterio de Ripoll (1865-1893), edificó el Seminario barcelonés (1878-1888) y dirigió la Exposición Universal de 1888.

Juan Martorell, muerto en 1906, fué en los veinte últimos años del siglo XIX un fiel seguidor del neogoticismo a lo Viollet-le-Duc. Augusto Font y Carreras, más atrevido que Martorell, osó aliar las formas góticas con las de la construcción en hierro —lo mismo que Boileau en su *Notre Dame de France,* de Londres—en el patio del palacio barcelonés del Marqués de Camps.

El maestro de obras Jerónimo Granell, autor, por otra parte, de bellos edificios de un renacentismo con rasgos pompeyanos, como el del Banco Vitalicio en la esquina de la Gran Vía y Rambla de Cataluña, tuvo una importancia internacional en el campo del neogoticismo. Le fué brindada ocasión de conocer íntimamente la arquitectura gótica cuando se encargó de trasladar la iglesia del convento de Jonqueres a su nuevo emplazamiento, en la calle de Aragón, y fué autor de uno de los más importantes entre los proyectos que se presentaron al concurso para la erección de la fachada de la catedral de Milán.

Villar y Carmona, autor del Camaril de Montserrat y del antiguo proyecto de la Sagrada Familia, tendió a tratar el gótico con libertad, mezclándole elementos considerados entonces como «bizantinos» y recargándolo de gratuito adorno floral en una forma que en cierto modo prepara la de Sagnier.

El Orientalismo. — En los hierros de las rejas, en las humildes decoraciones de barro cocido con que se adornan las casas barcelonesas de mediados del siglo XIX, es muy fácil observar cómo, a partir del año 1860, se generalizan los entrelazados de abolengo islámico y los motivos en forma de corazón invertido u hoja de loto con las palmetas hemiplexas del ataurique. Existen viviendas enteramente decoradas con motivos arabizantes, como cierta casa de la calle de Alfonso XII y la de la calle de Zaragoza esquina a la de Julio Verne, que atestiguan la popularidad del orientalismo. Hacia 1870 las balaustradas de barro cocido suelen ser sustituídas por arabescos calados planos en todas las torrecillas de San Gervasio, en las que se generalizan los esgrafiados del mismo estilo. Estudiando el catálogo de una casa productora de ornamentos en barro cocido — la casa Antonés [8] — publicado en 1861, se deduce que en esta fecha las novedades eran el neogoticismo y el orientalismo, este último alentado indudablemente por las hazañas de Prim y los voluntarios catalanes en África.

El orientalismo dió aire mozarabizante a los capiteles que inventó Elías Rogent para Ripoll, y caracteres entre bizantinos e islámicos al paraninfo de la Universidad de Barcelona. En 1888 dió carácter a la obra en ladrillo del Arco de Triunfo, elevado por José Vilaseca [9] como acceso a la Exposición Universal, y al quiosco construído en la cumbre del Tibidabo como parador y miranda real. En 1881 se habían construído en un fantástico estilo árabe romántico los Baños Orientales de la Barceloneta, y en el mismo estilo levantó Augusto Font la plaza de toros de las Arenas.

En pintura, los temas orientalizantes que se cultivaron ya en el romanticismo británico y francés, hallaron su gran propagandista en Mariano Fortuny. Después de él las *huríes* ya no abandonaron la pintura, ni siquiera en manos de realistas como Martí Alsina y José L. Pellicer, que se complacieron en las escenas de un pintoresquismo africano que pasó a ser tema de repertorio entre los acuarelistas en general y que se reflejó en el tipo abigarrado, con abundancia de muebles dispares, tapices, cojines y jarrones con quentias de la decoración interior de los años 1870 a 1890.

Este fué el orientalismo que cristalizó en una obra maestra como la Casa Vicens, de Gaudí, en la que se impuso triunfante la policromía cerámica que había predicado con éxito el gran enemigo del incolorismo neoclásico, Hittorf (1793-1867), nacido en Colonia y establecido en París, uno de los promotores de la arquitectura progresista en hierro.

Las formas libres, basadas en este orientalismo, coexistieron con la sujeción a modelos arqueológicos de la arquitectura islámica, que el propio Gaudí profesó en sus pabellones para exposiciones, como el de la Compañía Trasatlántica en la Universal de 1888.

El Progresismo. — Aribau escribió, en 1817, una oda a la Aerostación [10], dedicada a Montgolfier, que empieza así:

> ¿Y qué mortal dichoso plugo tanto
> al Dios de la invención, que le infundiera
> su espíritu sacrosanto,
> y le mostrara por la vez primera
> la incógnita carrera que hasta el día
> nadie en el mundo recorrido había?

JOSÉ VILASECA: Arco de Triunfo. Entrada a la Exposición Universal de 1888

El «dios de la invención» fué venerado en el optimista Siglo de las Luces, que tituló con el nombre de *El Vapor* la revista que desde 1833 influyó más en el renacimiento catalán, hecha por Rubió y Ors, Pablo Piferrer y Manuel Milá y Fontanals, y en la que apareció por primera vez publicada la *Oda a la Pàtria.*

En 1840 el canto al progreso industrial de Sol y Padrís, titulado *Desperta, ferro,* constituía un ejemplo típico de la literatura eufórica de orientación positivista.

El progresismo fué un tópico de toda publicación referente a ciencia y técnica, pero no tuvo un considerable reflejo en la literatura, que prefirió la corriente primitivista. En el campo del pensamiento se refleja en los textos de Pi y Margall y sus seguidores. Pi y Margall, a falta de documentación, no halló otra manera de reaccionar contra el medievalismo y el primitivismo, y en favor de la Razón, que resucitando el mal entendido paralelismo de la época de la Revolución Francesa entre Razón y Clasicismo. Así, por ejemplo, después de condenar en Vilabertrán «las bóvedas bajas y oscuras que secan las ilusiones y pesan sobre la frente del hombre como una realidad espantosa», elogia San Pedro de Roda porque allí le parece ver que una «reminiscencia romana» dirige la mano del artista bizantino, «y las combinaciones neogriegas apenas logran confundir nunca las grandes líneas de la arquitectura del Imperio Romano».

Los arquitectos, mejor informados, supieron superar estas ideas que Pi y Margall publicaba todavía en las alturas de 1884 [11]. Elías Rogent era un medievalista, pero, como Viollet-le-Duc, lo era en progresista. Veía en la arquitectura medieval una lógica, un racionalismo constructivo ausente de las recetas neoclásicas, y por lo tanto buscaba en ella la fuente de una nueva lógica para el funcionalismo de la arquitectura contemporánea. En 1880 publicaba Taine su ensayo sobre el *Origen del arte*. Solamente unos meses después Elías Rogent hablaba a sus compañeros, en Ripoll, con palabras paralelas a las de Taine al describir el arte románico como «basado en el estado social, político y religioso de nuestra patria». Su progresismo violletiano era evidente. Hacía sólo ocho años de la publicación del *Dictionnaire* cuando Elías Rogent afirmaba que en el estudio del arte medieval «buscamos nuevos manantiales para el progresivo desarrollo de nuestro arte» [12].

Pasaje Bacardí, construído en 1856

A pesar de sus ideas, Rogent no fué gran innovador. Los únicos que pueden considerarse como tales son los arquitectos en hierro.

La fundición habíase introducido en Barcelona en 1832 por obra de Valentín Esperó, y en 1844 se proyectaron ya unas calles cubiertas con bóvedas de hierro y cristal formando un monumental Bazar de Isabel II, a la manera de las famosas Galerías italianas, como la de Vittorio Emmanuele, de Milán, proyectada en 1861 y edificada en 1877.

En vez de estas calles se abrió la neoclásica Plaza Real, en cuyo concurso José Oriol Mestres presentó un proyecto, no premiado, en el que los arcos de los pórticos se apoyaban en columnas de hierro aparente (1848). Un año después se elevaba la columna rostral, en hierro, del monumento a Galcerán Marquet, obra de Francisco Daniel Molina, que centra la Plaza de Medinaceli. En 1854 Baltard empezó el primer mercado enteramente de hierro del mundo, las *Halles Centrales* de París, pronto imitadas en Barcelona, donde el mayor mercado férreo es el del *Born* (1876), con tres naves, transepto y gran cúpula ochavada. En 1856 se construía una calle acristalada en el Pasaje Bacardí ; en 1864, otra en el Pasaje del Reloj ; en 1879, otra en el monumental Pasaje del Crédito, del arquitecto Rius, cuyas fachadas de planta baja y entresuelo son enteramente metálicas.

Muchos edificios particulares, como las casas de la esquina de las calles Fontanella — Bilbao (actual Vía Layetana), tuvieron esta parte inferior en hierro. La esquina Fortuny — Doctor Dou, toda la fachada. En numerosos zaguanes se hizo uso de las columnillas de fundición, como en el zaguán orientalizante, medio árabe medio románico, del número 2 de la Avenida del Portal del Ángel.

A la mitad del siglo se proyectaron distintos monumentos en hierro : el de Fernando II, que debía levantarse en la Plaza Real ; el del General Castaños, para el Paseo de San Juan ; el de los concejales muertos en la fiebre amarilla de 1821. Toda la ciudad empezó a llenarse de faroles, fuentes, quioscos y mingitorios de hierro que justificaron la sátira titulada *Barcelona en hierro colado* [13].

A fines de siglo, en la exposición de *Cap d'Any* de la Sala Parés de 1890, Augé y Robert llegó a presentar un atrevido proyecto de torre monumental en hierro para eclipsar la Torre Eiffel de París, construída en el año anterior.

En 1888, para la Exposición Universal de Barcelona, tanto Elías Rogent, en el Palacio de la Industria, como Augusto Font, en el de Bellas Artes, construyeron enormes techos de hierro y cristal, pero que no se destinaban a la visión directa y se escondían con velarios. Solamente ostentó el nuevo material el delicioso invernáculo de tres naves, decorado con arcuaciones y frisos y cresterías imitando tallos ondulantes de hiedra con unas acroteras precozmente forjadas en cemento armado, material usado por primera vez en arquitectura por A. de Baudot cuatro años antes, y que había de tardar veinte años en vulgarizarse.

En la misma Exposición, Luis Doménech y Montaner realizó el edificio del Restaurante, actual museo de Zoología, construcción neogótica con fachadas almenadas de ladrillo aparente, muy original, en la que los grandes arcos rebajados, a lo Viollet-le-Duc, y los ventanales de arco mitral escalonado sugeridos por el material, coexisten con la ostentación de vigas de hierro aparente en los anchos ventanales, sostenidas por cartelas. Posteriormente, en 1902, su majestuosa torre cuadrada se coronó con un fantástico remate en hierro y cristales de color, con atrevida veleta, que sugiere los castillos que Víctor Hugo pintaba o los dibujos en silueta de Apeles Mestres.

Este edificio neogótico-progresista y la Casa Vicens, de Gaudí, orientalizante, construída diez años antes, tienen de común el rasgo mecanicista. En contraste con la arquitectura de todos los tiempos anteriores, en la que sólo se ponía en valor la resistencia de los materiales a la presión, se valoraron los materiales en tensión, con tirantes aparentes y soluciones sacadas de las máquinas.

José Puig y Cadafalch: Casa Terrades, síntesis de motivos catalanes y nórdicos, conocida por *Casa de les Punxes*

Seguramente no fué ajeno a ello el hecho de que Gaudí hubiese conocido íntimamente, en su infancia, el paterno taller de calderería y que durante sus estudios hubiese trabajado como delineante en una casa de maquinaria. Ejes, articulaciones y tirantes entran en los detalles ornamentales que Gaudí, como ayudante de Villar y Carmona, proyectó para la Cascada del Parque y en los faroles que le encargó el Ayuntamiento de Barcelona para la Plaza Real.

Las alegorías con que José Luis Pellicer y sus discípulos decoraban las portadas de libros, imitadas por Doménech y Montaner, divulgaron estos juegos mecánicos como sustentáculo de las consabidas panoplias de trofeos o atributos alegóricos, en negro sobre rojo o azul y en blanco y oro sobre color.

Segona epoca. Any V. Num. 17 Barcelona, 15 Setembre de 1893

LITERARI

L'AVENÇ

ARTISTIC

CIENTIFIC

Revista quinzenal illustrada

SUMARI

Text

Jaume Brossa Roger. — *La festa modernista de Sitges.*

J. Massó Torrents. — *An en Rossinyol.*

Santiago Rossinyol. — *Discurs llegit a Sitges.*

MOVIMENT POETIC CONTEMPORANI: *Exorde pour la clarté de vie*, per M. Vielé-Griffin.

Cels Gomis. — *La primera victima.*

A. Cortada. — *Revista musical.*

REVISTA GENERAL: *Recullim el guant. — El teatre modern a Romea. — L'unió inter-regional. — Un critic narcotic: Miquel i Badia.*

Barcelona.—Administració i Redacció: Ronda de l'Universitat, 4, llibreria.—Telefono 115

Un numero, 25 centims.—Un any, 5 pessetes

Portada de la revista *L'Avenç*

Tal mecanicismo se comunicó a los muebles, que lo recibieron junto con ciertos rasgos neogoticistas a lo Viollet. En carpintería y ebanistería se divulgaron, alrededor de 1880, los paneles de tablones con bordones en las juntas y tirantes oblicuos, en tornapuntas, los maderos con las aristas achaflanadas en su parte media, los ejes cilíndricos y las articulaciones esféricas, generalmente cortadas por caras planas.

Hubo enteras construcciones de madera de este tipo, como la que adornaba la Isla de las Esfinges, del Parque de la Ciudadela, hasta hace pocos años.

A fines de siglo un hondo movimiento de ideas viene a cimentar la posición progresista. Es el que promueve *L'Avens,* revista que introdujo los problemas sociales modernos en el campo de la cultura y que destruyó toda la falsedad y toda la retórica del arte ecléctico y del medievalismo del siglo XIX con su doctrina naturalista, primera etapa del Modernismo.

L'Avens se publicó en 1882 y, en una segunda etapa desde enero de 1889, como revista mensual. En 1891 cambió la ortografía de su título, que pasó a ser *L'Avenç,* y en 1893 pasó a ser quincenal hasta su extinción. La dirigieron Massó y Torrents y J. Casas-Carbó. Fueron redactores, Pompeyo Fabra, Alejandro Cortada, Raimon Casellas, Ramón D. Perés, Eudaldo Canibell y Emilio Guanyabens. Colaboraron en sus páginas Manuel de Bofarull, Carlos Bosch de la Trinxeria, Apeles Mestres, Pons y Massaveu, Puig y Cadafalch, Pompeyo Gener, Santiago Rusiñol, Ramón Casas, J. Puiggarí, José Masriera, etc.

El progresismo llevó a *L'Avenç* a proponer con brío, en 1889 [14], la impresión de los trabajos de estudio presentados a los Juegos Florales y el otorgamiento de una mayor consideración para ellos, considerados como mucho «más importantes» que los de imaginación, que se parecen en todos los certámenes».

Pompeyo Gener articuló sistemáticamente el ideario progresista en la carta abierta que dirigió a Torras y Bages, desde París, el 20 de diciembre de 1892 [15]. En ella opone a la idea de un Dios creador, perfecto, situado en el origen de todas las cosas, unas ideas de «Suprema Bondad, Sublime Belleza, Sabiduría Infinita y Eterna Justicia» situadas hacia adelante, en el futuro, como meta de la evolución progresiva del hombre. En su optimismo ve los vicios como escoria de las grandes cosas y viene a preferir el estado humano en que los vicios se dan, aun en grado superlativo, como en la antigua Roma, a los «estados metódicos morales» en los que «no se produce nada ni bueno ni malo». Es muy curiosa su triple definición de la Patria, que si Torras y Bages la ve realizada en la Religión, Almirall, hijo espiritual de Pi y Margall y de la Revolución Francesa, la veía en el Derecho y el Racionalismo, y *Peius*, con los de *L'Avenç,* hijos de Darwin [16] y, quizá indirectamente, de Spencer [17] y Grant Allen [18], en la Antropología, la Fisiología y la Psicología.

El Primitivismo. — Como Jano, el arte del siglo XVIII tuvo dos caras: el Neoclasicismo y el Rococó, pero ambas respondían a una misma unidad de sentimiento: el deseo de evasión a una Arcadia feliz situada en un tipo de vida humana, primitiva, natural, que la tendencia doctrinarista tendió a situar en una Grecia arcaica de convención y la tendencia hedonista en la vida pastoril.

Tal creencia en la bienaventuranza primitiva fué heredada por la posición anticientista y retrógrada del romanticismo, vuelto de cara a las leyendas y al arte de los que se creían primitivos, y reñido con la razón.

El primitivismo encarnó, plásticamente, en el deseo de los nazarenistas de volver al arte «inspirado», ingenuo, anterior a Rafael. En la literatura, en el arcaísmo y el neopopularismo, el encumbramiento de las formas ingenuas de la religiosidad y del amor, el cariño por el documento folklórico, la búsqueda de la vida natural y el contacto directo con pescadores, campesinos y pastores, con especial interés para estos últimos. Cierta pintura, de tipo literario, adoptó los mismos temas. El seudónimo mismo de Joaquín Rubio y Ors, *Lo Gayter del Llobregat,* señala esta dirección rústico-arcaizante que halla en Mariano Aguiló y Manuel Milá y Fontanals los grandes compiladores de material folklórico.

Si en poesía el neorromanticismo melancólico y decadente de Francisco Matheu y Apeles Mestres cerró el paso al dominio de las obras floralescas de abolengo popularista, en 1874 no impidió que Jacinto Verdaguer llegara a grandes alturas líricas con la ingenuidad de sus *Idil·lis i cants místics,* el aire popular de sus oraciones y canciones, que realmente han cuajado en el alma sencilla del pueblo, y el grandioso poema, a la vez histórico, folklórico y geográfico-naturalista, del *Canigó* (1885).

Nueva forma del interés por lo popular fué el ruralismo, teñido de naturalismo, que llevó a Guimerá al abandono de las tragedias históricas medievalistas (1879) por el ambiente rústico de *La boja,* de *Terra baixa* y *La festa del blat,* en cierto modo común al costumbrismo de Bosch de la Trinxeria y realmente no tan natural como el arte de los escritores de cuentos populares, como María de Bell-lloch (seudónimo de Pilar Maspons y Labrós) y su hermano Francisco, Pablo Bertrán y Bros y el propio Jacinto Verdaguer. Las novelas de Genís y Aguilar y de Mariano Vayreda obedecieron a la misma línea.

Manifestación social viva del interés por la vida campestre fué el prodigioso desarrollo del excursionismo, alentado particularmente por la *Associació Catalanista d'Excursions Científiques,* la *Associació d'Excursions Catalana* y, por fin, el *Centre Excursionista de Catalunya,* todavía existente.

Otra manifestación fueron las organizaciones corales. Las más importantes fueron los Coros dirigidos por José Anselmo Clavé, de un popularismo ya ruralista, ya naturalista, ya progresista, para los que

> Salut, Pàtria i Amor
> Són nostres ideals

y, en 1891, el *Orfeó Català.* Alió había recogido los cantos populares que el *Orfeó,* dirigido por Luis Millet, preparó para ser oídos en una perfecta ejecución moderna, inspirada en la técnica de la Capilla Rusa que visitó Barcelona desde 1895, y para dar una base a los compositores actuales. Su arte fué el fundamento de la liberación musical respecto a las fuentes populares, realizada por el ya plenamente modernista Enrique Morera.

Las pinturas de Dionisio Baixeras, con su visión optimista de unos tipos idealizados de pastores, campesinos o pescadores, pudieron parecer una imagen del mundo ideal a la sensibilidad primitivista propicia a lo dulce y simple.

En el campo de las artes plásticas, a menudo el medievalismo tuvo una significación primitivista. Se veía en la arquitectura románica una exposición moral intensa, opuesta a la frialdad cerebral de lo clásico. Así, Piferrer sentía en el claustro de la catedral de Gerona «espeluznos de terror», y en San Feliu, de la misma ciudad, una «extraña y fantástica impresión» y un eco de «la lobreguez de las catacumbas» [19].

Rogent sintió ya un espíritu de protesta en favor de este arte expresionista contra la imposición grecorromana. Afirmaba con ardor [20] que «Roma casi consiguió avasallar el mundo antiguo» hasta que «vino un día en que los pueblos sojuzgados tuvieron conciencia de su fuerza y vitalidad». Presentado así, con remotas raíces étnicas, el arte medieval podía aparecer como una forma de expresión libre, plenamente folklórica.

LUIS BONNIN : Ilustración de *Boires Baixes*

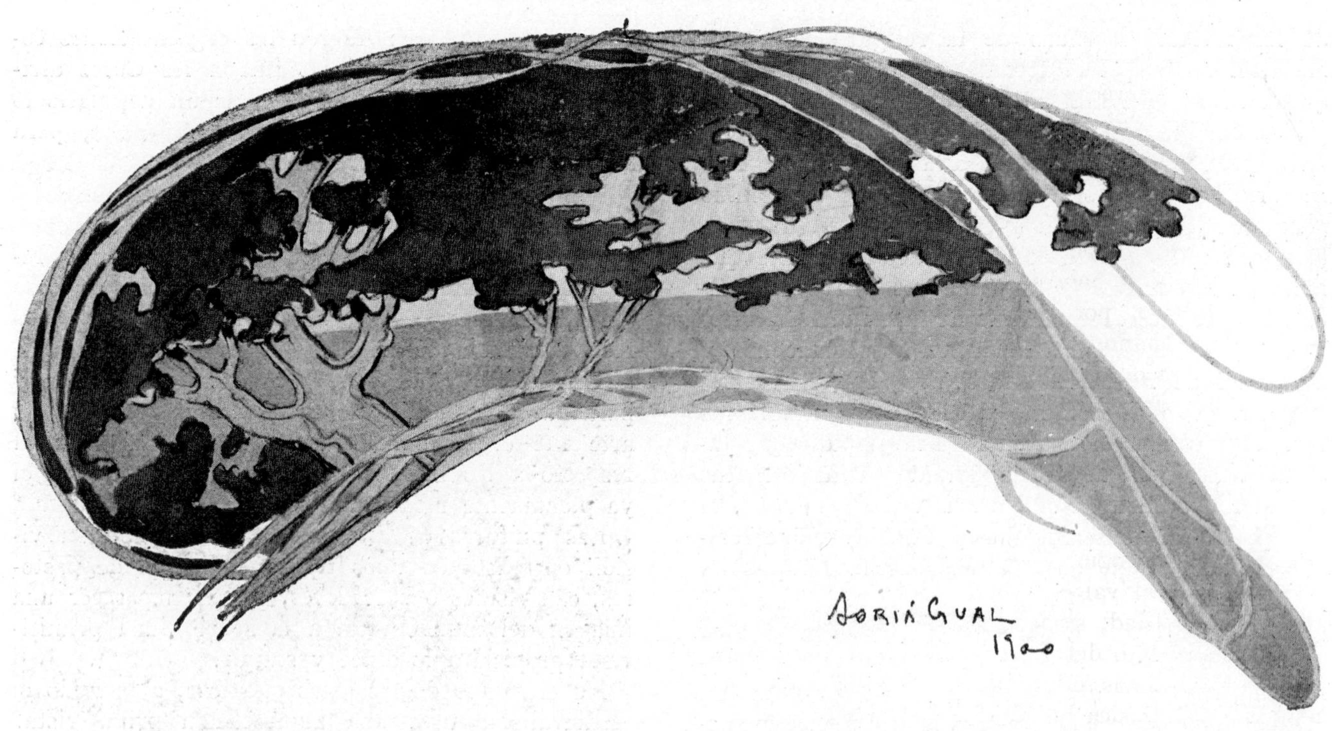

LA LUCHA CONTRA EL ESPÍRITU DE LA CIVILIZACIÓN INDUSTRIAL

El Naturalismo. — Es fundamental en el Modernismo la oposición al espíritu de la civilización industrial. Después de tanto optimismo como fundamentaron los adelantos de las ciencias, los hombres podían preguntarse, como Ruskin, ¿qué vale más, Birmingham o Florencia?

Ahora bien, no se llegó a la crítica y a la rebelión abierta con un solo paso. Fué preciso que el mismo ideal progresista de la civilización industrial sirviera para desacreditar a sus productos. Puesta en relieve su contradicción íntima el edificio estaba ya agrietado. Bastaba desmontarlo.

La contradicción se puso en evidencia en Cataluña en el problema del Naturalismo. No fué así en otros núcleos de cultura. Los ingleses esperaron, con Spencer, un progreso estético como consecuencia del progreso sociológico. Si para él «el estilo es una economía del esfuerzo», el estilo podía conseguirse como consecuencia de la perfección industrial [21]. Saint-Simon ya había descrito en Francia que la civilización era el desarrollo paralelo de la ciencia, las bellas artes y la industria. Para Comte [22] el arte es un contrapeso natural del trabajo industrial.

Este optimismo no fué general. Muy temprano los idealistas alemanes infiltraron sus ideas en el campo utilitarista británico, y Coleridge, de Quincey y Carlyle pudieron sentir algo distinto a la simplicidad progresista y orientarse hacia un aristocraticismo que, a fines de siglo, debería cristalizar en las curiosas teorías de Brunetière, para quien «el arte empieza cuando el individuo toma conciencia de lo que le distingue de sus semejantes», y por lo tanto es un hecho antisocial, y «toda voluptuosidad artística no es más que el principio de la corrupción elegante» [23].

Carlyle, de una manera muy precoz [24], encontraba en la imaginación la principal facultad del hombre y afirmaba que las fuentes misteriosas del Amor, el Miedo, la Admiración, el Entusiasmo, la Poesía, la Religión, son de carácter vital e infinito, vitalismo e infinitud que dan al Arte una calidad de Eterno, que es su verdadero valor.

De tal dignidad deriva la necesaria condenación del arte como objeto de lujo o placer y la concepción del artista como de un sacerdote que recibe la inspiración [25].

Muy influído por sus ideas fué Ruskin, a quien

se debe la gran visión de la falsedad del pretendido paralelismo entre el progreso industrial y artístico, y al mismo tiempo el mantenimiento de los derechos del arte, que no debe ser condenado por antisocial, sino vinculado de una nueva manera enciente a la vida moderna. Sus obras [26] tuvieron una gran difusión e influencia. En ellas se predicaba la existencia de una calidad moral en el arte, inaccesible a los malos, y si bien se condenaba aquel arte que no es sino lujo, por antisocial, se alababa el que es hijo de la mano, el cerebro y el corazón aunados. Del mismo modo que la vida sin industria es un crimen, la industria sin arte es una brutalidad. En consecuencia, dictó normas para la necesaria elevación de la industria, reivindicando el trabajo manual, condenando el fabricar algo en que no intervenga la invención, la exigencia de un acabado innecesario y la copia. Condenó el arte por el arte y afirmó que el valor de una obra bella no reside en su originalidad, sino en la verdad y la utilidad.

En su concepto del arte fundido con la artesanía precisó las normas de salud proscribiendo toda ornamentación clásica y arbitraria y defendiendo a la Naturaleza como única fuente de inspiración. Tanta importancia dió al ornamento que llegó a estimarlo como lo más importante, porque lo consideraba como un acto de adoración, «una manifestación del placer que el hombre siente en la obra de Dios».

El arte gótico le pareció el más cercano a tales ideales, el más espiritual y fiel a la Naturaleza, y con ello contribuyó al neogoticismo que Viollet tenía que fundamentar en la Razón y en la Mecánica. En pintura favoreció entusiásticamente a los prerrafaelitas, con sus extrañas mezclas de fantasía y realismo, de espiritualidad mística y sensualidad perversa. En el campo de las artes decorativas su influencia tuvo como transmisor a William Morris, pintor prerrafaelita, que organizó talleres de todos los bellos oficios, siguiendo la idea de hallar placer en el trabajo, encontrar en la casa el principio del arte y hacer un arte semejante al medieval, pero no espontáneo, sino inteligente. Así se cimentó la gran brillantez del renacimiento de los oficios ; de los hallazgos del *home* británico, que cobró prestigio europeo y fué tan imitado, y de la arbitrariedad decorativa llamada a dar tantos frutos en el Modernismo.

Todo esto llegó a ser muy importante para el pleno Modernismo catalán, pero, antes de que las ideas ruskinianas se impusieran, la crítica del espíritu de la civilización industrial llegó como reflejo de hechos posteriores, pero geográficamente más cercanos, producidos en Francia.

El Positivismo de Auguste Comte dió las ideas dorsales al progresismo, y entre ellas introdujo una muy fecunda al afirmar que «la viciosa preponderancia de la imaginación hace que el arte deje de mejorar la vida para convertirse en una finalidad y desmoralizar». Esa era la idea de Renán, según la cual el Arte caerá para dejar subir a la Ciencia.

Así, pues, en el polo opuesto a Ruskin se reaccionó, progresísticamente, combatiendo a la imaginación. Para los franceses (Comte escribía sus obras entre 1848 y 1864) el combate se establecía contra los románticos del tipo de Víctor Hugo, que hacía afirmaciones paralelas a las de Ruskin. Víctor Hugo

José Llimona : *El trabajo*. Barcelona. Parque de Montjuich

PABLO PICASSO : *El niño enfermo*. Pastel. Barcelona, Museo de Arte Moderno

creía en un arte al servicio del Progreso y veía en el poeta el hombre en comunicación con Dios y el intérprete del pueblo [27].

Después de Comte, muerto este romanticismo, la imaginación era patrimonio de los cultivadores del arte por el arte, de los parnasianos discípulos de Hugo, como Théophile Gautier, Leconte de Lisle y Baudelaire, que podían afirmar [28] que sólo es bello lo que no sirve para nada.

El positivismo literario fué el realismo de Flaubert, que podía escribir (1867) que «el gran arte es científico e impersonal», y el naturalismo de los que, como Maupassant, pudieron afirmar que «si un libro comporta una enseñanza, esto debe ocurrir, a pesar del autor, por la fuerza misma de los hechos que refiere».

El realismo progresista, con optimismo social, de la época de un Saint-Simon, en la que todavía no se podían prever las consecuencias nefastas de la civilización industrial, encarnó plásticamente en los pintores del 1848, como Courbet, que elevó la anécdota a categoría en sus «alegorías reales» de la vida humilde, y Millet, apóstol de los campesinos embrutecidos por el trabajo bajo la opresión. Este movimiento tuvo su reflejo, en Cataluña, en el arte de Ramón Martí Alsina, hombre de ideas radicales, y en sus no menos radicales discípulos, como José Luis Pellicer, cronista gráfico de la guerra carlista y de la de Crimea, colaborador de las más importantes revistas europeas, que si llevó sobre su pecho la Cruz rusa de San Estanislao fué el fundador (1869) y primer presidente de la sección peninsular de la Asociación Internacional de Trabajadores y colaborador de Marx y Bakunin.

Por referencias familiares conocemos múltiples anécdotas de la vida de Martí Alsina y de Pellicer que los perfilan como hombres que hicieron del realismo una manera de vivir. Su pasión por la sinceridad les llevaba a rehusar sistemáticamente las convenciones sociales incompatibles con ella. Martí Alsina no quiso tratar de Majestad a la Reina. Pellicer modificaba las modas para que en los trajes de su esposa ni mangas jamón ni polizones deformasen el cuerpo.

La publicación de las obras de Zola, entre 1870 y 1880, conmovió a la opinión realista. En la década siguiente, *L'Avenç* levantó bandera de naturalismo.

Este movimiento, en el campo literario, se impuso en 1889, y apareció como su jefe Apeles Mestres [29], aunque ya en 1883 Oller había publicado *La Papallona*. Apeles Mestres, con Matheu y Bartrina, había representado ya, en los años setenta, una inyección de lírica europea sincera que triunfó rápidamente, con acentos de Musset, de Leopardi, de Heine, sobre la artificiosidad arcaico-ingenua de la poesía tradicional de los Juegos Florales. Como dibujante, Apeles Mestres había sintetizado el realismo de un Pellicer con una estilización de sabor neogótico a lo Viollet-le-Duc que daba empaque heráldico a las viñetas con que coronaba sus medievalescas baladas. Pero en 1889 publicó *Los Sardinalers*, que, aunque un poco ingenuamente, fueron tomados como un ejemplo puro de naturalismo y, al mismo tiempo, cambió el estilo de sus dibujos, olvidando un tanto los cardos espinosos del goticismo por las flores, los insectos y los pájaros de un suave japonesismo.

Por Roca y Roca, que nos describe minuciosamente [30] la estancia del dibujante poeta en este momento, sabemos que decoraba su casa con abundancia de estampas japonesas y otros objetos procedentes del Extremo Oriente, junto a una gran ave cacatúa de colores vivos que guardaba su antesala. Estas «japonerías», junto con las abundantes flores de su jardín, con una colección de hortensias que llegó a ser muy importante, y cantidad de minerales, conchas, animales disecados y fotografías de paisajes, formaban el mundo de objetos caro a su nueva sensibilidad naturalista, que hacía posible resumir su credo en un «¡ Creo en la naturaleza!», según Roca y Roca afirma. Vestigio de sus viejos gustos, en cambio, eran la nutrida panoplia presidida por una armadura suiza y los abundantes azulejos antiguos, arcas de novia, platos góticos y códices correspondientes a su romanticismo anterior.

En 1890 Apeles Mestres era «el poeta que mejor representa el movimiento literario catalán» [31], con sus obras tenidas por naturalistas, *Los Sardinalers, Los dos Cresos* y *Margaridó*. Hoy, al leer estos poemas, nos parece descubrir sólo una inspiración romántica, de un realismo muy pálido frente al que representa Narciso Oller [32].

Oller, que se dió a conocer en 1878 con una novela corta humorística presentada a los Juegos Florales, antes de esta fecha había escrito solamente ensayos de novela de un romanticismo exagerado, algunos en castellano, mientras preparaba sus oposiciones a empleado de la Diputación y seguía la carrera fiscal en Tarragona. Después de este momento vió trazada la línea de su arte. Pudo decirse que en arte su único dios era la realidad y su sola forma de adoración la pintura de esta realidad [33]. «No admite — pudo decirse — los idealismos en la pintura de la naturaleza externa; no los admite en el estudio y la pintura de la naturaleza interna. Las cinceladuras y filigranas retóricas de la forma literaria, rebuscamientos y maravillas convencionales de la forma pictórica o plástica, todo ello le subleva, la indigna de veras, pero de veras, como una profanación, como un atentado.» Sus *Croquis del Natural, La Papallona, L'Escanyapobres, Vilaniu, De tots colors, Notes de color,* prepararon su gran triunfo obtenido al publicar, en 1892, *La febre d'or.*

Oller, ya realista en 1883, tradujo a Tolstoi y a Turguenev, sus contemporáneos, y fué el gran propagandista de Zola, cuyo *Assommoir* es sólo seis años anterior a *La Papallona.*

El naturalismo de Oller se mantuvo durante toda la época modernista y correspondió muy bien a la faceta negra de las artes plásticas, que tuvo siempre sus cultivadores. Casas, dividido, sacrificará al naturalismo en sus citadas pinturas del tipo del *Garrote vil* (1894). Picasso, Casagemas, Pichot, Nonell, Canals, Mir, harán del naturalismo una posición casi sarcástica frente al idealismo de los Junyer, Rusiñol, Bonnin, Roviralta, Marquina, Gual, Riquer, Brull, etc. Hacia el final del período, cuando en 1906 publicaba Oller su *Pilar Prim,* aparecía la más sólida novela naturalista del modernismo catalán: *Solitud,* de Víctor Catalá [34].

Las obras de los artistas plásticos de la familia negra acentuarán, caricaturizando a menudo, el sentido de sus representaciones como crítica de la sociedad injusta creada por la civilización industrial. Oller, más fiel a la impasibilidad científica del credo naturalista, no hizo otro tanto, pero el efecto crítico se desprende también del contenido de sus novelas, especialmente *La febre d'or,* basada en el fenómeno financiero de la gran alza de valores y la creación de las grandes sociedades de crédito que se produjo en 1881.

Si no en sus obras, sabemos que en sus conversaciones [35] su sentido crítico era de una violencia combativa extraordinaria. Su enemigo número uno era la imaginación. Sus amigos eran los que podían llegar a decir [36] que la racionalidad humana es «un hecho orgánico de salud».

En la exposición de *Cap d'Any* de la Sala Parés, en 1890, la novedad la constituyó el naturalismo. Hablando de la aportación de Juan Llimona [37], el crítico anónimo de *L'Avenç* se complació en observar el «propósito de sacar partido de asuntos considerados como poco estéticos», idea plenamente naturalista, y en cuanto a Ramón Casas, con satisfacción afirma que estuvo a punto de creer que la fotografía había entrado como auxiliar de sus dos cuadros. «La tendencia naturalista en pintura, desde cierto tiempo, viene iniciándose — afirma — y en ella se distinguen fuertemente Rusiñol... y Casas. ¡Ojalá que uno y otro se sostengan a buena altura e inclinen a los de talento hacia las corrientes modernas!»

Estas corrientes son las mismas que se citan para condenar a Enrique Serra [38], cuyos estudios parecen «demasiado impregnados de una imaginación de poeta» que los hace «menos recomendables dentro de las corrientes de hoy». No se crea, no obstante, que se era muy riguroso. El propio amanerado Tamburini podía hablar de naturalismo a propósito de Joaquín Vayreda [39] y en los cuadros de Dionisio Baixeras o Fabrés podían encontrarse valores por el «sabor de la tierra» que contienen. El mismo Oller se entusiasmaba encontrando el naturalismo en la pintura, que hoy aparece romántica, de Baldomero Galofre [40].

El impresionismo fué predicado por Rusiñol y por algunos críticos, como el precoz Alfredo Opisso, de quien se dice que fué el primero en hablar de él al sur de los Pirineos, pero tardó en ser practicado. Se consideraba como un equivalente del esfuerzo de la literatura naturalista para expresar la realidad objetiva y por ello pudo fundirse después en el complejo del Modernismo. El teatro italiano, representado por la Duse y Novelli, las lecturas del teatro francés de Dumas, Sardou, Ohnet, consolaron a la generación naturalista de la ausencia de un teatro propio correspondiente. A. Cortada [41] consideraba que después del teatro «sentimental y bucólico» de Pitarra y el «romántico victorhuguesco» de Guimerá, faltaba todavía un verdadero teatro realista, pues el de Pin y Soler no pasaba de un «realismo manso y casero».

JOSÉ M.ª XIRÓ: Viñeta para *La Atlántida* de Jacinto Verdaguer

El Vitalismo. — En definitiva, el naturalismo, hijo de la naturalidad positivista, dependía de la ley de causalidad tomada en un sentido mecanicista, determinista, pero hay en el hombre un alma que protesta contra esta manera de ver y en la vida hay la continua presencia de lo Desconocido, el dios de Maeterlinck, llamémosle Azar, Destino, Providencia o como queramos, que hace imposible que nuestra razón se satisfaga con la limitación de aquella manera de concebir la existencia. Contra el determinismo naturalista hay la Voluntad, fuerza endiosada por otra rama del pensamiento de la cultura apóstata europea: el vitalismo.

Frente al racionalismo francés, el vitalismo fué patrimonio del irracionalismo alemán. No es extraño que la filosofía de la voluntad cuajase en un pueblo músico, que dió con Beethoven una expresión de la voluntad sin palabras y que pudo afirmar, con Schopenhauer — tal como aprobará Wagner — que la música es voluntad pura. El artista fué concebido [42] como alguien que «contempla por intuición la voluntad genérica del Universo».

Schopenhauer influyó mucho sobre los años finiseculares, pero solamente a través de escasos lectores avisados, como Pompeyo Gener. En cambio, se popularizó el vitalismo latente en la literatura nórdica de Ibsen y de Björnson, junto con la inquietud vagamente mística de Tolstoi y de Dostoyewsky, el gran antirracionalista, que llegó a aquella afirmación sensacional de que si «dos y dos son cuatro» es verdad, «dos y dos son cinco» no deja de ser encantador.

Por fin fueron los elementos vitalistas, panteizantes, de Novalis, divulgados por Juan Maragall, sentidos a través de la mezcla lírico-místico-religiosa de Wagner y gustados en los textos de Nietzsche, los que encendieron un entusiasmo inenarrable en las nuevas promociones catalanas.

El vitalismo vino a perturbar la seguridad de los naturalistas al doblar el cabo del año 1891. Antes de que reaccionara la literatura lo hicieron los pintores. Los jefes pictóricos del momento, Casas y Rusiñol, estaban en París y desde allí mandaban no sólo sus discutidas pinturas, sino unos textos que Rusiñol escribía y Casas ilustraba con apuntes elementales y sarcásticos a lo Forain para *L'Avenç* y para *La Vanguardia*. En París comprendieron que el naturalismo había pasado ya y reflejaron en su arte lo que vió pronto Ramón Casellas cuando a propósito de la IX Exposición extraordinaria de *Can Parés,* celebrada en diciembre de 1891, pudo escribir [43]: «En el estado actual de la pintura, que tan bien representan en nuestra tierra Casas y Rusiñol»..., se nota la protesta contra el «limitarse a lo sensorial y estático» de la reproducción naturalista, de la verdad visual, que es un modo de «mutilar ridículamente la integridad de la vida universal.» Después de esta expresión schopenhaueriana comenta Casellas el *Retrato del pianista Vidiella,* por Casas, en el que celebra ver «la acción, la expresión y el sentimiento», y la *Viuda,* de Juan Llimona, «obra palpitante y viva», modelo de la nueva manera de «pintar para producir emoción», para hacer VIDA, palabra mágica que escribe en mayúsculas.

Claro que las ideas de Casellas no eran todavía muy claras, y después de estos comentarios sugeridos por los modernistas añadía su opinión, todavía retardada, a favor de los dibujos costumbristas de Marian Foix, que realmente son muy vulgares, en los que veía una intensa reproducción de la sociedad contemporánea, paralela a la de la novelística. El mismo Rusiñol tampoco comprendía bien su papel y utilizaba temas realistas para sus comentarios sobre los *souteneurs* o los huertos de las barracas de París, que trataba con cierta ironía mezclada con moderadas consideraciones de buen burgués.

Más consecuente, Jaime Brossa [44] combate las formas pasadistas del postromanticismo y toma a Zola sólo como punto de partida para un arte que tiende a expresar la vida colectiva y la sociología y servir para la educación. En los rusos y los escandinavos halla la forma de este arte vital colectivo que, según él, «quiere expresar el alma étnica» y que ve tan reñido con el estado mesocrático de su época que espera que sea posible que encarne en una futura colectividad dominada por los trabajadores.

Brossa sacó el vitalismo del «volicionismo» de Fouillée y Guyau, por el que se creyó autorizado a combatir el determinismo naturalista. Encontró también la Voluntad como contenido central de las novelas de Paul Bourget, cuyo *Disciple* había aparecido en 1889, y veía en Nietzsche e Ibsen «el gran consorcio enérgico y radical del pensamiento y la voluntad» en que debía consistir el «gran Excelsior» del siglo XX [45], Excelsior que hizo vibrar a Maragall en aquel poema [46] vitalista del

> Vigila, esperit, vigila,
> no perdis mai el teu nord,
> no et deixis dur a la tranquila
> aigua mansa de cap port.
> ... ...
> Gira, gira els ulls enlaire,
> no miris les platges roïns,
> dóna el front an el gran aire,
> sempre, sempre, mar endins.
> ... ...
> Fuig-ne, de la terra immoble,
> fuig dels horitzons mesquins :
> ... ...
> Fora terres, fora platja,
> oblida't de tot regrés :
> no s'acaba el teu viatge,
> no s'acabarà mai més...

En sus comentarios sobre teatro [47], A. Cortada llama todavía naturalista a un arte que ya no lo es, que ya no especula sobre las nociones tradicionales, que él juzga falsas, del amor, la amistad, la abnegación, el desinterés y el honor, sino sobre «nuevos principios de fuerza, energías vitales, expansión de la vida»... Se da cuenta de que ha pasado el arte de los novelistas que hacían teatro, como Balzac, los Goncourt, Flaubert, Merimée, Daudet y Zola, con la particularidad de que todos ellos le parecen realistas, y se duele de que los exigentes modernistas desprecien el teatro de Dumas, hijo, y Augier, a quienes cree que se debe el uso del lenguaje real, y señala con cierta prevención la subida de Ibsen y Björnson, Strindberg, Gógol, Dostoyewsky, Griboiedov, Turguenev, Pisemski, Chernichewski, Ostrowski y Tolstoi.

El vitalismo se identificaba con la literatura nórdica. Con palabras vitalistas se escribía [48] afirmando que «por fin en Madrid — con el ejemplo catalán — van convenciéndose de que la literatura castellana morirá de anemia si no se le inocula savia de las letras vivas y potentes de las naciones del Norte».

NONELL : Apunte

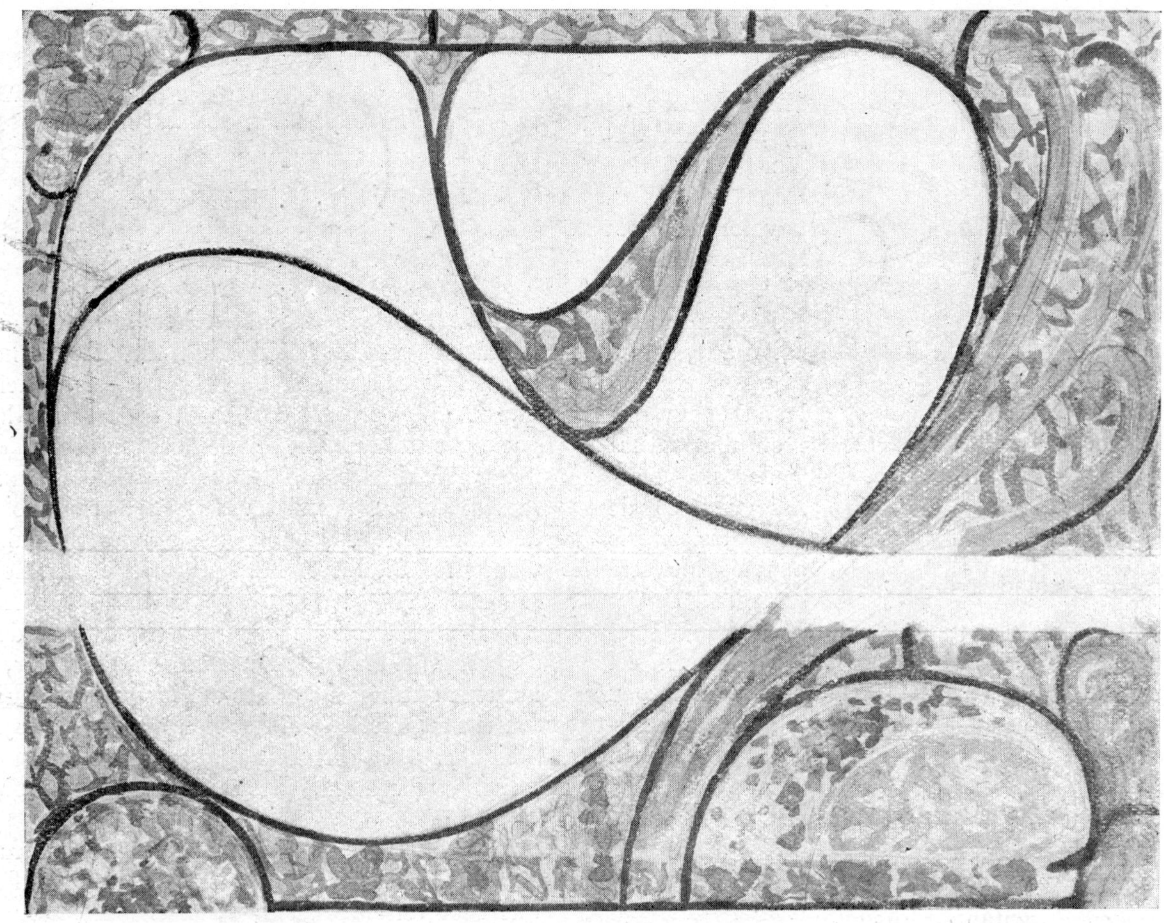

Juan Valeri: Croquis para un vitral

LA SÍNTESIS MODERNISTA

El culto al modernismo. — Verdadera liturgia máxima del modernismo fueron las fiestas que llevaban orgullosamente el nombre de modernistas, por tantos rehusado, y se celebraban en Sitges bajo la inspiración y la hospitalidad de Rusiñol.

La primera de ellas, en agosto de 1892, no tuvo otro carácter que el de un manifiesto de pintura contemporánea, que se expuso en el *Cau Ferrat.* La segunda, el 10 de septiembre de 1893, representa la consagración del simbolismo nebuloso de Maeterlinck como piedra angular de la adaptación del catalán a las más exquisitas sutilidades. A ella nos referiremos al hablar del influjo del gran poeta flamenco.

La tercera, el 4 de noviembre de 1894, tuvo dos episodios: la procesión de dos cuadros del Greco, adquiridos en París por Rusiñol y trasladados triunfalmente al *Cau Ferrat,* de la que en su lugar hablaremos, y por la tarde un acto literario de primera importancia, porque en él se manifestaron los ingredientes destinados a formar la síntesis modernista. De la cuarta, el 14 de febrero de 1897, con el estreno de *La Fada,* de Morera, hablaremos al referirnos al papel de las hadas en la sensibilidad de la época.

La tercera fiesta fué, por lo tanto, una expresiva suma del espíritu finisecular, en la que vale la pena detenerse para comprender las bases de la síntesis cultural del momento [49].

Rusiñol, que a la sazón se llamaba Jaime Rusiñol, inició la sesión con un discurso evocador del arte del medioevo, saturado de ruskinianismo y lleno de espíritu combativo contra la civilización industrial.

«De aquel arte hecho entonces — dijo — como rocío de una aurora, de aquel arte virgen, nacido rodeado de lirios y crecido como un iris que se eleva entre nubes que no han rastreado el suelo; de aquel arte soñado mirando hacia lo alto y buscado en el pensamiento que otea visiones de un más allá vaporoso y difuminado, de aquel arte tejido de hiedra entre flores desteñidas..., no quedan sino centellas... chispas medio apagadas por el aliento frío de un pueblo al que llaman positivista y que se precia de serlo.»

El sentimentalismo fundamental de los nuevos tiempos le hacía presentar el *Cau* como una «madriguera de ilusiones», un «refugio para abrigar a quienes sientan frío en el corazón».

Siguió Guillermo A. Tell y Lafont con su *Vida,* melancólica poesía que usa del tópico de comunicar humanidad a las flores.

Les flors han mort, les portà el vent,
cantem la mort de llur frescura...

José María Jordá, en *El Poble Mort,* hablaba de la poesía de lo enfermizo, de «un día enfermizo de invierno» ; José Aladern, en *El Cant del minaire,* era como un eco del arte de Meunier ; prerrafaelita era, en su decorativismo ambiguo e incitante, Ramón Casellas Dou, en *La damisella santa;* simbólico-épico, a la manera de los pintores Clapés y Xiró, Manuel Rocamora en *La por;* Puig y Cadafalch defendía el arte instintivo contra el sabio en *El pont vell i el pont nou,* elegía a la arquitectura «de inspiración», vencida por la arquitectura «de formulario» ; Jean Richepin, con sus *Mediterranéennes,* ponía la nota cosmopolita indispensable ; Pin y Soler, con *La matança del porc,* en prosa rítmica, ponía una nota rural ; Pompeyo Gener, en *Macabra Vital,* una glorificación del placer en la que se llegaba a abonar la cita de Spencer «lo moral es el placer» ; Narciso Oller era el realista de *Un jugador;* Maragall, el autor de unas tituladas *estrofas decadentistas* en las que se leen evocaciones de la luz «entre dos lustros» que

pertot se fon en una son dolcíssima,

y se siente como

passen sospirs de pau inconscients

junto a las ya conocidas *flors que s'esfullen.* Denís Puig, en *Un àtom,* sacrifica al cientismo de la

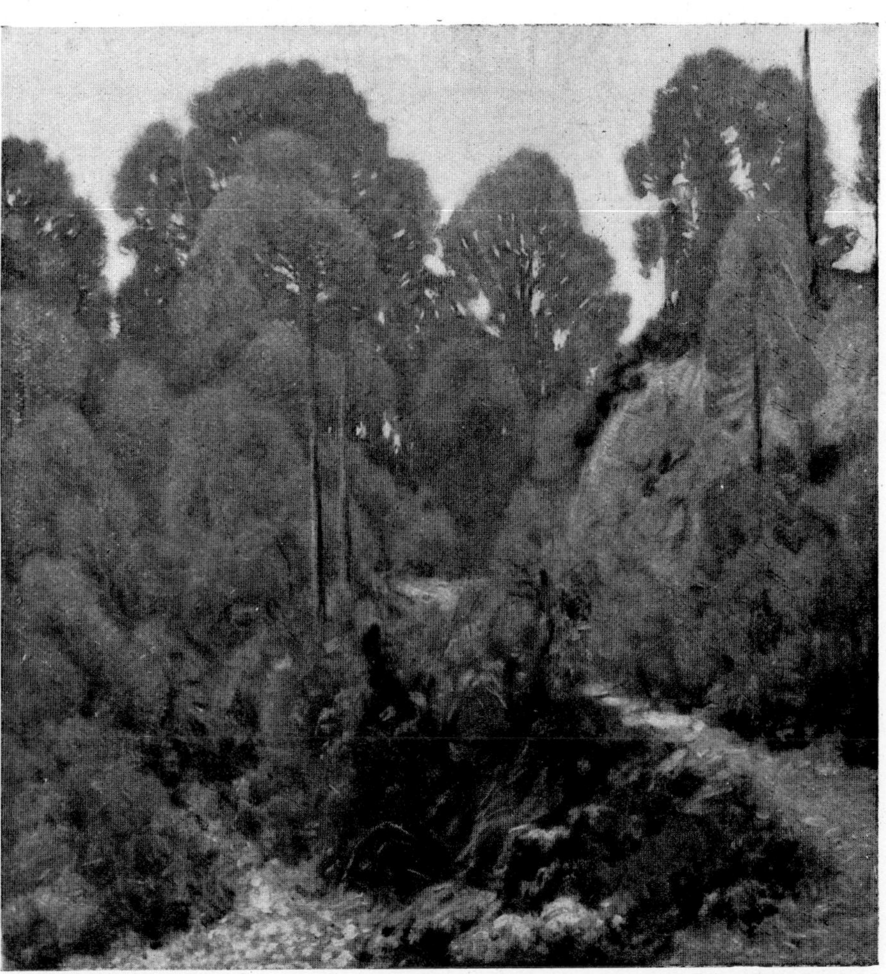

JOAQUÍN VANCELLS : Paisaje.
Pintura al óleo

época ; Federico Rahola, en sus *Amors macabres,* parece un rey prerrafaelita cuando exclama :

la meva copa és buida :
omple-la, mon amor.

José Ixart evoca la atmósfera de las pinturas de Casas en la *Cambra Blanca,* y M. Font y Torné acoge la ironía baja en su *Cronologia parda.* Así se completaba el muestrario de una sensibilidad tentacular cuya primera apariencia es caótica, por lo disperso de las atracciones que actúan sobre ella, pero de cuyo sentido unitario procuraremos desentrañar la fisonomía.

El sentido de la Naturaleza. — Si el realismo enlazó y se confundió con el simbolismo, ello pudo producirse porque los artistas de lo real, especialmente en la pintura y la poesía, se sintieron inclinados hacia los temas de paisaje y realizaron con ello una profunda labor de refinamiento de la sensibilidad, preparándola para comprender la Natu-

Hermen Anglada Camarasa : *Mallorca.* Pintura al óleo.
Colección Fernando Rivière

raleza con un interés que hasta entonces sólo se había concedido a lo humano.

El descubrimiento de la xilografía japonesa y el interés que hacia ella mostraron los impresionistas tendió a dar nuevos matices, y una nueva significación incluso, a la atención dirigida al paisaje, que pudo ser concebido como tema fundamental a la vez de evocaciones vagas y de las cinceladas creaciones de la arbitraria voluntad estilística, en un cara y cruz que fué válido, asimismo, y también bajo el espejismo del Extremo Oriente, para la poesía.

Muchos de los poetas que hablaron de la Naturaleza lo hicieron con el acento de los pintores pintoresquistas de 1830. Así lo hizo el mismo Bartrina, a pesar de su tendencia a lo cerebral ; lo hicieron el verdagueriano Jaime Parera ; Ramón Clavellet, ingenuo cantor de la Primavera ; el poeta de raíz payesa Jaime Collell, otras veces teñido de postromanticismo de acción ; Laureano Dalmau, evocador pastoril e ingenuo ; Fidel Riu, etc.

Pero a menudo se buscaron, en el paisaje, significados sentimentales, a la manera japonesa, como hizo Víctor Catalá en su *Llibre Blanc,* donde utilizó en variadas formas la flor como símbolo de la vida. *El Pi de Formentor,* de Costa y Llobera, además de ser un canto decorativo a la manera parnasiana, tiene un contenido moral casi heroico. Dolores Montserdá busca en los árboles símbolos, lo mismo que Pijoan en su deliciosa *Branca de faig.* Mosén Antonio Navarro halla símbolos en las sombras de los jardines de sus *Cançons perdudes.*

El ruralismo en prosa, en general, no se alejaba de este tipo de sensibilidad. Era una literatura no modernista, aunque en algún caso, como en el magistral *Marines i Boscatges,* de Ruyra, contribuyó a despertar el amor por la naturaleza y al descubrimiento de estados de alma propios de la contemplación del paisaje.

El culto a la Naturaleza fué tomado como una religión e incluso apareció, a menudo, contrapuesto a la religión cristiana, no sólo a su aspecto moral, sino asimismo a su naturaleza histórica. Es típica la idea expresada por Gabriel Alomar [50].

Entre els pilars caiguts avança lenta
una vaca en l'església derruïda:
de les pluges darreres l'aigua pura
beu dins el marbre sant amb set ardenta
i en el temple vençut queda acomplida
la gran consagració de la natura.

El salmo del culto a la Naturaleza fué la poesía de *La vida de les muntanyes* de Maragall, descripción de un comulgar insólito:

A l'hora que el sol es pon
bevent al raig de la font
he assaborit els secrets
de la terra misteriosa,

después del cual el poeta puede exclamar:

Tot semblava un món en flor
i l'ànima n'era jo.

Jo, l'ànima flairosa de la prada... jo, l'ànima pacífica del ramat... jo, l'ànima del bosc que la remor... i l'ànima del saule... de la timba l'ànima profonda... l'ànima inquieta del torrent... l'ànima blava de l'estany... l'ànima del vent que tot ho mou...

hasta llegar a sentir el sexual transporte de los collados cuando las nubes los aman largamente.

Decía Casellas, y Rusiñol lo citaba asociándosele [51], que «las aves que cantan, las brisas que murmuran y las rosas que se deshojan, los cipreses del bosque, las obscuridades del parque, los cisnes de los estanques o las estrellas del cielo, todos son elementos de sensación que concurren en los efectos, dramáticamente fantásticos, de unas sensibilizaciones de naturaleza soñada que, por encantos de un arte adivinador y enfermizo, parecen participar de los dolores, de los delirios y de las angustias humanas».

La expresión de la naturaleza en esta correspondencia endopática era vista como un culto litúrgico. La idea vitalista se complacía en expresarlo en mil formas:

milers d'insectes van entonant
l'himne a la vida, l'himne amorós.
Pel cant infinit
no es fa mai la nit [52].

Cuando Whistler, y después Degas y Toulouse-Lautrec, y Gauguin por último, siguieron las huellas del japonesismo, que ayudaban los Goncourt, las minorías selectas tendieron a buscar en el Extremo Oriente unas nuevas formas para enriquecer su sensibilidad, que llegó a expansionarse y difundirse hasta casi la popularidad cuando, en 1903, se inauguró en el Louvre una sala de pintura japonesa cuya sorpresa encontró eco en las publicaciones catalanas [53], lo mismo que la exposición de Hokusai, Hiroshige y Kuniyoshi que, a fines de 1902, se había abierto en el *Art Nouveau* de Bing.

Los títulos de los libros de poesía solían ser de tipo paisajístico. Observemos que en 1903, por ejemplo, en un mismo instante se pusieron a la venta unos *Gotims i Pàmpols* de Jaime Terrí, unas *Postes de Sol* de Manuel Rocamora y unas *Voliaines* de Guanyabens.

De una posición casi panteísta fué derivando el culto a la naturaleza hacia la arbitrariedad, que se manifestó en el puro estilismo de las artes plásticas y el arbitrarismo que revela Crehuet cuando escribe, en 1906 [54]:

Damunt dels blats, sota dels cels,
com preses de grans anhels
les aloses canten, les aloses volen...
Canten i volen
espai amunt amb un suprem vibrar.
No canten per alegrar
ni volen al niu llunyà...
Canten i volen...
canten i volen per cantar i volar.

Esto significaba una posición lógica, el desengaño de los falsos símbolos, pero otra posición lógica cabía en los inicios juiciosos del año 1906, la del creyente que, con Ruyra, encontraba en la Naturaleza la manera de vivir más cerca de Dios, huyendo del mal que vive encarnado en los hombres [55]:

... I un hom, perdut en la tenebra immensa
se sent humil, i en la grandesa pensa
del Pilot que regeix aquelles naus.
Mes, al tornar el dia, el cel s'amaga,
la terra és tot, la llum ens embriaga
i el món i la supèrbia ens fan esclaus.

Por este lado murió el culto a la Naturaleza.

Las flores. — La lírica ruralista, con Verdaguer a la cabeza, había sacado un gran partido de las flores, que ya para Ruskin y Rossetti habían cobrado una profunda significación para la cultura de Occidente.

El neogoticismo, volviendo a poner sobre el tapete la inspiración naturalista que el arbitrario decorativismo clásico del Renacimiento había oscurecido, y el desarrollo de las artes industriales, forzadas a buscar en la vegetación viva temas nuevos para refrescar unas formas desecadas por la rutina, favorecieron la concreción de un verdadero arte floral, provincia frondosa del arte de la Naturaleza.

Uno de los temas constantes del arte modernista fué el iris azul, la flor misteriosa puesta en boga por Grasset, cuya poesía fué tan sentida. Era el tema cuyo misterio explica *Lo lliri blau* de Bori y Fontestá [56].

Del lliri blau les fulles
pel riberal eixut
llueixen les despulles
d'un tros de cel caigut.

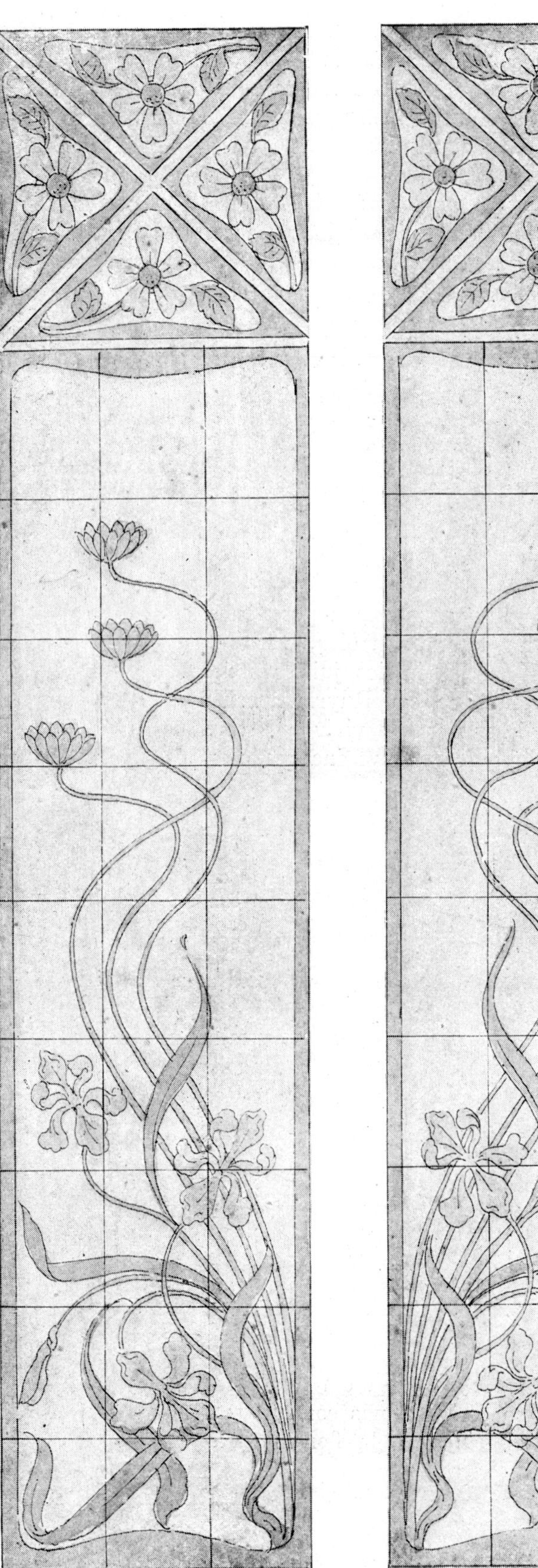

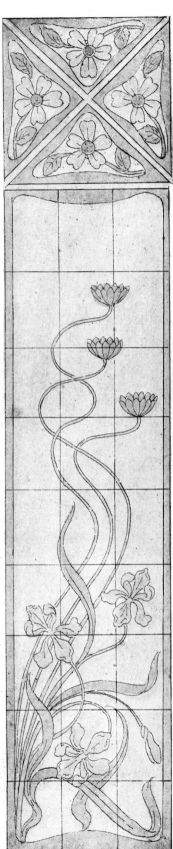

Jerónimo F. Granell : Vitral policromo al plomo, con flores acuáticas, para una puerta

Del sol morent hi juga
tot just l'últim consol;
quan l'ombra se l'enduga
la nit li farà el dol.

La nit... quan ella esflori
sa rellentor suau,
serà un llagrimatori
lo front del lliri blau.

Poesía que personificaba la flor lo mismo que el *Idilli* [57] del lilá y la mariposa que después de breve amor termina cuando la mariposa se va y la flor muere de pena.

En las flores se veían seres animados :

Aquest sospir d'olor,
aquest desmai d'amor
és l'ànima fervent i adolorida
de les roses colltortes i esfullades,

escribía Juan María Guasch [58].

Els arbres
semblen amics plascívols que somniïn,

escribía Xavier Viura [59].

Martí y Folguera [60] decía :

Que trista va i que sola
una fulla que cau!

con modernista viñeta *coup de fouet* de A. Solé. Manuel Serra y Moret obtuvo la Flor Natural en unos juegos florales de San Gervasio, en 1901, con un *Idilli* en el que se relata la historia de la fuente que besaba con amor la hierba enfermiza. El sol, para complacer al musgo que llora cerca de la fuente, secó el manantial.

... i l'herba s'ha mort
tota esgrogueïda [61].

Pedro Prat Jaballí, imitador de Mallarmé, parece evocar la arquitectura y las vidrieras modernistas al hablar [62] de que

el temple dolç de llirs i crisantemes
s'esfumia amb ton ànima octubral.

El crisantemo, en efecto, con su evocación japonesa, compartía el encanto del lirio, enraizado en la lírica occidental. Víctor Catalá escribía en un poema en prosa [63] :

Són les flors d'encís de les terres exòtiques, de les terres ignotes de llegenda, de les terres dels prínceps coberts de sederies que parlen una llengua inconeguda. Són les flors que res diuen als sentits i ho diuen tot a l'ànima.

Són les flors dels grans somnis misteriosos, plàcids, sense esperances, sense desigs ni febres.
Oh les belles, les fredes, les pures crisantemes, les flors de les amors castes!...

Por cierto que, en estas líneas finales, la poetisa está influída por las formas rebuscadas del amor entonces en boga. En este caso el origen, desde el punto de vista cultural, es indudablemente el problema personal de Ruskin, que tanto influyó en la visión perversa de la erótica del 1900.

Maseras [64] cantaba la melancolía de las flores en sus estrofas:

No sé què ho fa que, tot cuidant-les bé,
totes se tornen grogues i malaltes.
Moriu-vos, belles flors, benignament.

Apeles Mestres, que no en vano era el orientalizante número uno del país, bajo una viñeta delicadamente delineada de flores de cerezo publicaba [65] su *Rialla d'Abril,* con el lenguaje lírico del árbol florido.

Avui, quin riure el cirerer!
Tot vell com és, quina alegria!
De bon matí, i que rialler
m'ha dat, al veure'm, el bon dia!

cuya endopatía se hace más visible en la dedicatoria a Utrillo, con que acompañó esta poesía, y que constituye una afirmación del género de panteísmo en boga: «vea si va para «*Pèl y Ploma*» esto que hicimos, el otro día, yo y el cerezo.»

Nadal comença

El jorn de la Puríssima ha estat puríssim
aquest any: sense un núvol al cel blau.
Una boira molt prima sí que hi era
com si la terra estés enlluernada;
prò cap al tart ni això: hi ha hagut un'hora
que tot semblava de color de rosa:
les montanyes s'hi estaven molt quietes
y el mar també: de la ciutat s'alçava
un crit de festa de mil veus sonores
invisibles: de totes no més una
del llabi he vist eixir; y era una nena
passant pel meu carrer (ja feya lluna)
que ha dit quasi cantant d'alegra: — ¡Ay, mare,
quina primera festa de Nadal! —

Joan Maragall

Página de *Garba* con una viñeta de ADRIÁN GUAL

SANTIAGO RUSIÑOL : *Jardín valenciano,* óleo

La poesía de los jardines. — Otra de las ramas del arte de la Naturaleza fué la poesía del jardín, generalizada en la época.

Rusiñol daba a conocer sus *Jardines de España* escribiendo [66] : «Ve pronto a ellos, que en ningún lugar podrás soñar con mejor sombra ; ve a ellos si quieres contagiarte por un momento de aquella tristeza de ensueño que hace palidecer el pensamiento para poder soñar más tiempo ; que te da un deseo de hacer versos y borrarlos como se borran los versos hechos en los jardines ; que te da deseos de abrazar las formas que se desvanecen y las estatuas que caen y las grandezas que mueren. Ve a ellos, poeta, si quieres escuchar la poesía, un buen momento de la vida.»

Fueron unánimes, los poetas, en cantar los jardines. Los cantó Zanné, los cantó Roviralta, el joven Carner, Carrión... Miguel de los Santos Oliver cantaba en un poema [67] :

> Curiós he entrat a veure castell, parc i jardins.
> El vent ja se n'ha duta l'arena dels camins ;
> tot trist i solitari, abandonat, sens força,
> dels llànguids eucaliptus a trinxes cau l'escorça,

y Francisco Matheu [68] :

> A dins d'aquests jardins hi ha un aire de tristor
> que s'encomana arreu,

y Juan Alcover [69] :

> Faune mutilat,
> brollador eixut,
> jardí desolat
> de ma joventut,

JOAQUÍN MIR: *Jardín,* óleo. Colección Santiago Juliá

y Emilio Guanyabens [70]:

> Olors i cants se n'anaren,
> la neu mon cap va cobrir
> i cendres d'amor restaren,
> tan sols, per tot el jardí!,

y Miguel Costa y Llobera [71]:

> Plau-me vagar per un jardí desert
> quan creix l'ombra dels arbres gegantina,
> veient sota el ramatge que s'inclina
> com lluny blaveja l'horizont obert,

y Gabriel Alomar [72]:

> Els jardins són el místic santuari
> de la dolçor secreta de la vida.

Obedeciendo a la misma sensibilidad, pregunta Maragall [73]: «¿No os habéis encontrado nunca en un bosque muy grande, con aquella quietud llena de vida que parece una adoración de toda la tierra?»

En los poetas más sencillos, la Naturaleza del jardín aparece como simple medianera, en ideas como las de Xavier Gambús [74]:

> Tot l'amor a mi vindria
> dels perfums de ton jardí,

formas en las que el jardín se humaniza, para cobrar significaciones antropocéntricas, que unas veces son simplemente anecdóticas, de típico romántico, y otras veces, llevadas por la atracción de lo des-

JUAN BRULL : *Ensueño.* Pintura al óleo.
Barcelona, Museo de Arte Moderno

lo cual forzosamente debía ocurrir en un *bois sacré* en el que

les fantasmes dels arbres
eren fantasmes de quietud i pau

y la vegetación era una representación de la melancolía con

les fulles i les flors totes pansides,
les branques esllanguides
... ...
les tiges colltorçades,

hasta que un beso de despedida y esperanza hizo gritar a las hojas, morir a las flores y rezar a los lirios de agua. Entramos en la triste región del jardín otoñal de las marqueterías y las vidrieras que palpita en la poesía de Viura, masoquista y sensual [76].

Escolteu : quan els arbres del jardí
seran ben despullats dels verds fu-
[llatges
a la llum del crepuscle vespertí
rebrem el bes més dolç dels nous
[oratges.

La confusión panteística que pasa de la carne a la vegetación, le hace decir que

en vostre gran sospir de Dolor muda
hi hauran tots els perfums dels jar-
[dins vells,

sin abandonar la gama triste, aun cuando las imágenes enfermizas están en contradicción con las ideas, como cuando se dice que

El reflecte més pur dels sols d'Estiu
resplendirà en el vostre pàl·lid rostre.

La comunión panteísta entre el hombre y la Naturaleza se teñía a menudo de reflejos científicos, como en un curioso texto de Félix Escalas [77] en el que se habla del progreso mecánico, de la condenación de los bosques y de algo tan prosaico como la calefacción, en términos de libro sagrado hindú : «La gran cabellera blanca de aquel monstruo de hierro — escribe — llegó hasta las verdes hojas y las bañó con el rocío del progreso. Y las hojas, marchitas súbitamente, cayeron, quemadas y muertas, mientras la máquina huía majestuosa del bosque profanado. Al mismo tiempo, en la Ciudad lejana, quemaban los árboles arrancados del viejo

conocido, se adentran por los caminos de un nostálgico animismo.

El rumor del vuelo de los pensamientos, imagen típica del momento, se encuentra junto al típico «rumoreo de los lirios de agua aspirando el olor de las flores caídas» en la poesía de Xavier Viura [75] :

En l'hora de les ombres
el vol he pressentit de son pensar,

bosque para devolver el calor perdido a los ciudadanos de cara pálida y brazos sin fuerza».

Zanné [78] advirtió el sentido panteísta en la obra del dibujante Bonnin. «El eterno movimiento de la Naturaleza — escribía — suspendió el quietismo moral de su alma, y con ansia potentísima corrió a confundirse con su corriente.»

La mano tendida hacia el prerrafaelismo. — Huir de lo falso. He aquí el gran deseo de la generación naturalista que precedió al modernismo, mantenido por el culto a la Naturaleza, que, en época modernista, fué un refugio contra las falsedades humanas.

En el campo de la plástica, forzosamente la búsqueda de la sinceridad debía conducir a rehusar la Academia y, al rehusarla, a tomar por banderas enemigas los nombres de las divinidades del cielo académico, con Rafael a la cabeza.

Los ojos líricos de los hombres de fin de siglo creían encontrar todas las perfecciones antes de Rafael, antes de la pretensión de perfección formal que petrificó en fórmulas el arte y preparó los siglos manieristas, insinceros, afectados, antes del triunfo del arte burgués sobre el arte espiritual.

Como en tiempos del rococó y del neoclasicismo, se soñaba en una Arcadia que no se situaba en el mundo pastoril ni en una Grecia quimérica, sino en una Edad Media no menos imaginaria.

No se deseaba, no obstante, el retorno al pasado. Se buscaba un linaje, un pergamino para arrinconar al *parvenu* burgués. Así se idealizaba, a la manera de Ruskin, lo medieval, cuando Jaime Rusiñol decía [79] :

«De aquel arte hecho antes, como rocío de una aurora, de aquel arte virgen, nacido entre lirios y crecido como un iris de colores que se eleva rodeado de nubes que no han rastreado el suelo ; de aquel arte soñado mirando hacia lo alto y buscado en el pensamiento, que atisba visiones de un más allá vaporoso y difuminado, de aquel arte tejido de hiedras entre flores pálidas... no queda más que chispas... rescoldos medio apagados por el aliento frío de un pueblo al que se llama positivista y que se precia de serlo.»

Contra este frío del positivismo, los modernistas quisieron protegerse, entre los muros del *Cau,* que Rusiñol llamaba «madriguera de ilusiones... refugio para abrigar a los que sentimos frío en el corazón». En el mismo espíritu decorativo estaba la fidelidad al prerrafaelismo.

En *Joventut* [80], un grabado de Rossetti acompaña, con muy buen gusto, la poesía deliciosa y finisecular que Jacinto Verdaguer dedicó al orfebre Joaquín Cabot y Rovira. Una mujer bellísima, miss Siddal, peina su cabellera dorada encima de la poesía de *Lo filador d'or,* en que se dice :

LAMBERTO ESCALER : Escultura

N'hi ha un argenter
a l'Argenteria,
de tant filar or
li diuen Orfila.
Mes, ai!, pel veïnat
no falta qui diga
que ven per fils d'or
cabells de sa filla.

Una grabado de Burne-Jones, entre flamígero y renacentista, preside el poema *Joventut* de Ramón Suriñach Baell [81], patriótico y panteísta, en el que se lee :

Si el jovent pensés com pensa
qui pentina un cap ben blanc,
si en trauria d'ensenyances
del miracle que fa el maig!

LUIS BONNIN: Ilustración, imitando los trazos de la xilografía, para *El rei dels verns*

Dibujos de Burne-Jones ilustraban, en la misma revista, *La Parábola del Hombre rico y el pobre Lázaro,* de Gabriel d'Annunzio [82].

Como para los prerrafaelitas, el gótico y Botticelli fueron reivindicados, frente a los clásicos del XVI, a Rafael y a los venecianos. La revista *Joventut,* después de haber llamado a Apeles Mestres, a Triadó, a Riquer, para decorar sus portadas, buscaba pergaminos de nobleza para la posición deformativa utilizando una reproducción de Botticelli junto a otra del Greco [83], o la de una cabeza griega arcaica junto a la de una cabeza gótica sienesa [84].

Botticellista, Junyent comentaba la reproducción de obras de Sandro afirmando que «otros serán más equilibrados y robustos; ninguno más sensible y refinado»; se detenía en sus «sutiles delicadezas de decadente» y afirmaba que «si viviera estaría a la vanguardia».

La *Ilustración Artística* no se cansaba de reproducir cuadros prerrafaelitas, no sólo de los grandes maestros conocidos, como *El espejo de Venus,* de Burne-Jones, sino otros de Brewer, Edwin Abbey, Brickdale, etc.

Lo mismo se hizo en *Luz* y en la *Página artística* de *La Veu de Catalunya,* dirigida por Raimundo Casellas [85], donde se repiten los dibujos de Nelson, Anning Bell, Solon, Bridgnorth, etcétera, y donde Riquer escribía sobre Anning Bell [86]; Casellas ponía como luceros del arte moderno a Segantini, Rossetti, Burne-Jones, Böklin, Liebermann, Stevens y Clay, en maridaje realista-simbolista [87], y reivindicaba el mundo estético de Botticelli, Wilde y Lippi en artículos de tanta sugestión poética como el que estudia la figura de Salomé en los retablos góticos catalanes [88]; Vicente de Moragues citaba a Ruskin y Thode [89], y Joaquín Folch y Torres a Walter Crane y a Lewis Day como fundadores de las artes gráficas modernas [90].

Cebriá de Montoliu y Togores, marqués de Montoliu, nacido en Palma de Mallorca en 1873, que en 1901 publicó los fragmentos de *John Ruskin,* y en 1903 su *Natura,* en 1904 tradujo obras de Emerson y en 1907 empezó a traducir a Shakespeare, fué quien vertió al catalán la poesía de los prerrafaelitas. La música de Dante Gabriel Rossetti se veía así trasplantada, ayudando al mundo soñador de los poetas del país, pintando

> esperits que als acords destres
> d'un llaüt van caminant,

y el valle en el que aparecen

> formes giragonsant
> amb dansa i música boges,

y el misterioso jardín de las tres muchachas en que exclama:

> fuig ben lluny, oh cor meu, ben lluny!
> Ben dolces flors hi han ara.
> Que dolces!

Cebriá de Montoliu precedió su traducción de Ruskin [91] con un ensayo en el que se declaraba creyente de la «Vida Nueva», convencido de la necesidad de tener fe en los sueños que constituyen la *única realidad,* y profeta que cree, con razón en este caso, que «los sueños de un siglo son la historia del siguiente», como si realmente se diera cuenta de que los grandes ideales presentidos por los que pensaron y escribieron en el siglo XIX se realizarían en el arte intelectual de la primera mitad del XX.

Su labor ruskiniana fué seguida con entusiasmo al publicar el volumen *Natura,* de fragmentos del maestro británico.

Su punto de vista se lo apropió Sebastián Junyent [92], que resumía la doctrina ruskiniana en el «Acudid a la Naturaleza en plena sinceridad de corazón».

No creemos que fuera por azar que Verdaguer, cuyo poema del *argenter de l'argenteria* verosímilmente fué inspirado por un cuadro prerrafaelita, publicara su *Mort de l'Escolà* [93] junto a la necrología de Kate Greenaway redactada por Utrillo. Greenaway era la poetisa de los niños, la ilustradora de la ternura equilibrada finamente entre la sonrisa y la piedad, que más profundamente ayudó a la sensibilidad hacia la infancia que, en nuestro país, debía hacer triunfar Torné Esquius unos años más tarde.

El entierro del monaguillo, cándidamente y sentimentalmente narrado, tiene evidentes ecos de la doble raíz poética de Kate Greenaway, la ilustradora nacida en 1846 que, en 1901, se extinguía.

En el campo de la crítica, el apóstol del prerrafaelismo fué Casellas [94], quien se entusiasmó con él gracias a Ruskin, antes de ver ninguna de sus obras, y se sintió algo defraudado por su detallismo opuesto al espíritu sintético del arte latino cuando pudo verlas en la Galería Británica de la Exposición de París, en 1889. Burne-Jones logró seducirlo, no obstante, de un modo definitivo, gracias a su labor de arabesco y a la poesía simbólica y vaga de *El Rey Copethua y la doncella mendicante,* cuya calificación exacta creyó encontrar al llamarla obra de arte «singularísima». Le encantó su contenido erudito, psíquico, moral, filosófico, su «fantasía de esplendores», su «sentimiento de los signos misteriosos» y la «irreparable tristeza que irradia».

Le sugestionó no menos el inexplicable enigma de *El fondo del mar,* donde la sonrisa de la sirena que se lleva al náufrago no sabe si atribuirla a una desorbitada espera de placer, a la inconsciencia o a la perversidad.

Los decorativos. — En estrecha relación con el mundo prerrafaelita, la Edad Media fué querida por lo que representaba de sinceridad, pero también por su decorativismo.

ALEJANDRO DE RIQUER : Ex Libris

«Al cabo de diecinueve siglos de una lucha que el mundo creía progresiva — escribe Luis Vía [95] — hemos encontrado que las edades anteriores, con sus idolatrías, sus tiranías y sus guerras, eran más enteras que la civilización actual porque, con sus grandes errores, eran más vírgenes y no eran tan hipócritas. De todos modos, creemos que la Edad Moderna no será inútil porque, aunque más superficialmente, desnaturalizándolos o profanándolos, ha hecho renacer muchos sentimientos de libertad.»

Este aspecto del medievalismo prerrafaelita se completó con la tendencia decorativista que a menudo se amplió con toda clase de exotismos, entre las cuales apuntó, peligrosamente, el mundo helénico, que debía terminar imponiendo lo clásico.

HERMEN ANGLADA CAMARASA: *Campesinos de Gandía,* óleo

Nadie fué tan puramente decorativo, en literatura, como Gabriel Alomar, nacido en 1873, paralelo de la pintura de Sert y de Hermen Anglada, progresista, arbitrarista, para quien la poesía es invención, no representación, POEIOO, no MIMESIS; el arte, el método por el cual «lo real se eleva a imagen pura» [96].

Su fantasmagoría decorativa era, sobre todo, cromática, y a veces recuerda las taraceas modernistas con incrustaciones de nácar y vidrios de Tiffany, como cuando dice que las cabelleras de mujer

> mostren tonalitats de misteriosos iris;
> tenen emanacions de violes i lliris...

Lo decorativo vivía a precario en lo caballeresco del primer Llongueres; se precisaba en el parnasiano Vicente Piera y en ciertas poesías de Víctor Catalá y Ruyra, que si en prosa eran naturalistas, en verso se acercaron a una retórica a lo Heredia.

Tuvieron carácter decorativo las resurrecciones de Ausias March hechas por Jaime Bofill y Ferro, P. Prat Gaballí, Manuel de Montoliu y Luis Valeri; los versos eruditos de Miguel de los Santos Oliver, en los que, como en los de Zanné, aparecen anacronismos y nombres exóticos; la alta poesía de G. A. Tell; y lo mismo buscaron los que, como es el caso de la arquitectura de Gallissá, Puig y Cadafalch y Falguera, se inspiraron en las formas expresivas populares, como Pijoan, Carner, Pujols, el arquitecto y poeta Rafael Masó y Valentí y su hermano Narciso; Picó Campamar, acentuadamente arcaísta; Josep Sebastiá Pons, Riera Bertrán y José M.ª de Sagarra.

En espíritu, estos poetas conducían hacia la claridad y la paz, que antes de hallar moldes clásicos como los que ensayó con incierta fortuna en sus pastiches griegos Ambrosio Carrión y con ventura Carlos Riba, entonces Riba-Bracons, encontró una forma en la blancura, la misma blancura de los cuadros de interior de Casas y de Gosé, que asomaba en la lírica fresca de Massó y Ventós y de Montoliu cuando describían un *món de blancors.*

En su faceta decorativa era la del modernismo una mentalidad eminentemente aristocratista. Pompeyo Gener [97] es quien nos habla más concretamente

XAVIER GOSÉ: *La lectura,* dibujo al lápiz plomo. Colección del Vizconde de Güell

de la necesidad de evitar el dominio, en ninguna forma, de las que titula «razas inferiores» y la necesidad de formar un patriciado para que se gobierne al pueblo por el pueblo, pero «por los mejores del pueblo». Los modelos que propone para su sociología son Carlyle, Emerson y Nietzsche. Su solo nombre nos indica el prestigio de lo germánico: Inglaterra, América, Alemania. Ningún latino entre ellos.

Zanné o la imaginación cincelada. — Fenómeno particular del modernismo catalán, que lo diferencia del arte extranjero del 1900, es la combinación que en él se hizo de las formas propias de la nebulosidad nórdica con un poderoso instinto formal, que se expresaba no sólo en la ordenación de los conjuntos, sino en un cincelado detallismo. Así se explica, por ejemplo, la arquitectura de Puig y Cadafalch, que opone al naturalismo instintivo un acervo de recuerdos históricos, un gusto por la técnica difícil y un marcado preciosismo.

Jerónimo Zanné, nacido en 1873, y que por lo tanto contaba 27 años al empezar el siglo, coordinó la estética de esta posición artística. Entusiasta de Leconte de Lisle, de Heredia y de Carducci, supo sintetizar el amor a la forma verbal esculpida, esmaltada, cincelada, según el evangelio parnasiano, con la fuerza vital del arte fogosamente romántico de Wagner, de quien fué traductor y uno de los primeros apóstoles.

Montoliu, en su estudio sobre Maragall, clasifica a Zanné como un poeta objetivo, al lado de Alomar, pero con ello se equivoca. Realmente, Alomar cincela la visión del mundo exterior en perfectas estrofas parnasianas, desnudas de sentimiento, pero éste no es el caso de Zanné, solicitado desde todos los extremos de la vida y de la cultura por una exquisita sensibilidad.

En sus *Assaigs Estètics* [98], escritos alrededor de los 30 años, expone sus ideas sobre el arte alrededor de los conceptos de amplificación y concentración. Ve la primera, unas veces llevada a cabo por la exquisitez, como en Petrarca y en la música de Carissimi y Gluck; otras veces por la pomposidad, como en Víctor Hugo. Ve la concentración, en cambio, en Dante, en José María de Heredia, y la prefiere por lo que ella tiene de precisión, de concreción de la forma, ya que su fe le dicta que «la forma es la única manifestación posible de la substancia poética» [99]. Contra la teoría del desorden, de Verlaine, oponía [100] a Horacio, Dante, Petrarca, Ausias March, Heredia, los lemas, para él eternos, de la *Pléiade* de Ronsard.

A creer al pie de la letra sus teorías, le tendríamos por un clásico. No lo es, no obstante, sino que representa en cierto grado, y muy depurados, todos los ingredientes esenciales del modernismo.

Él pasado gótico-renacentista, confusamente anacrónico, caro al prerrafaelismo, vive en su poesía obsesionada, como el arte de Rossetti y los suyos, por Dante, hasta el punto de decir a una mujer [101]

i vindrà el Dant, i al veure't noble i pura
l'encís remembrarà de Beatriu.

Por cierto que en un verso parafrasea el famoso *Per me si va* de Dante, al decir:

anem's-en lluny de la ciutat malalta

y en otro copia a Petrarca:

oh pura verge, de claror vestida.

El mundo gótico vive en muchas de sus poesías, una de las cuales se titulaba *Segle* XIV y tiene lindos arcaísmos como el del verso

té l'elm romput i la cuirassa fesa

o los del perfectísimo soneto del *Prec de madona Elisenda a mossèn Huch*. Medievalescas evocaciones de Bizancio, de la leyenda de Tristán, a veces recuerdan la arquitectura de Puig y Cadafalch [102]:

i es despengen pels gòtics finestrals
les gàrgoles i dracs fent esqueneta,
dels flancs atrets pels esplendors nimfals.

Como para Morris o Burne-Jones, el mundo griego no es menos presente en su poesía, que repite los tópicos arcaicos y míticos, a menudo transfigurados por lo florentino. Sensual, la figura de Friné, cantada por otros poetas de su tiempo, le subyuga.

Otra forma de decorativismo le atrajo: la japonesa, al cantar [103]

l'heroi vestit d'aram, de laca i de crespó,

y otra en el rococó, uniendo así las tres fuentes inspiradoras del estilo de su época, en versos como [104]:

Blanca senyora del verd esguard,
joia exquisida de Fragonard.

A veces mezclaba todas estas evocaciones tomadas como puro incentivo para la imaginación [105]:

Blanca madona pudorosa,
gaia burgesa florentina,
verge romàntica, somniosa,
alta princesa bizantina,
nàiade fresca i olorosa,
tan prompte esclava com regina,
tan prompte pura com viciosa:
és tot això la ballarina,

en el juego, a través de las edades, que da especial poesía a su *Venus Tràgica* [106]:

Quan la vegé el bon caçador
flairà del mar la salabror,
torbà el seu cap sensual boirina...
A sant Martí s'encomanà
i la sageta traspassà
la blanca pell de la Divina.

Alemania, por fin, la germánica selva de la imaginación finisecular, poblada de rubias hadas vivientes, fué para él otro de los mundos a que alude cuando dice, en bello arcaísmo: *marxar me plau a mons faulosos* [107]. Freya y Holda fueron para él amados mitos, *Freia die holde, Holda die freie,* y llegó a decir de una mujer [108]:

Quan baixa els ulls és Gretchen, quan els alça
Elisabeth, és Elsa quan somriu...

Alemania era una especie de nueva Grecia de polo opuesto, dionisíaca patria del vals [109]:

Encisera actitud el vals et dóna
... ...

Tens raó, no en parlem, la Grècia és
[morta.
Dansem dels sons a l'escomesa forta,
que ja s'acaba aquest magnífic vals,

cantado también en los versos que rezan [110] :

Aixeca't somrient,
que el ball és ple de gent
i Strauss, alegre, canta.

Esta cita, esmaltando un verso, caracteriza su preciosismo cultural, que le hizo encontrar imágenes tan nuevas como la de los versos que dicen [111] :

Somniosa féu cantar la dolça melodia
del romàntic nocturn : el Pleyel de-
[fallia,

y que en todas partes le hizo evocar versos antiguos y poesía nórdica moderna — *La Ciutat Morta* — y que colocó ante sus poemas citas que vienen a ser profesiones de fe estética, como la de Puvis de Chavannes : «*Il y a quelque chose de plus beau encore qu'une belle chose: ce sont les ruines d'une belle chose*», que nos ilustra sobre su modo de tratar lo antiguo ; la de Edmond y Jules de Goncourt, retrato vivísimo de la Du Barry ; la de Mallarmé «*J'attends une chose inconnue*», y la de D'Annunzio, como un vitral modernista, que tradujo :

A poc a poc davallen els paons
silenciosos i lents, com la nevada
a les baranes dels lleugers balcons.

JOSÉ LLIMONA : Estudio en barro glosando el tema modernista de la tristeza vaga

El mundo ideal que evocaban los vitrales, las pinturas murales, los relieves, las marqueterías, los esmaltes, las tallas del modernismo, corresponde mal con la prosa y con la poesía pura. Su equivalente literario son los poemas en prosa.

Lo hallamos retratado con precisión por Zanné en *L'Últim Amor* [112], donde se describe el amor de la pareja final de la humanidad con una melancolía infinita y una gran riqueza de descripciones prerrafaelitas. Prerrafaelita es la mujer, a lo Walter Crane, con grandes ojos «fuentes de luz», «negros como una noche eternamente oscura», una fuente serena «llena de pensamientos amorosos y belleza infinita», y en la que los cabellos, muy modernísticamente, son lo más importante : «olas de pasión antigua y heroica, torrentes de voluptuosidad cuando se desatan y símbolo de pureza cuando los recoge sobre la cabeza, con aire altivo y guerrero». Es rossettiniano el recuerdo de mujeres pretéritas, de Semíramis y Cleopatra, Beatriz y Laura. «Me arrodillo ante tu cuerpo divino — dice el héroe —, como el héroe griego ante el ara de Venus»..., «siento hacia ti la adoración del caballero medieval por la doncella mística de óvalo purísimo y mirada angélica».

Su amor era un reflejo de Maeterlinck : «De tal modo todo se mezcla en nuestros seres que no se puede decir dónde empieza uno y dónde el otro» [113]. En él llegaba la muerte. Después, como en un mo-

LUIS BONNIN: Ilustración para el libro *Boires Baixes*

de l'automne
blessent mon coeur
d'une langueur
monotone

para describir el retorno a la ciudad señorial en que se gusta a Lully y Rameau, Fra Angélico y Van Eyck, Bach y la escultura antigua, el arte y las damas aristocráticas «de rostros blanquísimos, iluminados por la luz de los ojos, por el rojo de los labios entreabiertos».

Uno de sus maestros fué Mallarmé, de quien tradujo al catalán ciertos poemas en prosa [116] decadentista. En uno, los maridos de mujeres calvas y blandas, las mujeres curiosas de un mundo futuro dominado por el Ritmo, «en una época que sobrevive a la belleza», contemplarán extrañados a la mujer que simboliza el mundo fin de siglo: «Una locura original y simple, un éxtasis de oro, un ¡no sé qué!, que ella dice que es su cabellera, se dobla con la gracia de las telas flexibles alrededor de un rostro iluminado por la desnudez sangrienta de los labios. En vez de vestido inútil tiene un cuerpo, y los ojos semejantes a piedras raras no valen lo que la mirada que sale de su carne dichosa: tiene los senos altos, como si estuviesen llenos de leche eterna, y las piernas lisas, que conservan la sal del mar primero». En otro poema canta «la gracia de lo mustio», y en otro, por último, sacrificando a un terribilismo amoralista nacido en parte de Zola, en parte de Baudelaire, la tétrica poesía del niño pobre y pálido que en el futuro quizá cometerá un crimen y será castigado, porque «un crimen es muy fácil de hacer; después del deseo, basta tener valor...».

saico centelleante o en una mate marquetería, «las ninfas de los bosques levantaban al cielo los ojos llenos de lágrimas, mientras sus brazos blancos se retorcían y las bocas arqueadas por el dolor cantaban la desaparición de la Belleza sobre la Tierra».

Zanné, amante de la poesía complicada, de un ultrarrefinamiento que se complace en lo equívoco, ambivalente, detonantemente mezclado, tiene un símbolo de su propio arte en la escena, que describe en su *Pastoral* [114], del crepúsculo de un pueblo de montaña, primitivo, en el cual se oyen las notas que brotan de un piano, tocando un vals boston, «como recuerdo de las ciudades alegres y lejanas que disfrutan excitadamente, llenas de vida, de voluptuosidad y alegría».

Su melancolía es verlainiana. No es extraño que al empezar su *Festival de l'Esperit* [115] cite que

les sanglots longs
des violons

Si Verlaine y Mallarmé, entre los franceses, solicitaban al simbolismo y le daban modelos, el gran inspirador del movimiento era el Norte, hasta el punto que a los escritores, lo mismo que a un Puig y Cadafalch, por ejemplo, se les reprochó el inspirarse en un espíritu exótico. A ello respondió Zanné [117] al defender que el artista debe «desprenderse del sello que los pueblos imponen a todos los que nacen en ellos» para evitar que el arte se detenga en el chovinismo.

«Que nadie se espante porque el perfume del ambiente amado se desvanezca y se apague el fuego del hogar paterno: cuanto mayor sea el mundo del arte, mayor será el artista.» Añade, además, que «entre el Norte y el Mediodía, artísticamente y hablando en absoluto, no hay barreras de ninguna clase». Después de citar a Droysen, Müller, Richter, Nietzsche, como intérpretes nórdicos del Mediterráneo, pregunta: «¿Cuál es el motivo que impide a los meridionales la identificación con las concepciones nórdicas?»

A pesar de sus entusiasmos nórdicos, Zanné conocía a Nietzsche a través de su «encarnación catalana» en Peyus, y centraba su admiración en la obra de los nórdicos de lengua francesa, como Verhaeren y Maeterlinck [118], al primero de los cuales define como «de imaginación espléndida y bárbara, que contempla la naturaleza deformada por el reflejo interior que de ella se produce en su alma, deslumbrada por coloraciones violentísimas — rojas de sangre, negras, doradas —, por emociones refinadas y sutiles», y lo juzga como «el poeta que ha hallado más felizmente *un aspecto nuevo* en el interior humano y en el mundo exterior; el poeta que ha expresado con más fidelidad los estados inquietos, alucinados o angustiosos de los espíritus enfermizos que, por un contraste incomprensible, perciben en lo que les rodea, además de un abultamiento extraordinario de las formas y de un relieve enorme en las líneas, una deformación total de la verdadera apariencia».

Zanné, entusiasta de la mujer como fuente de arte, se hizo entusiasta de la *Alcestis* de Eurípides [119] y siguió las ideas de Maeterlinck, de quien cita la idea de que «ellas saben cosas que no sabemos y tienen una lámpara que nosotros hemos perdido» [120].

Zanné admiraba más a Maeterlinck como teorizador que como escritor teatral. Para él, *Le Trésor des humbles «és com un llac admirable, pla i brillant, com un cristall, d'aigües blaves i transparents, però de profunditat desconeguda. En el fons hi reposa l'Ànima humana. Sols en els dies de gran claror s'obira quelcom del seu misteri»* [121].

Fué Zanné, en octubre de 1901, uno de los propulsores de la *Associació Wagneriana,* de cuya primera directiva formó parte, nombrado en la reunión fundacional que tuvo efecto en los *Quatre Gats* y en la cual figuraban: Antonio Ribera, como director artístico; Joaquín Pena, como presidente, y Salvador Vilaregut, Rafael Moragues, Aurelio Prim, Luis Sunyer y Antonio Colomer.

La primera manifestación de esta entidad tan característica del momento fué, en la sala Chassaigne, la conferencia, estudio poético, temático y musical del prólogo del *Ocaso de los Dioses* traducido por Zanné y Ribera, que leyó Vilaregut. Pena expuso la filosofía del *Anillo de los Nibelungos* y el pianista Ribera hizo las ilustraciones musicales.

Se tuvo la idea, en pleno predominio de la vaguedad, de que lo que se admiraba en un Verhaeren no podía aclimatarse en Cataluña. A propósito de los *Jocs Florals* de 1903, Zanné [122] condenaba intentos de versificación libre atribuídos a *la Balada de les Festes,* de Pujols, convencido de que «*amb el geni del nostre idioma, sencer i precís, els mots del qual no s'estiren ni contrauen com els francesos*», no era posible ni conveniente dejarse de ceñir a las formas puras, exactas y concretas.

Por eso alababa *La Costa Brava* parnasianista de Gabriel Alomar, accésit a la *Englantina,* y saludaba en el *jovenet de talent* Carner por las posibilidades que descubría — y que realmente se han realizado [123] — en *La sacra expectació dels Patriarques,* poesía que ganó la *Viola d'argent.*

En prosa, sus ideas le permitían entusiasmarse con las *Marines,* de Victor Català, de un realismo fortísimo.

Wagnerianismo. — También en música el sentimiento irracional lo era todo. Zanné [124] hacía suya la frase de Schopenhauer según la cual «sentimos lo que la música expresa, pero no lo sabemos», y la de Wagner: «la música expresa solamente emociones y sentimientos».

La fundación de la *Wagneriana* y la agitación promovida a su alrededor tuvieron su lógico halo.

En el campo de la música catalana, el medievalismo postromántico se alió con el ruralismo en la afición a las canciones populares, que preocuparon a Briz, Aguiló, Bertrán y Bros, Verdaguer, Guimerá, Francisco Soler y Riera y Bertrán. Modesto Vidal llegó a decir, en su admiración, «*cant del poble, cant de Déu*» [125].

El esfuerzo de estos escritores y eruditos para exhumarlas y publicarlas se coronó con la tarea musical de Francisco Alió, que las armonizó y las publicó [126].

Cuando aparecieron estas canciones, el influjo nórdico había arraigado ya en Barcelona, llevando consigo el exótico nombre de *Folk-lore,* y se habían puesto como modelo los esfuerzos germánicos en favor del canto popular [127].

La música moderna entró con el influjo de Wagner, de quien empezaron, alrededor del año 1880, las audiciones de la marcha de *Tannhäuser* o la *Hoja de Album,* antes de que, en 1882, se estrenara su primera ópera completa, *Lohengrin* [128]. Los literatos, seguidamente, dieron a conocer fragmentariamente, o en resumen, el ciclo de los Nibelungos, «poema heroic d'Alemanya» [129], que era puesto como ejemplo de canto racial.

La primera música original que se hizo en el país fué la de Pedrell, pero éste fracasó en el empeño de comprender la música popular tanto como en el de encontrar el sentido del wagnerianismo invasor, seducido por formas barrocas de la música religiosa del XVII. Contra su posición, los buscadores de la sinceridad dirigieron su mirada hacia el arte primitivo, hacia la música medieval y de prin-

OLEGARIO JUNYENT: *Sigfrido*

OLEGARIO JUNYENT: *El ocaso de los Dioses*

cipios del XVI, en un movimiento que Cortada [130] compara sagazmente con el prerrafaelismo.

Los discípulos de Pedrell se encerraron como él en Victoria y Palestrina y en el ciclo francés de César Franck, Bizet, Massenet, Saint-Saëns y Gounod. La renovación, en cambio, vino de Bruselas. Fué allí donde Gilson acompañó a Enrique Morera y donde el músico catalán pudo asimilar la música de Wagner.

En música, como en arquitectura y en poesía, Bruselas fué un faro orientador para la generación finisecular, cuyo máximo compositor, el hombre de las fiestas modernistas de Sitges, fué Morera, educado en Bruselas y después wagneriano. A la etapa restauradora de la música antigua, representada por el recolector de las canciones populares catalanas Alió, sucedió Luis Millet, el hombre del *Orfeó Català,* que quiso hacer música nueva, de creación, por el cauce tradicional. La tercera posición, revolucionaria, renovadora, fué la de Morera, saludado como el músico nuevo por excelencia cuando estrenó su *Dansa de Gnoms* [131]. El autor de esta obra, de título y contenido enlazado con el mundo nebuloso de la leyenda nórdica, era realmente un seguidor de la música del Norte, amigo del belga Gilson, tenido en Barcelona por *modernista* [132]. Intentó captar y adaptar las innovaciones de Borodín, Glazonov y Vincent d'Indy, no sin hacer un esfuerzo de adaptación al propio espíritu racial, según denotan temas como el de la *Atlántida,* motivo de un poema que estrenó en 1893 y que, con *El Comte l'Arnau* y *Indíbil i Mandoni,* tiene un carácter dinámico y guerrero, muy wagneriano.

El fermento wagneriano favoreció la formación de una ópera catalana, que nació de la colaboración de músicos y poetas, de Albéniz con Coutts, de Enrique Granados con Apeles Mestres, de Morera con Marquina y con Massó y Torrents.

Esta ópera no fué más que la manifestación de un *espíritu de equipo* que encarnó en formas de teatro musical, en las que poetas y músicos se compenetraron.

Simbolismo. — La revista *Luz* [133] fué quizá la más acentuadamente modernista que se publicó en Barcelona. Tenía un formato insólito, de una altura dos veces y media superior a su anchura, posiblemente inspirada en los *makimonos* japoneses, que alguna de sus portadas recuerda. Allí colaboraron Altada, Benavente, Casas, Casellas, Enrique de Fuentes, Juan Gay, Gual, Jordá, Lapeyra, Massó y Torrents, Marquina, Nin y Castellanos, Ricardo Opisso, Ramón Pichot, José Pichot, Rusiñol, Riquer, José María Roviralta, Francisco de A. Soler, Evelio Torent, Miguel Utrillo y, más tarde, Darío de Regoyos, Ricardo Canals, Maragall, Nonell y Mariano Vayreda.

Allí se citaba a Tolstoi y su concepto moral del arte como medio para «procurar la unión pacífica entre los hombres». Idealistas, sus promotores, que se llamaban a sí mismos — por la pluma de A. L. de Barán [134] — los «hombres de mañana», no querían renunciar a las conquistas del naturalismo y proclamaban, por la pluma de José María Roviralta, el deseo de realizar la síntesis que creían encontrar en Rusiñol. Al comentar sus *Fulls de la Vida,* en efecto, consideraban que el *sueño negro* era el naturalismo, y el *sueño rosa* el llamado modernismo.

En un artículo de fondo se precisaban los ideales de la faceta modernista al poner como patrones de la mejor pintura [135] a Puvis, Moreau y Burne-Jones. Hablando del primero, se decía: «Flota su espíritu sobre las más gloriosas murallas de la Tierra, compartiendo su alma la misma suerte que habrá cabido a Moreau y Burne-Jones, estos dos otros pintores que tan intensamente también pensaron». La obra interesaba, pues, a base de pensar, de unas ideas ocultas, accesibles sólo al intelecto, y de las cuales las formas decorativas sólo eran símbolos.

Hijo de un decorativismo — el parnasiano —, aunque a menudo opuesto a él, el Simbolismo fué una religión sin fe. Rito y mito son consanguíneos, y cuando se quiso reaccionar contra lo hueco de la retórica romántica y contra lo reseco del positivismo, sin caer en la ceguera bárbara del vitalismo, nació la posición inteligente de los simbolistas, que, desde un sentido decorativo — rito — de la vida, se vieron precisados a terminar aceptando unos mitos.

Solamente los mejores entre los hijos del Simbolismo comprendieron la necesidad de que los símbolos correspondieran a realidades y, al darse cuenta de que las formas de cultura vacías o secas contra las que se reaccionaba eran precisamente las hijas del alma y del cuerpo abandonadas a la apostasía, retornaron al secular simbolismo de la religión cristiana y en él consiguieron una deslumbradora plenitud.

El Simbolismo, tal como llegó a Cataluña, fué específicamente francés. En las artes plásticas, tardó en ser conocido el arte de Böcklin y de Hodler, que, en cambio, influyeron mucho en los primeros años del siglo XX, y si ni Gustave Moreau ni Odilon Redon hallaron pronto eco, aunque las ilustraciones de este último para Verhaeren seguramente se conocieron en Barcelona en la última década del siglo XIX, Puvis de Chavannes pudo ser admirado por los pintores que visitaban París, como el mismo Rusiñol, esperando que, al volver el siglo, tuviera un seguidor en Torres García. Se tomó también por simbolista a Carrière, por la vaga poesía de sus retratos diluídos en temblorosa neblina.

No todos los poetas simbolistas fueron conocidos y buscados por igual. Baudelaire, muerto ya en 1867, fué estimado. Pero Rimbaud, desaparecido de la vida conocida y de la poesía desde 1874; Verlaine, que no murió hasta 1896, y Mallarmé, que debía morir en 1898, prácticamente fueron desconocidos. En cambio, se confundió con la poesía simbolista el preciosismo de Théophile Gautier. No obstante, en el momento de la verdad, el

> Sculpte, lime, cisèle,
> Que ton rêve flottant
> Se scelle
> Dans le bloc résistant,

fué menos eficaz en nuestra poesía que la idea verlainiana

> De la musique avant toute chose,
> Et, pour cela, préfère l'Impair...
> Plus vague et plus soluble dans l'air
> Sans rien en lui qui pèse ou qui pose.

Edmond de Goncourt, que había sido un escritor realista, se había convertido al decorativismo y era ahora el *amateur* delicado que se dedicaba al siglo XVIII y al orientalismo [136], preparándose para protestar contra el reciente aprecio del sencillo *home* inglés en Francia y a favor de un retorno al Rococó y a todas las *japonneries* y *chinoiseries.*

Pero lo que más influyó fué el «ipsumismo» de Maurice Barrès, divulgador de la literatura nórdica, predicador de un diletantismo distinguido, encastillado en su torre de marfil, contra el bárbaro burgués, el *philistin,* de cuyo *Jardin de Bérenice* pudo escribir Jaime Brossa [137] que produce el efecto de un cabaret «fin de siglo» en el que tocaran una balada de Chopin mezclada con la Marsellesa.

Brossa se daba cuenta de que este diletantismo exquisito «aceleraba la disolución de una sociedad que se estaba fundiendo», con un placer profundo en su propio decadentismo, y creía ver nacer en el volicionismo y en el renacimiento religioso de Tolstoi y Dostoiewsky, de Vogué y Desjardins, una nueva etapa de la cultura. No se crea que lo veía así por su adhesión al nuevo espíritu. Al contrario, reconocía con acento melancólico que se había llegado al final del período positivista que llenaba el siglo XIX.

En el discurso inaugural del curso 1892-1893 en el Ateneo Barcelonés, Yxart, a pesar de consi-

JUAN BRULL: *Crepúsculo*. Pintura al óleo

derar como valores adquiridos a los deterministas como Sainte-Beuve, Taine, Guyau y Hennequin, hace notar la presencia de una nueva reacción, que llama neoidealista, y en la que engloba formas de vitalismo, de parnasianismo y simbolismo, o sea todo lo que se opone al positivismo de los progresistas, citando los nombres de Carlyle, Richter, Baudelaire, Gautier y *Clarín*.

Es evidente que se sentía la necesidad de un frente único de los que — «simbolistas, neorrealistas, parnasianos», etc. —, «buscan refinamientos y nuevas sensaciones sutiles» [138]. El rasgo unitario del arte nacido de esta síntesis se veía en «la gran eflorescencia, la anarquía y la independencia de temperamento», «más en la personalidad que en la escuela», y en la honda emotividad que le sirve de motor, tanto si se trata del «cristianismo fraternal» como del «anarquismo individualista», los dos polos del mismo movimiento de cultivo del hombre.

En el inicio de la moda nórdica hubo ciertamente una reacción mediterraneísta, que fué vencida para no renacer hasta terminarse la primera decena del siglo XX. En 1892 José Miquel Guardia encontraba que la literatura catalana era «un jardín de aclimatación... plantado de árboles y plantas exóticas regadas con agua del país y calentadas con estufa... más rico en flores que en fruto». Se daba cuenta de que se había conseguido hacer de Cataluña la menos clásica de las tierras latinas y preconizaba la necesidad de «beber en la fuente griega y latina» [139].

El nordicismo se manifestó en un arrinconamiento de la larga tradición de dominio de la cultura francesa sobre Cataluña. Xavier de Ricard pudo escribir, alarmado [140], al darse cuenta de este hecho, un artículo con el interrogante: *¿Decrecimiento de la cultura francesa?* En Barcelona, en efecto, se habían dado cuenta de que Tolstoi, Ibsen y Nietzsche lo eran casi todo en la definición de la cultura del momento y que los catalanes que marchaban a París lo hacían sólo porque les era más fácil, económicamente, hacerlo que dirigirse a Bruselas, Berlín, Viena o Londres, tenidas por centros culturales más vivos.

Eduardo Marquina fué uno de los que tomaron la pintura simbolista como punto de partida de la literatura. Contemplando el famoso cuadro de Böcklin escribió *La Illa de la Mort* [141], prosa vitalista que ve pequeños a los hombres y a las mujeres, pequeños a causa de la negación de la vida propia y la negación de los propios ideales, limitación que «nos ha hundido en un mar negro de aguas frías y silenciosas que está a punto de separarnos, para siempre jamás, de las llanuras verdes donde las aguas corren y las flores se abren sencillamente, sin pensar en ello».»

Böcklin debía morir poco después de ser escritas estas líneas y Juan Brull [142] debía evocar solemnemente el recuerdo del pintor de los «idilios griegos», las «leyendas de la Edad Media» y los «fabulosos paisajes de sus sueños» en que se siente «la presencia misteriosa de algo que hace pensar y que conmueve».

Los críticos del 1900 veían el origen del modernismo intelectual en el movimiento decadentista, modernista y simbolista francés, que creía oponerse a los principios formales de la escuela parnasiana. Quienes influyeron en el mundo catalán fueron jóvenes que no llegaban a los treinta años en su mayoría, y ninguno a los cuarenta : Samain, Bataille, Gregh, Louys, Mauclair y Valéry [143].

Se buscó no ya la poesía de público, sino la de público selecto, la poesía culta, incluso pedante en su erudición, la precisión en la imprecisión sabiamente calculada de Vielé Griffin, Paul Fort, Mallarmé, Verlaine y Maeterlinck. El Arte Poética se basaba en Mallarmé, recién fallecido : «Nombrar un objeto es suprimir las tres cuartas partes del placer de un poema, que se basa en la felicidad de adivinar lentamente. El uso perfecto de este misterio constituye el símbolo. *Evocar lentamente un objeto para expresar un estado de alma* o bien, por lo contrario, escoger un objeto y sacar de él un estado de alma, por una serie de desciframinetos.»

Se basaba también en Samain, estudiado y citado por G. A. Tell [144] :

Je rêve des vers doux et d'intimes ramages,
Des vers à frôler l'âme ainsi que des plumages,
Des vers blonds où le sens fluide se délie
Comme sous l'eau la chevelure d'Ophélie,
Des vers silencieux et sans rythme et sans trame
Où la rime sans bruit glisse comme une rame
... ...
Et qui au long des nerfs baignés d'ondes câlines
Meurent à l'infini en pámoisons félines
Comme un parfum dissous parmi des tiédeurs closes
... Je rêve des vers doux mourant comme des roses.

Guanyabens traducía a Baudelaire, con ilustraciones de Brull [145], y traducía de Verlaine [146] una poesía que es, por sí misma, una ilustración modernista :

Dibuixa, neta,
l'estany joliu,
la silueta
del salze ombriu
on el vent plora...
Volem. N'és hora!

NICOLÁS RAURICH : *Fantasía de Carnaval.* Pintura al óleo

EL TRIUNFO DE LO IRRACIONAL

Lo extraño. — Lo habitual no dice nada. No tiene valor de lenguaje. Lo es, y por ello es símbolo, lo extraño. Se buscó, por lo tanto, lo extraño. «Arrancar de la vida humana [147] no los espectáculos directos, no las frases vulgares, sino las visiones relampagueantes, desbocadas, paroxistas; traducir en locas paradojas las eternas evidencias, vivir de lo anormal y lo inaudito, contar los espantos de la razón asomada al borde del precipicio, el aplastamiento de las catástrofes y los escalofríos de lo inminente; cantar las angustias del dolor supremo y describir los calvarios de la tierra; llegar a lo trágico frecuentando lo misterioso; adivinar lo ignoto; predecir los destinos dando a los cataclismos del alma, a la zozobra de los mundos, la expresión excitada de terror: tal es la forma estética de este arte espléndido y nebuloso, prosaico y grande, místico y sensualista, refinado y bárbaro, medieval y modernista al mismo tiempo.»

El ejemplo directamente aludido era Maeterlinck.

Este escritor, que tanta importancia debía tener en la orientación general del gusto de fines de siglo, entró con *La Intrusa* en la fiesta modernista de Sitges de 1893 y con la representación de *La Princesse Maleine,* en el Romea, se saludó, el mismo año, la entrada del modernismo en los teatros de Barcelona [148]. *L'Avenç* se hizo el propagandista de su literatura, y en el momento del estreno de esta obra tenía ya a la venta gran cantidad de sus libros: *Serres Chaudes, La Princesse Maleine, L'Intruse, Les Aveugles, Les Sept Princesses, Pélléas et Mélisande,* y la traducción al francés por Maeterlinck de *L'ornement des noces spirituelles* de Ruysbroeck el Admirable.

Como dijo Jaime Brossa [149], la traducción de Maeterlinck al catalán presentó problemas de estética del lenguaje cuya solución tuvo una gran importancia. Muchas sutilidades de expresión que nunca se habían intentado, o que parecía difícil o imposible verificar, fueron realizadas. Este carácter de la obra hizo que quien se encargara de su traducción fuese el propio Pompeyo Fabra, quien se esforzó en dominar una obra de la que decía el citado Brossa: «El arte de representar esta pieza dramática simbolista consiste, más que en la exteriorización ruidosa de los sentimientos, en la misteriosa musicalidad de las palabras, pues, al fin y al cabo, la palabra es la expresión más inmaterial del individuo.» Observemos que esta valoración, que se relaciona con la *paraula viva* de Maragall, tiene también su enlace con el wagnerianismo, pues el propio escritor añade: «Las variaciones del estado en que se encuentra el personaje deben manifestarse en matices y semimatices casi imperceptibles, al igual que aquellas variaciones armónicas de la orquestación wagneriana que consisten en suaves cambios de tono y disonancias ligeras.»

Por su contenido, *La Intrusa* ayudó a la fermentación de aquella especie de filosofía de lo inconsciente que flotaba en las mentes de la época y tenía resonancias panteístas. La posición que el nihilista Brossa creía poder ver reflejada en la obra de Maeterlinck es la de la acción, renunciada o inasequible y el encierro de la vida en lo interno. «Los personajes deben vivir lo menos exteriormente posible y sus acciones, miradas y movimientos impulsivos son únicamente la espuma blanca e hirviente de unas olas que se deshacen en el alta mar de la vida para entrar plácidamente en la Nada.» Y añadía: «Si, como muchos que tienen algo de Budha y de Schopenhauer, la vida terrestre es la fermentación de la muerte eterna (una vida real y positiva) los personajes de *La Intrusa* vienen a ser una pequeña corte que rinde culto a la Majestad Liberadora que les ha favorecido con una visita.»

Ésta era la obra escogida, como decía Massó y Torrents [150], para mostrar «el arte que nos gusta,

SMITH: *El avaro*

el arte que sentimos, el arte que queremos reflejar». Para Rusiñol [151] se trataba de sustituir los «discursos hinchados» y las «lágrimas alquiladas al consonante» de la retórica romántica por «el arte sincero, nutrido de bellezas medio soñadas, medio vistas, en las pobres miserias de la vida».

Es el arte de lo inexpresable, que halla su resonancia en las ideas de Albert, tanto como en las de Maragall.

Carlos Capdevila, en sus *Estudis Literaris* [152], pasó todos los límites del simbolismo, con apariciones de damas arrancadas de tapices a lo Edgar Poe, que toman libros amarillentos de herméticos caracteres y tornan verde su rostro ante un misterioso licor... quieren mirar a través de los muros, se retuercen trágicamente por el suelo... y cámaras de oro viejo y verde oliva con alfombras cabalís-

JOAQUÍN VANCELLS: *Otoño.* Pintura al óleo

ticas y dos manos blancas junto a un mastín inmóvil, surcadas por regueros de esencia de turquesa... cuando «la antigua quietud reza una antigua melodía y los ojos del viejo mastín brillan como llamas».

El mismo tipo de literatura irreal, onírica, da carácter a escritos primitivos de Ors [153] en los que, del mismo modo, se describen los colores de la escena, como si se pintara un cuadro prerrafaelita. «Con hábito... color de tierra, con rostro amarillo y penitente...» pinta al fraile que «ha pasado... y los pájaros asustadizos de mis ensueños se han dispersado en vuelo temeroso, dejando huérfano de músicas el bosque sagrado en que os he construído un templo de mármol, alta reina de mis amorosas devociones, soberbia Madona del cuerpo de estatua vestido con bizantina opulencia, de noble rostro pálido y voz suavísima y labios despreciadores y verde y misteriosa mirada de esfinge...», evocando el ambiente y la iconografía de las marqueterías en boga. Es el mundo que canta en sus poesías [154], en el que «lloran las aguas, gritos de angustia vienen de lejos y en un aire de hielo pasa el Miedo», irreal y vago de «presentimientos llenos de dulzura, inexplicables, en el que sólo lo sensual de la mujer a quien, «a cada paso, una ola recorre todo su cuerpo melodioso» [155], cobra vida real.

En la poesía de Pahissa las manos cobran el precioso significado que las hacía protagonistas en las prosas de Capdevila.

Mans hermoses de verge bizantina,
mans oloroses com jardins... [156]

Centenares de ilustraciones, de mosaicos, de marqueterías, de vitrales, repetirán, en el cuerpo del arte modernista, la evocación misteriosa de las manos de mujer, símbolos nerviosos y dulces a la vez

LUIS BONNIN : Ilustración para el libro *Boires Baixes*

de algo que hiere el corazón, pero que permanece velado por la impenetrable vaguedad que envuelve de ceguera a los instintos y a la imaginación.

Vaguedad y melancolía. — La vaguedad era esencial. Manuel de Montoliu fué quien dió a conocer las ideas de Ruskin sobre las nubes : «No debemos extrañarnos de que la niebla y todos sus fenómenos se hayan hecho atractivos para nosotros.» Amante él mismo de la vaguedad, su lenguaje llega a ser «ultrapoético» en la *Nova Primavera* [157] y *Primeres Poesies* [158], influídas por Gœthe, Nietzsche y Maeterlinck. Zanné [159] le llama hijo de Fra Angélico y Maeterlinck y lo pone como símbolo de la tendencia blanca, soñadora, del modernismo literario, que se opone al ala negra de los que llama hijos de Hércules y de Zola, vitalistas heroicos y enérgicos.

Melancólicos fueron De Castellá, Luis Capdevila, aquel Juan Malagarriga que decía, recordando una escultura de Blay o de Escaler : *Mon cor acluca els ulls;* Martínez Ferrando, cantor de suaves escalofríos ; Morera y Galicia, que descubría en sus visiones prerrafaelitas frisos de palacio de hadas ; Luis G. Pla, que habla del espíritu que, como un ave, se recoge y medita ; el idealista Plácido Vidal ; el Alejandro de Riquer melancólico de las *Enyorances,* y el prerrafaelita Xavier Viura, quien veía como

pel caminal del cel l'Espòs venia
amb l'exèrcit de verges davant seu.

Miguel de Palol fué uno de los más profundos melancólicos en un mundo en que

rera els finestrals, damunt d'un cel llis,
alçaven els cignes son vol malaltís.

Xavier Viura adelantó la nota melancólica hasta posiciones mentales insólitas, como la de *A una dama,* poesía que ilustró el melancólico Sebastián Junyent [160], que empieza :

¿No recordeu, senyora,
la dolçor de la morta joventut?

y termina llamando a la dama :

Oh, aimada rosa de tardor gentil!

Sin norte, se buscaba lo vago por sí mismo. Hubo un verdadero idealismo de la vaguedad, que expresa Trinidad Catasús en su *Desig de llum* [161] cuando dice, al hablar de los encantos de las soledades montañesas :

Quan els veig, mon amor, sento un neguit
que em desperta en el cor una frisança,
com un desig estrany, indefinit,
d'assolir una eterna delectança.

El Carner modernista publicaba, en 1904, poesías rezumantes de vaguedad como aquella de

tens per Misteris que assolir no goses
la foscor dels trespols inexplorats,
els recons silenciosos i endolats
i les imatges de les cambres closes

y la imaginería prerrafaelita de la poesía *A una dama de cinquanta anys que plorava:*

Oh, Reina de corona platejada,
¿on són aquelles llàgrimes d'esplai
que bevien les roses de la prada
i envejaven els astres de l'espai?
... ...
mes prou la melangia ho endevina,
que encara besa dolçament les coses.

O la *Darreria,* que canta:

se n'aniran els àngels dels llocs suaus on són.

O la *Tràgica,* a lo *Sturm und Drang,* que nos dice:

les Fúries en mon cor són desbocades
i es topen i rodolen els Instints.

El dilema era: o dormirse en las melancólicas nubes de la vaguedad o luchar inútilmente contra ellas.

La niebla de lo inasequible. — En su comentario al poema *Boires baixes* [162], Eugenio d'Ors nos habla del héroe de Roviralta como de una personificación de la época modernista. «Este desequilibrado — dice —, de imaginación loca, sensibilidad femenina y entendimiento tambaleante de dudas y deseos impotentes, este caballero... es tan hijo de nuestro tiempo, tan enfermo de nuestras enfermedades, tan hermano nuestro, que las espinas que se le clavan entran también en nuestras carnes; los golpes que recibe, los sentimos nosotros en medio del pecho, y nuestros corazones se desangran también dolorosamente por todas sus heridas.»

El profesor de la escuela de Bellas Artes de Valencia, Doménech, señalaba los rasgos con que se manifestaba, artísticamente, esta mentalidad caótica [163] al considerar que la «rica floración, exuberante y espléndida, que cambia continuamente»; las «transformaciones rápidas y violentas», los «grandes flujos y reflujos del arte» son «los signos más característicos de la revolución que se opera en el arte». Se da cuenta de que en su tiempo se vive «el comienzo de su formación» y aprecia, en la nueva manera de sentir y expresarse, el fondo idealista que, después del positivismo, «ha levantado el vuelo con más potencia que antes». Como Berdiaeff, ve una nueva Edad Media, observa el renacimiento del «*alma gótica;* esto es, el desarrollo extraordinario de lo anímico sobre lo corporal; de las ideas y de los sentimientos sobre la forma; de la voluntad enfermiza sobre la actividad sana».

Explicaba así un arte reñido con el realismo que no ve las cosas «como imágenes corporales», sino «como ideas o sentimientos», y predice la dirección doble del que buscará en lo natural una correspondencia de su interior y la del que se hundirá en su propio interior para formar allí un mundo.

Los cantos de *Boires baixes* [164] expresan el lenguaje de las almas encantadas prisioneras de la niebla, el lenguaje de las flores, los árboles, la mujer, la imaginación, el eco de los pensamientos del caminante...

En una aspiración al Nirvana el poeta hace hablar a los espíritus de la poesía, prisioneros de la niebla, símbolo de lo vago, incitando a dormir

Dormim,
que dormint se somnia
i un té el que desitja tenir.
... ...
Dormim,
que el dormir és lo millor de la vida.

Y cuando dice que podrá tener todo lo que quiera lo enumera, sintomáticamente: palacios ideales poblados de seres ideales, jardines de cipreses, nubes gigantes, bosques inmensos de laureles, campos de lirios, paisajes nocturnos... toda la fantasmagoría del decorativismo modernista.

El lenguaje de las flores encuentra su lugar en la vaga comunión con la naturaleza, en que aparecen como «vírgenes soñolientas» e «incensarios de altares sin imágenes».

La mezcla del Arte con la Naturaleza, de la sugestión natural con la imaginación, es típica del momento. Las joyas, que ponían su poesía en los cuadros de Moreau y en la literatura de todos los decorativistas del parnasianismo y del simbolismo, se mezclan con las flores en la policromía ideal del poema:

Il·lusions, dones de somnis:
armeu-lo cavaller.
Forgeu-li l'armadura
dels més preuats argents.
De l'or més fi de vostres joies recatades
feu-li el casco lluent.
De pedres irisades
brodeu-li l'ample mantell.

Ors [165] buscó en Max Stinner la raíz de la concepción que podríamos llamar espiritista de la Naturaleza que vive en la poesía de Roviralta.

Según Stinner, la concepción poética animista traduce un estado de autoemancipación incompleto. En este estado, el yo, liberado ya de la tiranía de lo natural, reducido por el esfuerzo del hombre a la categoría de impotente apariencia, queda todavía esclavizado por las cadenas de lo sobrenatural por él mismo forjadas. Ors vió en la poesía de Roviralta y Bonnin este hecho; vió, además, el recuerdo de una adolescencia que bautiza como «tierra del goce sin lucha y el reposo sin trabajo». Cree encontrar una poderosa verdad en su mezcla de lo «real y lo ideal, lo interno y lo externo, la naturaleza y los sueños, el entusiasmo y la ironía», con lo cual se anticipa a la concepción sobrerrealista de la verdad.

Es la historia del hombre soñador que se deja perder entre las nieblas y vuela con las alas de la fantasía cuando oye una voz, que es la de una muchacha real. Su fantasía, la niebla, le hace perder y morir solo y abandonado, mientras Ella llora después de haber tenido un presentimiento, de haber sentido como un batir de alas cerca de los cristales de su mansión y haber salido hacia la niebla pensando en un pájaro perdido que ella habría podido querer.

Es el poema de los deseos insatisfechos y del sabor ácido, enfermizo, de esta insatisfacción, placer que hacía escribir a Juan Llongueras [166]

No avancis ni un pas, ma aimia ;
no avancis ni un pas, amor,
que el dia que ens confonguéssim
nostre encant s'hauria fos.

La misma mentalidad hizo recibir con entusiasmo, en Barcelona, la representación de *La campana submergida* de Gerhard Hauptmann. Salvador Vilaregut [167] dió en el clavo al descubrir el nudo wagneriano de esta tragedia del ideal imposible, basada en el problema que plantea el *Tannhäuser,* recogido también por Ibsen en *Halvard Solness.* Presentada como cuento popular, ayudada por la poesía de la ilustración de Vogeler al programa, con «visiones soñadoras de bosques de abetos espesos, difuminados por la niebla y retorcidos por la tempestad ; las hadas hermosas peinando sus cabelleras de oro al resplandor de los pozos mágicos...» nos introduce en un ambiente semejante al de las *Boires Baixes.* El maestro Enrique, fundidor de campanas, que había fundido una para una iglesia de la cumbre de la montaña, ve como los faunos del bosque la han derribado de la carreta que la llevaba. La campana voltea, cayendo por la ladera de la montaña, y le atropella a su paso, hiriéndole. La bellísima hada Rautendelein le cura las heridas y lo enamora. Le hace abandonar mujer e hijos y abandonar su fe por el gran ideal modernista, la religión del arte, al prometerle una campana que tocará sola y anunciará un nuevo reino de luz sobre todo el el orbe.

El encanto dura hasta que se oye brotar del fondo del lago en que su obra cayó el sonido de la campana sumergida tocada por el cadáver de su mujer, que se suicidó, desesperada, lanzándose a las aguas. Zanné [168] comentaba la personalidad de Bonnin reprochándole encerrase excesivamente dentro de sí mismo ese «vagabundo del espíritu a que llevan las vagas inquietudes, los suaves resplandores estelares de los jardines apenas presentidos y las negras *licantropías* de los espíritus soñadores». Lo justifica al decir que sintió la vulgaridad que le rodeaba y «se dejó caer voluptuosamente en el opulento trono de los ensueños, entre los tibios cojines de las ilusiones, contemplando en su interior la floración infinita de sus pensamientos, saboreando lujuriosamente el olor de este mundo interno tan olvidado, tan silencioso para muchos». Bonnin se había sentido, realmente Zanné lo comprendía, «como el extranjero de Baudelaire, solitario de amor y de esperanza y, como él, enamorado loco de las nubes, de las nubes que pasan, las nubes que se deshacen, que huyen, que caen, al fundirse, en un poniente rosado cuyos misterios ignoramos».

En las artes plásticas, como en la literatura, la niebla sugestiva de lo inasequible se tradujo en las frecuentes representaciones de hadas. Jaime Massó y Torrents, poeta nacido en 1863 y que murió en 1943, de la generación de Maragall, creó en *La Fada,* sobre este tema, la base para una ópera modernista de cuya música se encargó Enrique Morera, y que fué estrenada en el «Prado Suburense», formando la materia de la Cuarta Fiesta Modernista, el día 14 de febrero de 1897.

Anunciada por un cartel de Miguel Utrillo, Rusiñol la clasificó como «arte de leyenda bebido en las fuentes del sueño».

Las hadas poblaban las pinturas de Tamburini y de Brull, de Pascó y Riquer, y adornaban profusamente los edificios de Doménech y Montaner. En el Palacio de la Música Catalana forman el tema más característico de la decoración musiva.

El valor de la expresión. — Si por el preciosismo decorativista la expresión pudo serlo todo, el simbolismo la separó radicalmente de un contenido

LUIS MASRIERA : Panel decorativo con representación de un hada fundida en el paisaje

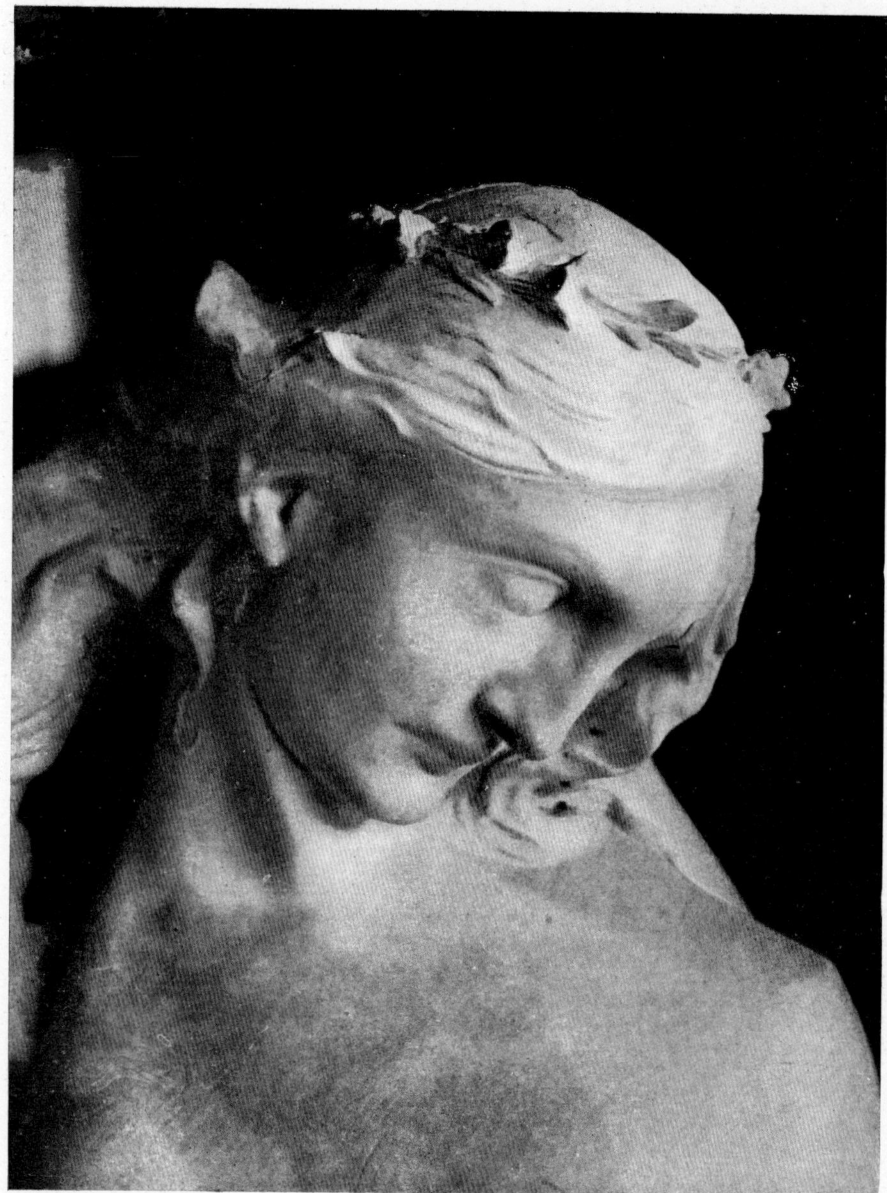

JAIME OTERO: *Símbolo.* Detalle de una escultura que figuró en la Exposición Internacional de Bruselas de 1910

tanto o más válido, creando una doble escala de valores para apreciar el arte: la del fondo y la de la forma.

Románticamente, por sentimiento, por lirismo, la era modernista tendió a colocar en primer lugar el fondo, pero una época tan enamorada del arte no podía acostumbrarse a admitir, sin dificultad, esta jerarquía.

Por ello, el problema de las relaciones entre la expresión y lo expresado tuvo una acuidad especial.

Doctrina fundamental de la estética de su tiempo fué la contenida en el *Elogi de la paraula,* de Maragall [169]. La expresión artística está en él valorizada por lo que tiene de primigenia, porque el *Verbo* evangélico es expresión por serlo los rumores de la Naturaleza, por la emotividad que existe en las primeras palabras de los niños. Religiosamente toma la expresión, pues, con «santo temor», haciendo de ella un sacerdocio. Aspira a conservar siempre su valor primigenio, vital, no calculado, dejando que la expresión brote «como las flores en primavera», «cuando el espíritu se estremece de plenitud». Protesta de que «encima de un grano de inspiración sagrada» se quieran «levantar edificios de razón vanidosa».

En el antirracionalismo de esta posición se defienden las mismas palabras no comprendidas, porque se estima que «medio entender una palabra es entenderla más que entenderla totalmente».

La expresión, por lo tanto, al ser libre y espontánea, al no necesitar doblegarse a las necesidades del lenguaje lógico comprensible para todos, se torna individual. «Que cada cual venga aquí cantando una canción, la suya, la flor de su día.» Así, protegido por este respeto a su libertad, Maragall creía poder dejar florecer auténticas formas de arte vivas, auténticas expresiones de lo más hondo de la humanidad, constituída por entes reales, palpitantes y sensibles. Y digo sensibles porque el propio poeta confesaba que al surgir de sus labios ciertas palabras «una fiebre temblorosa le hacía estremecer el pulso y nublársele los ojos».

La teoría de la *paraula viva* se basaba en la gradación de sinceridad en la expresión. En el primer grado, se dice lo que se piensa, por voluntad de decirlo. En el segundo, por una necesidad de expresión fuerte que no es suficiente para hacer aparecer las palabras y su ritmo. «Este momento es el que engaña a muchos — decía — obligándoles a precipitarse en la búsqueda de palabras y produciendo el aborto poético.» El tercer grado, en el que se realiza la poesía, «consiste en el divino balbuceo a través del poeta, con el mismo ritmo originario que él sintió y en la forma misma que logró cautivarlo».

Más sagaz que la teoría de la *paraula viva,* la

TEATRE
INTIM

MODESTO URGELL : *Cementerio.* Pintura al óleo

de Salvador Albert [170] veía en las palabras un disfraz de las ideas para vestir su desnudez. Para él era un horror el bazar del diccionario, que nunca puede darnos vestidos a la medida de nuestros pensamientos. Nuestro canto puede ser un vehículo para dirigirnos hacia un estado superior

per cantar en silenci lo gran himne!

según la traducción que Albert hacía de Nietzsche.

Necrofilia y nihilismo. — Si Maragall salía de la nebulosa modernista gracias a sus preocupaciones por lo externo, a su aprecio de la expresión en sí misma, los contenidistas se hundían en ella, y lo más curioso del fenómeno es que en tal hundimiento se encontraban con los naturalistas.

Hijos del extremo irrealismo, que ellos llamaban idealismo, se encontraban con aquellos que estaban situados en el extremo del realismo. De los sueños de una existencia maravillosamente decorativa, pasaron a darse cuenta del dolor inherente a la propia fragilidad y a la intangibilidad de lo onírico.

Excitada su sensualidad por la imaginación, sintieron mucho más el dolor de esta imposibilidad de objetivación, que adaptaron a la mentalidad sexualizada con una melancolía masoquista. De aquí vino el programa, ya formulado por las obras de algunos prerrafaelitas británicos muchos años antes, de la necrofilia, de la complacencia en el fracaso, de la evocación de las formas enfermizas, de la soledad, de la palidez, del dolor. Por esta ruta se llegó al mundo de los sueños artificiales : los estupefacientes tuvieron su arte y su literatura.

En este plano, y para producir una impresión, los artistas se vieron precisados a arrancar sus imágenes de la vida real. Cuando se trataba de la dicha arbitraria ellos se encontraban lejos del mundo, pero ahora, la realidad de la muerte, del fracaso, de la enfermedad, de la soledad y del dolor, les brindaba la posibilidad de reforzar sus formas expresivas con una intensidad como sólo puede hallarse en la observación de las cosas.

Entonces se encontraron en el mismo camino con la extrema izquierda del naturalismo que buscaba por las rutas de la miseria, de la enfermedad y del abandono un contenido emotivo que no tenían las simples imágenes del mundo externo acogidas sin selección.

En el terreno de la lírica necrófila, Salvador Vilaregut nos da una de las visiones más típicas del simbolismo en su *Llegenda de la donzella heroica,* que describe como una especie de Juana de Arco sin nombre, mítica, que cae vencida y es enterrada en las altas montañas, en una procesión de monjes y hadas mezclados que la llevaban a hombros, entre campanas lúgubres y suspiros de ruiseñor, «como si el cadáver adorable de la doncella angelical fuese una semilla preciosa, una reliquia santa».

Con masoquismo, se buscaba a menudo esta poesía de la derrota, del mismo modo que Juan Mercader y Vives [171] amaba el crepúsculo :

Que hermoses que són les tardes
després que s'ha post el sol!

JUAN BRULL: *Visita del viático a un enfermo.* Pintura al óleo

Siempre la Nada. Ahora era Juan Llimona, dibujando la mujer sola, pensativa, encerrada en su casa, con la frente apoyada en los cristales, contemplando la calle extranjera y distante; ahora era Manuel Crehuet, tocando el mismo tema desde el punto de vista del hombre solitario [173] que vivía encerrado en su casa fría, silenciosa de alfombras y obscura de cortinajes, viviendo de recuerdos que temblaba al pensar que podían desvanecérsele.

La poesía de *L'alegria que passa* está en la misma medula del modernismo. En el fondo, Rusiñol la descubrió cuando escribió, en 1893, *Els caminants de la terra* [174]. Las «sombras de las tradiciones» le pusieron ante las figuras del Judío Errante, que Wagner resucitó para el arte de su tiempo, y de los peregrinos del Tannhäuser... A Rusiñol le pareció encontrar en ellos un símbolo de la búsqueda inquieta de lo inasequible, de la inmensa melancolía de una vida sembrada de ensueños irrealizables, y encontró como símbolo la carretera, de la que dijo: «Nada como aquella línea blanca da el vértigo del desconsuelo.» «Por ella pasan los caminantes de la

y Xavier Viura [172] hablaba del Ángel Sagrado del Otoño en forma de bella mujer del jardín que la niebla invade y el crepúsculo enriquece.

El amor a la muerte, que debía imaginarse como el bello ángel de Moreau, se halla también en la temática de los dibujos de Riquer y justifica su propia literatura, como en *Crisantemes,* donde se nos habla de las primaveras, los veranos y los otoños enfermizos que han pasado y la esperanza del reposo final: «¡Qué son de cítara y qué himnos de los ángeles! ¡Qué largo beso a los hijos que nos han dejado! ¡Qué placer infinito cuando, a los pies del Señor, podamos sentarnos al lado de la madre!» En la *Bacante,* que forma parte de este libro melancólico, pinta Riquer su ideal poético de mujer, tan del momento. «Es de un color pálido de flor exótica y concentra la vida en lo rojo de los labios, en el brillo alocado de los ojos que centellean. Tiene la expresión nerviosa, es la imagen viviente del vicio refinado... la estéril decadente de fin de siglo.» La idea de esterilidad, de inutilidad, de imposibilidad de un amor pleno y sano invaden la imaginación, que se complace en este nihilismo.

PICASSO: *Carretera en la montaña.* Colección Mayeroffer

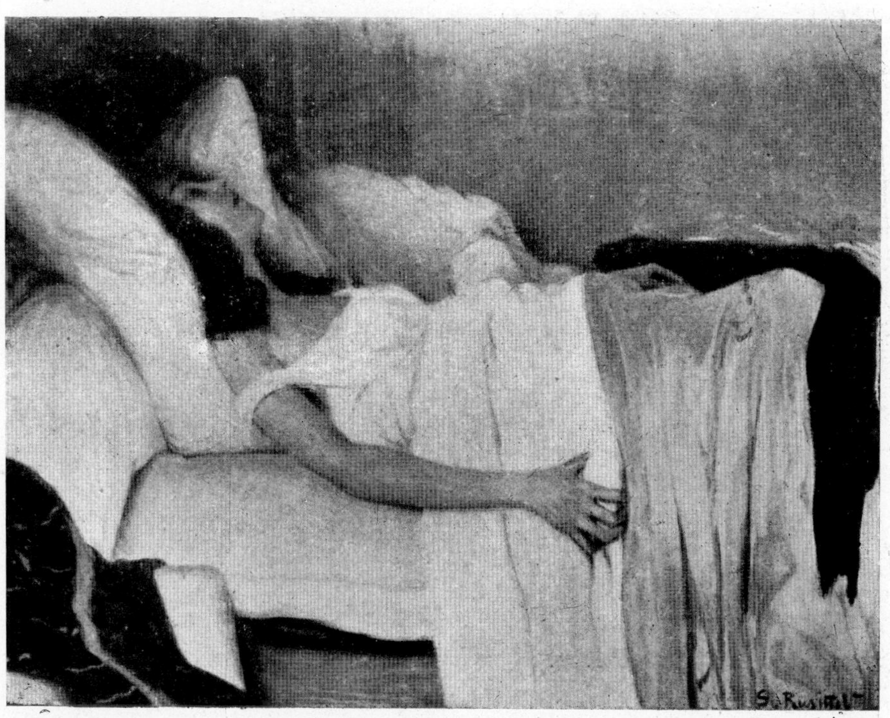

SANTIAGO RUSIÑOL: *La morfina.* Pintura al óleo. Sitges. Cau Ferrat

tierra: bohemios de la bohemia de los pobres, clowns ambulantes, carros transportando miseria, músicos repitiendo un canto sin patria, gentes sin oficio abandonadas a la suerte... los emigrantes... que tienen la cara indefinible, como de gente que ha nacido yendo ya de paso... en cuya cara no se pinta jamás una arruga de alegría, que dan frío al mirarlos, que parecen hombres de una raza abandonada... soñando quizás en el infinito y en el siempre jamás de un fatalismo sin límites.» Y concluía expresando el sentimiento que dió alas a toda la pintura negra, de Nonell a Picasso: «su rastro deja un deseo de seguirlos, un agridulce, sentido y desvanecido rápidamente, de compasión y simpatía.»

He aquí el porqué de tantos gitanos, de los emigrantes, de los personajes de circo, de los pordioseros que animaron con sus sombrías manchas el arte de los primeros años del siglo XX. Estrenada en el *Teatre intim,* que dirigía Adrián Gual, el 16 de enero de 1899, el poeta de *L'alegria que passa* encontró una compenetración lírica profunda con Morera, cuyo triste *vals* expresa, con tanta exactitud, el sentimiento peculiar de la *época azul* de nuestro arte.

Lo enfermizo. — El prestigio de la enfermedad como forma de vida, que en su inacción lleva aparejada una mayor intensidad de existencia imaginativa; su prestigio como forma de vida en contacto con el misterio del más allá; como vecindad de lo desconocido y causa de intensidad emocional; como causa de hipersensibilidad, de resoluciones descabelladas, de aprecio frenético y desesperado a formas intensas de goce o de desarrollo intelectual y como motivo de contemplación, excitante de la piedad y de la conmoción del prójimo.

Conocido es *El pati blau,* de Rusiñol, el monumento más significativo del arte de lo enfermizo. En el campo de la plástica, la *Clorosis,* de Sebastián Junyent, es su paralelo más elocuente.

Los ejemplos de la literatura de la enfermedad son numerosísimos. Valgan, como ejemplo de sus formas más extremistas, *El pati dels malalts,* de Alfonso Sans y Rossell, con su panteístico «Viva el sol!» [175], y el *Desvari,* de Xavier Viura [176], «desvarío sublime y sentimiento profundo» de un tísico que «presiente sensaciones supremas e interminables».

Nada tan patético, no obstante, en la literatura como el horrible cuento breve de Colomer y Fors [177] en el que una madre moribunda estrangula a su hijita dormida para llevársela, así, al otro mundo.

En este estudio de lo horripilante con frecuencia se bordea el mundo irreal de Edgar Poe, pero más a menudo se penetra en el naturalismo originario del ruralismo, que tiene por forma la literatura negra.

El espíritu negro. — La literatura correspondiente al arte negro — de Nonell, de Mir, de Picasso, Opisso, Ainaud — no fué abundante. Maseras nos da ejemplo de ella [178] al hablar poéticamente de las calles negras de los desheredados, «resbaladizas y sucias del tráfico y regadas con sudor», donde viven los «hombres de los pensamientos negros, pensamientos bárbaros como sus fuerzas y sus penas, pensamientos alimentados por la sangre hirviente del esclavo que clama perdido en el desierto de la ignorancia...».

Alfonso Sans y Rossell [179] se detuvo a hablar de los músicos ciegos, del ambiente en que «lo alegre se torna triste», porque «los rumores de fiesta, allí donde la tristeza anida, son como la mueca del payaso, que la hace a la fuerza».

Las prosas de Casellas en *Els sots feréstecs,* las de *Víctor Catalá,* los cuentos terribles, de locos y miserables, de Suriñach Senties, están en la misma línea negra.

Víctor Catalá publicó, en 1898, su *Cant dels me-*

ISIDRO NONELL: *Pobres recibiendo limosna.* Pintura al óleo. Barcelona. Colección Santiago Juliá

sos, que no hacía presentir la formidable escritora de *Solitud* [180], novela a la vez realista por su contenido argumental, su expresión cruda y su verdad psicológica, y en contacto con el simbolismo por la fuerza que en ella manifiestan los ideales y la potencia energética con que se siente la proximidad de la Naturaleza.

Es de tema rural porque su autora había nacido y vivía en un pueblo, pero no cae en los tópicos del pintoresquismo ni del anecdotismo ruralista. Su autenticidad como documento humano es paralela a la que logró Nonell en sus pinturas de los desechos de la sociedad urbana.

Cristóbal de Doménech fué el primero en hablar de Gorki, recién publicadas las primeras traducciones francesas del escritor ruso [181], pero ello le dió ocasión para protestar de la siembra de desesperación, del mal de vivir y de sombrío pesimismo, aprovechándolo para arreciar contra los seguidores de las nieblas nórdicas y reivindicar la sana alegría de nuestro Mar Latino contra la «gigantesca ola de negrura, ausencia de arte verdadero y placer» que amenazaba destruir el alma mediterránea.

El naturalismo y la exaltación del instinto encontrábanse con la obsesión de la sociedad caída, propia del arte negro en aquel texto de Pous y Pagés [182] en que, frente al sátiro del suburbio moderno, el escritor exclama: «¡Ya no eres el hijo alegre de la Naturaleza! Bajo la destrozada vestimenta del innoble Vagabundo, te has convertido en el arañamujeres.»

Eugenio d'Ors, en *La fi d'Isidro Nonell* [183], dió la imagen onírica de una revolución horrible, que terminaba cuando los miserables de la ciudad, los modelos del arte nonelliano, veíanse retratados en los estanques suburbiales y en los pedazos de espejo roto de los palacios asaltados, y simbólicamente nos dice que, «como si con la sangre del artista fuese lavada su abyección; como si con la muerte del gran responsable estuviesen libres para siempre de las uñas innobles de la fealdad; como si hubiese muerto el veneno por haber muerto el bicho, temblorosos y anhelantes se miraron en el espejo y, a la luz dudosa del ocaso sangriento, todos, todos los hombres se vieron apuestos y nobles y las mujeres todas, las miserables, las viejas, las deformes, las cretinas, las idiotas, las locas, las brujas, las gitanas, las traperas, las estercoleras, las pordioseras, las chinches, las rameras, las alcahuetas, las leprosas, las podridas, sonrieron de orgullo, sintiéndose toda el alma y toda la sensualidad súbitamente inflamadas al beso de una ilusión embriagadora que las hacía encontrarse hermosas».

Vitalismo amoral. — El sentimiento de la Naturaleza coincidía con la sensibilidad por lo enfermizo en valorar el aspecto biológico de la existencia humana. El amor a la vaguedad y al misterio, a la emoción, destruía la fe en el racionalismo y contribuía asimismo a realzar el papel de lo instintivo.

Las formas jurídicas, las estabilizaciones sociales y económicas, las normas artísticas, las convenciones prácticas, aparecían como excrecencias parasitarias, como coacciones esterilizadoras, y en las conciencias del mundillo artístico y literario germinaban ideas de libertad vital, creyendo puerilmente encontrar la plenitud de la existencia en la liberación de los instintos y en el respeto al desarrollo de las tendencias humanas que aquéllos engendran.

Wagner, Nietzsche, Schopenhauer, la literatura rusa y el mismo naturalismo de Zola coincidieron en dar sustentáculos a la creciente ola vitalista, que si muchos querían encerrar en el marco del arte, depositando desorbitadas esperanzas en esta actividad, otros deseaban injertar en el árbol del progresismo político.

Desde su posición progresista Martí y Juliá se veía forzado a combatir la religión del arte, y la propia *Joventut*, por radicalismo, se veía forzada a acoger sus quejas en sus páginas [184]. Condena a los que «piensan que sólo el arte debe redimirnos y creen que se hace cultura y civilización con la homeopática dosis de *arte* que el pueblo pueda asimilar de los organismos de música y museos». Para él lo urgente es la salud y la economía. Son ridículas las viviendas burguesas, con las paredes llenas de cuadros y las muchachas tocando el piano o leyendo «autores extravagantes y desequilibrados». Le gusta más la casa sencilla, soleada y aireada, sin cortinajes ni cuadros, «depósitos de polvo y microbios». Ve en el dilettantismo una forma de degeneración de la virilidad, combate a los que quieren «infiltrar en el pueblo catalán refinamientos de desviación artística, hacer pasar al senado social supremo a los que sólo alimentan su entendimiento con el criterio estrecho de los espíritus atormentados por el arte y vencidos por la vida, imponer todos los disparates de la bohemia de Montmartre...», etc. Con él hizo coro Marsans, y a uno y otro respondió Sebastián Junyent [185] haciendo constar la necesidad de difundir el arte porque, contra lo dicho por ellos, la única afición del país, en aquellas fechas, era la peseta.

Ernesto Vendrell [186] combatía el sentido aristocratista de la cultura catalana del momento, partiendo precisamente de Wagner, en quien ve un ejemplo de síntesis cultural y de quien considera sólo como complementos a Nietzsche, a Tolstoi, a Zola y a todos los vitalistas y realistas de los años siguientes. Estimaba que este espíritu de síntesis sólo era posible hacerlo vivir encarnándolo en las multitudes y condenaba la estrechez de los cenáculos de artistas y *dilettanti* para proponer, en progresista ambición, la resurrección de fiestas paganas en las que se ensalzara «la alegría religiosa de vivir», alejando el pensamiento del infierno, que en su vitalismo a ultranza no admitía, para consagrarse a los «dogmas» de la Ciencia, como el de la «evolución», y diesen al pueblo «el compendio panteístico y glorioso del Universo».

Suasus, en *Pèl & Ploma*, comentando el *Lazare le Ressucité*, de Mecislas Golberg, se complacía en la que llamaba «la gran doctrina nueva que late hoy en el fondo de todas las diversidades» [187] y que es la idea siguiente: «la ley opone a la infinita medida del mundo, que florece expansionándose, la medida mezquina del hombre, que tiembla, decrece y desaparece. La ley mata el hombre de la tierra, del barro y los vientos, para dejar vivir el hombre de la pena, del trabajo y los temores».

El vitalismo se alimentó en gran parte del teatro moderno de Ibsen, de Gerhard Hauptmann, de Björnstjerne Björson y de Strindberg, en quienes se vió encarnada la rebelión contra la «multitud opresora» [188], la sugestión de la psicología mórbida y el dominio de una atmósfera sentimental, opuesta al teatro de hechos anterior.

José M.ª Jordá fué el más importante traductor de esta clase de literatura al catalán, de la *Nora (Casa de muñecas)*, de Ibsen, y de *Los tejedores de Silesia*, de Hauptmann; junto con Francisco Pujols, traductor de la *Leonarda*, de Björnson, de *Simón Zazá* de Berton, del *Abanico de lady Windermere*, de Wilde, y de la *Monna Vanna*, de Maeterlinck.

A la Gloire de la luxure, de Eugène Vaillé [189], dentro de la línea de Verhaeren y Maeterlinck, fué recibido con un sintomático entusiasmo. En formas más o menos disfrazadas poéticamente, Zanné, Viura y Oliva ensalzaron la lujuria en la literatura modernista, pero hubo también quien lo hizo no como un culto a la belleza, al misterio o a la fuerza triunfante, sino sólo como ensalzamiento del placer, como Claudio Comabella [190].

Pablo Picasso: Dibujo a la pluma y al lápiz color. Barcelona.
Colección Carlos y Sebastián Junyer

Esta última postura, combinada con la ironía, fué el origen del periódico ilustrado *Papitu,* en el que debían colaborar tantos escritores y excelentes dibujantes del período que nos ocupa.

La poesía sensual tuvo cultivadores como R. E. Bassegoda y Pau Berga.

Xaxier Viura, hombre que hablaba de la «santa influencia de Ruskin», y también traductor de las óperas de Wagner, a menudo se dejó llevar por la poesía del desvarío enfermizo y evocó los mismos paisajes ideales de la decoración modernista. Ejemplo típico es su *Hivern* [191], en el que la muchacha recluída en su casa contempla, mientras nieva, un libro en el que aparece un paisaje primaveral y el beso de un joven apolíneo y una doncella «bella como el alma del bosque», con hombros de marfil y senos como capullos de lirio. Escuchaba una música que penetraba a través de los muros y luego se desnudaba ante el espejo, desatando nerviosamente su cabellera.

Las formas rebuscadas del sensualismo como en este cuento eran frecuentes. Se encuentran, asimismo, en la *María Elisabeth,* de Emanuel Alfonso [192], viuda de cabellos de noche que buscaba placeres en compañía de un jovencito de cabellos rubios, y en *Na Maria Emanuel de Castell-Vila* [193], adúltera complicada.

El mismo tipo de adulterio poético y melancólico forma un tema, inspirado en *Tristán,* de Font y Laporte [194], con intenciones sociológicas exaltando el divorcio.

Más enfermizo todavía es Suriñach Sentíes en *Un drama al desert,* que ilustró, con importante dibujo simbolista, Ricardo Opisso [195], el drama de la esclava y su amante, que se entregaron el uno al otro en el desierto y pusieron después fin a su vida.

Antonio Font y Laporte cantó en un poema en prosa [196], como Rusiñol en su pintura, la morfinomanía.

Se hizo del desnudo un culto idolátrico, y Sebas-

JOSÉ M.ª XIRÓ: *Corazón y Alas.* Pintura al óleo.
Museo de Barcelona

tián Junyent llegó a hacer una profética apología del desnudo [197] al decir que «el día en que el hombre llegue a un estado superior de civilización, en que se considere hijo de la Naturaleza, respetuoso para con ella y sus leyes, dignificado por el equilibrio completo de sus facultades, aquel día será hermoso ver a la humanidad disfrutando a plena luz como Dios la ha hecho, enorgullecida de la perfección de su forma».

La *Sed eterna,* de L. Escardot [198], obedecía a las mismas esperanzas de una existencia animal divinizada.

Si Wagner favoreció el florecimiento del tipo de literatura que Viura encarnó en sus formas más atrevidas, por su parte la literatura de Viura favoreció el wagnerianismo. Entre 1902 y 1906 publicó sus *Impressions wagnerianes* y, además, fué el traductor del texto de numerosas óperas de Wagner al catalán.

Wagner fué el cortinaje artístico detrás del cual se escondían los grandes fantasmas de una filosofía que debía deslumbrar la cultura del país, por un momento, con sus destellos, hechos del fuego de la belleza, a falta del fuego de la verdad.

Así pudo introducirse el gigantesco fantasma de Nietzsche.

Nietzscheanismo. — Pompeyo Gener hacía suyos [199] los puntos de vista de Jules de Gaultier [200]

LUIS BONNIN: Ilustración para el libro *Boires Baixes*

sobre el ilusionismo de los principios constitutivos de la Epistemología, la imposibilidad de existencia del Tiempo, el Espacio y la Causalidad, reducidos a propiedades del sujeto, y sobre la falsedad del concepto de Verdad, que cree engendrado por una confusión entre la forma y el contenido del Conocimiento, y en el lugar de la cual pone el principio de diferenciación que engendra la Vida (así, con mayúscula).

Con el mismo entusiasmo sigue al *Sartor Resartus,* de Carlyle [201], que conoce a través de la traducción francesa de Edmond Barthélemy aparecida en 1900, y hace suya la teoría de la humanidad prisionera de trajes estrechos, en espera de los futuros Héroe, Genio y Superhombre, grandes sastres del porvenir.

Pompeyo Gener fué, quizá, quien dió un sistema articulado más consistente de la filosofía modernista, sin que queramos decir con esto que todos los modernistas aceptaran, ni mucho menos, sus opiniones. El modernismo no solamente era una inclinación hacia lo vago, sino, al mismo tiempo, algo vago en sí, una manera de sentir más que una manera de pensar. «A mí no se me comprende — pone en boca del Ser supremo —, a mí se me siente.»

Para Gener [202] la Naturaleza era algo vivo, palpitante, «una sustancia etérea viviente» en la que los astros «no son más que cristalizaciones luminosas momentáneas» y todo se expresa en un canto, «un inmenso todo armónico», «un solo Ser» del que el yo no era separable.

El análisis aleja el yo del Ser, la síntesis lo une con él, el «Incomprensible», de cuyos nombres prefiere el germánico de *Wotan,* «es decir, movimiento, fuerza, acción». Panteísticamente, considera como una limitación el haberse separado el Creador de la Obra en la religiosidad semítica y cristiana.

Para él, el Hombre debía ser «un tipo concentrado del Universal Sistema», su reflejo lo más claro posible. Este Universal Sistema era la ley de la vida, la vida entendida como fuerza, a la que se sacrifican lo no vital y la vida misma, la «Vida intensiva, extensiva, ascendente» que el hombre debía «propagar y superiorizar hasta llegar al paroxismo en Belleza y en Placer». Las normas de su moral se basaban en ésta : ser «fuerte, vital, revolucionario, evolutivo, progresivo»... «movimiento y lucha»... «propagar la Belleza y proscribir todo lo feo, exaltar el talento, sublimizar el Genio, afinar la Conciencia, dilatar el corazón».

El problema en que se resumían todos los del hombre era el drama de «la insuficiencia en poder, la falta de medios de realización». La virtud suprema era el Heroísmo, consistente en «no espantarse del principio que separa la aspiración ideal de la realidad mezquina y de la realización probable». El premio a esta virtud era el poder de una generalización progresiva, con el consiguiente acrecentamiento de la personalidad, apto para hacerle comprender que los momentáneos triunfos de la injusticia y el dolor tienen un sentido, si se observan desde el punto de vista de la totalidad del Universo y de la Historia, para cuya marcha son tan útiles los verdugos como los mártires.

La muerte de Nietzsche fué el pretexto [203] para un artículo que, en radical oposición al cristianismo, ensalzaba al *Arte Dionisíaco,* «trágico, activo, fuerte, luchador», y predicaba la necesidad de que el hombre, domesticado por la civilización, volviera a una libertad primitiva, convirtiéndose en el Superhombre, «especie de divinidad sobre la Tierra».

Peyus, por su vitalismo, estaba de acuerdo con una de las bases fundamentales del modernismo, pero por sus gustos estaba lejos de él. Era un anticuado. Ello se revela en la descripción de una estancia ideal. Nada importa que en sus cantos al *Silencio* y a la *Soledad,* espiritualmente se acerque al modernismo. Su estancia tiene los tapices orientales, las esferas armilares de la «pintura de historia» y en su poesía y sus dibujos sobre *El cólera* [204] satiriza al arte literario a lo Maeterlinck, definido como «transmisión de sensaciones desatadas sin formar ninguna serie ni llegar a ninguna idea, con las palabras poco ajustadas que el azar provoca». En su sátira de los dibujos modernistas dice que para hacerlos basta emplear «blanco y negro, líneas bien simples aunque no acusen ninguna forma o que sólo las acusen *de oído*» con «algún plagio de lo que hacen los ingleses, resiguiendo las figuras negras con blanco y las blancas de negro, con una línea bien gruesa». Su ironía no le impidió ilustrar en estilo negro Jugend, en 1903, su *Plaça de l'Empordà* [205]. A pesar de su propio gusto y de sus sátiras, Peyus, con sus ideas, robusteció la posición modernista. Contra Martí y Juliá defendió la religión del Arte, por encima de la Moral y de la Ciencia, como «la más alta y más intensa expresión de la Vida», y colocó como apóstoles de su concepto del arte nuevo a Carlyle, Emerson, Ruskin y Nietzsche [206]. De Carlyle toma la idea de que la Naturaleza es suma manifestación de la divinidad, como de ésta lo es el Hombre y de éste lo es la imaginación, por lo que la vida del Artista es la más alta manifestación divina. De Emerson, la del artista héroe que combate la Muerte, la Fealdad y el Dolor y produce Vida, Belleza y Placer. De Ruskin, la del artista como médium entre Naturaleza y hombre, como inmortalizador «que manda a la nube que no pase, al arco iris que no desaparezca», conquistador incruento, cuya obra está hecha «de admiración, de sentimiento y de Amor, y por ello es superior a todo», y de Nietzsche, la idea de que, en la imposibilidad de conocer la verdad de las cosas, lo único que realmente poseemos son las apariencias, que es lo que revela el artista.

Estas ideas fueron expuestas en una fiesta celebrada en el Ateneo Barcelonés, en la que leyeron poesías y prosas Maragall, Apeles Mestres, Martí y Folguera, Verdaguer, Picó y Campamar, Viura, Busquets, Guasch, Nogueras Oller, Montanya y Pompeyus Gener, y cantó Isolina Xuclá, acompañada al piano por José M.ª Carbonell, canciones de Schumann, Grieg, Chopin y Narcisa Freixas.

POMPEYO GENER: Dibujo para ilustración del artículo del propio autor, *La Plaça de l'Empordà,* publicado en *Joventut*

El *Zarathustra,* que debía ser el libro fundamental del nietscheanismo, fué dado a conocer por traducciones parciales de Peyus Gener, poco después de la aparición de las versiones al italiano y al inglés. La adaptación de sus doctrinas al lenguaje y a la mentalidad del país fué obra del propio Gener, quien lo hizo en libros [207] y en numerosos artículos de revista.

El país no estaba por el rigor en una época de tan gran respeto por la inspiración y lo instintivo. No es extraño, pues, que Nietzsche, en vez de engendrar filosofía, tuviera una poderosa influencia engendrando cierto tipo de arte de ribetes épicos.

Épica nietzscheana. — La épica nietzscheana tenía su poeta en Juan Oliva Bridgman, que requería simbolismos germánicos para ilustrar su *Salut als joves!*, poema *Sturm und Drang*, en el que se habla de la *cançó de la Vida i la Bellesa* como una liturgia que debe proclamarse a grandes gritos, fundamento y finalidad de la raza humana [208], basada sin duda alguna en ideas de Nietzsche, cuyo vitalismo hallaba un entusiasta en Luis Vía [209], repetidor de su oración: «¡Honor al que es Autor o Creador de obras de Vida, de Vida ascendente, de Vida ancha!» y «¡Honor al que es Destructor de trabas y barreras!».

El vitalismo de Oliva necesitó un desnudo de calidad fotográfica, de Christiansen, para ilustrar su *Oda a Friné* [210], violenta contra el pudor hipócrita y ensalzadora del vicio si es franco y desafía el pleno sol.

Uno de los poemas más característicos que se escribieron en favor de un vitalismo entendido superficialmente como sensualismo desatado fué *El Clam de les Verges* [211], que se publicó acompañado de una ilustración medio realista (el desnudo), medio simbolista (el hombre soñado), del juvenil Pablo Ruiz Picasso, en el que las vírgenes se lamentan de estar vigiladas por las madres, coaccionadas por las leyes y las costumbres, aspirando a la libertad del placer del amor, convencidas de que su pureza forzada es la blanca mortaja que esconde un tesoro.

En *Ser o no ser* [212], poesía que también decoró el juvenil Picasso, es un apóstol del vitalismo energético, del placer de domar las tempestades y enfrentarse con las luces más cegadoras. Progresista, combate los poetas del misterio, los que sólo arrancan lamentaciones de su joven lira, para ensalzar los cantos viriles de lucha y de una grandeza absoluta, opuesta tanto a los pequeños vicios como a las pequeñas virtudes.

El vitalismo inspiró a *Víctor Catalá* aquellos versos que terminan [213]:

> Quins frisaments de ventura exquisida!
> Quines congoixes de místic daler!
> Quin resplendor més suau fa la Vida,
> la Vida que se'n puja serena vers son ple!

Era un sentimiento del optimismo fortísimo que expresa Cortiella [214] cuando canta «el escalofrío supremo que sentirá la Humanidad, armónica y alegremente compenetrada con la Naturaleza, en el día magnífico del gran albor y de la gloriosa plenitud».

A Guimerá el vitalismo le inspiró aquella poesía titulada *Vida* [215], sobre la alegría de sentir llorar por primera vez al recién nacido, que ilustró con sobrerrealista metamórfosis A. Solé y Pla.

Salvador Albert [216] describía el antiguo estado perfecto de la sociedad, cuando el amor era libre y los hijos de todos, y lamentaba la estimativa que había convertido, a su modo de ver, el amor en una forma de egoísmo. En otro sitio [217] supone que en el futuro se volverá a aquel estado primitivo y, de momento, propone a los selectos el apartarse de la moral común para gustar un anticipo de la esperada Edad de Oro.

Un poeta que, de manera sorprendente, cultivó la poesía nietzscheana fué Joaquín Ruyra, nacido en 1858 y, por lo tanto, el veterano entre los escritores del modernismo, quien evocó en un poema al propio Zarathustra.

Más conocido por sus novelas vitalistas posteriores no fué menos nietzscheano Puig y Ferrater al evocar épicos discursos míticos:

> I domada Natura en plena guerra
> deixaré mon palau de dalt la serra
> i per la Vida amb l'Home lluitaré.

He aquí el mundo que evocaban las pinturas retóricas de Alejo Clapés, de Adrián Gual y de Xiró, y la interpretación que la mentalidad finisecular dió a los cataclismos de la *Atlántida*, de Verdaguer, como forma de evocación de existencias prometeicas, de drama superhumano, lejos de la intención catolicizadora de la epopeya científica del siglo XIX que pudo haber movido al entusiasta poeta.

Joaquín Torres García: *Composición.* Hacia 1902. Pintura al óleo. Museo de Barcelona

LA REACCIÓN CLÁSICA

El retorno a lo antiguo. — De *Pèl & Ploma* a *Forma* podemos seguir la evolución de los gustos y las inclinaciones de un mismo grupo de artistas: los que fueron el espinazo del modernismo organizado, lejos de los extremismos más intensos y menos duraderos por menos sólidos.

Pèl & Ploma se desarrolló en 1899 y 1900 en forma de hoja casi popular, enriquecida particularmente por los garbosos dibujos de Casas y los textos de Utrillo y Rusiñol, pero en 1901, 1902 y 1903 fué una lujosa revista de arte, de gran calidad material, con numerosas y excelentes reproducciones y nutrido texto.

Contemplando las series de los tres años se pone de manifiesto el profundo cambio que en ellos se operó. Hacia la mitad del curso de la revista se nota el olvido de las prosas poéticas más acentuadamente modernistas, de las ilustraciones más extremistas, y se nota asimismo el acento colocado sobre lo más permanente, por una parte sobre las facetas progresivamente académicas del arte de Casas y del de Rusiñol — convertido ya en pintor sistemático de jardines — y por otra parte sobre el recuerdo y la valoración de las antigüedades.

Esta marcha se intensifica bruscamente cuando, al empezar el año 1904, *Pèl & Ploma* cede su puesto a la naciente *Forma,* pilotada asimismo por Miguel Utrillo y Casas, y escrita, ya no en catalán, sino

ENRIQUE GALWEY : *Paisaje*. Pintura al óleo. Barcelona, Museo de Arte Moderno (Procedente de la Colección Plandiura)

en castellano, en la que lo modernista se considera prácticamente caducado y en la que se da gran lugar al arte de gentes como Brangwyn y Zuloaga, divulgadores de lo más amable del arte nuevo para uso de clientes de gusto aburguesado.

Esta tendencia estaba en la vía muerta del amaneramiento. La que debía prosperar era otra forma de retorno a lo antiguo de mucha más autenticidad : el fatal renacimiento del espíritu clásico después del eclipse sentimental y arrebatado del modernismo.

En gran parte la nueva mentalidad fué filtrándose en el mismo ambiente modernista.

En 1906 aparecía *Garba*, la última de las publicaciones específicamente modernistas. En ella, presentada paternalmente por Maragall, se reunía una constelación muy significativa. Estaba Adrián Gual, con sus dibujos ya inclinados hacia un decorativismo académico : estaba *Víctor Catalá*, con su literatura negra, narrando entierros que Modesto Urgell ilustraba en un no menos negro estilo ; estaba Juan Oller y Rabassa, con sus cuentos *naturalistas* que Ricardo Opisso ilustraba con manchitas de carbón frito ; Xavier Viura, colaborando con el dibujante Sebastián Junyent para sus elegías ; Crehuet con Juan Llimona para sus ingenuas canciones, como Enrique de Fuentes para sus simbolismos negros ; Suriñach Sentíes con la nota sentimental, triste, que requería el Junceda primitivo, anguloso, con claroscuros de gran dureza ; Iglesias con Galwey para su paisajismo sentimental, Félix Escalas con Llaverías para sus recuerdos mallorquines, ruralistas, etc.

Francisco Tió hacía desde un punto de vista apasionado, que hallaba en Brull su ideal realizado, la crítica de arte. Baixeras daba marcos *latiguillo* a sus composiciones plásticas, lo mismo que *Apa* hacía en sus títulos ; Gual imitaba lacas japonesas, a menudo, en las cenefas florales ; A. Martínez Pradilla, como Ivo Pascual y Galwey, evocaba los aspectos misteriosos de la Naturaleza ; Opisso hacía oscilar su arte entre las manchas a lo Toulouse-Lautrec y el expresionismo *Jugend*, y *Apa*, en la mayoría de los dibujos, se inclinaba definitivamente hacia la nota clásica, que hallaba su precoz paralelo en el arte poético de José Pijoán y de Manuel Folch y Torres.

En el campo de las artes plásticas hallaban amplia resonancia el paisaje de Llaverías, que comentaba Luis Folch y Torres, la obra de Puig y Cadafalch, la escultura de Smith y las artes decorativas de Homar, Busquets y Luis Masriera.

Después de aparecer diez números de *Garba*, subtitulada «revista semanal de arte, literatura y actualidades», con abundante ilustración y buen papel, el periódico sólo pudo sobrevivir convirtiéndose en una barata hoja festiva. Se subtituló entonces *revista setmanal de ninots, gresca i actualitats,* y llegó con ello el momento de Cornet, el dibujante que apuntaba ya en las caricaturas de la primera época.

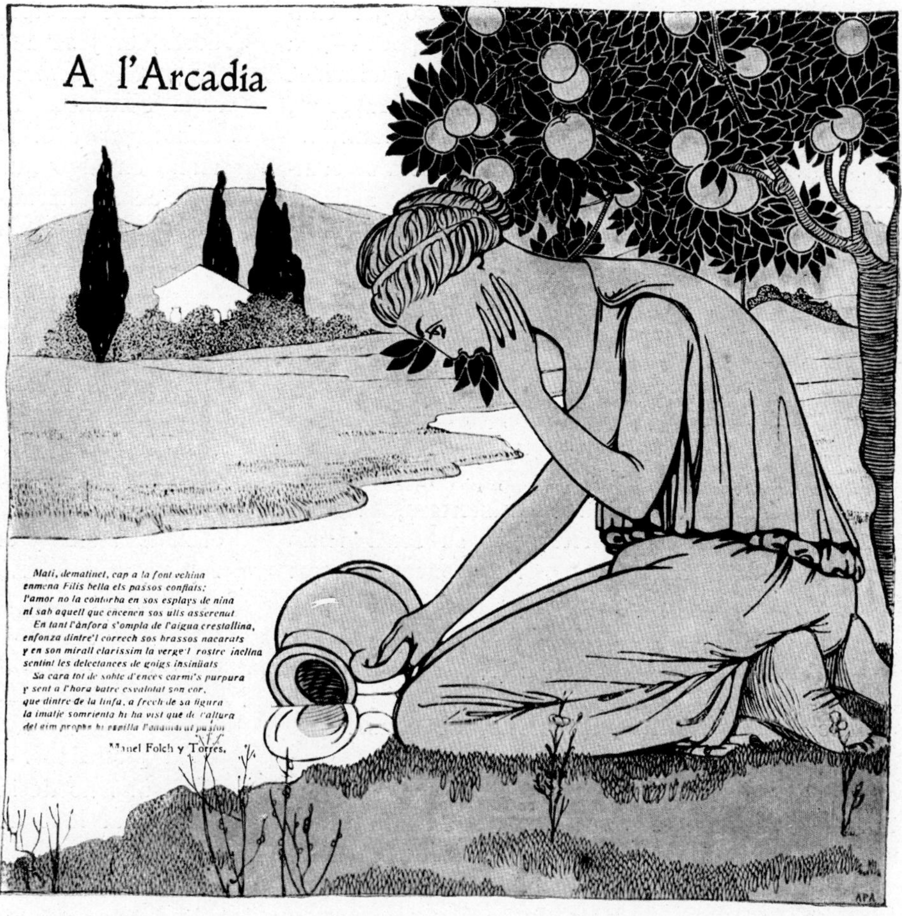

APA [FELIU ELIAS]: Viñeta para una poesía de Manuel Folch y Torres, publicada en *Garba*

De la guerra a la paz. — Juan Maragall, nacido en Barcelona el 10 de octubre de 1860, fué una prsonalidad contradictoria. En una posición en gran parte paralela a la de Gœthe, de quien fué traductor, sentía a la vez la sugestión de lo sentimental y lo sereno, de lo romántico y de lo clásico. Afirma Serrahima [218] que «su influencia más fuerte fué Gœthe, y si se complugo tanto en Nietzsche fué por lo que tenía de reacción contra las tristezas morbosas y el trasnochado «*mal du siècle*».

No obstante, fué realmente un modernista, no sólo por su filosofía — en cuyo panteón ficuraban, al lado del autor de *Zarathustra,* los estimuladores del momento, Emerson y Carlyle —, sino asimismo por la estética irracionalista de la teoría de la *paraula viva.*

Cuando se piensa en *unes flors que s'esfullen* [219] con su emotividad gratuita, podría presentirse un Maragall decadentista, pero es fácil darse cuenta del sentido de su poesía al comprobar que la mayoría de sus composiciones eran sencillamente hijas del lenguaje hablado o, en las estrofas con un contenido ideológico, acogidas a un vitalismo de raíz nietzscheana, pero cuya orientación era, como decía tan exactamente Serrahima, una reacción de cara a la alegría de vivir.

En el *Excèlsior* [220]:

> Vigila, esperit, vigila,
> no perdis mai el teu nord,
> no et deixis dur a la tranquila
> aigua mansa de cap port,

hay un arrojo hacia la acción por la acción, una exaltación vitalista, incluso en favor de una gratuidad, que asoma otra vez en el interés del poeta por los temas del *Mal caçador* [221] y del *Comte l'Arnau* [222], a quien redime, como Goethe a Fausto, o *La fi d'en Serrallonga* [223]. Se trata de un vitalismo algo amoral, que en el *Cant de Maig, cant d'alegria* [224] propone saciarse con todas las alegrías de la tierra,

> tant si en surt un místic bel
> com si en surt un crit de guerra

y despreciar, con mentalidad nietzcheana, a los débiles:

> Prompte els arbres de maig s'assecaran...
> la llenya sols destorba:
> la tirarem al foc de Sant Joan
> i hi saltarem per sobre.

En el *Cant de Novembre* [225] la falsa moral del vitalismo se hace más transparente todavía. En él late la comunión panteística con la Naturaleza:

> Alcem els cors cantant la vida entera
> amb els brots i amb les fulles que se'n van

y se confunde el placer con el amor, justificando una posición antipreceptista absoluta en el

> Gosa el moment,
> gosa el moment que et convida...
>
> De plànyer és el donzell que ajeu sos membres
> ans d'haver-los cansat en el plaer.

Pero Maragall — que así cantaba, sólo por cantar, la falsa religión nietzscheana de su época — era realmente y profundamente cristiano. Igualmente cantaba una mujer extraña a su vida, Haidé [226], cuando era un perfecto esposo y padre de familia.

José M.ª Capdevila [227] estima que el poeta se comportaba así para reflejar los hechos vivos y alejarse del artificio. Pero había, además, el deseo de vivir el propio tiempo. Filosóficamente había recibido su formación de Soler y Miquel, de quien dice el propio Maragall [228] : «La reacción espiritualista llegada después de la corriente del naturalismo positivista, encontró en pleno crecimiento el alma de Soler y Miquel y se la hizo suya. Es decir, ya lo era. Porque no existen muchos que sean tan hombres de su tiempo como nuestro amigo lo era, por la reciedumbre de su orientación hacia un misterioso, pero inmutable, polo de su espíritu, por su sentimiento casi místico de la naturaleza, por su concepto moral de la vida consistente en cierta bondad libre y fuerte, desligada de toda imposición y de toda convención, por su maravillosa penetración en la entraña de las cosas y su impresionabilidad por las sugestiones del Eterno que brotan de ellas».

Si el poeta aceptó estos puntos de vista, para su poesía más que para su vida, lo hizo porque le servían para dar una armazón lógica al hecho real de su gran amor por los *objetos de este mundo,* de su gran alegría de vivir, que, en el más inspirado de sus versos [229], juzga que consiste en mirar al mundo con la paz de Dios en los ojos. Es el mirar que anota los hechos de cada día : *La ginesta altra vegada* [230]... *Avui el mar té vint-i-vuit colors* [231]... *torno de la dolçor de les muntanyes* [232]... *el sol se n'anava quan jo he arribat* [233]... *El jorn de la Puríssima ha estat puríssim* [234]... *entren lliscant les barques a la mar* [235]... *Avui he sentit lo diví—en el camp, en el vent i en les plantes* [236]...*toquen les trompetes, vénen els soldats* [237]... *acabada la pluja de la tarda, els núvols lentament s'han esquinçat* [238]... *Al mercat hi ha avui per vendre — dues branques de flors clares* [239]... y toda la serie de las *Estacions* [240].

Esta verdad de la alegría del vivir simplemente, reforzada por la posición social y familiar establecida sobre los restos de una juventud apasionada y anárquica, fué abriéndose camino en su propia conciencia y, al doblar el siglo, Maragall se había convertido en lo que entonces se llamaba un patricio : sillar sólido de una sociedad bien constituída y lugar de reposo amable y musical en su poesía serena. Por ello, este artista de la generación de Baixeras y Juan Llimona, algo mayor que Rusiñol y Casas, dió la vuelta al modernismo y volvió a la posición franciscana de que no se separó nunca Joaquín Ruyra, dos años mayor que él, y al alborear el siglo se encontró flanqueado, en la posición de una claridad y una fidelidad a la tierra que debía arrancarle de toda bruma nórdica, por sus seguidores, el José Pijoán del *Bastó,* de *La branca de faig,* del *Poemet del pa,* y el inefable neopopularista Francisco Pujols de *Quan la pageseta ve de combregar* y el *Divendres Sant.* Con ello se convirtió en algo mucho más moderno que la generación de los nacidos diez años más tarde que él, de los Zanné y Alomar, cuyo espíritu decorativo parecía reaccionar contra los simbolistas para regresar al parnasianismo, lo cual, por cierto, tenía de común con la posición de Maragall la reacción de lo plástico, de lo visual, contra las sugerencias de lo invisible y lo incomprensible.

Zanné y Alomar eran de la generación de Nonell, Anglada, Mir y Sert. Entre ellos y los maragallianos se encontraba Bofill y Matas (Guerau de Liost), de la edad de Gosé y Canals, que cabalgan también entre el modernismo y el novecentismo. Los maragallianos Pijoán, Pujols, Lleonart y Carner corresponden ya al momento de Picasso, de Opisso y de Galí, el primer forjador del arte formalista, y de Eugenio d'Ors, el más inflamado apóstol del retorno a la arbitrariedad mediterránea y clásica.

La paz final. — Entre el equipo de *Garba,* en 1906, al lado de la literatura realista, negra y simbolista, al lado de la plástica que obedece a estas mismas tendencias, apuntaba el espíritu neoclasicista que debía derribar el modernismo. El propio *Apa, latiguillo* en lo decorativo, acoge las notas clásicas en sus caricaturas y en dibujos tan significativos como el que ilustra *A la Arcadia* de Manuel Folch y Torres [241], canto de la nueva placidez, en el que, como en una pintura de Torres García, se describe como

> Matí, de matinet, cap a la font veïna
> emmena Filis bella els passos confiats.

La ingenuidad de Crehuet, la simple poesía familiar del *Nadal comença,* de Maragall [242], pertenecen a un mundo ideal hecho no ya de vaguedades nórdicas, sino de la paz mediterránea de lo concreto, que se quiso encontrar en las cuarenta acuarelas de la Costa Brava por Llaverías, expuestas en 1906, y tituladas, significativamente, *Catalunya Grega.*

Era la misma Cataluña griega que querían evocar el poeta Marquina y el músico Morera al componer la ópera *Empòrium,* que se estrenó en 1906 en el Liceo y que tan entusiásticamente fué recibida por los que, con Xènius a la cabeza, profesaban el nuevo ideal de «descubrir el Mediterráneo» [243], que para Xènius, como para Marquina, había tomado una realidad incluso física en la contemplación del mar de Cadaqués [244].

Los jóvenes cantaban la paz, y con ella el final del modernismo. El mismo Maragall, a caballo de dos conceptos de la poesía, como dice acertadamente

Plana [245], abrió la marcha. En ella le siguieron hombres veinte o veinticinco años más jóvenes, como Bofill y Matas (nacido en 1878), José Lleonart y José Pijoán (en 1880) y José Carner (en 1884).

Claro que en un principio Guerau de Liost mezcló su concepto de la poesía con cierta intención moral típica del naturalismo, que se expresa, por ejemplo, en unos versos que son, exactamente, un cuadro de Juan Llimona [246]:

> L'avi es repenja als braços de la fillada. El toc
> d'oració davalla de la invisible altura.
> La trinitat pagesa al mig del pla s'atura.

Lleonart cantaba una rama de abril diciendo:

> res perverteix
> la pau graciosa
> que hi ha en tu.

y también cantaba la paz Clementina Arderiu:

> Què hi fa que al lluny s'obiri la fosca d'un destí
> si arreu la pau me crida...

maravillada del orden del mundo, de

> l'eterna meravella que el curs del sol regeix.

Franciscanos llegan a ser, en su humildad entre pacífica, infantil y popular, el Pijoán del *Poemet del pa* y el Pujols del *Llibre que conté les poesies d'En Francesc Pujols.*

El Carner primitivo, el de *Els fruits saborosos,* el *Primer llibre de sonets* y el *Segon llibre de sonets,* introdujo el cincel de la ironía para perfilar en sencillas imágenes un mundo de sentimientos claros aplicado a visiones claras, después de haber sacrificado al altar del visionarismo modernista en las *Monjoies*:

> Vora del rec que és cinyell de l'horta
> hi ha un presseguer dins del silenci [clar
> ... ...
> talment així magnífica Regina
> us volta d'una llum diamantina.

Joaquín Folch y Torres, en este final, exclamaba:

> beneït el repòs...

y Guasch cantaba el

> Recó tranquil, recó guarnit de molsa.

Cerrado el ciclo abierto por el simbolismo, López-Picó regresaba, como Carner, a través de la ironía y un punto de escepticismo, a una exactitud como la parnasiana, pero sin su pedantería.

> Jo crec, jo crec del fons del cor que són els pins
> els prínceps encisats dels contes infantins.

Otros hallaban la paz en el simple *Carpe diem,* a lo Samain, como el Carlos Soldevila de las *Lletanies profanes* y ciertos aspectos del escritor *negro* Suriñach Sentíes.

Esta tendencia, que se manifestó de una manera intensa alrededor de 1906, y halló en el *Glosari,* de Ors, publicado en el año anterior y editado como libro en esta fecha, su mejor apoyo, debía encontrar su paralelo artístico en la lucha de Francisco Galí, desde el *Cercle Artístic de Sant Lluc* y desde su academia de arte privada, para lograr un arte propio, helénico, o, en su defecto, barroco, en todos los casos arbitrario y basado en lo popular vivo. El triunfo de ambas corrientes, la literaria y la plástica, debía esperar, no obstante, la fecha crucial de 1911 para ser arrollador. Maragall tuvo tiempo para escribir, antes de morir, el triunfal elogio del fundador de la pintura catalana contemporánea, Joaquín Sunyer, recién llegado de su transformadora estancia en Ceret.

El "Noucentisme". — La simple evolución de las formas de la cultura no haría posible apreciar un momento final para el modernismo si no hubiera aparecido en la palestra del pensamiento un ideario concreto, explosivamente nuevo, el «noucentisme» de signo positivo, opuesto radicalmente a las esencias de lo modernista.

FÉLIX MESTRES: Estudio para una pintura mural del Salón de Actos del Colegio de Notarios de Barcelona

TORNÉ ESQUIUS : Uno de *Els dolços indrets de Catalunya*

Xènius — Eugenio d'Ors — fué su apadrinador, desde su colaboración periódica de Glosas, durante el año 1906 [247].

A pesar de que la dirección había sido trazada por Maragall, y de que Pijoán había ya publicado su *Cançoner,* fermentado en el lagar del maragallismo, fundamentos de la reacción clásica, la agitación de Xènius recabó para sí la gloria, combatiendo incluso a Maragall.

Ors colocaba en la cima de lo magistral dos obras que consideraba como la síntesis fundamental de la última generación del ochocientos [248]. Una era de Prat de la Riba ; otra, el *Enllà,* de Maragall.

Pero a pesar de su respeto reaccionaba contra el *Enllà.* Esta obra, juzgada como «la nota más aguda, más estridente, del romanticismo latino, quizá del romanticismo de todo el mundo», le aparecía algo tan desorbitado como la obra de Gaudí. «A veces, he de confesarlo — escribe —, no sé pensar sin terror en el destino de nuestro pueblo obligado a sostener, encima de su pobre normalidad, tan precaria, el peso y la grandeza y la gloria de estas sublimes anorma-

TORNÉ ESQUIUS : Uno de *Els dolços indrets de Catalunya*

lidades : la Sagrada Familia, la poesía maragalliana... [249].»

Juzga que Maragall marca un retroceso de la articulación a la interjección, lo cual le parece reñido con el ideal civilista, que le parece más bien encarnado, por lo formal, en Alomar, aunque sea en realidad un poeta parnasiano y, por lo tanto, anterior estéticamente a Maragall.

Su artificialismo, en el polo opuesto a la *paraula viva,* halla una explicación muy conveniente en las consideraciones sobre el valor de los juguetes, preferidos siempre, espontáneamente, a lo natural, y en los cuales lo esencial es la «artificialidad», el «calor de la mano de obra que se desprende de todo lo arbitrario», porque fabricación es estilización y humanización [250].

Es natural que, en esta posición, fuese lamentada amargamente la falta de la etapa del Renacimiento en la historia de la cultura del país [251], y que se luchara para arraigar el ideal de la belleza, incluso con iniciativas pintorescas, como la Galería de Catalanas Hermosas [252], para conquistar un Humanismo propio y deshacerse de la admiración por el arte nórdico, aquella «inclinación... a ponerse de parte del bárbaro [253]», para solucionar el conflicto entre el Norte y el Mediterráneo a favor de este último.

Realismo, naturalismo, nihilismo, necrofilia, arte negro, melancolía... El nuevo ideal «novecentista» estaba reñido con ellos. «Hace ya demasiado tiempo que la fealdad ha enlutado la obra de los artistas. Es preciso devolverles a la clara devoción de la Belleza. Es preciso que meramente aspiren a la producción de ejemplares excelsos de perfección moral [254].» Este ideal propuesto se presenta como una obligación, «moralmente exigida por las condiciones en que estamos colocados por naturaleza. Porque — decía Ors — estoy en la creencia de que nuestra posición de mediterráneos no sólo nos da derechos, sino que también nos impone deberes. Y en el momento actual, uno de los deberes más capitales es el de colaborar a la mediterraneización de todo el arte actual».

Se podría creer que se trataba de seguir a Cézanne, y así lo comprendió Sunyer, pero Ors ponía a ello reparos. Aceptaba a Cézanne como punto de partida por «el heroico esfuerzo de su voluntad, que se empleó en hacer de su arte un altísimo muro, para evitar que, siguiendo el impulso natural, la sentimentalidad propia se vertiese en los objetos. En vez de hacer del paisaje un estado de alma, Cézanne hizo del alma un estado de paisaje [255]». Para él, «esta ausencia de lirismo es de un gran valor, pero debería completarse con mitología».

Es natural que se encontrara mejor con Paul Gauguin, ensalzado como «artista supremo [256]», con Valloton, Van Dongen, Herman Paul (que él personalmente, como dibujante, imitaba), y Derain, nombres que, alabados en 1906, tienen su valor.

Ors era el codificador de un ideal que ya cobraba cuerpo en 1904, cuando Miguel Utrillo anunciaba [257] que de los elementos de la obra de arte, cuerpo, espíritu y trabajo, «la forma es el elemento más modesto, más comprensible y esencial de la belleza plástica».

El pintor Sert, que en su primera obra, *Amor*, habíase mostrado decadentista, se convertía a lo formal y a la mitología en las grandes composiciones del *Cortejo de Pomona,* con que decoró el panteón Bing, ya en 1900, y en los años sucesivos Gosé y Torné Esquius llegaban con la simplicidad de sus arabescos.

Después del *Glosari,* la mayor difusión de las ideas «novecentistas» la logró la *Pàgina artística* de *La Veu de Catalunya,* en la cual Casellas empezó a preocuparse del estilo Imperio en Cataluña [258], que volvía a introducirse en el mobiliario, sustituyendo al modernismo, y dió enorme publicidad a acontecimientos fortuitos llamados a robustecer el mito de la Cataluña griega, como el descubrimiento de la soberbia estatua marmórea de Esculapio [259], y de la cabeza, llamada de Diana [260], en Ampurias.

En 1910 la publicación del *Calendari dels Noucentistes* agrupó los nombres de la constelación nueva: Clará, Mir, Gargallo, Smith, Nonell, Aragay, Torné Esquius, Picasso, Canals, Nogués, Torres García y el arquitecto José Pijoán entre los artistas plásticos; Cambó, Ors, Corominas, Sitjar, Lleonart, Pujols, R. Reventós, Carreras Artau, Augusto Pi Suñer, Eladio Homs y Rucabado entre los prosistas; Carner, Bofill y Matas, Pijoán, Rafael Masó, López-Picó, Joaquín Folch y Torres y M. Reventós entre los líricos.

ANTONIO GAUDÍ: Desván de la Casa Batlló. Barcelona

PANORAMA DE LA ARQUITECTURA

Definiciones. — A falta de un manifiesto modernista de la arquitectura, podemos formarnos una idea de las directrices generales que los modernistas defendían en el terreno arquitectónico repasando la impugnación de conjunto que de ellas hizo Doménech y Estapá, en 1911, en la Academia de Ciencias y Artes de Barcelona [261]. Afirmaba en ella que el modernismo, en su proscripción de todo lo rectilíneo o plano, pretendía ser «naturalista», y que incluso ilustres escritores lo afirmaban, y oponía a ello la idea de que la naturaleza crea la recta y el plano en la superficie libre de los líquidos y en los cristales, y solamente se desgeometriza por causas deformantes que operan racionalmente. Afirmaba que era una imitación de las grutas, y encontraba absurdo volver a un primitivismo que el hombre fué feliz en abandonar.

Afirmaba que con columnas torcidas o inclinadas se imitaban ejemplos basálticos, pero creía que esas formas debían pulirse, como el diamante en bruto.

Combatía el curvilineísmo citando una frase de Pitágoras, según la cual la «sublime recta» representa lo infinito.

En un segundo grupo de impugnaciones comprobaba el prurito modernista de basarse «en el racionalismo mecánico y utilizar los materiales según su estricta resistencia, sin emplear mayor volumen de ellos que el que sea preciso, dadas las cargas a que están sujetos y dotándolos de formas que procuren para cada sección una presión o tensión igual por unidad de superficie». En una palabra, se trataba de que «todas las moléculas de un organismo constructivo, ya sea pétreo, leñoso o metálico, sufrieran por igual aquella acción que la experiencia considera como carga que se puede resistir de un modo permanente. Se comprende que, si es así, el perfil de una pieza sujeta sólo a resistir cargas verticales debe ser tal que aumente aquélla su sección a medida que nos aproximamos a su base, y que, al tratarse de un arco, deba cambiar también de sección según la distribución de las cargas. Asimismo, según sea la forma del arco, variará lo que sufra la unidad de superficie de cada sección». Creía, pues, que «debe el arquitecto armonizar todos estos extremos, teniendo en cuenta, en primer término, la clase de material y luego el ideal de igualdad en el sufrimiento de todas sus moléculas».

Contra ello esgrime Doménech y Estapá la imposibilidad de conocer realmente la línea de presiones, así como cumplir con las condiciones dichas si esta línea es alabeada y se dispone de materiales unirresistentes, es decir, resistentes sólo a la compresión o sólo a la tensión. Creía, en cambio, en una ciencia de lo bello que, por autoridad, impone la regularidad y la simetría.

Le parecía observar un «deliberado propósito de contrariar las leyes de la euritmia y simetría, ponderación de masas y continuidad de líneas», y notaba que sus cultivadores se defendían comparándose con Wagner y la libertad con que éste trató la música, a lo que oponía la idea de que en el fondo de las obras wagnerianas, bajo una confusión decorativa, existe una melodía pura, muy difícil de captar, ausente del arte modernista.

Atacaba después el exotismo de las obras que en Barcelona parecen transportadas de Hamburgo, Portugal o Francia.

Basándonos en estas impugnaciones, pues, podemos resumir el programa de la arquitectura modernista en naturalismo, mecanicismo, curvilineísmo, originalidad sin respeto a leyes teóricas, wagnerianismo y exotismo.

Estas condiciones llevan implícitas otras muchas, como el furibundo antineoclasicismo — que no era anticlasicismo, pues Gaudí, como Rodin, se llamaba a sí mismo griego —, que tenía como consecuencia la reacción en favor del color, del extramediterraneísmo, desde la sugestión de las ciudades del Mar del Norte hasta la barroca fantasía recargada del atlántico manuelismo y el lirismo del arte japonés, en el lejano Pacífico.

Estilísticamente era la vindicación de lo gótico, del barroquismo, de lo musulmán, de lo bizantino, del arte de los vikingos y los anglosajones como fuentes puras de inspiración, no contaminadas por la artificiosidad de los tratadistas.

Y, por encima de todo, la soberbia del culto al yo, del arte concebido como expresión de una potente individualidad, de una manera superior de realizarse, en un ensayo hacia la utopía del superhombre nietzscheano y la reivindicación de lo vivo como supremo racionalismo, pues lo que existe es evidente que es lo que, en un momento dado, tiene más razones para existir.

El gran huracán de la personalidad titánica de Gaudí sacudió toda su época. Su influencia, aceptada o no, llegó hasta todos los rincones de la arquitectura con espíritu renovador y del nuevo concepto del mobiliario.

Gaudí es la suma colosal de una época y la causa de la falsedad de muchas de sus producciones. Si son numerosas las obras modernistas que han sido condenadas por una opinión casi unánime, ello no estriba en ninguna cualidad intrínseca del estilo y es un hecho que tiene una fuerza muy superior a la pura reacción de los cambios de moda. Si el modernismo ha sido tan odiado, en gran parte es debido a un fenómeno que se produce en muchos períodos de la historia del Arte : la aparición del manierismo. En un estilo que pretende la originalidad no se pudo escapar a la imitación de Gaudí ni, en pequeña escala, a la de humildes creadores como Homar. Fué el mismo fenómeno que esterilizó el Renacimiento italiano después del paso de Miguel Ángel y Rafael ; cuando los artistas, anonadados, tuvieron conciencia de que habían llegado al mundo unas personalidades extraordinarias, creyeron que era ya imposible superarlas y se encerraron o en la imitación o, para distinguirse, en la exageración, produciendo la sosa ñoñería del manierismo o la ridícula vacuidad de los terribilistas. El modernismo barato pecó de los mismos males : ñoñería y vacuidad.

La crítica de la arquitectura por parte de la gente no formada por el ambiente artístico fué por lo general desfavorable. Todavía dominaban en el ambiente las ideas académicas de condenación del barroquismo que hacían creer que «*als esplendors del Renaixement succeí la perversió del gust en l'arquitectura*». Quien esto escribía, a pesar de aceptar lo que le parecía laudable del empeño en resucitar las artes industriales, consideraba que «*l'arquitectura, l'art sublim que tan compenetrat està amb les*

DOMÉNECH Y MONTANER: Proyecto de fábrica, con yuxtaposición de motivos neomedievalistas y mecanicistas, y uso aparente del hierro

belles arts i que tan superbes mostres dóna del geni dels nostres moderns arquitectes, en moltes construccions que es volen sortir de files cau de nou en un veritable barroquisme, que és el nom just que es mereixen la rebellió contra tots els estils coneguts, l'apropiació, feta sense cap trava, entre els elements arquitectònics de tots els països i el trastorn intencionat en la grandària, forma i col·locació d'aquests mateixos elements» [262].

Una a una enumeraba, a continuación, las pretendidas fallas del estilo.

«¿És estil escurçar els fusts de les columnes deixant-los uns capitells colossals?»

«¿És estil inclinar les jambes de les obertures donant a aquestes una aparença triangular?»

«¿És estil penjar prop del terrat una superba columnata de pedra sobre de primes llosanes per sostenir un dèbil cobert, quan estarien millor al pla del carrer aguantant tot el pes de la casa?»

«¿És estil fer sortir de les façanes carteles tremendes per suportar senzillament un balcó o una tribuna?»

«¿És estil muntar, entre els balcons dels últims pisos, estàtues de dones gegantines, que si fossin imatges de sants diríem, recordant l'edicte de l'emperador Lleó III, que les han posades tan alt per deslliurar-les del furor dels iconoclastes?»

«¿És estil malgastar la pedra, nosaltres que tenim per norma l'economia, portant-la a tones a coronar els edificis, ja en forma de frontons prou grans per a un joc de pilota, ja en forma de merlets, més propis de fortalesa que d'un casal?»

«¿És estil enfarfegar les façanes amb símbols heràldics no sé si com a aspiració vergonyant a una noblesa o com una burla del que era tan gloriós en altres temps?»

«I, si volem ressuscitar el preciosíssim estil gòtic, ¿per què s'ha d'atapeir en l'espai mesquí d'una casa de cinc pisos tota la rica ornamentació d'aquell ordre incomparable?»

«¿Per què l'un s'entreté a matar l'elegància dels llargs finestrals subdividint-los en finestres independents, separades per sòlids barrots transversals de pedra, que trenquen la gallardia de la línia contínua?»

«¿Per què un altre omple de pinacles i campanarets punxeguts el que, per caràcter del gòtic català, hauria d'ésser esmotxat i pla?»

«¿Per què, en lloc de les antigues gàrgoles, barreja feliç del natural amb el fantàstic, s'hi posen còpies fidels d'animals repugnants que, per excés de naturalisme, fan apartar la vista en lloc d'atreure?»

«Oh, santa llibertat! Amb quin «desenfado» camines darrera de la novetat i de l'originalitat!»

El movimiento arquitectónico extranjero.—Los detractores del modernismo lo atacaban por irracional. Estaban todavía en el equívoco renacentista de tomar por razón las proporciones vitruvianas o vignolescas. No se daban cuenta de que era la consecuencia lógica del racionalismo a ultranza de Viollet-le-Duc, racionalismo que no quería ser exclusivo, como alguien ha pretendido hacer en el siglo XX, sino básico en un sistema de formas concebidas con libertad ornamental compatible con la perfección de su funcionalismo.

La raíz está en el racionalismo de los constructores en hierro franceses que se estrenaron bajo la Revolución francesa y salieron a la luz pública con el *Pont des Arts,* de Davy de Chavigné, bajo Napoleón; continuó en la Columna de Julio de Louis Duc (1840), la *Halle aux Blés,* de Hittorf (1793-1863), la Biblioteca de Santa Genoveva (1843) de Henri Labrouste (1801-1875), etc. Ya hemos citado la llegada de esta corriente a Cataluña, por estos mismos años. En 1851 llegó a Inglaterra, donde Paxton construyó el enorme *Crystal Palace,* en Hyde Park (hoy trasladado al pueblo de Sydenham). Tres años después se levantaban, en París, las *Halles Centrales,* de Baltard. Después Boileau construía la iglesia parisiense de San Eugenio (1854) y *Notre-Dame de France,* en Londres; Labrouste, la sala de lectura de la *Bibliothèque Nationale* (1855); Mengoni, en Milán, la Galería Vittorio Emmanuele II (1861); Héret, la iglesia de *Notre-Dame de la Croix,* de Menilmontant (1866); Baltard, la de San Agustín, de París; Davioud y Bourdais, el gran techo cónico del Trocadero (1878); Hittorf la Estación del Norte, de París (1886); Dutert, Cottancin y Dion, la Galería de Máquinas de la Exposición y Eiffel la torre de su nombre, en 1889, etc.

Paralelamente a los esfuerzos de estos constructores racionalistas, Durand a principios de siglo, más tarde Viollet-le-Duc y Duc, difunden un cuerpo de doctrina que halla su más perfecta cristalización en el *Dictionnaire Raisonné de l'Architecture Française,* de Viollet-le-Duc, que Elías Rogent, director de la Escuela de Arquitectura de Barcelona, debía colocar como *suprema ratio,* hasta el punto que, en cualquier dificultad, los alumnos eran enviados a buscar «el diccionario». Viollet enseñaba en la Escuela de Bellas Artes, de París, desde 1834, y desde esta fecha, por lo tanto, se difundió su doble influencia, en pro del racionalismo y del gótico, concebido como el más racional de los sistemas constructivos.

Hijos de tales enseñanzas fueron los innovadores del hierro, de fines de siglo, como Boileau, constructor del *Bon Marché;* Paul Sedille, del *Printemps,* en 1882, incendiado después y reconstruído por G. Wybo, quien plegó el material a un curvilineísmo barroco; René Binet, constructor de la puerta monumental de la Exposición Universal de 1900, edificio en hierro con extraña cúpula sustentada por tres apoyos; Frantz-Jourdain, constructor de *La Samaritaine* (1902), y un grupo de constructores en material tradicional caracterizados por las fachadas ligeramente onduladas, muy limpias de adornos, los grandes ventanales, las cartelas sinuosas con prudencia y un concepto del «confort» y de la alegría del hogar muy británicos. En este grupo se hallaban el mismo Frantz-Jourdain, Binet, Bonnier, Charles Plumet, etc. A su lado, y dentro de la línea del funcionalismo, debe señalarse a los primeros cultivadores del cemento armado, originario de Bélgica, que el americano Wright empleaba desde 1880: Anatole de Baudot, discípulo de Viollet, que lo empleó para *Saint Jean Evangéliste,* de Montmartre (1894), Auguste y Gustave Perret para la casa, revestida de cerámica, de la Rue Franklin (1903), y Sauvage para su semejante de la Rue Vavin (1912).

Entre todos estos arquitectos de la lógica y la simplicidad contrastaba el atrevido Héctor Guimard, cuyas entradas del Metropolitano de París — en hierro, imitando tallos vegetales cimbreantes — son el más violento testimonio que ha dejado, después de haber sido el creador de los estilos *coup de fouet, talnia, os de mouton* y *salamandre.*

En realidad su inspiración era extranjera, bien que en el Castel Beranger, en 1886, hubiese dado muestras precoces de su originalidad. Estaba vinculado al movimiento belga.

Antes de terminar esta visión del panorama arquitectónico francés es preciso observar que los cultivadores del racionalismo ochocentista y de principios de siglo no fueron fríos. Suprimieron las formas tradicionales de decorado, pero quisieron ornar sus edificios con la alegre policromía de la cerámica y los cristales de color, como si quisieran realizar la catedral de la Industria que Whitman soñara:

«La moderna maravilla del mundo, superando a las siete de la historia, — levantándose piso a piso, con

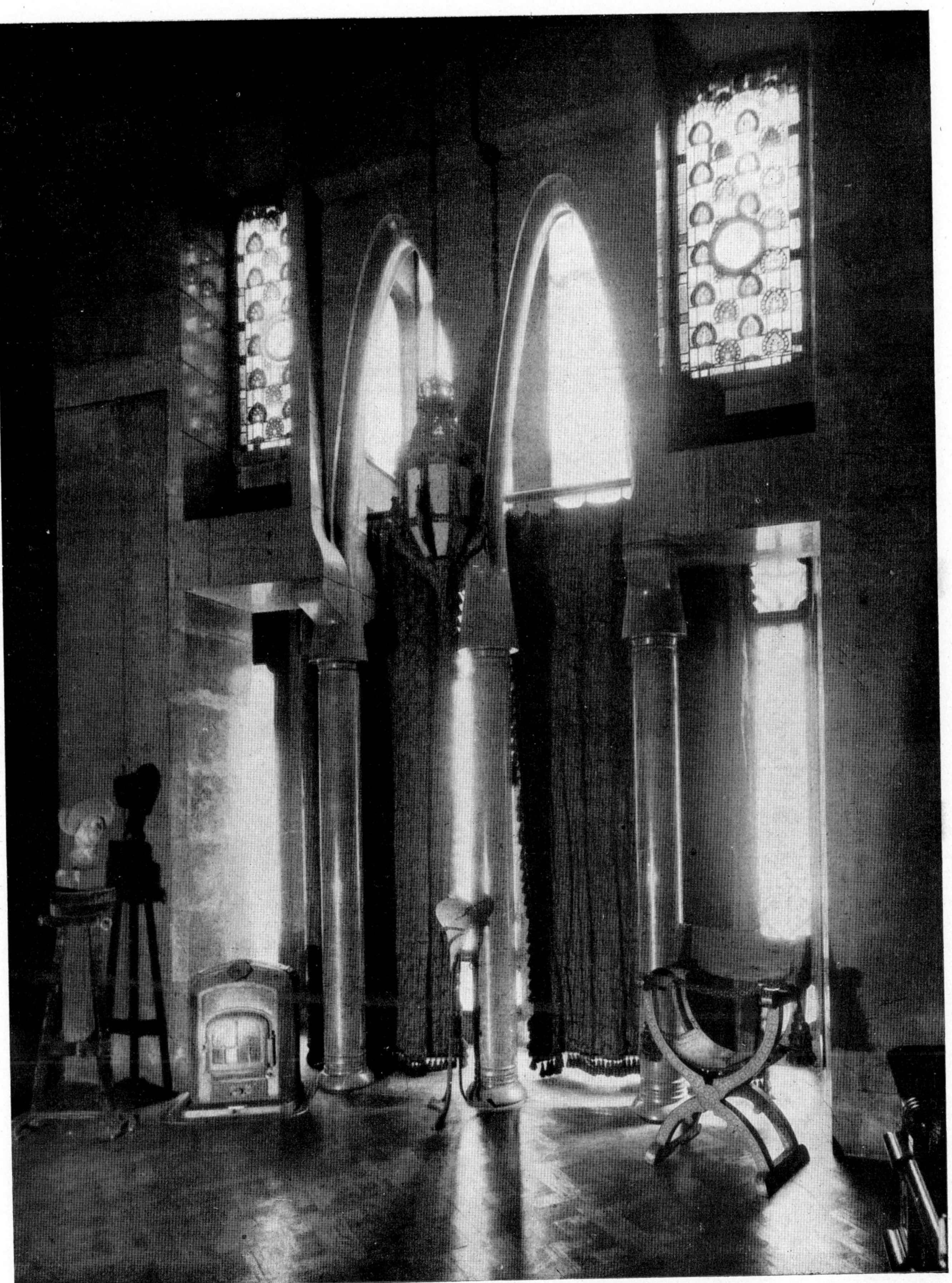

Antonio Gaudí: Interior del Palacio Güell. Barcelona

fachadas de cristal y de hierro — alegrando la tierra y el cielo, coloreada de los tonos más alegres, — broncíneo, lila, púrpura, azul y carmín.»

Hittorf, descubridor en Sicilia de la policromía original de los templos griegos, que hasta entonces se habían creído blancos, fué el primer apóstol de la policromía. Después de él todos quisieron hermanar el hierro con el material de color, preferentemente el cerámico, que en los edificios de los Perret, de Bigot, de Klein y Müller y de tantos otros, llegó a recubrir por entero los paramentos, que en los de Lavirotte llega a la calidad del gres llameado, y en los de Gentil, Bourdet, Guérineau y Janin se enriquecen con variados esmaltes.

En Bélgica, que debía ser la creadora más fecunda para el uso de los países latinos, la semilla renovadora estaba echada desde que en 1841 Welby Pugin, artífice del *gothic revival* británico, se trasladó a Brujas y publicó los *True principles of christian architecture.* En el congreso de Malinas (1863 y 1864) sostuvo la idea de un nuevo arte cristiano, vivo, contra las formas muertas y paganas del neoclasicismo académico, y de su labor fué eco la creación, en Gante, de la «Escuela de San Lucas», cuyo jefe fué el barón de Béthune (1821-1894), llamado, medievalescamente, *Maître Jean,* autor de la abadía goticista de Maredsous.

Frente al romanticismo de este movimiento cuajó el de los que, también inspirándose en Inglaterra, concebían la arquitectura en función de la higiene y la comodidad. Estuvieron enfrente y fueron discípulos de clasicistas como Balat o pintoresquistas flamencos como Beyaert, pero se aprovecharon de la ruina operada en el cuerpo de la construcción academicista. Fueron tres grandes creadores : Víctor Horta, Hankar y el decorador Van der Velde, formado en Inglaterra.

Víctor Horta revolucionó la arquitectura de los países latinos cuando construyó, en 1890, la casa Tassel, en la calle de Turín, de Bruselas, un edificio cuya fachada no se sujeta a ninguna simetría. En la parte más alta, una tribuna de vanos escarzanos termina en un antepecho de hierro que semeja unas alas de mariposa. Las cartelas exoneradas por los nuevos materiales son simples sinuosidades decorativas. Dos vanos inferiores tienen un balcón ornado con fibras metálicas en forma de corazón. Los vanos de la otra mitad de fachada son un tríforo, inferior, de delgadas columnillas férreas, que dividen el ventanal redondeado, y un bíforo superior.

La obra impresionó. Se dijo que había nacido un *Style nouveau.* Después los ingleses crearon el *Modern style* de sus artes aplicadas, y Salomón Bing, en París, el *Art nouveau,* japonizante, en 1896.

A la casa Tassel siguió la «Casa del Pueblo», a propósito de la cual pudo decirse que Ruskin y Marx eran los apóstoles de Horta. Más tarde la casa Woelfers, etc., cada vez más libremente concebidas, pero sin olvidar nunca la lógica constructiva.

Paul Hankar (1861-1901) fué paralelo a Horta en las casas de la calle Defacqz. Henri Van der Velde trabajó poco en Bélgica, solicitado para dirigir una escuela de artes docorativas en Weimar. Siguieron los decoradores que cultivaban el «estilo del tallo florido», Leon Goovaerts, Adolphe Crespin, Isidore de Rudder, Mme. Ruder y los mueblistas Serrurier-Bovy.

Fué, posiblemente, el influjo de Van der Velde lo que despertó en Alemania la potente corriente del *Jugend Stil,* cuya desbordante libertad y cuyo naturalismo entusiasta tan bien encajaban con el profundo panteísmo latente en el alma alemana.

Como en tiempos de Luis XV, la orgía de libertad de las artes decorativas no corrompió la *sagesse* de la arquitectura francesa, excepto en el «alucinante» Guimard. Alemania lo paró en cuanto cuajó el movimiento, originario de Austria e Inglaterra, de la revista *Kunst und Dekoration.* Sólo en Cataluña y en la Lombardía, junto con Bélgica, formando los tres vértices del triángulo que contiene las tierras de la medida burguesa, cuajó la libertad.

Cuando en 1902 los alemanes se extrañaban de encontrar en Turín [263] el más floreciente *Jugend Stil,* erraban al interpretarlo como un retraso cronológico. En Italia se conocían los movimientos de la época, pero se escogía según la idiosincrasia nacional. En arquitectura se recurrió a menudo, como en los edificios de d'Aronco para la citada exposición, a modelos vieneses, pero se les comunicó una fantasía más movida, al tiempo que más irresponsable.

En Inglaterra el movimiento no fué arquitectónico. Lo importante fueron los talleres para las artes decorativas (1861) de Morris y su discípulo Walter Crane, a los que nos referiremos. En arquitectura pesaban definitivamente las formas tradicionales del *cottage* y del *manor,* base de un arte doméstico muy perfecto. De cara al futuro, no se tenían los sueños megalománicos de otros países. El sueño era la «Ciudad Jardín», idea del sociólogo Ebenezer Howard [264], solución antieconómica que no fué abandonada hasta la reconstrucción posterior a 1945.

En Holanda el gran renovador fué H. P. Berlage (1856-1939), cultivador de una gran simplicidad, que no niega ciertos recuerdos históricos, y de la sinceridad en los materiales que, en la gran Bolsa de Amsterdam (1892), son el ladrillo y el hierro.

En Alemania Gottfried Semper era, hacia 1860, el apóstol del racionalismo constructivo, conformado a los materiales, algo semejante a Viollet-le-Duc. En los primeros años del siglo XX, pasado el sarampión efímero del *Jugend Stil,* Alemania se convertió en una provincia de la arquitectura austríaca, la más importante de las escuelas europeas del arte de construir, que tuvo Düsseldorff, Munich y Berlín como centros subsidiarios de irradiación.

El estado de la arquitectura catalana antes del modernismo. — El siglo XIX había empezado bajo el signo del neoclasicismo. Barcelona era entonces, a pesar de haber perdido su rango, la capital eficiente del arte. La Corte, lejana, reclutaba en ella técnicos y artistas, y en ella el Milizia [265], libro que fué la vía de difusión más eficiente de las doctrinas de Winckelmann, era traducido por Ignacio March [266] doce años antes de que lo hiciera Ceán, pero sobre el núcleo artístico catalán pesaban la desorganización y la falta de estímulos oficiales.

La benemérita Junta de Comercio hizo lo que pudo, que fué mucho, en sustitución de la actividad estatal, y uno de sus frutos fué la organización del estudio de la Arquitectura en la Escuela que se inauguró el 11 de septiembre de 1817 bajo la dirección del pensionado en Roma por la Junta de Comercio y la Academia de San Fernando, Antonio Celles.

Celles representó el racionalismo funcional que tanta fortuna hizo en Francia durante el final del reinado de Luis XVI y la Revolución, con un despojamiento casi total del decorado y un purismo formal extremado. Para él «la comodidad es el objeto principal de la arquitectura» y en los proyectos debe dominar «la mayor economía».

Continuador de Celles, José Casademunt se encargó de la dirección de la escuela desde 1836 y amplió los estudios.

Para hacerse cargo del tipo de enseñanza que se daba es suficiente recordar que dicha enseñanza la recibían los alumnos de todos los cursos, repartidos en nueve grupos, de un mismo profesor, quien daba clases alternas de construcción a ocho de dichos grupos y diarias al otro. No había historia del arte y no se estudiaban otros sistemas artísticos que el clásico «romano», al que se consagraban dos años.

El clasicismo purista, económico y pretendidamente funcional de la gente salida de esta escuela encarnó en la arquitectura austera, que fué atacada por indigente, de las calles de Fernando (1824) y del Conde del Asalto, la fachada del Ayuntamiento (1821), el Portal de Mar, en la Plaza Palacio, y los edificios de esta misma plaza y el Paseo de Isabel II, la Casa Carbonell, con sus elegantes pórticos arquitrabados de columnas dóricas (llamada después Casa Collasso), las casas de Xifré y la de Vidal y Quadras.

Las casas de Xifré, obra de los arquitectos José Buxareu y Francisco Vila (1837), a la manera de Bélanger y Ledoux, decoradas bajo la dirección de Campeny, son el monumento más importante de su época.

Tres bellas plazas porticadas recuerdan la Barcelona neoclásica. La del Palacio, con estos edificios y los mejores palacios del siglo XVIII, centrada por la fuente del Genio Catalán que proyectó Francisco Daniel Molina; la del Mercado de San José (1836-1840), rodeada de una columnata jónica que sostiene una terraza, y la Plaza Real (1848-1859), que proyectó el mismo Molina, a imitación del Palais Royal de París, y que vino a sustituir a un teatro neoclásico construído por Miguel Jaline. De la misma época que esta última plaza (1848) fué otro bello y simplicísimo conjunto porticado : el Mercado de Santa Catalina, de Buxareu, cuyo funcionalismo corre parejas con el de *La España Industrial,* de Juan Vila Geliu. También en 1848 se levantó el Teatro del Liceo, proyectado por Miguel Garriga y Roca inspirándose en el proyecto de un arquitecto francés, y variado después por la restauración que de su fachada hizo José Oriol Mestres, padre del dibujante y poeta Apeles, arquitecto del Teatro de los Campos Elíseos (1852) y del Palacio Samá, en el Paseo de Gracia.

El funcionalismo noeclasicista de Celles, de Buxareu y Vila Geliu halló un fecundo propagador en José Oriol y Bernardet, autor de las deliciosas estaciones del ferrocarril de la línea de Gerona por Granollers (1852).

A pesar de sus fechas esta clase de arquitectura representaba una mentalidad prerromántica, fundamentalmente racionalista. El arte antiguo no se evocaba, en Cataluña, con la sentimentalidad nostálgica con que se hacía lo mismo en la Alemania de la primera mitad del siglo XIX, sino que era utilizado, como por los franceses de fines del XVIII, a modo de purificación funcional de las formas. La prueba es que sus mismos cultivadores tuvieron interés en introducir en sus obras la técnica más moderna y, entre ellos, Francisco Daniel Molina proyectó, en 1844, la columna rostral férrea de Galcerán Marquet, y Oriol Mestres quiso levantar sobre columnas de hierro aparente las casas de la Plaza Real.

El romanticismo arquitectónico llegó con el medievalismo de Elías Rogent y su Universidad de Barcelona, proyectada en estilo románico en 1859. Siguió la obra de una constelación de medievalistas, presidida por Juan Martorell, cuya obra, en contacto con la creciente erudición de los vestigios neoclásicos, enamorados de rasgos helenísticos, entre lo egipcio y lo que entonces se tenía por etrusco, desembocó en el eclecticismo de los años setentas, cuya artificiosidad clamaba por una resurrección del estilo de época contemporánea. De la reacción en contra del eclecticismo y del ansia de consecución de un estilo, que fué el modernismo, quedan

Placa de premio de los concursos de edificios convocados por el Ayuntamiento de Barcelona. Dibujada por BUENAVENTURA BASSEGODA y modelada por JOSÉ ALEU

como mojones indicadores los concursos convocados por el Ayuntamiento de Barcelona.

Los concursos de edificios del Ayuntamiento de Barcelona. — El 23 de junio de 1899 el Ayuntamiento de Barcelona tomó el acuerdo de dar todos los años un premio al mejor edificio construído durante el año y consistente en una placa de cerámica. El 16 de enero de 1900 se acordó que las placas habían de ser de bronce y se encargaron de realizarlas el arquitecto Buenaventura Bassegoda, que hizo el dibujo, y el escultor Aleu, que lo modeló. Tenían la forma de un cartel de pergamino con el escudo de la ciudad y una inscripción en relieve con el texto: *Premio del Excmo. Ayuntamiento* y la fecha, y a su lado una matrona sentada en un trono de gótico dosel, con un ramo de laurel en la mano izquierda, tendiendo una corona del mismo ramo con la derecha. Una palma rodea el pergamino, como símbolo de triunfo.

Fundió las lápidas la casa Masriera y Campins. El primer premio concedido lo fué el 11 de junio de 1900, para los edificios terminados en 1899, a la casa construída por Gaudí para los hijos de Pedro Mártir Calvet, en la calle Caspe. El jurado estaba integrado por Antonio Martínez Domingo, alcalde presidente; el Director de la Escuela de Arquitectura, Francisco de P. del Villar y Lozano; el de la Escuela de Bellas Artes, Amadeo Aleu; el de la Asociación de Arquitectos, Enrique Sagnier Villavecchia; el del Centro de Maestros de Obras, Juan Casadó Tisans; el arquitecto municipal Pedro Falqués; el crítico Buenaventura Bassegoda; los tenientes de alcalde Antonio J. Bastinos y Lorenzo Jordana y el oficial de la Comisión de Gobernación del Ayuntamiento, Carlos Pirozzini, secretario.

En la casa de Gaudí el jurado apreció el *buen gusto,* la *originalidad,* el *respeto a lo verdadero, según frase del genial arquitecto francés,* expresión con la que se sobreentendía el nombre de Viollet-le-Duc, que no se citaba, y la existencia de techos de madera en vez de cielorrasos.

El segundo concurso, para los edificios terminados en 1900, premió el clásico edificio del Crédito Mercantil, de Juan Martorell, que había sido tomado en consideración junto con la casa Amatller, de Puig y Cadafalch, y la que Enrique Sagnier construyó para Tomás de Lamadrid.

El premio, otorgado el 25 de octubre de 1901, lo fué por un jurado integrado por el alcalde Amat; el representante de la Comisión municipal de Gobernación, Juan Mutgé; el de Fomento, A. Martínez Domingo; el presidente de la Asociación de Arquitectos, A. Casademunt; el del Centro de Maestros de Obras, J. Casadó Tisans; el crítico Arturo Gallard; el arquitecto municipal Pedro Falqués, y el secretario, Carlos Pirozzini.

En el tercer concurso, para los edificios terminados en 1901, fueron tenidos en cuenta el Asilo de San José, la Casa Salvadó, la de Estanislao Planás, la de Ferrer Xiró en el 120 de la calle de La Sagrera, la de Macario Golferichs, en el 111 de la Gran Vía, la casa Juncadella y la de Ramón Macaya, en el Paseo de San Juan. Fué premiada la casa Juncadella, de Sagnier, y se mencionaron la casa Macaya, de Puig y Cadafalch, y la Golferichs, de Juan Rubió Bellver.

En el cuarto concurso, para los edificios terminados en 1902, extensivo a establecimientos, se tuvieron en consideración 25 edificios y 42 establecimientos. Entre los primeros ganó el premio el edificio casi clásico de la *Caja de Ahorros y Monte de Piedad de Barcelona,* levantado en la Plaza de San Jaime por Augusto Font, y entre los segundos se le concedió al *Torino,* por el «fausto y ostentación desplegados» que «sobrepasa a todo lo conocido hasta ahora en materia de establecimientos».

DOMÉNECH Y MONTANER : Casa Lleó Morera, en la esquina del Paseo de Gracia con la calle Consejo de Ciento. Esculturas de EUSEBIO ARNAU y mosaico de JOSÉ BRU.

El jurado estaba integrado por el alcalde presidente, G. de Boladeres ; el Director de la Escuela de Arquitectura, Juan Torras ; el de la Comisión Municipal de Gobernación, Alejandro María Pons ; el de la Escuela Superior de Artes e Industrias y Bellas Artes, Leopoldo Soler ; el de la Comisión Municipal de Fomento, Julio Mairal ; el de la Asociación de Arquitectos, E. Mercader ; el del Centro de Maestros de Obras, J. Casadó Tisans ; el crítico Puig y Cadafalch ; el arquitecto municipal, Pedro Falqués, y el secretario Carlos Pirozzini.

En el quinto concurso, para los edificios terminados en 1903, se presentaron 25. Se tuvieron en consideración el del 212 de la calle Cortes, del arquitecto Jerónimo Granell ; la casa de la calle de San Sebastián, en San Gervasio, de Puig y Cadafalch ; el Palacio del Marqués de Robert, en el Paseo de Gracia ; la casa Batlló, en el 589 de la calle de Cortes, de J. Artigas Ramoneda, y la casa de R. Godó, en el número 28 de la calle de Pelayo, para talleres y oficinas de *La Vanguardia,* proyectada por José Maymó.

Se mencionaron como especialmente valiosos el Palacio Robert, bella versión de la arquitectura de Versalles ; la casa Batlló (destruída por la guerra), de un escarolado neo-rococó modernista, y la casa de *La Vanguardia,* de un severo modernismo, pero no se concedió ningún premio.

En el ramo de establecimientos, en cambio, se dió el primer premio a la Fonda de España, en los números 9 y 11 de la calle de San Pablo, obra de Doménech y Montaner ; el segundo a la *Maison Dorée,* decorada por Augusto Font, y el tercero a la casa Masriera y Campins, del 51 de la calle de Fernando.

El jurado estaba integrado por el Alcalde presidente, E. Corominas; el director de la Escuela de Arquitectura, Juan Torras; el Presidente de la Comisión de Gobernación, G. López; el Director de la Escuela Superior de Artes e Industrias y Bellas Artes, Leopoldo Soler; el presidente de la Comisión de Fomento, Julio Mairal; el de la Asociación de Arquitectos, E. Mercader; el del Centro de Maestros de Obras, Agustín Mas; el crítico Manuel Vega; el arquitecto municipal, Pedro Falqués, y el secretario Carlos Pirozzini.

En el concurso para los edificios terminados en 1905 ganó la casa Lleó Morera, de Doménech y Montaner, y se citó la Casa Terrades, llamada de *les Punxes,* de Puig y Cadafalch. Entre los establecimientos, se premió la casa Price, del número 31 de la calle de Fernando; y se dió un primer accésit a la de Evelio Doria, en la Ronda de la Universidad, 31; un segundo al taller del fotógrafo Audouard, sito en la casa Lleó Morera, y un tercero el establecimiento del Anís del Mono, en el número 30 de la calle de Fernando.

El jurado estaba integrado por el alcalde, Hermenegildo Giner de los Ríos; el presidente de la Comisión de Fomento, Alberto Bastardas; el de

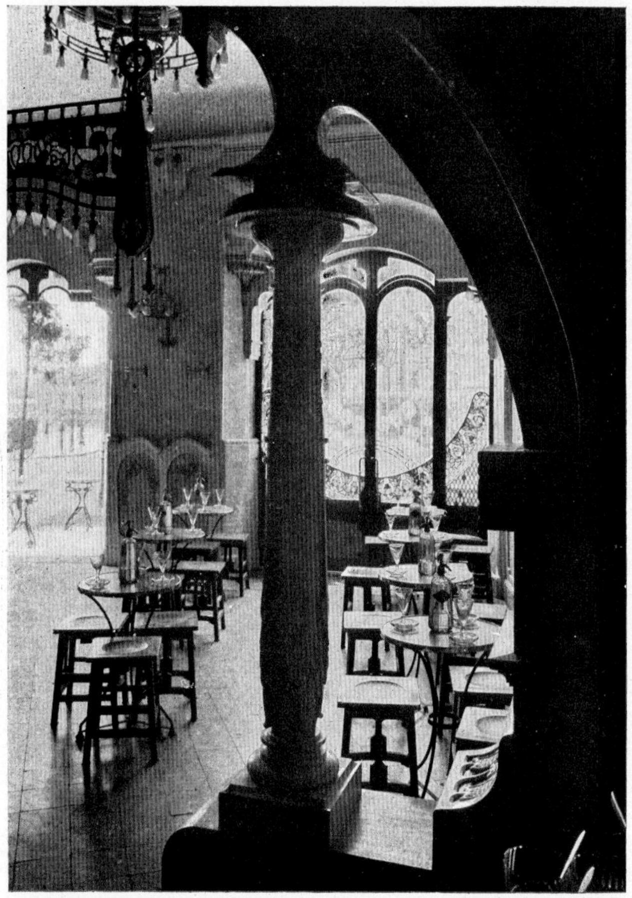

MORAGAS Y ALARMA: Café *La Luna,* en la Plaza de Cataluña, de Barcelona. 1909

Gobernación, Jesús Pinilla; el vicedirector de la Escuela de Arquitectura, Juan Torras; el director de la Escuela de Bellas Artes, Leopoldo Soler; el presidente de la Asociación de Arquitectos, Augusto Font; el del Centro de Maestros de Obras, Juan Verdaguer; el crítico Francisco Casanovas; el arquitecto municipal, Pedro Falqués, y el secretario Carlos Pirozzini.

En el concurso para los edificios terminados en 1906, el jurado consideró numerosas construcciones. Situó en una primera categoría la sucursal neogótica de la *Caja de Ahorros y Monte de Piedad de Barcelona,* en Gracia, obra de Augusto Font; la casa de la Vda. Mateu, en el 75 del Paseo de Gracia, de Pedro Falqués; el Colegio Condal, en la calle Cameros, de Buenaventura Bassegoda; la casa Batlló, en el 43 del Paseo de Gracia, de Antonio Gaudí; la de Antonia Puget, en el 22 de Ausias March, de Ramón Viñolas; la de Pilar Romeu, en Diputación, 249, de Enrique Sagnier, y la de Ernesto Castellar, en el 288 de Provenza, de José Amargós. Se mencionaron, además, la casa de doña Isabel Pomar en la calle de Gerona, 86; la de Elena Castellana, en la de Santa Ana, 21; la de Enrique Llorenç, en las calles Universidad-Córcega, y la tipografía Sopena.

Fueron premiados el Colegio Condal, de Bassegoda, y la casa Llorenç, de José Pérez Terraza. Figuraban en el jurado el alcalde presidente, Domingo Juan Sanllehy; el presidente de Fomento, Alberto Bastardas; el de Gobernación, Francisco Puig; el Director de la Escuela de Arquitectura, Juan Torras; el de la de Bellas Artes, Leopoldo Soler; el de la Asociación de Arquitectos, Augusto Font; el del Centro de Maestros de Obras, Juan Verdaguer; el crítico Buenaventura Pollés Vivó; el arquitecto municipal, Pedro Falqués, y el secretario Carlos Pirozzini.

En el concurso de edificios terminados en 1907 se premió la Casa Serra, neo-plateresca, de Puig y Cadafalch, en la esquina de Rambla de Cataluña-Córcega, y se mencionó la de Juan Coma, obra de Sagnier, en el 74 del Paseo de Gracia.

Entre los establecimientos se premió la Farmacia Doménech, del arquitecto Alberto Juan Torner, en el 71 de la Ronda de San Pablo, y la casa Butsems Fradera, no modernista.

En el jurado figuraban el alcalde accidental Alberto Bastardas; el presidente de Fomento, F. Magrinyá; el de Gobernación, F. Puig; el director de la Escuela de Arquitectura, Juan Torras; el de la de Bellas Artes, Leopoldo Soler; el presidente de la Asociación de Arquitectos, P. Salvat; el del Centro de Maestros de Obras, Juan Verdaguer Barau; el crítico J. Font y Gumá; el arquitecto municipal, Pedro Falqués, y el secretario Carlos Pirozzini.

En el concurso para los edificios terminados en 1908 se premió el Palacio de la Música Catalana, de Doménech y Montaner, y se mencionó la construcción industrial de la Sociedad Catalana de Gas, de Falqués. A los establecimientos no se les concedió ningún premio. Se mencionó solamente la semolería de Francisco Garriga, del número 7 de la calle del Carmen. El jurado era el del año anterior, con el crítico Felipe Cardellach en vez de J. Font y Gumá.

En el concurso para los edificios terminados en 1909 no se concedió ningún premio. Se mencionó en primer lugar la casa de Heriberto Pons — en la Rambla de Cataluña, 19 — obra de Alejandro Soler y March; en segundo lugar, la de Mercedes Niqui, en el 127 de la calle de Balmes, obra de Font y Gumá, y se tuvo en cuenta la de Casimiro Clapés, en el 246 de la calle Diputación, obra de Joaquín Bassegoda.

De los establecimientos se premió *La Luna,* café de la Plaza de Cataluña 9, obra de Moragas y Alarma, y con un segundo premio el puesto de carne del mercado de San Antonio, Sud 935-6, de Antonia Giralt, obra del arquitecto Eduardo María Balcells y Buigas.

Integraban el jurado Francisco Serraclara, alcalde presidente; el de Gobernación, doctor Janssens; el director de la Escuela de Arquitectura, A. Casademunt; el de la de Bellas Artes, Leopoldo Soler; el presidente de la Asociación de Arquitectos, Julio Batllevell; el del Centro de Maestros de Obras, Juan Verdaguer Barau; el crítico Esteban Batlle; el arquitecto municipal, Pedro Falqués, y el secretario Carlos Pirozzini.

El concurso para los edificios terminados en 1910 dió el primer premio al Palacio de Luis Pérez Samanillo, en Diagonal-Balmes, obra de Juan J. Hervás Arzimendi; la primera mención a la casa Juliá, en el 264 de Mallorca, obra de Sagnier; la segunda a la casa Román Macaya, en Diagonal-Córcega, del mismo arquitecto, y la tercera a la torre de Jaime Gustá y Bondía en la calle Alegre de Dalt, 153.

Entre los establecimientos premió el de Francisco Sangrá, en el 10 de la Rambla de los Estudios, de Moragas y Alarma.

El jurado estaba integrado por el alcalde, marqués de Marianao; el presidente de Fomento, José M. Serraclara; el de Gobernación, doctor Ricardo Janssens; el director de la Escuela de Arquitectura, A. Casademunt; el de Bellas Artes, general Gustart; el presidente de la Asociación de Arquitectos, Joaquín Bassegoda; el del Centro de Maestros de Obras, Juan Verdaguer Barau; el crítico J. Busquets Vautravers; el arquitecto municipal, Pedro Falqués, y el secretario Carlos Pirozzini.

En el concurso para los edificios terminados en 1911 se concedió el primer premio a la fábrica de hilados y tejidos de algodón de Casimiro Casarramona, en la calle de México, obra de Puig y Cadafalch, y se tuvieron en consideración la de Ruperto Garriga, de Sagnier; la de Juan Comalat, obra de Salvador Valeri, en el 442 de la Diagonal; el edificio de la Farmacia Genové, de Sagnier; el chalet de Pedro Company en las calles Casanovas-Buenos Aires, de Puig y Cadafalch, y la casa Baguñá-Cornet, en Mallorca 192, de Vicente Artigas.

De los establecimientos se premiaron *El Regulador,* joyería de la Rambla de las Flores, 37, esquina a Carmen, del arquitecto José Bori; el Café Royal, del 8 de la Rambla de los Estudios, decorado por Jaime Llongueras; la casa Esteva y Cía., del Paseo de Gracia, 18; la Farmacia Espinós, del 264 de Diputación, de José María Pericas, y el Cine Ideal, en Cortes 605-7, de José Plantada y Artigas.

Entre los edificios terminados en 1912 el premio se lo llevó el Hospital de San Pablo, de Doménech y Montaner, seguido por el *Banco Hispano-Americano,* en las calles Fontanella-Moles, de Miguel Madorell Rius, y la Editorial Seguí, en Buenavista-Torrente de la Olla (después Menéndez y Pelayo), de Andrés Audet y Puig.

Entre los establecimientos se premió la Dulcería Llibre, en la Plaza de Cataluña, de Sagnier, y la orfebrería Heydrich, de Fernando, 35.

En el jurado figuraban el alcalde presidente, Joaquín Sagnier, hermano de Enrique; el presidente de la Comisión de Fomento, J. Pich; el de la de Gobernación, J. Mir Miró; el director de la Escuela de Arquitectura, Joaquín Bassegoda; el de la de Bellas Artes, Manuel Fuxá; el presidente de la Asociación de Arquitectos, Manuel Palomo; el del Centro de Maestros de Obras, Juan Verdaguer; el crítico Pablo Salvat; el arquitecto municipal, Pedro Falqués, y el secretario Pirozzini.

No se convocó concurso, en 1913, para los edificios terminados en 1912. Posiblemente fué el brusco cambio de la moda, al permitir juzgar como desacertados algunos de los edificios premiados, el que socavó el prestigio de los premios y dejó caer la costumbre de concederlos. Esta suspensión hace de los concursos del Ayuntamiento, organizados para los edificios construídos entre 1899 y 1911, una manifestación típica del ciclo modernista.

LUIS DOMÉNECH Y MONTANER : Antiguo Restaurante del Parque de la Ciudadela. 1888

ARQUITECTURA RUSKINIANA

Juan Martorell, el medievalista arqueológico. — Nacida a la vez del racionalismo y del romanticismo, la arquitectura neo-medieval de la segunda mitad del siglo XIX preparó una de las facetas fundamentales del modernismo.

Juan Martorell, nacido en Barcelona en 1833 y muerto en 1906, fué el más característico representante del goticismo arqueológico, enamorado de la primera mitad del siglo XIII francés, a lo Viollet-le-Duc, condescendiente con ciertos ribetes de tradición catalana. Como Ruskin y Viollet, sintió el arte a la manera de un sacerdocio, que para él tenía un significado a la vez religioso y social. Fervientemente religioso, halló su terreno adecuado para su arte en los proyectos de iglesias. Las Adoratrices de Barcelona (1882), la iglesia de Portbou, la de San Esteban de Castellar, en la que colaboró Emilio Saia, son muestras de su más estricto goticismo, lo mismo que la fachada de Montesión, en Barcelona, que pone en evidencia su disparidad con las formas simples del interior auténtico del templo medieval, reconstruído en la Rambla de Cataluña, a cuyo espíritu supo ser más fiel cuando restauró el antiguo monasterio de Pedralbes.

De un gótico florido a su manera, abundante en decorado floral, son el gran palacio de Comillas, el tercer misterio de Gozo y el tercero de Gloria en el Rosario Monumental del Camino de la Santa Cueva de Montserrat y el destruído altar mayor de Granollers. Se entregó, en cambio, a un gratuito bizantinismo con rasgos góticos en la iglesia de la Compañía de Jesús, de la calle Caspe, decorada con piedra tallada a la manera del preciosismo de 1870 y coronada por una gran cúpula policroma, como la que construyó en la basílica de la Merced, y adoptó un estilo clásico, venecianizante, en el desaparecido monumento a Güell y Ferrer, de la Rambla de Cataluña, y en el edificio del Crédito Mercantil, que le valió el premio del Ayuntamiento en 1900.

Su obra más importante es, sin duda, la iglesia de las Salesas (1885), en el Paseo de San Juan, edificio de silueta original, apiramidada, con una aguda torre en el crucero, que recuerda la de San Sernín de Tolosa, en el Languedoc, construcción policroma que, a pesar de los detalles góticos florentinizantes de sus motivos en piedra, es de una gran vivacidad original en los motivos de color y relieve formados por caprichosos aparejos latericios y aplicaciones de cerámica esmaltada que dibujan motivos de sabor cosmatesco en fajas horizontales y superficies salpicadas de motivos estrellados.

Martorell, hijo del cientismo, fué el introductor, al sur de los Pirineos, de la Mecánica Gráfica. Ruskiniano, a través de Francia, fundó entidades obreras como el Centro de San José, una cooperativa de consumo y una Hermandad de obreros de la construcción.

Martorell mantuvo la llama del medievalismo encendida por Elías Rogent en su gran realización románica de la Universidad barcelonesa, cuyo estilo continuó vivo gracias principalmente a Maestros de Obras como Macario Planella y Roure, que fué el fundador, en 1876, y presidente del Centro de Maestros de Obras († 1899), uno de los instituidores de los premios arquitectónicos anuales del Ayuntamiento, defensor de los monumentos antiguos [267] y autor del chalet románico *Mas Sicars,* en Vall d'Aro (1903), y José Pellicer Feñé, autor del románico Asilo Toribio Durán, hoy derruído, que decoró con pinturas murales su hermano, el famoso dibujante José Luis.

El Maestro de Obras Jerónimo Granell empleó también el románico en el Hospital del Sagrado Corazón, de la carretera de Sarriá, y, en cambio, el gótico en las obras con que completó la iglesia de la Concepción después de trasladarla desde Jonqueres. Al lado de la reestilización lírica del gótico que debían realizar los seguidores de Gallissá, el goticismo fiel a un purismo romántico tuvo siempre sus colaboradores como, ya entrado el siglo XX, el arquitecto Oller, autor de la casa Marfá, del Paseo de Gracia-Valencia.

Los neo-egipcios. — Juan Martorell se había libertado, en las Salesas, del arqueologismo que había hecho de él, en las Adoratrices y en Portbou, por ejemplo, una especie de paralelo de aquel Gau que, con la iglesia de Santa Clotilde, de París (1846), fijó, como de rigor, el estilo gótico para las iglesias.

Como él, pero moviéndose no en el campo del medievalismo, sino arrancando de la tradición funcionalista neoclásica, actuó el Maestro de Obras José Fontseré (muerto en 1897). Su espíritu fué el que definía Isidro Raventós y Amiguet cuando decía [268]: *el nostre segle anomenat serà de gegant* por la arquitectura desarrollada al *escalf de la ciència* y la alianza del hierro con la nueva interpretación del arte griego, lo que venía a ser una especie de bodas de Fausto y Helena.

Fontseré creía, como Raventós [269], que el carácter de un monumento deriva de la conjunción de una filosofía con las condiciones impuestas por los materiales.

Este deseo de armonizar una belleza, la griega, conceptuada como eterna, con la vida del siglo industrial, dió carácter a los interesantes monumentos de Fontseré, como el Museo Biblioteca Balaguer, en Vilanova y la Geltrú, el Museo Martorell (1882), la Cascada del Parque de la Ciudadela, paralelos al estilo germánico *Architektonische Skizzenbuchs* que Doménech y Montaner llamaba «a la manera de la linterna de Lisícrates».

Al correr los años Fontseré fué alejándose cada vez más de lo griego. Los elementos maquinistas, que fueron introducidos en su Cascada del Parque por su ayudante Gaudí, en los mástiles metálicos, pasaron a las formas pétreas, que llegaron al pretendido maquinismo, anticlásico, con gran papel otorgado al hierro, del grupo escolar que él mismo sufragó para su pueblo natal de Das en La Cerdaña.

Rasgo característico de su arquitectura, de un pretendido mecanicismo y evidente influjo egipcio, fueron los paramentos escarpados. Éstos, tanto como los detalles ornamentales «Lisícrates», contaminaron incluso a puros neoclásicos como José Oriol Mestres, que los hizo suyos en el monumento a Antonio López.

De la doble labor de Martorell y Fontseré participó el original José Vilaseca y Casanovas, nacido en Barcelona el 10 de octubre de 1848 y muerto en la misma ciudad el 19 de febrero de 1910, que en su faceta medievalista es un hijo de Martorell, y de Fontseré en la neoegipcia.

Arquitecto y Maestro de Obras, viajó mucho por el extranjero, y desde 1900 fué catedrático de la Escuela de Bellas Artes. Era hombre de cultura, amante de la música y aficionado a actuar en el teatro.

JUAN MARTORELL: Iglesia de las Salesas

Si en algún caso cultivó el clasicismo arqueológico, como en el templo próstilo corintio del Taller Masriera, en la calle de Bailén, lo hizo no sin cargar las proporciones hacia la cabeza, como era del gusto «Lisícrates», tan bien representado por el Monumento a Colón, de Cayetano Buigas Munrabá (título de 1879), en el que, por cierto, el pedestal escarpado entra de lleno en el neoegiptismo.

Su especialidad fué el tratado libre de motivos derivados de lo griego y lo egipcio, con una tendencia orientalizante que se complace en la policromía, en el uso de las aplicaciones de cerámica y en la estilización de la palmeta griega en forma análoga a la hoja de loto hindú, elementos que aparecen en el edificio de la Academia de Ciencias de la Rambla, erigido en 1883, en el cual las columnas dóricas no tienen ningún inconveniente en soportar jácenas de celosía en hierro aparente. Uno de estos elementos nuevos, la palmeta-loto, fué monumentalizado en la balaustrada que rodea el neoegipcio monumento a Aribau en el Parque de la Ciudadela [270].

El mismo programa de Vilaseca había sido formulado en 1878 por Doménech y Montaner [271] al señalar, con ideas a lo Taine, la importancia del medio físico en la definición de un estilo, y al sumarle el medio moral y la idea, de modo que a cada lenguaje corresponde una forma de expresión plástica. Doménech distinguía en la arquitectura de su tiempo la escuela clásica, la ecléctica — que creía centrada en Alemania, y para la cual un cementerio debía ser egipcio, un museo griego, un parlamento romano, un convento bizantino, una iglesia gótica, etc. —, y la escuela medievalista, dividida en la rama gótico-románica y la de los que revivían el arte musulmán y el de los alarifes mudéjares.

«¿Por qué no hacer una nueva arquitectura?», se preguntaba, y proponía superponer al buen gusto del templo griego las esfinges y las «líneas fuertes» de los monumentos egipcios, las ornamentaciones, ligadas unas con otras, de los árabes y la galanura de dibujo del Renacimiento, para lograr una síntesis que estimaba que no podría ser realizada más que por el esfuerzo de dos o tres generaciones.

Esto lo intentó Vilaseca en obras sincréticas como los talleres de las Industrias de Arte de Francisco Vidal (1884), con cornisas de hoja de loto, mecanicismo egiptizante, sus paramentos decorados con fajas entre góticas y de verdugada mozárabe y sus columnillas deformadas hasta recordar a la vez la Alhambra y los claustros medievales. Lo mismo hizo en el Arco de Triunfo, entrada monumental a la Exposición Universal de 1888, en el que resolvió la silueta clásica con un contenido ornamental abstracto en ladrillo, de gusto mudéjar, enriquecido con fajas de cerámica esmaltada y coronado con cupulillas del mismo policromo material; en el Panteón Batlló, egiptizante y adornado con cariátides de egipcia indumentaria y cuerpo y rostro helénicos, etc.

Su revelación de lo egipcio le hizo recibir encargos de obras de ambiente faraónico que resolvió a veces sobre un esquema de volúmenes gótico, como en la casa Cuadros, de la Rambla y calle Cardenal Casañas, a veces con esquema clásico, como en la hoy transfigurada casa del número 11 de la calle Pelayo, esquina a Balmes, que antes coronaban esfinges-cariátides y se apoyaba en pilares atandados, y a veces con cierta fidelidad arqueológica como en la operística decoración del comedor de Agustín Pujol, en Lloret.

Hubo, incluso, una cierta moda de lo egipcio, que fué imitado, con todos los pormenores de bajorrelieves y pinturas murales en el espantoso decorado que J. Lapeyra y el escultor J. Riera hicieron en la casa de la calle de Dufort, desaparecida en la reforma del casco antiguo, que ocupó el *Orfeó Català* desde 1894 hasta 1897.

El bizantinismo fué interpretado por Vilaseca libremente, mezclado con elementos árabes, en la reforma de la neoclásica iglesia de la Bonanova, en cuyo atrio utilizó un curioso aparejo inspirado en la cestería, pero la cristalización definitiva de su arte fué el libérrimo neogoticismo de la casa de Pía Batlló de Bach, en la esquina de Gran Vía-Rambla de Cataluña, y el grupo de casas de Mallorca-Paseo de Gracia.

En aquélla, como Morelli aconseja a los tratadistas de arte, no debemos fijarnos en el conjunto, sino en los detalles. Los conjuntos están siempre condicionados; sólo en el detalle se expresa libremente el artista. Fijémonos, pues, en las atrevidas jácenas de celosía de hierro aparente, ornadas con flores forjadas, que sostienen en falso las esquinas, encima de las puertas del *Oro del Rhin* y de la relojería que disfrazó ha poco, con erróneo criterio, el vienés Ziegler. Fijémonos en los dragones heráldicos, tenantes de blasones de silueta alemana, las águilas esculpidas en la bella piedra gris azulado, en los hierros forjados de Sancristófol y en los caprichosos chapiteles de cerámica con reflejos metálicos, preparados por la casa Pujol y Baucis, y coronados con quioscos férreos con vidriería policroma.

Las citadas casas de Mallorca-Paseo de Gracia pertenecen también a las líneas generales del neogoticismo transfigurado. En ellas alternan los materiales: la sillería, el ladrillo, el estuco, y se mezclan los ingredientes plásticos. Tribunas enteramente férreas, como las de Gallissá, se apoyan, lo mismo que los balcones, en las bovedillas con recubrimiento cerámico que Gallissá puso en boga.

Estos motivos cerámicos de Pujol y Baucis no se basan en azulejos ni en mosaico de *trencadís* como en las obras de Gallissá y de Romeu, ni en piezas hechas ex profeso como en las de Rubió, sino en verdaderos alicatados en blanco y azul. Los hierros forjados con que Sancristófol disfrazó los elementos férreos aparentes tienen interés por la novedad y el naturalismo de las hojas de palmito que remedan.

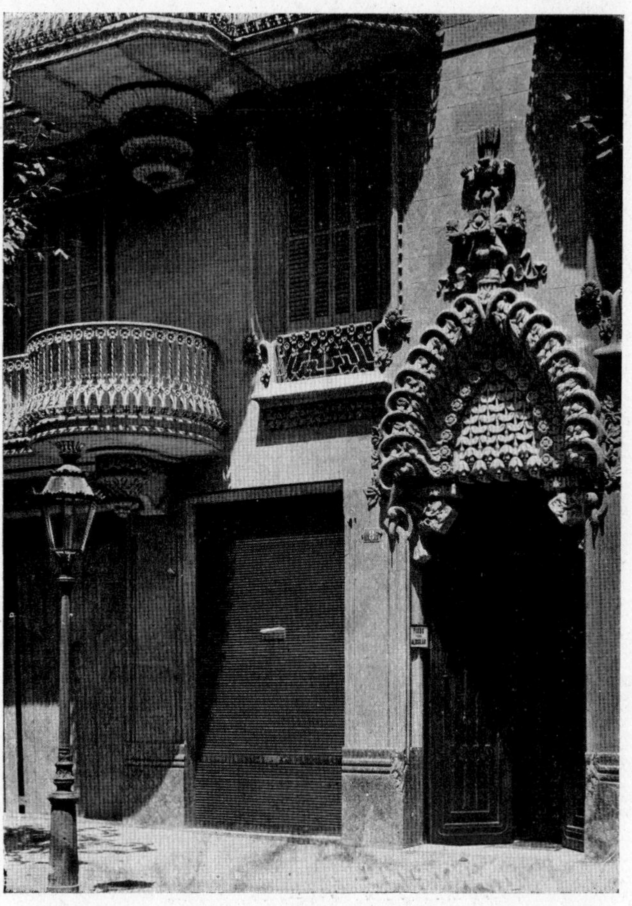

JOSÉ VILASECA: Casa Joaquín Cabot. 1905

En la parte alta de las fachadas los recubrimientos cerámicos, con estilizaciones vegetales simétricas que ilustran sobre el origen egipcio de la geometrización floral vienesa, pertenecen todavía a la etapa de los azulejos, anterior a la moda del mosaico cerámico que difundió Gaudí.

En general, los proyectos de Vilaseca adolecen de una falta de sentido de la proporción y de armonía entre el conjunto y los detalles. Excepción a ello es la casa que construyó para Joaquín Cabot en el número 8 de la calle de Lauria, en 1905.

Joaquín Cabot y Rovira tiene importancia en la historia de la arquitectura modernista, pues a él debemos no sólo la existencia del mejor edificio de Vilaseca, sino la erección por Doménech y Montaner del Palacio de la Música Catalana. Él mismo

Luis Doménech y Montaner : Edificio con elementos de hierro aparente

ta baja con ecos góticos y las otras con un bordón y una escocia suaves que recuerdan el sistema decorativo de Granell y Majó. La puerta de entrada presenta terminaciones de las molduras de las jambas en un trenzado que recuerda los efectos caros al arte flamígero y los traduce al gusto floral. Tallos rítmicamente dispuestos forman la archivolta apuntada bajo la cual floridos tallos colgantes de fucsia tejen un original tímpano. Con silueta gótica, pero detalles nuevos, se forma un caprichoso ramo terminal, geometrizado, con flores de adormidera en estilización cuadrática, frutos de la misma planta y un ramo de rastrojo en la cumbre. Los balcones, circulares o poligonales, se sostienen en interesantes ménsulas únicas, en las que unos tallos floridos se entretejen formando delicados dibujos de cestería. En los hierros triunfa la esquematización floral simétrica, de origen egipcio, posiblemente influída por los hallazgos vieneses.

Mérito singular de esta obra, entre las de su tiempo, y en especial entre las de su arquitecto, es la humildad con que se esconde entre las vecinas casas de alquiler, sin querer recabar para sí la atención. Por el extremo opuesto, el monumento a José Anselmo Clavé, que proyectó en 1888 con una base mayor que la que tiene, provista de enormes dragones-esfinge, también es una obra de estilo excepcional entre las suyas. Cilindro apoyado en cuatro contrafuertes que estilizan, desde las cuatro calles que centra, ingeniosamente, cuatro liras, pertenece de pleno al sentido plástico que Vilaseca buscaba en el neoegipcio : la energía constructiva que aquí, con los enormes bloques empleados y la descomunal estatua de bronce, pasaron todo límite de moderación y prepararon la pasión ciclópea de Pedro Falqués.

era un artista, un orfebre y un literato, y tenía gran papel en el mundo financiero de la ciudad. Nacido en 1861, en 1884 fué secretario de los Juegos Florales y mantenedor en 1889 ; fué crítico literario en *La Renaixensa,* con el seudónimo de *Dr. Franch,* y uno de los fundadores de *La Veu de Catalunya;* publicó los libros *De fora casa* y *A cop calent* y fué considerado como uno de los patricios de Barcelona al ostentar la presidencia del *Orfeó Català* y de la *Cámara de Comercio.* Fué iniciativa suya el acuerdo de la Diputación de editar 100.000 ejemplares de las obras completas de Verdaguer.

En la casa que para él proyectó, Vilaseca se dejó llevar por el influjo del arte floral. Ordenó la fachada sobriamente, moldurando las aberturas de la plan-

Doménech y Montaner, ciencia y sueño. — Luis Doménech y Montaner, solamente dos años más joven que Vilaseca, estaba llamado a realizar una labor paralela — a menudo en colaboración con él —, pero de mayor influencia.

Cursó la carrera de arquitecto en las escuelas de Barcelona y de Madrid y terminó sus estudios en 1873. Dos años más tarde era ya profesor de la Escuela de Arquitectura de Barcelona, en la que debía desarrollar una labor fecundísima, en particular desde que pudo tener el apoyo del joven Gallissá, que fué quien organizó las excursiones de estudiantes en visitas a los monumentos medievales catalanes, de las que salieron trabajos tan importantes como los planos detallados y el proyecto de restauración del Monasterio de Poblet. Doménech llegó a ser Director de la Escuela en 1901, cargo que unió a múltiples presidencias : del Ateneo Barcelonés en 1898, 1911 y 1913, de los Juegos Florales, de la *Lliga de Catalunya,* de la *Unió Catalanista* y de la famosa asamblea que redactó las *Bases de Manresa.*

Uno de sus primeros trabajos como arquitecto fué el proyecto de monumento fúnebre a José Anselmo Clavé, que proyectó junto con Vilaseca, en 1874, y que le valió el primer premio en el concurso a la sazón abierto. En 1877 ganó otro primer premio en el concurso municipal para un monumental edificio destinado a escuelas y museo, que no llegó a construirse.

Una de las primeras obras realizadas fué el Ateneo de Canet de Mar, construcción de un estilo que no se diferencia del de Vilaseca, con formas mecanicistas, apoyos escarpados, paramento surcado horizontalmente por hiladas alternas, como soga y tizón, y unas barandas de hierro forjado con elementos rectilíneos asimétricos de un gusto que recuerda a Fontseré. La sugestión nórdica que nunca abandonará a Doménech campea en los frisos, de movido estilo vikingo.

Levantóse este edificio en 1887, el mismo año en que proyectó, por encargo del Ayuntamiento de Barcelona, el Restaurante del Parque de la Ciudadela para la Exposición Universal de 1888.

El nordicismo que apuntaba en el casino de Canet triunfa aquí en el carácter general del edificio, con grandes paramentos de ladrillo aparente que lo relacionan con la arquitectura medieval frisia y prusiana. Coronado de almenas, con torres de castillo, el pueblo lo bautizó con el nombre de *Castell dels Tres Dragons,* sacado de la popular comedia de *Pitarra,* que el propio Doménech tuvo gusto en hacer suyo en el lenguaje corriente e incluso en artículos publicados en la Prensa.

En este edificio, de carácter neogótico muy modernizado, los arcos almendrados aparecen peraltados, en formas persanizantes, y en ciertos vanos se muestran desnudos los dinteles de hierro.

Un remate de hierro y vidrios policromos coronó su torre muchos años después de su erección, en sustitución del proyectado chapitel de obra. Hoy está instalado en él el Museo de Zoología.

En 1888, con motivo de la misma Exposición, construyó, en dos meses, el grandioso Hotel Internacional, de líneas neogóticas sin ninguna pretensión arqueológica, que causó sensación, más que por su ritmo de verticales a lo Westminster, por la prodigiosa rapidez con que fué erigido.

Más original fué en los talleres de la casa editorial e imprenta Montaner y Simón, en la calle de Aragón 255, que resolvió en un estilo propio, con fachada de ladrillos aplantillados, hierro y cristal, con interiores funcionalistas de vidriería y hierro y motivos decorativos poligonales que recuerdan temas árabes y atauriques en reserva en la archivolta, en la que se escriben las letras anunciadoras de la casa, según la misma fórmula que utilizó Sagnier en el Palacio de Justicia y repitió Doménech y Estapá en el Hospital Clínico.

Al finalizar el siglo se había dado a conocer también por sus trabajos de tratadista de arte en la *Historia del Arte,* de la casa Montaner y Simón (1886), y como decorador, dirigiendo la presentación de los libros de la colección *Arte y Letras,* con motivos mecanicistas, rasgos goticistas o vikingos mezclados con la composición de los grutescos pompeyanos, en blanco, oro y color o en negro y color.

DOMÉNECH Y MONTANER : Casa Lamadrid

DOMÉNECH Y MONTANER: Decoración de la Fonda de España. 1903

Para los mismos editores construyó, en 1893, el palacio Montaner, en el número 278 de la calle de Mallorca, bajo cuyo alero de madera, muy grande, se desarrollan paramentos de azulejos con reflejos metálicos, con alegorías. Es interesante el detalle de los pilares de la verja del jardín, con coronamiento de sabor hindú y arabescos en reserva que recuerdan los de Vilaseca en el Parque, y los hierros forjados con formas rectilíneas violentamente angulosas, como las que divulgó Fontseré.

De 1901 a 1905 fué la etapa de su intervención más activa en la política, en la que tuvo el mandato de diputado a Cortes.

En 1902 construyó la casa Lamadrid, en la calle de Gerona 113, para don Eduardo S. de Lamadrid, que tiene una fisonomía propia, muy distante del resto de la obra de Doménech y Montaner. En la planta baja, robustas columnas de fuste cónico se coronan con capiteles de rosas silvestres, que con sus tallos en latiguillo, inclinados, recuerdan la disposición helicoidal de las hojas de ciertos capiteles bizantinos. Unos ábacos cónicos, goticistas, se intersecan con las ondulaciones de los sillares en que descansan los dinteles, adornados con bajorrelieves figurados, bellas muchachas prerrafaelitas, de cabellera extendida, portadoras de escudos. La flor preside el remolino vegetal de las semicirculares losas de los balcones, cuyas balaustradas son otras tantas coronas florales caladas. La segmentación de la fachada según pares de líneas, recuerdo del aparejo alterno a soga y tizón o la verdugada, llena los paramentos que salpican florones cerámicos. Un moldurаje muy simple encuadra las aberturas y un parapeto floral de silueta goticista remata el edificio, llevando la fecha de MCMII en una composición heráldica.

De la misma fecha es la pequeña obra decorativa del buzón del Colegio de Abogados, con su tortuga, sus golondrinas y su emblema heráldico.

El carácter de la arquitectura latericia del Res-

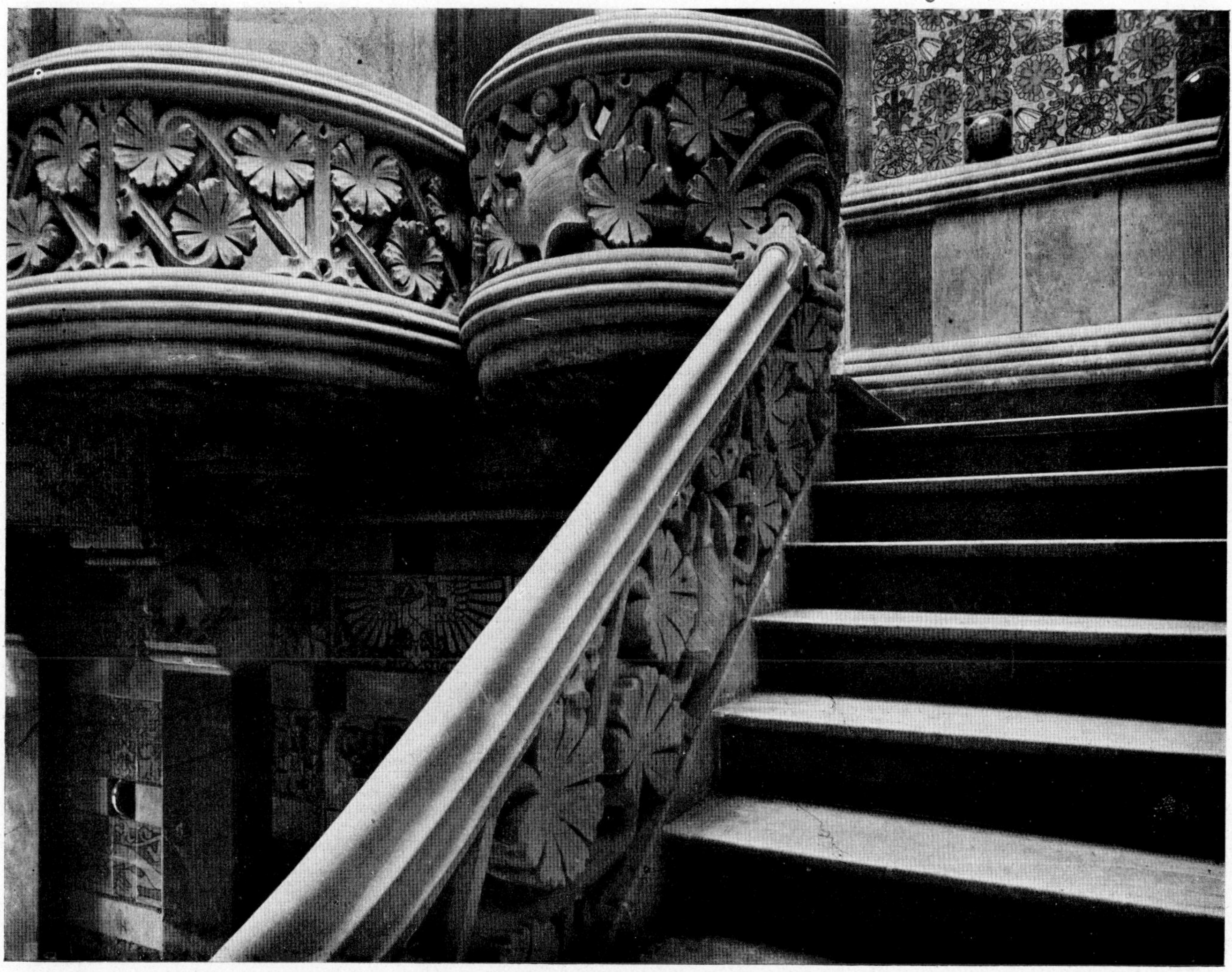

DOMÉNECH Y MONTANER : Escalinata de la planta noble del edificio Thomas, en la calle de Mallorca

taurante del Parque dominó todavía en los edificios del Manicomio de Reus, pero un nuevo estilo empezó a formarse en sus trabajos de decorador, posiblemente no ajeno al gusto de su ayudante Gallissá. En 1903 un trabajo suyo de decoración, la Fonda de España en la calle de San Pablo, le valió el primer premio concedido por el Ayuntamiento a los establecimientos montados durante el año. En su ámbito, presidido por una chimenea esculpida por Eusebio Arnau, ensayó Doménech los elementos de su nueva arquitectura de la época floral.

Vilaseca había creado los zócalos con apariencia escarpada logrados con una canal cónica invertida practicada en sus aristas.

En la Fonda de España, propiedad de Riu y de Marty, Doménech transformó este motivo haciéndolo curvilíneo, de modo que unos bloques de caras planas, paralelepipédicos, presentaron paramentos de perfil ondulante.

En tales zócalos descansan columnas cilíndricas de mármol rosa, con collarinos de sección sinusoidal en su parte baja, que volveremos a encontrar en todos los edificios tardíos de Doménech. Calados pétreos de latiguillo y fítica llenan los espacios entre los pares de columnas, tema también fecundo, como la alternancia de vanos dilatados y angostos. Jácenas de hierro aparente soportan el techo, con red cuadriculada de viguetas y bovedillas adelas que nos parecen sugeridas por el enamorado de este tema que fué Gallissá, revestidas de cerámica y acompañadas de ornamentos de talla. En los arrimaderos figuran alicatados cerámicos.

Como desarrollo de los temas de la Fonda de España, la planta baja de la casa de Alberto Lleó Morera, en el Paseo de Gracia esquina Consejo de Ciento, se componía de unas arcadas alternativamente grandes y pequeñas, escarzanas y trilobuladas, soportadas por robustas columnas de mármol rojo de Novelda. Los capiteles tenían forma de copa, de cuello estriado helicoidalmente por un haz de tallos y bocina rodeada de flores o composiciones variadas de hojas. El zócalo que soportaba las columnas se interrumpía con lucernas partidas por columnillas de capitel de hojas de castaño y cubiertas por un friso de hiedra que hacía las veces de losa de los balcones de hierro forjado salpicados de flores metálicas y centrados por copas jardineras en las que se cogían, elegantísimas, llevadas por una brisa que arremolinaba su túnica, las bellas mujeres, de tamaño natural, esculpidas por Eusebio Arnau.

Los arcos trilobulados, con su parte alta cegada por una estilización de coliflor o apio, alternativamente, eran huecos o cegados por un mosaico representando ramos, simétricamente compuestos, de hortensias.

La planta principal asoma por una columnata estriada, cuyo balcón se adornaba con guirnaldas y, en la tribuna, con seis ninfas sentadas, que se han destruído. Balcones cobijan estas columnatas, con calados florales de hortensias y, en la tribuna, heráldicos, a los que se sale por aberturas adinteladas con maineles, que flanquean los altorrelieves de cuatro muchachas que representan los inventos artísticos, con máquina fotográfica de fuelle y gramófono de trompa. En el segundo piso, el artificio modernista del vano de medio punto que aparenta ser un círculo subdividido por dos columnitas, da paso a los balcones en forma de lengua. En lo alto, galerías rítmicas, de dintel y cartela o trilobuladas, coronan la fachada bajo los óculos calados con flores y tallos serpenteantes y el almenado de coronas, cuernos entrecruzados y pináculos. Un templete, en la esquina, se cubre con una aguda cúpula de cerámica policroma.

El arte sintético que predicaba en sus citados textos del año 1878 halló una sugerencia en el uso de la columna jónica en edificios de carácter goticista que había hecho ya Sagnier en el Palacio de Justicia y en el chaflán de las calles Gerona-Ausias March. Doménech utilizó esta simbiosis en el edificio destinado a talleres del grabador Thomas, en la calle de Mallorca, entre las de Lauria y Bruch. Un enorme ventanal rebajado vacía casi por completo la fachada, en la planta baja, en recuerdo de los grandes soportes de las tumbas reales de Poblet. En él, una reja angulosa protege los tragaluces del semisótano, y una gran vidriera policroma da ambiente medieval al entresuelo. Encima corría una galería jónica, flanqueada por una torre encastillada y otra menor, que coronaba una especie de tienda de campaña, tema que sacó quizá del Casino de Saint-Ferreol, que hizo furor en su tiempo.

Los paramentos exteriores se cubren de flores, águilas, hojas, pares de capullos y casquetes en relieve, con reflejos metálicos, en cerámica. Las interesantes columnas de capitel jónico arcaico, eólico, tienen fustes de estrías dóricas, con aristas cortantes, adornados con bajorrelieves que representan una salamandra, un escarolado gótico, motivos helicoidales de pasamanería, flores en quinconces, girasoles entre tallos de latiguillo y camaleones poblando ramas de acacia.

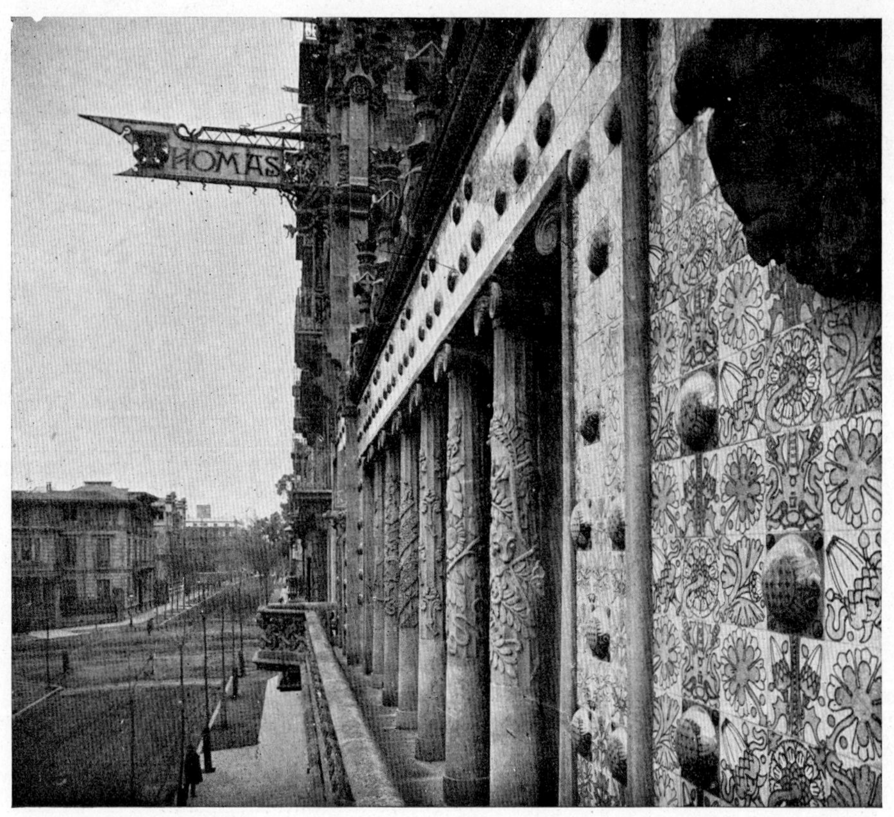

DOMÉNECH Y MONTANER : Galería de la casa Thomas

El balcón, como la baranda de la escalera, es un entrelazado de elementos florales y heráldicos.

Muchos años después, Doménech terminó esta casa dándole toda la altura de las viviendas de alquiler que la rodean y trasladando a la nueva terminación los primitivos motivos de remate.

El monumento más importante de la etapa floral del arte de Doménech y Montaner fué el *Palau de la Música Catalana,* edificado para el *Orfeó Català.*

Esta significativa institución, fundada el 17 de octubre de 1891,

DOMÉNECH Y MONTANER : Interior del *Palau de la Música Catalana.* 1891-1908

encargó a Doménech, por iniciativa de Joaquín Cabot, una sala de conciertos con aquel nombre ampuloso, a levantar en la calle Alta de San Pedro.

En su concepción, el arquitecto pensó en el entroncamiento con lo medieval, quizá llevado por la misma fe equivocada de Ruskin, quien creía ver en cada elemento de la construcción gótica una interpretación de una forma natural. El naturalismo, en efecto, fué la nota dominante, interpretado en pleno *Jugend-Stil,* combinado con el sentido funcional, de la misma manera que lo hacía Víctor Horta, y reflejando las soluciones «hueso de carnero» de Héctor Guimard.

Se trataba de crear una atmósfera, y Doménech dió importancia capital al brillo y a la transparencia. Del mismo modo que Siclis en los años alrededor de 1930, Doménech creó un verdadero ilusionismo de lo maravilloso, deslumbrando los ojos con el centelleo de los mosaicos cerámicos y engañando con las transparencias de los elementos vítreos. La atmósfera buscada era la de un bosque encantado poblado por hadas.

La gran sala, flanqueada por muros calados, convertidos en grandes vitrales de perfil Tudor, con escudos y guirnaldas de sabor florentino, testigos del gusto de Morris y Walter Crane, sostiene los pisos que la rodean y el techo en columnas revestidas de mosaico cerámico policromo, de tema floral, y coronadas por capiteles, también florales, de mayólica blanca.

Los conos invertidos de las bóvedas de abanico del gótico perpendicular inglés, tendidos entre arcos Tudor, con los nervios dibujados en cerámica, parecen sostener el gran techo plano, que muestra su estructura de jácenas tirantes, vigas y bovedillas, todo ello recubierto de baldosas esmaltadas y barnizadas y enormes rosas cerámicas pendientes. Tanto la sinceridad de la estructura vista, como su recubrimiento cerámico, deben posiblemente su existencia al gusto que por ambas cosas mostró Gallissá.

Dos grandes motivos escultóricos en plano relieve forman las jambas y casi el arco de la boca del escenario. Labrados en blanda piedra muy blanca, apeados en el estribo cóncavo de la arquitectura vienesa, representan, el de la izquierda la música catalana, con las *Flors de Maig*, doncellas bajo un árbol, al pie del busto de Clavé, y el de la derecha la música alemana, con un fragmento de templo dórico envuelto en nubes, en el que se cobija el busto de Beethoven, bajo la cabalgata de las Walkirias, que, con las patas de los caballos pendientes sobre el escenario y con grandes lanzas de madera y metal en la mano, forman atrevidamente el dintel.

Una claraboya en forma de seno, pendiente, en vitral policromo, con rostros frontales vieneses, centra el techo.

El escenario tiene forma de un ábside, cuya parte baja, en mosaico cerámico, representa una ronda de hadas, vestidas con trajes de estilo heráldico, que se desparraman sobre el suelo a la manera japonesa, unidas por guirnaldas florales y tañendo instrumentos primitivos. Sus bustos brotan del muro y se convierten en esculturas en bulto entero, acentuando el efecto creado por Homar en sus marqueterías. Un motivo heráldico, diseñado por Gallissá, las centra. Arriba corre una galería de arcos Tudor con vitrales.

Las barandas de los palcos tienen balaustres de cristal amarillo, en forma de hueso de carnero; las de los pisos eran de hierro y mosaico, con grandes rosas silvestres de vidrio, de núcleo transparente y pétalos lechosos, y flecos de capullos pendientes que, como las rosas, se iluminaban interiormente y que en gran parte han sido suprimidos por un criterio restaurador absurdo.

En la gran escalinata de mármol brillan los zócalos vidriados, los balaustres de vidrio amarillo, los faroles de mayólica. Encima de ella descansa un salón de bóvedas de sección Tudor. El vestíbulo se decora con una pintura mural de Massot.

La fachada externa, en ladrillo, presenta una planta baja de arcos carpaneles decorados con mosaicos cerámicos, y una parte alta, de dos pisos, en la que combinan los arcos Tudor de ladrillo con caprichosos juegos de columnas musivas ornadas con flores policromas. Bustos de músicos y faroles decoran sus vanos, y los puntos de apoyo de los tirantes son prolongados en falso sobre la calle.

El edificio fué inaugurado el 15 de febrero de 1908. Su estilo evocador de un poético bosque de cuento de hadas, con abundancia de elementos brillantes, coloreados y transparentes, que centellean en un ambiente irrealista, responde a la concepción idealista que Cabot expresaba en su discurso inaugural, en el acto de la bendición del edificio:

L'experiència proclama que les obres fonamentades per l'odi i la imposició se sostenen només que per la força, raquítiques i minades, descomposant-se fins que una empenta les enruna i aniquila; en canvi, les obres d'amor i persuasió creixen ufanoses, sanes, i perduren com la nostra, sostinguda per un capità que no porta més armes que un brot d'olivera i per un exèrcit que no passa d'un grapat de joves, de donzelles i d'infants... Només diré, dirigint-me als qui dubtaven, als desconfiats i als indiferents si no pessimistes: veniu, obriu els ulls, esteneu les mans, contempleu i toqueu lo que no fóreu capaços de somniar; i als fervorosos, als devots, als creients: regaleu-vos contemplant la realitat del vostre somni, admirant l'obra genial de l'eminent artista i gran patrici En Lluís Domènech [272].

Con el sentimiento de la religiosidad musical, fué concebido un palacio con aura de templo. Luis Millet, en efecto, podía inaugurarlo diciendo: *Alabat sia el Senyor, perquè ha mogut l'amor a tots vosaltres perquè poguéssim bastir aquesta casa en honor de la música catalana, la nostra reina del cor, la nostra mare.*

La idea se mezclaba con una vocación social ruskiniana:

Tota idea reclama una forma, tota joia un estoig, tota manifestació d'art un lloc a propòsit on perennement la bellesa artística eduqui el sentiment del poble i aquest, a la vegada, doni emulació a l'artista. Aquest casal ve a complir aquesta necessitat. La raó de sa existència és la necessitat d'aliment estètic que, en l'hora present, tots sentim en el nostre esperit. El moment actual de nostra Catalunya és un moment vibrant, líric per excellència, que demana a grans crits educació i expansió. Tots sentim, a dins, com un cant que ens enfebra i ens agita renaixença amunt. Aquesta casa ha d'ésser casa sonora que harmonitzi i afini aquest clam de vida renaixenta.

Millet vió en la policromía y el brillo de cerámica y cristal del edificio el «deslumbramiento de los colores de victoria», *un espai joiós amb murs i arcades de vestimenta nuvial perenne, com presentant les sublims harmonies que les han de fer vibrar, profetitzant i esperant el ric desenrotllament de la nostra música en els temps venidors.* Más allá de la arquitectura, para Millet era un *casal com a cosa sagrada al mig del cor de la gran ciutat futura.*

La obra de mayores dimensiones de Doménech fué el Hospital de San Pablo, conjunto de edificios que llena un cuadrilátero de más de sesenta mil metros cuadrados, que en su parte principal fué levantado entre 1902 y 1912. Obra latericia, adornada con cerámica en relieve y mosaicos, es una realización, con sus edificios aislados en el seno de un jardín, del tipo de ciudad ideal que se complugo en imaginar cuando proyectaba, con mezcla de líneas orientalizantes, góticas y florales, los caprichosos edificios que podrían bordear la Reforma de la Barcelona antigua, hoteles, bazares, habitaciones y fábricas, erizados de alambicados chapiteles y cresterías.

En su lugar nos referimos a ciertos artificios de la arquitectura latericia atirantada que se pusieron a contribución en esta obra y a los mosaicos que la adornan.

El Gran Hotel de Palma de Mallorca, hoy sede de la Caja de Ahorros, se construyó en 1912. Es un edificio de piedra de líneas híbridas de gótico y persa selpícida, más detallista que feliz en el conjunto. En él, los arcos escarzanos alternan con los trilobulados, como en la casa Lleó Morera, en la cual se hallaban también los balcones de corona floral. Los remates góticos de cerámica policroma se combinan mal con el exotismo de los arcos apuntados túmidos. En cambio es una obra de gran arquitectura el último proyecto importante de Doménech, la casa Fuster, en el número 128 del Paseo de Gracia, que cierra su perspectiva por el extremo alto.

Con silueta de goticismo nórdico, apoyada enteramente sobre bóvedas sostenidas por un bosque de columnas cilíndricas de mármol rosa; con las fachadas recubiertas de mármol blanco, y coronada por una mansarda de cerámica azul celeste y oro, tiene una molduración simple, en piedra, derivada del gótico catalán, por una esquematización muy pronunciada, excepto en la planta principal, que sostienen unas reestilizaciones de columnata aeróstila dórica, montada en falso, a modo de tribunas, encima de unas ménsulas en forma de casco de navío, terminadas en jónicas volutas. Es una verdadera obra de escultura sintética la losa circular, apoyada en la robusta columna de esquina, que parece sostener a su alrededor, en equilibrio, el cilindro de la torre. Las olas de unas grecas clásicas adornan unos balcones, mientras otros aparecen formados por alas simétricas que evocan el mito de Lohengrin y los más altos con flores de lis en cerámica, postrer homenaje a Viollet-le-Duc.

Necesidades de la propaganda con tubos *neon* han obligado a suprimir los pináculos con que antes se coronaba el edificio.

Doménech fué académico de la de Buenas Letras de Barcelona y de la madrileña de San Fernando. Publicó, aparte la citada *Historia del Arte,* obras sobre la *Iluminación solar de los edificios, La acústica aplicada a la arquitectura, Poblet,* la *Historia y Arquitectura del Monasterio de Poblet, Centcelles* y *La iniquitat de Casp.*

Restos de su actividad artística se hallan en numerosas publicaciones de la época. Era suyo el título y el escudo de *La Veu de Catalunya,* y eran suyos objetos de arte decorativo como la cruz de hierro, forjada por la casa Masriera y Campins, que proyectó con destino al panteón de Joaquín de Piélago, en Comillas.

DOMÉNECH Y MONTANER : Casa Fuster

Buenaventura Pollés. — En el mismo círculo de Vilaseca y el primitivo Doménech y Montaner se hallaba Buenaventura Pollés. Su Clínica del doctor Cardenal, en el Pasaje Mercader, construída en 1898, pertenece a la experimentación policroma, que tiene su lugar en las fachadas listadas horizontalmente, como el Casino de Canet, de Doménech, la casa de la calle de las Carolinas, de Gaudí, o los talleres Vía, de Vilaseca. El gusto por las superficies grandes, enteramente en hierro y vidrio claro y de color, que da forma a los talleres Montaner y Simón, y a la tribuna del palacio Montaner, de Doménech, se revela también en esta construcción desasida de toda tradición pasadista.

Algo más tarde, en 1902, cuando Salvador Soteras construyó el Apeadero de M. Z. A., en el Paseo de Gracia, en obra vista, piedra y cerámica policroma, estuvo en cierto modo en la misma línea. Sus arcos ultrapasados con cristalería de color se inspiran en las tracerías del taller de Montaner y Simón, en la calle de Aragón.

La obra de ladrillo. — La insensible tendencia igualitaria que fué ganando a la arquitectura durante el siglo XVII tuvo como consecuencia el abandono, por parte de las casas señoriales, del medieval aparejo de sillería mediana y, por parte de las casas sencillas, de la ostentación del mampuesto, que se consideró casi deshonroso. El estuco vino a igualar las fachadas, en las que los marcos de los vanos pudieron reservarse para la labor en piedra.

BUENAVENTURA BASSEGODA : Casa en la Rambla de Cataluña

Ésta fué la fórmula tanto para los palacios como para las humildes casas de la Barceloneta, construídas a principios del siglo XVIII.

La pobreza de las fachadas de estuco lisas reclamaba algún sistema de enriquecimiento, que se halló en la técnica del esgrafiado, consistente en la superposición de estucos de distinto color y el posterior rascado de ciertas partes de ellos, conducente a producir dos o más colores por el mismo sistema de los camafeos.

La amplitud que tomó el esgrafiado en la arquitectura catalana durante el siglo XVIII lo convirtió en algo realmente característico del país.

En el siglo XIX la corriente neoclasicista lo barrió. Con su megalomanía quiso disfrazar el creciente uso de la obra latericia con estucos que imitaban la sillería, o bien, pulimentados al fuego, simulaban la calidad de los mármoles. Los ornamentos escultóricos, en barro cocido, se pintaban con la misma calidad marmórea.

La pasión modernista por la sinceridad rehusó estas falsificaciones. El primero en el ataque fué, naturalmente, Gaudí, quien, en 1878, en la casa Vicens, no temió mostrar el aparejo concertado y la obra cruda, y cuando recurrió al revestimiento lo hizo empleando materiales típicamente destinados a él, como el mosaico o el azulejo.

Vilaseca hizo una gran labor en este sentido. Fué el más eficaz divulgador de la sinceridad de los materiales desde que tuvo la osadía de traducir la forma clásica del arco de triunfo a la técnica y la apariencia latericias en la puerta monumental de la Exposición Universal de Barcelona de 1888.

La renovación había de ser mortal para el decorado en barro cocido que tanto favor tuvo, escondido bajo la pintura, en la arquitectura anterior a 1870. Esta técnica, que tenía su hogar en los talleres de Tarrés, Massana, Antonés, Fita y Santigosa, de Barcelona ; Pedro Muixí y José Escaiola, de Sabadell, etc., no resistió el cambio, pues se basaba en una falsedad, a pesar de que Vilaseca tuvo el atrevimiento de mostrar relieves de barro cocido desnudos en el edificio de la Academia de Ciencias, levantado en la Rambla en 1883. Doménech hizo otro tanto en los talleres de la casa Montaner y Simón en la calle de Aragón.

Doménech y Montaner profundizó en el cambio más que Gaudí y que Vilaseca. El primero creyó que debía decorar los paramentos con algo postizo ; el segundo confió en los juegos caprichosos del mismo aparejo, como los mudéjares. Doménech, en el Restaurante del Parque, dejó aparecer grandes paramentos de obra vista, desnudos y lisos, y relacionó el goticismo, que en nuestro país había sido siempre pétreo [273], con una técnica y un material que habían tomado carta de naturaleza en el país siglos después [274].

Nació así el goticismo latericio, que se vió forzado a crear unas formas propias, las más típicas entre las cuales son el arco rebajado apoyado en cartelas formadas por hiladas en progresivo avance, falsos arcos y ménsulas construídos por este último sistema, arcos mitrales y columnas salomónicas basadas en la colocación en rotación, unas encima de otras, de tobas cuadradas.

Juan Martorell, en las Salesas, dejó asomar el ladrillo en 1885, no más que Gaudí en la casa Vicens, pero no tuvo tiempo de adaptarse al nuevo goticismo latericio.

Uno de los más característicos arquitectos de esta construcción fué Camilo Oliveras Jensana [275], nacido en Figueras en 1849 y muerto en Barcelona en 1898, arquitecto provincial de la capital catalana desde 1887. En un principio trabajó para la familia Güell, pero tuvo diferencias con ella y abandonó sus trabajos. Junto con Martorell trabajó en la iglesia de los Jesuítas. En 1884 empezó el proyecto de la Parroquia Mayor de Santa Ana, que empezó a construirse en 1887 y que fué destruída, todavía inacabada, en 1936. Hasta aquí fué fiel a la piedra o a su imitación, pero abandonó estos materiales para emplear el ladrillo en todas sus combinaciones características en la Casa de Maternidad de Barcelona, en la que colaboró con los arquitectos José Bru y General Guitart. En la rectoría de Santa Ana armonizó la obra latericia con tradiciones y detalles del gótico civil catalán.

Especialistas en la construcción casi solamente latericia fueron Julio Batllevell y Enrique Fatjó, que trabajaron en Sabadell, donde es testigo de su estilo la casa del 131 de la calle de Gracia, construída en 1900, y Luis Moncunill Parellada, que construyó la Caja de Ahorros, de Tarrasa, dentro del canon de la casa catalana del siglo XIV (1900).

Buenaventura Bassegoda Amigó, nacido en Barcelona en 1862, ganó, como literato, premios en los Juegos Florales de 1880, 1881, 1884 y 1885, y en 1886 obtuvo el título de arquitecto. Fué colaborador de *La Renaixensa*, la *Illustració Catalana*, *L'Avenç* y la *Revista Catalana;* redactor de arte del *Diario de Barcelona* y *La Vanguardia;* poeta, escritor de novelas, teatro y monografías sobre monumentos, como la de Santa María del Mar. Fué, como decorador, autor del paño mortuorio de la Asociación de Arquitectos (1904).

Bassegoda cultivó a veces la arquitectura neogoticista muy modificada, como en la casa número 88 de la Rambla de Cataluña, pero fué conocido y fué mencionado por el Colegio Condal de la calle de Cameros, levantado en 1906, en el que la obra vista se combina con estucos, azulejos y aplicaciones cerámicas en relieve, siguiendo la aceptación tímida del ladrillo aparente que hizo el grupo de arquitectos decorativistas como Gallissá, Puig y Cadafalch — que en 1901 levantaba la casa Martí (Quatre Gats) en la calle Montesión, con paramentos de ladrillo — y Fernando Romeu.

Más puramente latericios fueron los proyectos de Bassegoda para la casa Galofre Oller, en San Gervasio, Barcelona (1906), y cierta torre construída en el Masnou [276].

En el edificio industrial de la Catalana de Electricidad, en la calle de Vilanova, Pedro Falqués combinó la obra vista con armazones de hierro aparente (1901), creando un tipo de construcción [277].

En 1911 el edificio Baguñá Cornet, en la calle de Mallorca, 192, que mereció ser tenido en cuenta por el jurado del Ayuntamiento, representa la continuación de la arquitectura latericia. Su arquitecto, Vicente Artigas, autor también de unas adaptaciones de gótico catalán del siglo XIII con obra vista y esgrafiados en la plazoleta del monasterio de Pedralbes, dispuso en él una fachada de ladrillo con unos arcos rebajados combinados con dovelas y apeados en cartelas de hiladas salientes o salmeres pétreos, y un hastial en arco almendrado, decorado con fajas de coronas de flores al gusto de Otto Wagner, y con un San Jorge pintado.

Esta clase de arquitectura duró mucho tiempo. Doménech Mansana, que no fué arquitecto hasta 1911, todavía la empleó en la torre sarrianense de Manuel Lligaña y en otra en Ribes Roges.

La arquitectura latericia tuvo como problema lo que se refiere a sus peculiaridades mecánicas. Pre-

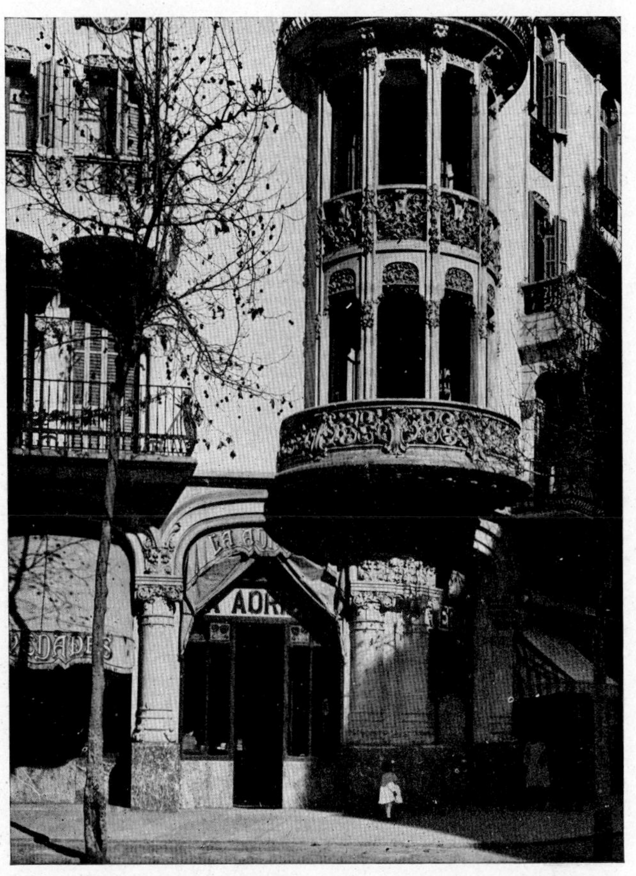

BUENAVENTURA BASSEGODA: Tribuna en la calle Mallorca

ocuparon especialmente las estructuras complejas en las que el ladrillo trabajaba a presión y el hierro a tensión [278], y el elemento, tan característico de la ciencia de los albañiles catalanes, de la bóveda tabicada [279].

Luis Moncunill cubrió con bóvedas atirantadas una nave de 7,50 m. de luz en la fábrica de electricidad de Tarrasa, y otras de 12 m. en la fábrica de José Sala, de la misma ciudad, y Juan Torras, el constructor metálico, cubrió sus talleres de calderería con bóvedas latericias atirantadas de 5,65 metros de luz.

Más compleja fué la estructura dada por Jerónimo Martorell en la Caja de Ahorros de Sabadell a la gran sala de actos de 8,25 metros de luz. Arcos diafragmaparabólicos, atirantados, sostienen en ella vigas longitudinales en que descansan bovedillas.

En el Hospital de San Pablo, la gran construcción latericia tardía de Doménech y Montaner [280], se cubrieron salas cuadrangulares con pares de arcos atirantados de hierro, en cuatro direcciones distintas, como los pares de arcos de las bóvedas islámicas. Gaudí empleó tirantes de pasamano para las bóvedas casi planas que constituyen el techo de la casa Figueras, de Bellesguard ; dispuso en forma de puentes colgantes paralelos el techo plano de la proyectada Estación de Francia para los Ferrocarriles de M. Z. A., según la estructura de los típicos *envelats* de las fiestas mayores catalanas, y dió doble empleo a los tirantes que sirven de base a los arcos parabólicos del desván y al mismo tiempo de vigas para el techo del último piso en la casa Batlló.

Una consecuencia plástica, muy nueva, del uso de los tirantes nació en el Palacio de la Música Catalana, de Doménech y Montaner, en cuyas fachadas los hierros son tensados por semiarcos tendidos hacia el exterior que producen una sensación extraña de falta de lógica y aun de posibilidad real cuando, por el contrario, tienen una razón de ser mecánicamente determinada.

Más sencillo fué el rutinario uso de anillos de hierro en la base de estructuras cupulares, como los conos de Rubió, en el Sanatorio del Tibidabo, o las cúpulas sin contrarrestos de las enfermerías del Hospital de San Pablo.

Doménech y Montaner : Hospital de la Santa Cruz y de San Pablo. 1912

Los albañiles catalanes tienen un gran prestigio por sus bóvedas tabicadas, o de *maó de pla,* de dos o tres hojas, con las que fabrican, guiándose sólo por su sensibilidad y tomando como plantilla una lata torcida, sus famosas escaleras a la catalana.

Estas bóvedas elásticas, de tan delgada y ligerísima estructura y tan gran resistencia, tienen origen italiano. Son las *volte a foglio* de Volterra, que se introdujeron en la arquitectura catalana del final del período gótico en el claustro de la Cartuja de Montalegre, y que se hicieron de rigor en las iglesias renacentistas, barrocas y neoclásicas.

La más espectacular aplicación de estas bóvedas la hizo Puig y Cadafalch en la gran fábrica Casarramona, obra enteramente latericia, en la que este sistema de cubierta adopta la forma de un cuadriculado de casquetes esféricos.

Los partidarios de la sinceridad en los materiales, pero aficionados al decorado, encontraron una fórmula para enriquecer la arquitectura latericia, habitual en la Cataluña contemporánea, sin fingir la labor en piedra, mediante la resurrección del esgrafiado.

En vez de los forjados y las aplicaciones cerámicas de Doménech, de Vilaseca y de Gaudí, Gallissá impuso el decorado bicromo o policromo que permitían los esgrafiados. Siguiendo su ejemplo, Puig y Cadafalch lo empleó desde sus primeras obras,

JOSÉ PUIG Y CADAFALCH : Fábrica Casarramona, en Montjuich, con cubiertas de bóveda construída a la catalana

como la casa Garí, de Argentona, en 1899. La raíz de esta decisión en el arte de Gallissá queda bien explícita en el esgrafiado que proyectó Puig para la fachada de la casa Amatller (1900), en el que se ven los mismos pentágonos ante fondo de líneas ondulantes oblicuos que constituyen el reverso de la *Senyera* del *Orfeó Català,* proyectada por Gallissá (1891).

El esgrafiado de líneas goticistas fué aceptado por Sagnier y Romeu (casas de la Plaza de las Ollas), por Simón Cordomí Carreras, arquitecto con título de 1895, autor de la Casa Municipal, de Granollers (1906), tan profusamente ornada con esculturas de Juyol y hierros forjados de Barnadas ; por Font y Gumá, que en 1909 logró una segunda mención del Ayuntamiento con una casa en la que el esgrafiado era casi el único motivo ornamental ; por Pablo Salvat, etc.

Al primitivo esgrafiado con la parte saliente destacándose en claro sobre el fondo oscuro, sucedió el esgrafiado inverso, con saliente planchado y teñido y fondo rugoso y claro, adoptado con preferencia para la decoración floral empleada por Jerónimo F. Granell, J. Majó, etc.

En la casa Amatller el trabajo del esgrafiado se confió a Juan Paradís. Otros especialistas en esta clase de estucados fueron Antonio Pi Feu y su hijo, establecidos en Gracia, como Ramón Marsal y Puig, que ya había ganado un premio como estuquista en la Exposición Universal de 1888, y Casas, Romeu y Casadevall.

El esgrafiado pasó por una última etapa, la de la serie blanca de Puig y Cadafalch, en la que los muros se cubrían con estuco al fuego, blanco, reluciente, con pequeños detalles en verde claro y en oro, como en la casa Trinxet, la casa Polo, etc., imitadas por Luis Planas Calvet en la casa Pujadas Amigó, de La Garriga ; por A. de Falguera en los patios de la barcelonesa Casa de Lactancia ; por Pujol y Brull en la casa Fábregas, de Cabrils, etc.

Sagnier o la conciliación. — Enrique Sagnier Villavecchia, hijo del culto helenista, jurisconsulto y político Luis Sagnier Nadal (1830-1913), nació en Barcelona en 1858.

Empezó su obra bajo la presión del mecanicismo violletiano y empujado por el deseo de dar a la arquitectura un sentido de grandeza vigorosa, en cierto modo paralelo al de Charles Garnier. Esta síntesis de las dos corrientes opuestas de la arquitectura francesa, que se hace patente en sus primeras obras, derivó, por influjo de Gaudí, principalmente, y por la sugestión neogoticista, hacia una suave reestilización medieval, teñida de carácter británico.

Las dos etapas de su arte tienen, a pesar de su aparente disparidad, un denominador común: el espíritu conciliador. Gran señor, Sagnier quiso suavizar los extremismos de su primera etapa y halló lo que buscaba en la segunda, cuando el arte señorial y confortable, suave, del *home* inglés, pudo adaptarse a las poéticas evocaciones naturalistas inspiradas en Gaudí, que asoció a veces con otro arte naturalista más cercano al sensualismo burgués: el rococó, hasta que fué vencido, como tantos artistas de su tiempo, por la ola clasicista que llegó a nuestras costas alrededor de 1911.

El primer estilo de Sagnier tuvo ocasión de desarrollarse en el proyecto del grandioso Palacio de Justicia, de Barcelona, en el cual empezó a trabajar, en 1887, en colaboración con Doménech y Estapá. Los dos arquitectos tenían a la sazón 29 años de edad y no podían menos que recibir con entusiasmo el encargo de realizar uno de los edificios más monumentales de la Barcelona moderna. Los dos, además, se complementaban, pues Doménech y Estapá era fundamentalmente un matemático y hombre mal dotado para el arte, mientras que Sagnier era un dibujante y un verdadero artista en sus concepciones, por lo que podemos atribuir a Sagnier la fisonomía artística del palacio.

DOMÉNECH Y ESTAPÁ-SAGNIER: Palacio de Justicia

El rasgo dominante es el colosalismo, que se expresa en el robusto aparejo del zócalo, en las grandes cartelas, las pesadas cornisas y la silueta grave y maciza de las cubiertas pétreas de las torres, en forma de rincón de claustro, terminadas en cresterías como coronas. Las formas mecanicistas a lo Viollet, como los ventanales adintelados con mainel y los frontones romatos como guardapolvos, sin cornisa horizontal, pertenecen posiblemente a un influjo del progresismo racionalista de Doménech, a quien puede atribuirse la idea de cubrir la escalera monumental y la Sala de Pasos Perdidos con grandes bóvedas sustentadas por arcos fajones de celosía de hierro aparente.

Tanto los elementos de fachada como los vanos, el cupulín de la linterna o un ventanal cualquiera, tendieron a una desproporción que carga la parte alta y verticaliza los apoyos para aumentar el efecto dramático de un alarde de fuerza. Las formas almenadas y la redundancia de guardapolvos aumentan la impresión de fortaleza.

No corresponden, en cambio, a estas ideas generales de una composición realmente grandiosa los detalles ornamentales, tratados de una manera estrecha y reseca, el seudogoticismo de los arcos mitrales en las arcuaciones de las torres, las tracerías de arabesco de los óculos ni los frisos ornamentales que revelan la ausencia de un sentido escultórico. Hubo deseo de poner escultura y se colocaron dinteles con altorrelieves y estatuas ritmando las fachadas, pero todo ello se pierde en la delgadez de un estilo de delineante.

En la gran Sala de Pasos Perdidos, bajo los fajones de hierro negro y dorado, de celosía gótica, que se elevan a 19,50 metros de altura entre vitrales de color y grandes pilares de mármol rojo de Novelda, tuvo ocasión de realizar sus primeras grandes pinturas murales José María Sert. Esta sala forma como el vestíbulo de una estancia absidal destinada a los tribunales en pleno y se apoya en una inmensa sala baja, de rebajado techo.

Entre los elementos plásticos de este palacio merecen atención las coronas de las torres, que Vilaseca pondrá también en el coronamiento cerámico del Arco de Triunfo, en 1888; las columnitas en falso que coronan las aristas, rasgo común al mobiliario modernista, y el eclecticismo que permite el uso de columnas de un jónico arcaico junto a los elementos góticos, en el monumental pórtico de entrada cuya inscripción, como una serie de iniciales de códice en relieve, es pareja de las del taller de Montaner y Simón, obra de Doménech y Montaner, y del pórtico del Hospital Clínico, que Doménech y Estapá edificará después y terminará antes, pues el Palacio de Justicia no fué inaugurado hasta el año 1911.

El mismo estilo, a la vez con tendencia a lo titánico y a lo triturado y seco del ornamento, da forma al imponente chaflán de las calles Ausias March y Gerona (1888), en el que intervienen curiosos motivos mecanicistas como el de los ventanales bíforos, ajimeces que apoyan en su columnita central dos medios arcos divergentes, de cuarto de círculo, que envían su empuje a los entrepaños. Grandes claves gravitando en el centro de los adintelados, grandes cartelas, grandes almenas, dan energía a este castillo mesocrático. Mezclados con sus temas góticos, no faltan los clásicos, como las columnas jónicas y las enormes grecas.

La desproporción entre los elementos arquitectónicos y escultóricos quiso salvarse en la nueva Aduana de Barcelona, en la que Sagnier colaboró, creemos que formulariamente, con Pedro García Faria. Encargado en 1890, el proyecto fué aprobado en 1895. Las obras empezaron en 1896 y el edificio se inauguró el 30 de junio de 1902.

Es una obra de excesivo sentido ciclópeo. Una base de arcos en aparejo rústico sustentan la planta noble, de pesados frontones romatos gravitando encima de los balcones y el piso alto, con arcos en intercolumnios que se convierten en óculos en los testeros. Enormes columnas exentas sostienen los puntos de apoyo de las cornisas y frontones romatos de los hastiales, cargados con almenas y esfinges de peso abrumador. Todos los elementos de escultura ornamental están hinchados, son simples y anchurosos, con hojas como garras de monstruos implacables.

La transición entre este estilo imponente y la futura suavidad de Sagnier alborea en la casa de Victoriano de la Riba, construída en 1898 en la Ronda de San Pedro, más tarde ocupada por el Banco de la Propiedad. En ella las formas de castillo están todavía presentes y el aparejo rústico domina, pero una vegetación flexible y caprichosa empieza a invadirlo todo y suavizarlo. La fantasía busca formas etéreas en la aguja cónica, en la que una corona lleva una rara terminación esférica en la cumbre del torreón.

Casi a la misma etapa pertenece el edificio, mucho más suave, hoy destruído, que levantó en 1900, para Tomás de Lamadrid, en la esquina de la Diagonal y la calle de Muntaner. Esta construcción conservaba los aparejos rústicos y las almenas en su fachada, pero en líneas generales tendía a re-

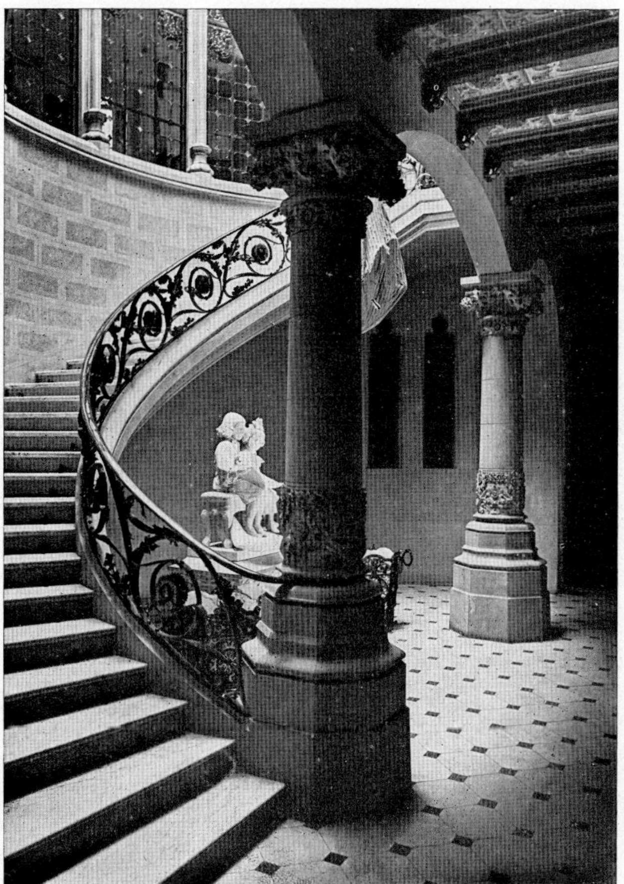

ENRIQUE SAGNIER: Vestíbulo del desaparecido palacio Lamadrid

medar la estructura de la casa gótica catalana, con su portal adovelado de medio punto, cuya reja conserva la casa actual, sus balcones de planta noble y su galería en lo alto, bajo el alero de un tejado saledizo. En el interior la baranda de la escalera semicircular era una adaptación de las líneas del hierro forjado de la época de Luis XIV al tema floral goticizante de unos girasoles y unas hojas espinosas. Ello iniciaba una tendencia de Sagnier a asimilar formas de los estilos borbónicos franceses.

Al año siguiente, en 1901, esta tendencia aparece ya bien definida. El edificio que construyó para Estanislao Planás en la esquina de la Gran Vía y la calle Lauria es el primero en que se abandona todo rasgo gótico y todo resto de monumentalidad imponente. El fino estuco sucede a los aparejos rústicos y las ondulaciones rococó perfilan el remate y el contorno de las aberturas, en las que se impone la solución, típica de Sagnier, del alféizar ondulado. Por otra parte, el decorado floral adopta a la vez un naturalismo nuevo, sin resabios góticos, y se estiliza según las ideas de Gaudí fundiéndose en la masa de los paramentos. Para preparar sus modelos se derramaba escayola encima de las ramas

Enrique Sagnier: Aspecto primitivo de la fachada de la casa Planás

Incendiado durante la Guerra Civil, este edificio ha sido derruído y en su lugar se ha levantado el Teatro Calderón.

En la misma Rambla de Cataluña, números 96, 98 y 98 bis, casi esquina a Provenza, otras casas estucadas en rosa y rematadas con enormes ondulaciones florales (dos de ellas han sido amputadas) pertenecen a una versión más desgraciada del rococó, lo mismo que la casa Joaquín Coll, en la Avenida del Tibidabo, en la que figuran heraldos con dalmáticas del siglo XV, al estilo de Mélida.

El rococó de la casa Juncadella halló su realización más perfecta en la curiosa casa Sitjar, más tarde del marqués del Castillo, del 415 de la Diagonal (1904), edificio en el que subsiste el ventanal trilobulado sin que recuerde ya el goticismo y juega junto con el óculo caprichosamente acompañado de ventanas de forma lacrimal, en un sistema de líneas de carroza Regencia. En forma de pináculos, juegan ciertos motivos que parecen astillas de un tronco roto o estalagmitas, de abolengo gaudiniano.

vegetales hasta hacer desaparecer todo vacío y reducir sus valores a unos volúmenes salientes.

La casa Planás, posteriormente reformada, no tenía más que entresuelo y principal. Ahora es una casa de varios pisos en la cual el remate alto imita el antiguo, sin la torre central.

Esta casa de ambiente rococó, que fué citada en el concurso de edificios organizado por el Ayuntamiento, fué edificada al mismo tiempo que el más bello de los edificios de Sagnier, ganador del premio de 1902: el palacio de Emilio Juncadella, también desaparecido, que se levantaba en el número 26 de la Rambla de Cataluña. En él jugaban los estucos lisos con el aparejo rústico de la torre angular, y todas las líneas de los vanos se ondulaban en suave tendencia rococó. No solamente se trataban en modelado fundido los motivos vegetales, sino que también, por influjo de Gaudí, formas derivadas de las formaciones estalactíticas. En el interior, una escalera de líneas rococó arrancaba con una caprichosa barandilla metálica de tema floral, de la que surgía un tallo que llevaba, como una flor, un farol, trabajo realizado por Carlos Torrabadell.

El mismo estilo se encastilla en las estructuras que, por tratarse de una edificación a cuatro vientos, pueden ser más libremente concebidas, de la Torre Arnús, al pie del Funicular del Tibidabo (1904), de silueta goticista. Ecléctico, usó formas casi clásicas, al mismo tiempo, en la casa Garriga Nogués, del número 250 de la calle de la Diputación, que posee unas bellas ménsulas esculpidas por Eusebio Arnau y un espectacular vestíbulo con escalinata a la catalana bajo una bóveda de cristalería policroma. Combinado con la simplicidad del estilo Luis XVI, su rococó se hacía casi ausente en la casa de los marqueses de Portonuevo, en la calle de Provenza.

Para una obra no permanente, el arco de triunfo levantado en el Paseo de Gracia con motivo de una visita real en 1904, sacrificó, accidentalmente, al estilo vienés. En él figuraban todos los tópicos del decorado a lo Otto Wagner, que no se vuelven a encontrar en su arquitectura.

Desde este momento sus obras se dividen en dos grupos: el goticista y el rococó. En el primero generalizó el motivo vegetal difuminado y creó los frisos ornamentales de piedra desbastada. En la composición siguió modelos británicos. En cuanto al rococó, lo redujo a una gran simplicidad, a amables ondulaciones del paramento de las tribunas, al uso del alféizar ondulante y de remates de cabecera barroca.

Al primer grupo pertenece la casa número 2 de la Plaza de las Ollas, con sus arcos Tudor en la planta baja, sus fachadas esgrafiadas y su tribuna de silueta gótica y modelado estalactítico, a lo Gaudí; la abierta construcción de arcos escarzanos de la casa Ferrer Vidal, en el número 269 de la calle de Provenza; la farmacia Genové, con su fachada enteramente cubierta de mosaicos, construída en la Rambla de San José, número 5, en 1911, y obras más tardías, como la iglesia y el convento de Pompeya o los edificios de la Caja de Pensiones, en la Vía Layetana. Al segundo grupo, la casa del doctor Fargas, en el número 47 de la Rambla de Cataluña (1904); la de Pilar Romeu, en el número 249 de Diputación (1906); la de Juan Coma, en el número 74 del Paseo de Gracia (1907); la de Juliá, en el número 264 de Mallorca (1910), y la de Ruperto Garriga, en el chaflán de Paseo de Gracia y Córcega (1911). El rococó se combinó con el Luis XVI en la contemporánea casa Jaime Ráfols (Diagonal-Balmes, frente a la casa Pérez Samanillo).

ENRIQUE SAGNIER: Torre y verja del jardín de la casa Coll, en la Avenida del Tibidabo

En 1910 la reacción clasicista le hizo sacrificar a la sequedad de la casa Román Macaya, de la esquina aguda Córcega-Diagonal, preparando la desnudez a la austríaca de la casa Loblevyt, en San Gervasio (1911), diametralmente reñida ya con la esencia del modernismo.

Sagnier murió en 1931, después de veinte años de supervivencia artística, de los que son testigos obras como la híbrida iglesia del Sagrado Corazón del Tibidabo, perdida en un anacronismo sin ninguna savia.

Su éxito fué muy grande, especialmente en la arquitectura religiosa. Con Eduardo Mercader, arquitecto, proyectó el Vía Crucis de Montserrat, algunas de cuyas estaciones, como la XIV, son de una grandeza casi gaudiniana. Fué solicitado para trabajar en Madrid, en Valencia, en San Sebastián, en Cuba, en Méjico, y levantó en Nueva Nursia, en Australia, un monasterio de benedictinos.

Fué presidente de la Asociación de Arquitectos, fué diputado y en 1923 Pío XI le concedió el título de marqués de Sagnier.

Gallissá o el detallismo. — Antonio María Gallissá y Soqué (1861) es el puente tendido entre el momento de Doménech y Montaner, su maestro, y el de Puig y Cadafalch, su seguidor. Doménech había nacido en 1850, Gallissá en 1861 y Puig en 1869. Casi con exactitud, pues, representan, respectivamente, tres decenios de la arquitectura catalana.

Gallissá [281], nacido el 9 de septiembre de 1861, era hijo de una rancia familia barcelonesa, instalada en el siglo XVIII en un gran caserón de la calle de Gignás. En ocasión de las obras para la Expo-

ENRIQUE SAGNIER: Casa Sitjar (más tarde del Marqués del Castillo)

sición Universal de 1888 fué llamado para colaborar en los proyectos. Se conoce que en la Escuela de Arquitectura se había destacado por sus facultades, dado que en tal ocasión se lo disputaron Doménech y Montaner y Elías Rogent. Por el propio Doménech [282] sabemos que éste fué el primero en pedir su colaboración, pero Elías Rogent, director general de los trabajos, ganó la partida y se lo llevó, afirmando: *En Gallissà és mon braç dret.* No obstante, intervino en los trabajos de Doménech, como el famoso Hotel Internacional y el Restaurante de la Exposición.

La intervención de Gallissá debe buscarse particularmente en los detalles de hierro forjado y de decoración cerámica de los edificios del Certamen. Para componer conjuntos era tímido. Cuando Doménech le pedía que lo hiciera, respondía invariablemente: *No en sé, no en sé!* En cambio era un excelente detallista. Como tal, quiso fundamentarse en tradiciones de la tierra, lejos del artificioso exotismo de Juan Martorell. Comprendió el sentido del reinado de Pedro el Ceremonioso, en el siglo XIV, como momento de empuje y esplendor de todas las artes bajo la propia orientación del sensible soberano y se consagró a estudiar el papel de este hombre excepcional en la dirección coordenada de un momento brillantísimo de la plástica catalana.

También buscó inspiración en la heráldica del país, que estudió extensamente, y en los antiguos trabajos de cerámica, especialmente los azulejos, que recogió con amor junto con su amigo y gran coleccionista de estas piezas el arquitecto Font y Gumá. Además se organizó un fichero de fotografías de monumentos antiguos catalanes, en el que llegó a tener una completísima colección referente a la catedral barcelonesa.

Tenía treinta años de edad cuando por primera vez se enfrentó con la composición de un conjunto en el panteón La Riva, aunque puede verse su mano en la reforma seudogoticista, con abundantes elementos cerámicos, que lleva la fecha de 1890, de la casa números 3 y 5 de la calle de Santo Domingo del Call, antiguo edificio románico que conserva un ventanal del siglo XII. Son típicos de su obra las molduras cerámicas y el azulejo empleado. Es curioso el empleo de jambas de hierro para la puerta de entrada.

La familia La Riva había abierto un concurso para la erección de su panteón en el Cementerio Nuevo y se presentaban a él Jaime Gustá y Bondía, goticista, seis años más joven que Doménech, y Camilo

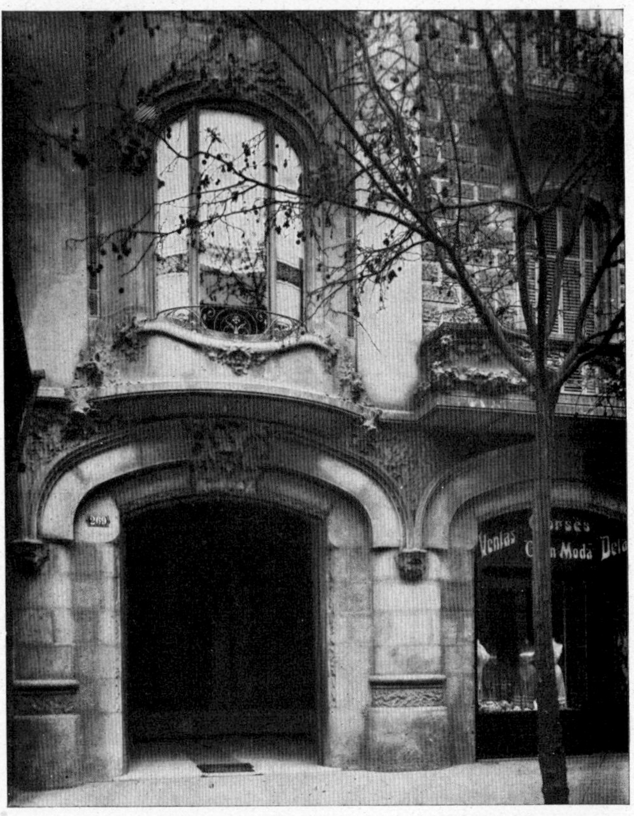

SAGNIER: Casa de alquiler en la calle Provenza

Oliveras, enamorado de las soluciones mecanicistas en ladrillo dentro de resonancias también medievales. Oliveras, que tenía a la sazón gran prestigio, era el rival más temido. Gallissá no se hubiera atrevido a presentarse si no hubiese encontrado en el arquitecto Torres Argullol un decidido protector. Su proyecto ganó el premio y pudo verse realizado en 1891. Es un templete de planta cuadrangular en el que quiso evocar los que cubren los sepulcros de Pedro el Grande y Jaime II en el monasterio de Santes Creus, coronado por un segundo cuerpo prismático, octogonal, con hornacinas con estatuas en cada cara, que dudó en coronar con una aguja a lo Viollet y se decidió por fin a cubrir con terraza, a la catalana, bordeándola de un pequeño parapeto en forma de corona, motivo constante en sus obras y que es como la firma de su participación en el decorado de edificios de Doménech.

Este panteón obtuvo un gran éxito y fué reproducido en la *Architectural Review*, de Londres [283].

ANTONIO GALLISSÁ : Loggia de la sala de música de la casa del Conde de Sicart

La inspiración era goticista, pero no puede decirse que se trate de un monumento gótico. La diferencia principal estriba en la abundancia de ornamento floral, que Gallissá, honradamente, no sacaba de estilizaciones antiguas, sino de plantas, especialmente verduras comestibles, como la col, la coliflor, la lechuga, etc., que él personalmente iba a escoger al mercado.

Por otra parte, en las rejas que cerraban el templete dejaba en libertad el nuevo gusto por la asimetría, en las grandes líneas sinuosas que en ellas se inclinan, todas ellas hacia la derecha.

Otras construcciones sepulcrales emprendió [284], como el panteón de la familia Arús, en Vilassar, y el de la familia Guardiola, en Lloret de Mar ; el uno en forma de sarcófagos de tapa a una vertiente, unidos formando ángulo y descansando sobre animales esculpidos ; el otro, atrevidamente compuesto por un túmulo piramidal agudo, encima del cual un cenotafio adornado con figuras sentadas de clásica belleza está cubierto por un edículo, del que es sostén, edificado sobre cuatro columnitas y cubierto por una aguja que una corona interrumpe : conjunto frágil y atrevidísimo sin precedente alguno.

En los arcos de este edículo aparece la superposición del dintel apeado en cartelas y el arco trilobulado, unidos por nervios verticales de tema floral, que aparece muy a menudo en la obra de Gallissá y que fué el motivo monumentalizado en la *loggia* de la sala de música de la casa del Conde de Sicart, que se abre en el número 3 de la calle de Fontanella. Un interior con envigado de madera aparente medievalescamente adornado, con gran chimenea heráldica y arrimadero de azulejos, se ilumina por tres arcos de este esquema, con antepecho floral calado y cuatro pináculos inspirados en las palmas que llevan las niñas el Domingo de Ramos, que surgen del dorso de cuatro hadas músicas, de desatado y ondulante pelo, que tocan el tambor, el laúd, el acordeón y la guitarra.

Las pocas obras citadas forman su faceta de proyectista de trabajos en piedra. En realidad, allí donde Gallissá se encontró a sí mismo fué en las obras producto de la colaboración del constructor con ceramistas y forjadores, en las cuales el ladrillo y el estuco tienen un gran papel, obras alegres, de rica policromía.

La más acabada fué su propia casa de la calle de

Gignás, en la que el exterior fué dejado con la noble y simple fachada de las antiguas casas barcelonesas y la reforma se limitó a los interiores. El patio y la escalera, desaparecidos con las obras de la Reforma Interior de la ciudad, se adornaban con aplicaciones de azulejos que formaban no sólo los zócalos, sino asimismo ciertos paramentos. Las aberturas se ornaban con molduraje de cerámica vidriada con reflejos metálicos; motivos esculpidos en piedra o trozos procedentes de ruinas antiguas se insertaban en lugares estratégicos; las puertas eran o rejas cuadriculadas de barrotes torneados insertos en rótulas cúbicas o emparrillados con entallas esféricas y fondo de tablones en diagonal; las barandillas, sinuosos juegos lineales de hierro redondo, goticistas y *latiguillo* a la vez; los techos, caprichosas evocaciones del alfarje logradas con simples molduras superpuestas, dibujando laberintos, a planchas lisas; los muros, de color marfil, con simples esgrafiados, entre ellos el de San Antonio, simple, sin facciones en el rostro, y el que simboliza heráldicamente el lema de los Juegos Florales: *Fe, Patria, Amor.*

Esta escalera fué destruída después de la muerte del arquitecto, pero sus hermanas dirigieron la adaptación de los materiales restantes a la que se construyó de nuevo, en la que volvieron a realizarse los esgrafiados según los primitivos dibujos.

Antonio Gallissá: Escalera de la casa Gallissá

En el interior su despacho se conserva íntegro, con el triple ventanal de arcos apuntados que da al patio, ornado en su parte alta por pequeños motivos en color, y su chimenea con jambas de azulejo encuadradas por molduras de piedra y dintel de latón, presidido por el escudo de Cataluña y ornado con latiguillos asimétricos. En lo alto los bocetos de las figuras del panteón de los La Riva se cobijan en caprichosos casalicios de planta triangular, ante un fondo de azulejos góticos auténticos, bajo el tímpano de dovelas con verdugadas que debía contener un mosaico con la imagen de San Jorge.

En una de las puertas de este despacho el tema de la superposición del dintel apeado por cartelas y el arco trilobulado halla una versión nueva y complicada. Entre uno y otro se interpone un arco escarzano, que separa la región alta, repleta de relieves, del tímpano bajo, de azulejos.

El mismo carácter de la escalera de la calle Gignás tiene la fachada de una casa de la calle de Barberá, en la que utilizó la piedra esculpida para el portal de sabor gótico, el hierro forjado para las barandas, la cerámica policroma para las losas de los balcones y el esgrafiado para el estuco que la cubre.

El mismo carácter quiso tener la atrevida casa de pisos de alquiler edificada en la calle de Valencia, número 113, esquina a Bailén (1909), edificio con la planta baja latericia, la más alta adornada con cerámica y el resto con esgrafiados, y grandes tribunas de hierro con antepecho cerámico en el que las piezas vidriadas, verdes, alternan con la rasilla. Como en la calle Barberá, las losas de los balcones acogen el azulejo tradicional, pero no en la forma antigua, en que lo sustentaban pasamanos de hierro, sino encastrado en bovedillas que se apoyan en vigas de hierro aparentes.

Las pilastras de piedra con columnas en las esquinas, a la manera islámica, sostienen el doble juego de arcos apuntados y falsos arcos escalonados y mitrales en ladrillo, que se adornan con molduraje vidriado y aplicaciones de azulejos en las que aparece el motivo de la corona, su tema predilecto. Con las tribunas alternan originales balcones polilobulados de losa pétrea.

Las rebuscadas estructuras en ladrillo que figuran en esta casa se convierten casi en el único ornamento de una serie de edificios de Gallissá, como la iglesia de Santa María de Cervelló, en la que colaboró con José Font y Gumá, que dirigió las obras, y en las que no pudo menos de recordar las formas de la arquitectura latericia siciliana; la casa de Federico de Gomis, en el Papiol, con su tribuna de ángulo que interseca su prisma con el de las fachadas y sus falsos arcos mitrales incluídos en arcos verdaderos; las de José Pujol, en Esplugas; de Francisco García, en Vallirana, con su

FERNANDO ROMEU: Vestíbulo de la casa de Conrado Roure en la calle Aribau. 1901

aguja interrumpida por una corona como la del panteón de Lloret; de Pedro A. Torras, en L'Espluga de Francolí; la capilla de Martí Codolá, en Horta, y la fábrica de la *Compañía General de Alumbrado por Acetileno.*

Quedaron en proyecto su grupo de casas para obreros en Premiá, con sus características tribunas triangulares; el balneario que debían construir, con Font y Gumá, en Casa Antúnez y las casas para Pedro Larrosa.

Si se considera que Gallissá había estudiado en la Universidad barcelonesa, junto con Pedro Grau Maristany, primer conde de Lavern, y con Pastells, Esteban Sunyol, Agustín Robert, Dalmases, Martí Juliá y Buenaventura Bassegoda, que era amigo de los escritores Joaquín Olivó, Blanch y Romaní, y, entre los arquitectos, de Romeu, Font y Gumá, Durán y Bassegoda [285], no es difícil suponer cuáles fueron sus ideales en la vida cívica, que le llevaron a ser presidente de la *Unió Catalanista* y vicepresidente del Ateneo Barcelonés.

Como hombre de estudio figuró entre el profesorado de la Escuela de Arquitectura, en la que ingresó como ayudante de Doménech y Montaner, a quien sustituyó en la clase de conocimiento de materiales. Fué él quien dirigió las primeras excursiones de los estudiantes organizadas por la Escuela para visitar ciudades y monumentos. En colaboración con Joaquín Olivó y Formentí publicó una monografía sobre la iglesia de Santa María del Mar, parroquia de su barrio natal.

Estaba muy delicado del corazón y tuvo el primer ataque el día en que la Reina ofreció un banquete a los artistas que habían colaborado en las edificaciones de la Exposición, en 1888. Desde entonces, fué empeorando. No podía subir escaleras y tuvo que dejar las clases de la Escuela y, al final, todas sus actividades. Recluído en su casa, enfermo, su mejor consuelo era, en sus últimos tiempos, oír a su amigo, el gran guitarrista Tárrega, pulsando su instrumento.

Murió el 17 de abril de 1903.

Fernando Romeu. — Fernando Romeu pertenece al círculo arquitectónico de Gallissá. Arsorbido por trabajos de urbanista, construyó muy poco. En 1896, junto con Pedro Carbonell, obtuvo un premio de 5.000 francos al ganar un concurso internacional de proyectos para la erección, en Santo Domingo, de un cenotafio destinado a Cristóbal Colón, que efectivamente se construyó y fué inaugurado en 1898.

Desde 1897 fué profesor de la Escuela de Arquitectura. Como urbanizador, sus trabajos tuvieron una gran consideración en el concurso para el enlace de Barcelona con los pueblos agregados, que ganó el francés León Jaussely, y de resultas de ello fué encargado de planear gran parte de la urbanización del parque de Montjuich y la Plaza de España.

Tiene una obra de gran calidad en la residencia que construyó en la calle de Aribau, número 155, para Conrado Roure y Bofill, abogado y comediógrafo (1841-1928), de gran significación en la vida de Barcelona, cuyas obras estuvieron en los escenarios de 1865 a 1892. Había dirigido *La Campana de Gràcia* en su primera época, *El Federalista*, el *Boletín de Beneficencia* y el semanario *Lo Xanguet*. Roure había sido redactor, con Valentín Almirall, del *Diari Català*, en el que publicó una traducción suya de la *Illíada;* de *La Renaixensa, Lo Teatre Regional* y *La Llumanera*, de Nueva York, donde firmaba con su nombre o bien con el seudónimo de *Pau Bunyegas*. Sus recuerdos los publicó en *Anys Enllà* (1911) y en las *Memorias de mi larga vida*, publicadas en *El Diluvio* [286].

La casa que para este personaje proyectó Romeu tiene una fachada muy simple, de piedra en el planterreno, estucada en blanco liso hasta la pequeña cornisa terminal.

En lo bajo se abre la rica portada en la forma típica del arco túmido que une las jambas con el intradós por medio de columnas. En las dovelas, ondulándose por encima del guardapolvo, figura una inscripción esculpida en reserva, con letras formadas por cintas, en la que se lee, a la izquierda :

AL GUST D'ELL
CAD' ESTIL FA SA
MORADA

y a la derecha :

CADA AUCELL FA'L SEU
NIU COM MES
LI AGRADA

inscripción que es un acto de fe independiente, modernista.

La clave, muy grande, lleva esculpido en bajorrelieve un roble rico en raíces y en ramas, heráldico signo del nombre del propietario. Unos pequeños escudos, a cada lado, llevan la inscripción ANYS 1 Y 2, SIGLE XX.

En el resto de la fachada los balcones simples, con baranda de hierro forjado y losa revestida inferiormente con azulejos en azul y amarillo, son el único ornamento.

El zaguán es un recinto simple, armoniosamente combinado, con techo de vigas aparentes y zócalo de azulejos. Su gracia estriba en el arranque de la escalera, que empieza en una columna que hace de parteluz arcaizante, con capitel de silueta románica ornado con asimétrico latiguillo y que sostiene una enorme zapata de madera, cargada con la jácena que separa el zaguán del espacio abierto para la escalera. La barandilla es una especie de hélice aplanada de pasamano retorcido.

Otra casa tiene Romeu, en la recoleta Plaza de las Ollas, número 6, no lejos de la esquina proyectada por Sagnier. Es una casa de alquiler, alta, con saliente alero provisto de una zona de mosaico bajo sus tejas, con los vanos adintelados coronados por una excavación trilobulada con un decorado en relieve que deriva de las umbelíferas de Grasset, y zonas de mosaico bajo los balcones, cuyas barandillas de hierro forjado tienen los consabidos arcos de refuerzo empotrados en la fachada.

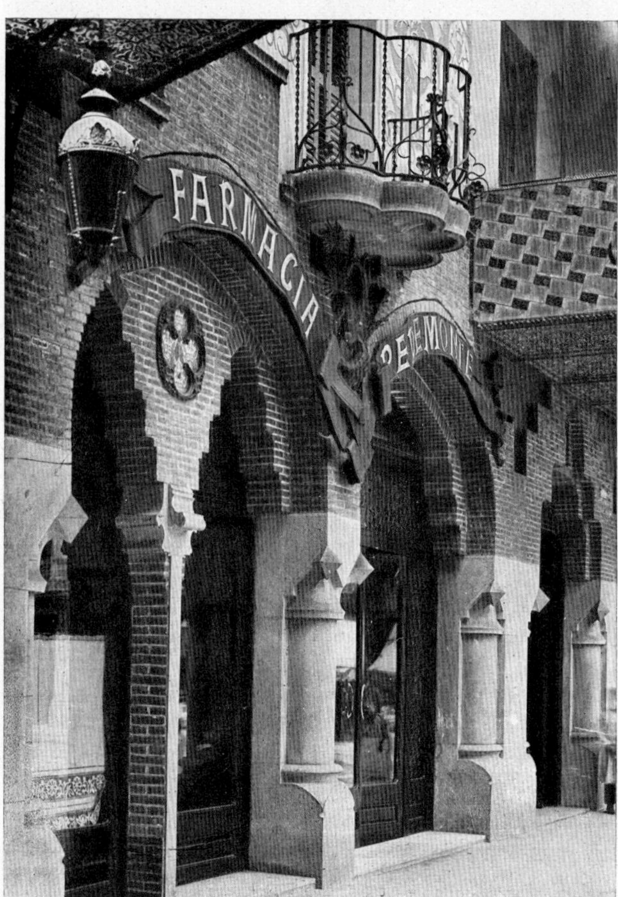

FERNANDO ROMEU : Casa en la calle Gerona

Font y Gumá. — Amigo íntimo de Gallissá, José Font y Gumá fué su continuador, pero al mismo tiempo fué creador estilístico de primera categoría, el mejor de todo el grupo del período modernista.

Nacido en Vilanova y la Geltrú el 23 de enero de 1859 y muerto el 4 de julio de 1922, obtuvo el título de arquitecto en 1885.

En la primera etapa de su carrera cultivó un tipo de arquitectura cercano al del Gaudí de la casa Vicens. En la casa Massip, de Argentona, utilizó la obra concertada, la decoración con arabescos geométricos y las formas mitrales conseguidas por la progresión de hiladas de ladrillo, y acogió el arco Tudor peraltado, el mismo de las mezquitas persas, con recubrimiento de azulejos, en una galería marcadamente orientalizante.

Este primer estilo cedió al influjo de Pascó, cuatro años mayor que él, quien impuso las formas suaves, sujetando el curvilineísmo a unas normas de geometría muy estática, adheridas a las cuales se convirtió de una concepción dominante en una simple decoración. La tendencia a la paz y la armonía favoreció en Pascó la creación de la moldura de sección sinusoidal y la reivindicación de la voluta, que monumentalizó en la chimenea de la casa Casas-Carbó. Gaudí, por su parte, acogió también, de una manera efímera, las volutas en la casa Calvet (1901). Font y Gumá sistematizó estos elementos. Si Gaudí huyó de toda regularización de la curva hacia formas cerradas, circulares o espirales perfectas, Font, por el contrario, fué el primero de los modernistas en reivindicar el arco de medio punto.

Este arco había sido mantenido en honor, sobre todo, por el ecléctico Augusto Font Carreras, con título de 1869, quien había sido un puro clásico en el palacio de Bellas Artes (1888); fué arabizante en las Arenas; gótico en el palacio del Marqués de Camps (1899), donde, por cierto, tuvo el atrevimiento de mostrar al desnudo, decoradas con oro, las jácenas férreas de celosía que sostienen los muros del patio; rococó en la Maison Dorée (1903); gótico floralista en la sucursal de Gracia de la Caja de Ahorros (1906) y cultivador del popularismo blanco, a lo Puig y Cadafalch, en su casa de la calle de Marco Antonio, 10, bis, en San Gervasio (1910).

En 1902 Augusto Font y Carreras construyó el mejor de sus edificios: la casa central de la Caja de Ahorros y Monte de Piedad de Barcelona, en la plaza de San Jaime y calles de la Ciudad y de Jaime I, construcción con reflejos de Sansovino en la que el arco de medio punto se combinaba insistentemente con las líneas clásicas. La fachada de este edificio, de perfecta armonía, supo conquistar el primer premio en el concurso municipal, en plena euforia modernista, sentando así las bases para un nuevo prestigio de la belleza, obscurecida por el pintoresquismo neogoticista y orientalista de los años anteriores y degradada por el academicismo rutinario.

Las mismas belleza y armonía tendieron a imponerse en las obras de Font y Gumá, quien en 1906 realizaba los trabajos de reforma del local del Ateneo Barcelonés, en el número 6 de la calle de la Canuda, dentro de un espíritu que sintetizaba la herencia de Gaudí y del artesano a lo Gallissá con el nuevo mediterraneísmo de equilibrada perennidad clásica. En esta reforma, en la que le secundó Jujol, empleó los techos de bovedillas cuadradas aparentes, caros a Gallissá, que decoró con temas florales de inspiración vienesa, y dió un gran papel a la cerámica de los arrimaderos. En la madera de las barandas de escalera sacó nuevo partido de la moldura sinusoidal y de la voluta, que en algunos pilastrones, quizá por influjo de Jujol, perdió la serenidad para cobrar el flamígero dramatismo de

Font y Gumá: Casa Puig Colom

PUIG Y CADAFALCH: Casa Martí, en la calle de Montesión y el pasaje San José

qui, en el número 127 de la calle de Balmes, en el que casi el único ornamento son los esgrafiados.

Más tarde acogió el arco sinuoso trilobado y el gablete barroco popular tan caros a Puig y Cadafalch en la casa, hoy reformada, Puig Colom, del número 7 del Paseo de Gracia (1914), que entraría ya de lleno en la reacción clasicista de la época posterior a *La Ben Plantada* y al retorno de Sunyer y de Casanovas, si no fuese porque la molduración conserva por completo el carácter de las obras de Pascó.

Las mismas molduras se perpetuaron en obras que, como ésta, tienen resabios nórdicos — aquí son las buhardas — por obra de José María Pericas y Rafael Masó, los continuadores del compromiso Gaudí-Norte-Mediterráneo que representó en su día Font y Gumá.

En cierto modo cultivó su misma suavización de formas, tendencia a dar savia clásica a formas procedentes de otros estilos, Adrián Casademunt, quien retuvo ecos góticos y bizantinizantes en su iglesia cupular del Ángel Custodio, en la calle de Santa Madrona, cerca del Paralelo (1899).

Como decorador, Font y Gumá fué encargado, por iniciativa de Joaquín Cabot, de realizar el panel de azulejos con el texto catalán del Padrenuestro destinado al Monte de los Olivos, de Jerusalén, en estilo goticista. Lo realizaron, en Palma de Mallorca, los ceramistas de *La Roqueta* y sirvió para que, en su visita a Mallorca, el rey de Inglaterra, Eduardo VII, copiase en lápiz la oración catalana en un álbum suyo de notas.

Marca un progreso sobre la dirección de Font y Gumá José María Pericas, quien, en sus primeras obras, como la deliciosa iglesia de la Coromina, en Torelló (1907), en piedra azulada del país, señala una humilde contención, aprendida de alemanes y escandinavos, en los pétreos exteriores, y hace suyos los elementos de la tradición local latericia en los arcos interiores, apoyados en cartelas de hiladas en avance.

unas profundas cavidades torsas. En la parte baja del patio creó una reestilización de la columna jónica, en el fuste de la cual las estrías dóricas — lo que hizo también Doménech en la casa Thomas — se funden en un galbo liso para reaparecer en el otro extremo del apoyo. No hay aristas en sus detalles, todo es romo y suave, cerrado sobre sí mismo.

En 1909 ganó la segunda mención en el concurso municipal de edificios con la casa de Mercedes Ni-

Puig y Cadafalch. — Los herederos de Martorell se bifurcaron en dos líneas principales. Gaudí fué el jefe de una de ellas y tuvo por continuadores a Rubió, a Berenguer, a Font y Gumá, a Masó y a Pericas. Doménech y Montaner fué el otro, acompañado de Vilaseca y continuado por Gallissá y Romeu, introductores del artesanado y el popularismo catalán, y seguido, en último término, a través de éstos, por el que había de ser la figura más alta del neogoticismo modernista : José Puig y Cadafalch.

Puig y Cadafalch nació en Mataró el 15 de octubre de 1869. Su arte, hasta 1911, fué un intento muy logrado de asimilar la poesía de la arquitectura anticlásica de raíz nórdica, tomada como motivo de independencia frente a la rutina de unas fórmulas muertas, al ambiente y a las tradiciones del arte y del artesanado catalán, haciendo caso omiso de los siglos clásicos de arte cesarista que habían ahogado el libre desarrollo de la arquitectura autóctona para empalmar con la del siglo XV y saltar directamente, desde sus bases, a expresar las inquietudes de la cultura simbolista y panteizante de los primeros años del siglo XX.

Estudió en los Escolapios ; fué doctor en Ciencias Exactas en 1888, y todavía estudiaba en la Escuela de Arquitectura cuando demostró su originalidad y su raíz simbolista en un proyecto de iglesia triangular dedicada a la Santísima Trinidad. Terminados los estudios volvió a residir en Mataró, donde proyectó un edificio para biblioteca-museo y escuela de artes y oficios y donde fué, para las obras del alcantarillado, uno de los introductores del hormigón armado al sur de los Pirineos.

Nombrado profesor de Hidráulica y Resistencia de Materiales en la Escuela de Arquitectura de Barcelona, se trasladó a esta ciudad, donde se dió a conocer como decorador de la Joyería Maciá, en la calle Fernando, y donde construyó en poco tiempo tres edificios importantes, las casas Martí, Amatller y Macaya.

La primera (1896-1901) forma la esquina de la calle Montesión con el Pasaje de San José, y es conocida por haberse alojado en su planta baja la famosa cervecería de los *Quatre Gats*.

Es un edificio, en ladrillo, de líneas generales sujetas al gótico catalán, con planta baja de arcos apuntados, dos con ventanales de pétreo marco historiado, con una tribuna de estilo Gallissá, aclimatación del prestigioso tema del medievalismo de Nuremberg, tácito homenaje wagneriano, y un desván con la galería arqueada tradicional. Rico en escultura decorativa, tiene en su puerta un tímpano flamígero con escudo alemán formado por emblemas de la industrial textil y una imagen de esquina, en peana, con la fecha de 1896, y el San Jorge que constituye algo como la firma del arquitecto. La reja que cierra el pasaje y los balcones de losa de azulejos, ricos en férreo ornamento floral, fueron forjados por Ballarín, con elementos sacados de la rejería del claustro de la catedral barcelonesa, y letras a la manera de Gaudí.

Puig y Cadafalch : Casa Amatller

A pesar de sus elementos catalanes es una casa de sabor nórdico por el uso del ladrillo aparente, por la tribuna y por el carácter dado a las vigas y cristalería de la planta baja. Fué la *gòtica cerveseria pels enamorats del nord* de que habla Utrillo.

En 1900, y en ocho meses, construyó la casa Garí, llamada *El Cros,* en Argentona, en la que el nordicismo silencióse, al esconderse el aparejo bajo la capa de los alegres estucos esgrafiados, que habían de hallar una fachada barcelonesa monumental en

PUIG Y CADAFALCH : Patio de la casa Macaya

la casa Amatller — el número 41 del Paseo de Gracia —, que lleva esculpida en su frente la fecha de 1900.

Rematada por un alto gablete escalonado, como las viejas casas de los Países Bajos, el estilo de sus aberturas está inspirado en las ventanas de las masías góticas catalanas, enriqueciéndose con profuso decorado floral. La wagneriana tribuna, formada por sinuosidades flamígeras sacadas de la fachada de la capilla de San Jorge, de la Generalidad, y disfrazada por abundante flora, la sella nostálgicamente. Hay brillo de cerámica en el gablete, rosado, azul, verde y amarillo, con flores de lis en relieve de reflejos metálicos ; hay esgrafiado al estilo de Gallissá en el resto del muro y abundante escultura de Arnau y de Juyol en los vanos. Lirios de hierro sostienen los balcones de losa de azulejos y las filacterias rezan, entre la alegría del festivo decorado, una estrofa de poesía naturalista.

En conjunto, la fachada de la casa Amatller tiene el mérito de haber conseguido integrar en un efecto plásticamente unitario la aportación del hierro, la piedra y la policromía. La lección del arte popular nos ahorró aquí la violencia con que chocan las distintas técnicas en obras más originales.

En el zaguán, donde llamean las columnas helicoidales, los arcos que sostienen el envigado se cruzan azarosamente. Uno de ellos arranca de una dovela de otro, marcando la intersección con un pinjante en forma de corona. La escalera se eleva en un arco por tranquil, según la tradición catalana, a la que son fieles las galerías sostenidas por cartelas festoneadas pobladas de animales. Vitrales policromos cubren el patio y colorean los ventanales.

De la misma fecha y análogo estilo es la casa Macaya, con un gran patio con escalera inspirado en los antiguos patios catalanes y fachada estucada con grandes superficies de blanco liso, en la parte alta del Paseo de San Juan, que fué imitada muy fielmente en piedra, por Augusto Font, en la sucursal de Gracia de la Caja de Ahorros.

El esgrafiado, aprendido en Gallissá, fué el primer contacto de Puig con el barroquismo, latente ya en su pasión por la libertad compositiva y la exuberancia ornamental. Este barroquismo, que ganó a Gaudí cuando compuso, en 1901, la casa Calvet, trastornó la arquitectura de Puig y Cadafalch al levantar, en 1903, el Hotel Términus, en la calle de Aragón, cuya fachada se coronaba con unos gabletes recortados como los de la casa Amatller, pero que recibían su forma de los de las masías barrocas catalanas, siguiendo la lección dada por Gaudí en la casa Calvet. Pujol y Brull [287], crítico y arquitecto, se entusiasmó ante el talento mostrado por haber sabido dar «*a un edifici d'ús domèstic i per lo tant* — obsérvese el lirismo latente en este *per lo tant* — *de formes externes ben poc escaientes, un caràcter completament distint; amb la indispensable baraneta de terrat, amb les rengleres igualment exactes de balcons per a los pisos i amb altres circumstàncies ben poc favoreixedores de la llibertat d'acció de l'arquitecte*», un carácter vivo. «*En la lluita ha obtingut la victòria*» gracias a que el artista es «*sobretot sincer*» y, como tal, «*amb aquest do, ses obres seran sa imatge*».

Por las mismas fechas resolvió la Baronía de Quadras, cerca de Hostalrich, con el uso de recursos propios de la arquitectura en ladrillo, aprendidos de Gaudí y del grupo Gallissá, como el arco apeado en cartelas de hiladas en progreso, y el falso arco mitral. Posiblemente el influjo directo lo recibió de Camilo Oliveras, que a la sazón era tan celebrado con su Casa de Maternidad, al mismo tiempo que Julio Batllevell utilizaba idénticas formas en la casa de Antonio Oliver, de Sant Llorenç de Munt, y en el almacén de vinos del mismo propietario en Sabadell. Tal tipo de arquitectura pasó de decoración a concepción total de un edificio en la fábrica Trinxet, de Hospitalet, obra de Juan Alsina (1907).

Por lo común Puig escondió estos elementos constructivos bajo el estuco blanco, característico de sus pequeñas casas señoriales, como la casa de la calle de San Sebastián, en San Gervasio, que obtuvo mención del Ayuntamiento entre las erigidas en 1903, y las sobrias residencias, de hastial recortado en sinuosidades barrocas, Muntadas, en el Tibidado, y de Avelino Trinxet, en la calle Córcega-Balmes.

Esta última es un remanso de paz. Blanquísima, pulquérrima, su fachada tiene un zócalo de cerámica en relieve verde lechoso, el mismo tono que domina en los hierros, con flores insertadas, de rejas y balcones, y en las guirnaldas de mosaico, con toques de oro, que son el único ornamento de la parte alta. En el interior y en las fachadas secundarias se sacó partido repetidamente del arco sinuoso trilobado, última evolución del trilobado gótico después de pulimentada toda aspereza, de suprimida toda angulosidad. El mismo carácter tienen numerosas obras de Puig, como la blanca torre de Eustaquio Polo, en el Paseo de San Gervasio, y la torre Capella (1909). En combinación con el ladrillo aparente puede relacionarse con esta serie la desaparecida casa de Isabel Llorach, en el número 263 de la calle de Muntaner.

El gótico de Puig y Cadafalch no murió, empero. Por el contrario, cuando en 1905 se terminaron las casas Terradas, en el número 416 de la Diagonal, Barcelona albergó en su seno, constituyendo una manzana entera, un fantástico castillo de grandes torres redondas, de silueta feudal, erizada de agudos chapiteles, gabletes y chimeneas. Obra en ladrillo, con los marcos de las aberturas en piedra, pertenece a la familia de la casa Martí, pero su estilo es más libre. Arcos de medio punto, apeados en capiteles de geometrizada estilización floral, y vanos mitrales de ladrillo forman la base de las fachadas en las que balcones platerescos con hierros y cerámica floridos alternan con las lógicas tribunas de planta triangular, apeadas en juegos de tejas obturadas con mayólica y decoradas con flores de piedra y de cristal policromo. Cuadros simbólicos, heráldicos, hagiográficos y legendarios en azulejos de sabor prerrafaelita coronan los gabletes, y ricas veletas de hierro, forjadas por Ballarín, las agujas.

Esta llamada *Casa de les Punxes* queda no lejos de otro edificio, canto del cisne del goticismo de Puig, el palacio que construyó para Bernabé Quadras, en 1906, en la misma Diagonal. Bajo un alto tejado oscuro, abuhardado con gabletes de madera de sabor alsaciano, su fachada tiene una planta baja con puerta angrelada, como la de la casa Amatller, encima de la cual una tribuna-galería de arcos

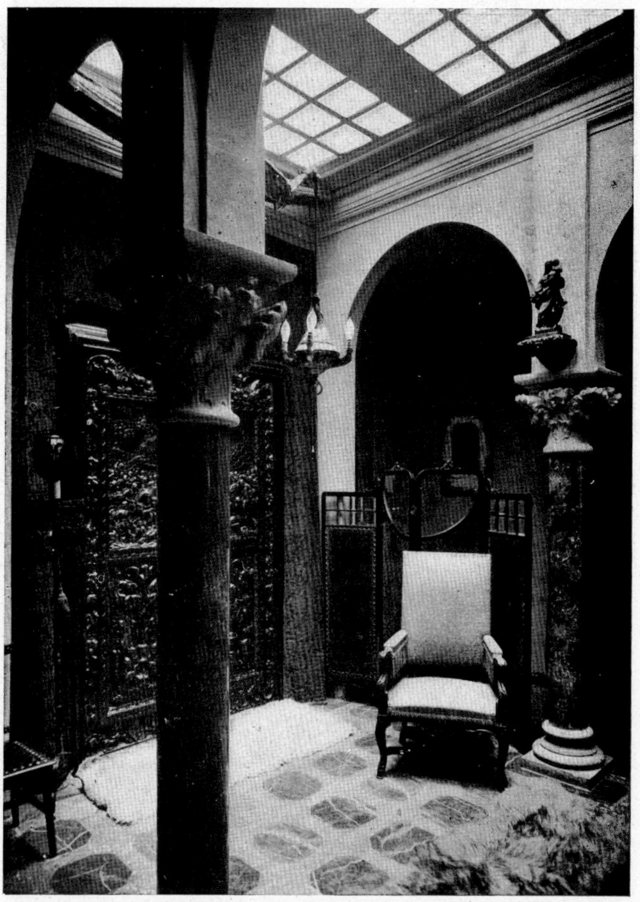

PUIG Y CADAFALCH : Vestíbulo de la casa Isidro Gasol, en Aragón, 287

escarzanos, apoyada en aztecas impostas, se borda con tracerías florales y góticas. Un piso alto de balcones seudogóticos y una galería terminal de arquitos escarzanos y columnitas se cobijan bajo el pronunciado alero.

En el patio una escalera a la catalana conduce a la planta noble, en la cual los techos se sostienen con distintos sistemas tectónicos. Hay jácenas sostenidas por impostas triangulares, en las que se apoyan bovedillas, y hay sistemas ornamentales de arcos entrelazados, con verdugada, combinados con angrelados, que recuerdan los canceles de la *maksurah* de Córdoba, traducidos a términos mediterráneos, en los que se adivinan el eco siciliano y la estructura del claustro de Sant Pau del Camp.

La suntuosidad original de esta residencia, en la que se juega con lo floral, lo gótico, lo árabe y lo jónico para realizar una concepción decorativa realmente unitaria y original, causó impresión. Es interesante leer hoy el comentario que a propósito de ella y de sus moradores se complacía en hacer la redacción de la *Illustració Catalana* [288] : *La gentil Maria de Quadras, flor viventa i palpitanta, aromosa i suau entre tantes altres flors immòbils i petrificades, ajuda a la seva amable mare, la ba-*

PUIG Y CADAFALCH : Galería de la casa del Barón de Quadras (con el retrato de la baronesa y su hija)

ronessa, en l'agradosa tasca d'illuminar amb escaients somriures totes les magnificències d'aquella llar on l'art català vibra en totes ses manifestacions. He aquí un comentario muy de la época, que parece escrito para subrayar una curiosa fotografía existente de la baronesa y su hija en la florida galería del palacete.

De la misma época es la propia casa del arquitecto en Argentona, que en la *Illustració Catalana* era llamada un *niu d'artista,* vivienda sencilla, marcadamente pintoresca, en la que los recursos de la obra en ladrillo, los envigados de madera, la mayólica y la pintura de tonos francos y fuertes se pusieron a contribución para crear cierto ambiente de erudita, confortable y patriótica bohemia.

Los balcones platerescos de la casa Terrades llevaban las de triunfar. El neogótico de Viollet-le-Duc era ya demasiado lejano, y los orientalismos habían perdido prestigio. El plateresco era un refugio para un anticlasicismo bien entendido, y Puig y Cadafalch se decidió a emplearlo en la casa Serra, de la Rambla de Cataluña, chaflán con Córcega, edificio emparentado íntimamente con los recién terminados, que tiene la torre circular con agudo chapitel cónico abocinado de la *Casa de les Punxes* y su tipo de decorado, y el aparejo de piedra rústica y

PABLO SALVAT : Casa Oller. 1902

la galería de arcos bajo saliente alero de la casa Quadras. La puerta principal, con el blasón improvisado del nombre Serra y la fecha de 1903, tanto como los vanos principales, fueron una interpretación algo libre de los temas de la desaparecida casa Gralla de la calle de la Puertaferrisa. En la tribuna que ya aparecía en la casa Martí se vió tratado en un seudoplateresco que no excluye las cartelas góticas ni el complicado remate cerámico.

Más racial aparece la casa de la viuda Pastor, en la cumbre del Tibidabo, que pasaría por una sencilla casa señorial catalana del siglo XV si no fuera por el aparejo en espina de pez de sus fachadas, aprendido de los restos visigodos de nuestro país.

La fecha de 1911 marca el final de su etapa modernista y el comienzo de otra manera distinta. El final es la enorme fábrica Casarramona. Después de la fábrica Trinxet, que Juan Alsina resolvió en ladrillo y obra concertada con pretensiones de monumentalidad, quiso también conseguirla y en este terreno logró el primer premio en el concurso anual de edificios. Su silueta es la de Westminster, sucesión horizontal de verticales, en contraste con una torre dominante, que en este caso hacía suya la forma cupular cónica cara a Gaudí, todo ello en ladrillo, con sabia y ligera cubierta de bóvedas adelas.

El comienzo de su otro estilo fué la casa de Pedro Company en la calle de Casanova esquina a la de Buenos Aires, en la que las rejas florales pintadas en tonos pálidos (hoy pintadas de blanco) contrastaban con las desnudas fachadas de estuco amarillento (hoy grises), terminadas en curvas barrocas. Esta construcción es el punto de partida de la simple arquitectura semiaustríaca, muy mediterraneizada y con columnas toscanas, de su propia casa, en Provenza, 230, o el abarrocamiento discreto de la casa Pich, en el número 9 de la Plaza de Cataluña, puente hacia el estilo teatral, inspirado en el barroco valenciano, del proyecto de Exposición de Industrias Eléctricas, del que se construyeron, en el Parque de Montjuich, los dos palacios gemelos decorados con columnas salomónicas esgrafiadas y reproducciones en relieve de la puerta de la iglesia de Caldes de Montbui.

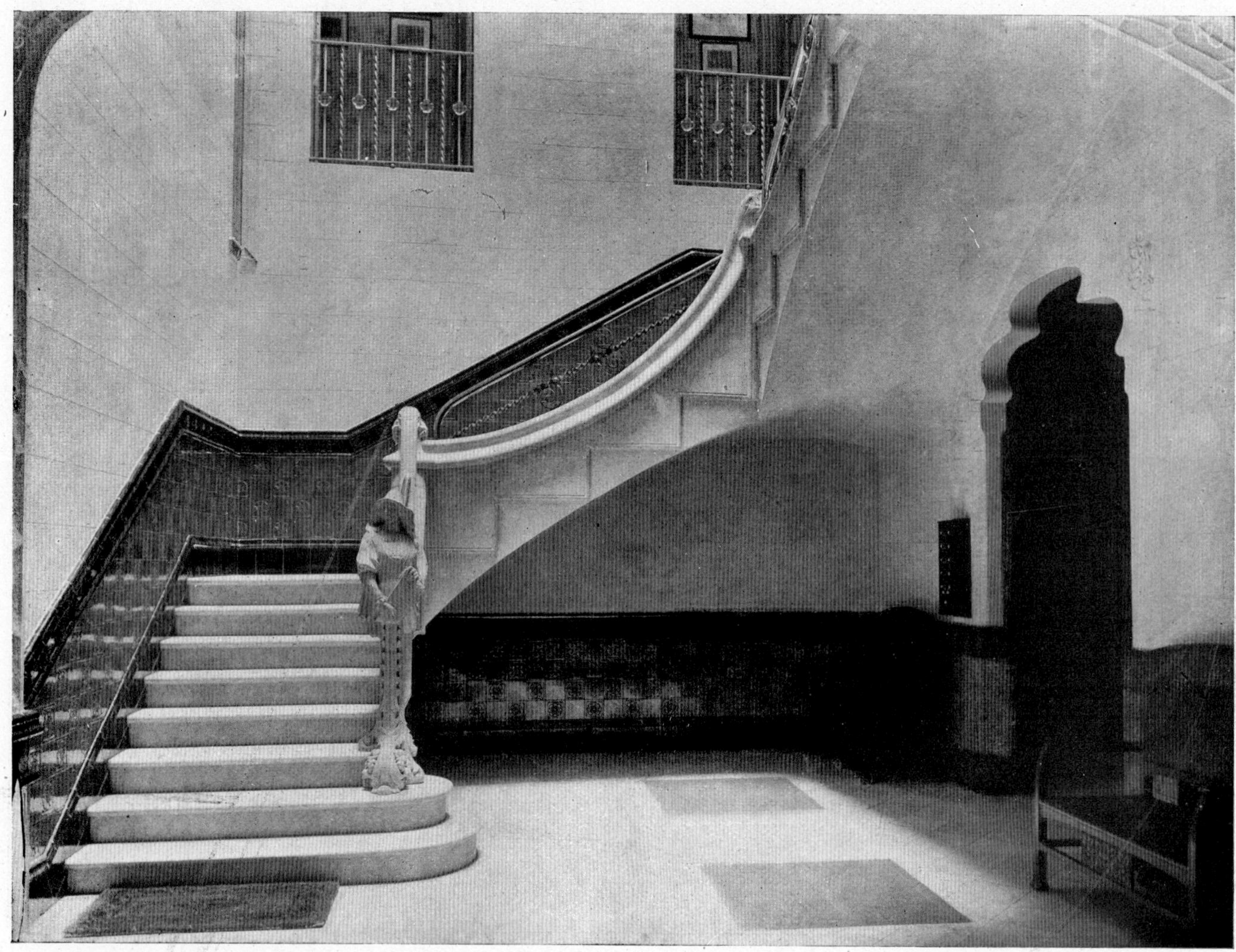

PABLO SALVAT: Escalera de la casa Oller

Como Doménech y Montaner, Puig y Cadafalch ha tenido un gran papel en la vida del país. Como arqueólogo, publicó en 1889 unas *Notes sobre les esglésies de Sant Pere de Terrassa,* que marcaron el inicio de sus investigaciones, cuyo mayor monumento fué la gran obra sobre *L'arquitectura romànica a Catalunya,* que hizo en colaboración con Goday y Falguera y que le valió, en 1907, el premio Martorell y fué publicada por el *Institut d'Estudis Catalans,* del que había de ser presidente, entre 1909 y 1918. Restauró las iglesias de Tarrasa, la Seo de Urgel, Cuixá, etc., ganó el premio Dusseigneur de la *Académie d'Inscriptions,* de París, fué fundador del *Institut* citado y de la *Biblioteca de Catalunya,* organizador de los Museos de Arte de Barcelona y promotor de las excavaciones de Ampurias y Tarragona. Como político fué redactor de *La Renaixensa,* con Carner, Prat de la Riba y Durán y Ventosa, y más tarde de *La Veu de Catalunya;* regidor de Barcelona en 1902, diputado de la *Solidaritat* en 1907, diputado provincial y presidente de la Mancomunidad de Cataluña.

Gustá. — Un año después que Gaudí, obtuvo el título Jaime Gustá y Bondía, arquitecto que se dejó seducir por el goticismo y lo vinculó al movimiento naturalista floral hasta perder la rigidez heráldica que no abandonaron nunca Doménech y Montaner ni Gallissá. Su suavización, acogedora de líneas barrocas, deshizo el neogoticismo idealista en beneficio del concepto alegre, higiénico y aburguesado de la vivienda, que triunfa en la casa con jardín erigida en la calle Alegre de Dalt, número 153, de Barcelona, que ganó la tercera mención en el concurso de edificios terminados en 1910.

Pablo Salvat. — El más cercano a Puig y Cadafalch entre sus seguidores fué Pablo Salvat Espasa, quien construyó, en 1903, en gran parte dentro del estilo de Puig, la curiosa casa de Ramón Oller, en la Gran Vía, entre Claris y Lauria. La fachada, con saliente alero y tribunas metálicas, adorna su puerta escarzana con una reja al estilo de las de Pascó en la casa Casas Carbó (1902). El zaguán es una de las obras más agradables del modernismo catalán, con sus arcos escarzanos modelados con una especie de escatas hundidas, como la piel de un melón amarillo «de la tierra», que se unen entre sí con bóvedas que se decoran mediante un dibujo uniforme, lo mismo que las de la casa Casas Carbó, que aquí se basa en el tema del rústico *blauet*. Las aberturas laterales conservan el pico que marcaba la forma trilobulada en los arcos de Pascó.

Un tramo con pares de arcos cruzados, a la manera mudéjar, conduce al patio con escalera descubierta, a la catalana, que recuerda la de la casa Amatller, con la originalidad del pasamano en curva cóncava, en cuyo arranque un heraldo trovadoresco es portador de una filacteria con la inscripción SALUS. También en los hierros, con flores de Ballarín aplicadas, recuerda a Puig. Difiere de él, en cambio, en el ornato floral grabado y el perfil *latiguillo* de los vanos.

El mismo arquitecto construyó en Igualada, en 1906, una casa en la que las formas a lo Puig, con aberturas mitrales, se combinan con la asimetría de una puerta que tiene un vano lateral flanqueante, separado por una columna, como los de la casa Roure de Fernando Romeu, pero solamente a un lado, formando una atrevida asimetría.

ANTONIO DE FALGUERA : Casa de Lactancia

Falguera. — Discípulo de Puig y Cadafalch y colaborador suyo en la obra sobre *L'arquitectura romànica a Catalunya* fué Antonio de Falguera y Sivilla, nacido en Barcelona el 28 de enero de 1876 y muerto en la misma en 1947.

Hijo de un poeta floralista, obtuvo el título de arquitecto en 1900, junto con José María de Falguera. Su proyecto de final de carrera fué un palacio para un naviero dentro del estilo de Gallissá, mientras que el de José María fué un Palacio de Justicia de un neogoticismo retrasado, a lo Martorell. En el mismo examen, Vicente Artigas cultivó el neoárabe en un proyecto de café y Jaime Bayó, con Emilio Llatas, pretendieron exactitud arqueológica en sus góticos edificios religiosos, lo mismo que Juan Amigó en el románico a lo *Sacré-Coeur* de su Panteón Real, proyectos que hoy decoran las aulas de la Escuela Superior de Arquitectura.

En los comienzos de su carrera fué un arqueologista. En colaboración con su hermano cultivó el estilo románico en el cementerio de Palau-solità, construído en 1906, en plena fiebre de sus estudios con Puig y Cadafalch y un año antes de publicar su estudio sobre *Els constructors de les obres romàniques a Catalunya* [289].

En 1910 construyó, dentro de un estilo extremadamente cercano al de la casa Trinxet, con el mismo recubrimiento cerámico de la fachada, que aquí fué de baldosas azules, y los mismos arcos sinuosos trilobados, la armónica Casa de Lactancia de la Gran Vía, que enriquecen las bellas esculturas del friso de Arnau. Es notable la decoración de la portada interior, arco trilobado en cuyas jambas se alojan dos troncos de árbol con base de raíces entrelazadas, que en los salmeres se personalizan en los bustos de un hombre y una mujer, de los que brotan las ramas que, al enlazarse, conducen, en la clave del arco, a un grupo de rosas y cabezas de niño. Esgrafiados de estilo Olbrich, con líneas de cuadraditos, decoran muros y bovedillas.

En 1912 ganó, junto con el arquitecto Colomer, el primer premio en el concurso para grupos escolares del Ayuntamiento de Barcelona y con Torras Grau el segundo. Al año siguiente construía la casa de Juan Sans, en Tossa, en la que los rasgos de Puig y Cadafalch, muros blancos, guirnaldas musivas, alternaban con el atrevimiento secesionista de los ventanales en elipse apaisada y el gratuito remate de volutas perforado por un hueco de la misma forma.

Fué el autor, más tarde, de la Escuela Municipal

Salvador Valeri: Vitrales de la casa Comalat. 1913

de Música, de Barcelona, de estilo paralelo al de Pericàs, con recuerdos de la casa Serra, de Puig y Cadafalch; y del secesionista edificio de los Arbitrios Municipales, frente al Palacio de Bellas Artes. En 1928 fué uno de los restauradores de la Casa de la Ciudad.

Valeri.—El estilo de la casa Sans de Falguera nos lleva a la manera de Salvador Valeri Pupurull, arquitecto con título de 1899, un año mayor que él, que cultivó la arquitectura mecanicista en ladrillo en obras como la casa Oliver, del Papiol, pero halló su personalidad, muy propia, en edificios como la casa de Juan Comalat — después de la familia Mateu — en el número 442 de la Diagonal. Este edificio (1913), marcadamente influído por Gaudí, corona su fachada con un dorso cerámico semejante al de la casa Batlló y cierra sus puertas con maderas provistas de oquedades que tienen su precedente en la misma obra gaudiniana, pero que poseen rasgos muy propios. Uno de ellos es el empleo, en la decoración del zaguán y de la fachada posterior (en Córcega esquina a Claris), de óvalos y casquetes esféricos de cerámica en relieve, de colores lisos vidriados, formando vetas policromas o con reflejos metálicos. Estas piezas tienen trenzados, incisiones o escisiones de forma geométrica estrellada, entrelazados, punteados, estructuras florales, etc.

En la fachada posterior, que corona un enorme frontón sinuoso con volutas y oquedad ovalada, tales aplicaciones se combinan con el mosaico cerámico. Columnas torsas y marcos en forma de boca — también inspirados en la casa Batlló — en granito artificial, se cobijan bajo la gigantesca tribuna que forma toda la fachada, en panzuda estructura de madera, con columnitas torneadas y arquitos, que avanza sobre la calle como una especie de fantástica popa de un navío del siglo XVIII.

Análoga es la torre de Valeri erigida en la calle del Obispo Catalá, número 25, ante el Monasterio de Pedralbes, en la que las aplicaciones cerámicas se combinan con guirnaldas de mosaico y marcos imitando estructuras concoides, en piedra artificial, y sinuosos esgrafiados.

Antonio Gaudí: Viaducto del Parque Güell. 1904-1914

GAUDINISMO

Gaudí. — Precursor, jefe y gloria del modernismo catalán fué Antonio Gaudí y Cornet, personalidad que por sí sola justifica una época y cuyo valor paga todos los errores que pudo tener y pagaría muchos más si los hubiese tenido. Las tesis del modernismo serían discutibles si Gaudí no hubiese existido. El es su justificante histórico. Si no disfrutan todavía de validez, no por ello es lícito afirmar que no la tenían entonces.

Fué arquitecto, pero fué más bien un artista total. Se quejaba de los que sólo tienen un ojo, porque para él había una vista más despierta que para el resto de los mortales. Comprendió el espacio como quizá sólo lo comprendió Rodin, y comprendió además el color como algo fundamental, inseparable de cualquier plasticidad. Si trató, pues, su arquitectura con cálculo de pensador y anhelo de santo, la vió con ojos de pintor, le dió forma con manos de escultor y la vivió con *devenir* de músico.

Nació en Reus el 25 de junio de 1852, en la calle de la Amargura, hijo de un calderero de Riudoms, casado con una reusense. Tenía un hermano, Francisco, que era médico y murió joven, y una hermana que también murió en la juventud y dejó una hija, Rosa Egea y Gaudí, que, al final de la vida del arquitecto, vivía en Barcelona con él y con su abuelo. Gaudí murió soltero y ésta fué toda su familia.

Estudió el bachillerato en Reus y lo terminó en Barcelona. Después empezó la carrera de arquitecto en la misma capital.

Una de las bases de su vocación fué el instinto mecanicista desarrollado en él al contemplar los trabajos que se hacían en el taller de calderería paterno, en Riudoms, que se mezcló con el gusto desarrollado en las portadas de libros de J. L. Pellicer o del primer Pascó, en las que abundaban los elementos mecanicistas, como tornapuntas, tirantes, ejes, pendolones, vergas, manguitos, pies derechos, formas de ensambladura o de forja; con el racionalismo funcional aprendido en el diccionario de Viollet-le-Duc y con la experiencia adquirida al trabajar como delineante en el taller de maquinaria de la casa Padrós y Borrás, con el ingeniero Serramalera, en la formación de un concepto de la arquitectura radicalmente mecánico y por ende plástico, alejado de las soluciones habituales en la arquitectura académica, que es, fundamentalmente, hija del pobre sistema de proyección ortogonal en planta y alzado.

Ahora bien: su inclinación por la arquitectura no era sólo racional. Gaudí se sentía artista y si a los 15 años publicaba dibujos en la revista manuscrita *El Arlequín*, que hacía con sus compañeros escolares, a los 16 y 17 trabajaba, con Eduardo Toda y José Ribera, en la idealista y sentimental tarea de proyectar una restauración del monasterio de Poblet, en los dibujos que se conservan en Escornalbou.

En la Escuela Superior de Arquitectura, alojada a la sazón en Lonja, Gaudí no fué lo que se llama comúnmente un buen estudiante. Muchas veces prefería asistir a las clases de filosofía que daba el doctor Llorens y Barba en la Universidad. En la escuela le interesaban más los libros de la biblioteca que las aulas.

En sus proyectos escolares se nota el influjo del medievalismo reinante, que él supo transformar a su antojo. Así coronó con paraboloides férreos y una atrevida torre metálica su proyectada fuente de planta crucial-circular para la Plaza de Cataluña; deformó de una manera expresionista, para hacer de ella algo aplastante, una proyectada puerta para un cementerio, y el patio románico-mudejarizante, a lo Elías Rogent, de su proyecto de Diputación provincial, lo cubrió con una estructura de hierro aparente decorado y bóvedas apoyadas en cartelas también metálicas.

Todavía estudiaba cuando colaboró con Francisco de Paula del Villar y Carmona en el camarín de Montserrat (1876-1877), en cuyas escaleras, destruídas hoy, se vió un ensayo de las de la cripta de la Sagrada Familia. También colaboró con Fontseré en la Cascada del Parque — inspirada en la de Longchamp, de Marsella —, en la que el carácter gaudinesco está manifiesto en los mástiles metálicos de decorado mecanicista y en los medallones con relieves naturalistas de reptiles entre plantas acuáticas, con cenefa de relieve en técnica egipcia, rehundido.

En 1878 obtuvo el título de arquitecto, lo que no

ANTONIO GAUDÍ: Casa Vicens. 1880

fué obstáculo para que continuara trabajando con Fontseré durante cuatro años.

El mismo año de terminar la carrera emprendió una obra de suma importancia: la casa de Manuel Vicens, en la calle de las Carolinas, de Gracia, edificio de líneas originalísimas, pero que sugieren el carácter islámico por sus cuerpos prismáticos escalonados, sus verdugadas y su policromía.

Los constructores académicos estaban enamorados de las terrazas, y cuando no solían terminar sus edificios con cornisas o balaustradas, disfrazaban el gablete de los tejados con acroterios escalonados.

Contra ello Gaudí impuso el gablete descarado, subrayado por un potente alero. Los académicos disimulaban las chimeneas: él las puso en el centro de la fachada, brotando; ellos flanqueaban los edificios con robustos pabellones: Gaudí lo hizo con alminares que cambian de planta a cada tramo, como el cairota de Kait Bei; aquéllos remedaban la sillería y el mármol con estucos: Gaudí mostró el aparejo concertado al desnudo; aquéllos buscaban lo incoloro del clasicismo arqueológico: Gaudí utilizó el revestimiento cerámico.

En el interior domina también el carácter orientalizante, particularmente en el fumador, amueblado con la mesita mora del *narguilé,* otomanas y cojines. Relieves cerámicos cubren sus muros y el techo es un juego de racimos estalactíticos, también decorados con piezas cerámicas, estilización rectilínea de ramos de palmera y dátiles, centrado por un lampadario de corte fatimí.

En la entrada piezas cerámicas entre las vigas representan hiedras y fresales. Todos estos detalles fueron modelados por el escultor tortosino Antonio Riba y García (1859-1943).

La tribuna del jardín se cerraba con celosías de sabor japonizante, basculantes, que más tarde fueron sustituídas por vidrieras cuando, en 1925, el arquitecto Juan Bautista Serra de Martínez reformó la casa, ampliándola hasta la alineación de la calle [290].

Los detalles de forja son muy interesantes. En la antigua tribuna y en los balcones actuales hay elementos en forma de telaraña. Los apoyos de las barandas de celosía de madera son hierros en latiguillo, con silueta de serpiente encantada. La verja del jardín es un cuadriculado relleno con naturalistas hojas de palmito [291]. Las obras terminaron en 1880.

En el mismo año que habían empezado iniciáronse las de «La Obrera Mataronense», cooperativa obrera que tuvo unos comienzos revolucionarios y fué después protegida por Prim. Para ella construyó una sala de máquinas y un quiosco que le fueron encargados por el gerente, Salvador Pagés, y quedaron sin construir las casas para obreros que figuraban en el proyecto, que por cierto se envió a la Exposición Universal de París de 1878. La sala sostiene su techo con arcos de forma parabólica formados con tablones acoplados, en los que se siguió con exactitud la curva de presiones, novedad funcionalista y económica de la mayor importancia.

ANTONIO GAUDÍ : Desván de las Teresianas

En el terreno de lo ornamental, proyectó, por encargo del Ayuntamiento barcelonés, en el mismo año, las farolas de la Plaza Real, de estructura mecanicistas, con tirantes y rótulas, decorada con temas heráldicos. Otros faroles proyectó en 1880 para la Barceloneta y para la Muralla de Mar. Estos últimos, de una monumentalidad desusada, nos introducen en el mundo de los sueños grandiosos de un Gaudí que ha perdido ya toda timidez. En colaboración con el ingeniero Serramalera los concibió en forma de ocho columnas metálicas colosales, entre el muelle y la muralla, que bastarían para iluminar la longitud del puerto. De unos cincuenta metros de altura, se adornarían con rostros de navío estilizados, blasones y letreros calados, mecidos en un elástico sistema de cables, que rezarían los nombres de los grandes héroes de la marina catalana de todos los tiempos.

El mismo carácter de la casa de la calle de las Carolinas se descubre en el proyecto del año 1882, que no llegó a realizarse, de un pabellón de caza en las costas de Garraf para Eusebio Güell. Su silueta de castillo, con las partes altas atalayadas, no dejaba de contener detalles idénticos a los de la casa Vicens : paramentos concertados, verdugadas, revestimientos cerámicos ajedrezados, aberturas mitrales, cupulines policromos, impostas triangulares latericias, etc.

El mismo carácter tiene la arquitectura de la casa de Máximo Díaz de Quijano, llamada *El Capricho,* que se erigió en Comillas (Santander) entre 1883 y 1885, integrada exactamente por los mismos motivos de la casa Vicens, con las únicas novedades de la robusta base pétrea de la torre, con columnas inclinadas, y las columnas de hierro que sostienen el tejado terminal de racimos cerámicos. En los muebles que proyectó para esta casa, la silueta neogótica alberga un decorado muy peculiar, con arabescos incisos, tirantes dragones en relieve y espinosos motivos vegetales calados. Las obras las dirigió Cristóbal Cascante.

Juan Martorell, en 1882, había proyectado una fachada para la Catedral de Barcelona, que escapaba al frío arqueologismo, pero en vez de la cual se construyó la de Augusto Font. Gaudí fué desde el primer momento un entusiasta de la de Martorell y realizó el dibujo que de ella publicó la *Renaixensa* en favor del proyecto rechazado y que utilizó el *Cercle de Sant Lluc* con el mismo fin. Su entusiasmo por el Martorell de las Salesas le llevó a seguir la pauta de volúmenes, tan bien establecida, de esta iglesia cuando se trató de hacer un proyecto para una iglesia benedictina en Villaricos (Cuevas de Vera, Almería) que no se realizó.

La admiración debió de ser recíproca, porque, dos años después, en 1884, vemos a Martorell — consejero artístico de José María Bocabella, el inspirado promotor del templo de la Sagrada Familia — luchando contra Francisco de Paula del Villar, primer arquitecto del templo, y substituyéndolo, cuando éste se retiró, por Gaudí.

Con este hecho el esfuerzo renovador de Martorell, forzosamente limitado, vino a enlazar con el florecimiento de la mayor personalidad del mundo modernista. La casa Vicens, terminada (1880) cinco años antes que la iglesia de las Salesas (1885) es, posiblemente, su precursora en la yuxtaposición de materiales y la libertad compositiva, hecho que es tanto más necesario admitir cuando pensamos que en 1882, cuatro años después de empezarse a levantar la casa de la calle de las Carolinas, Martorell era todavía el arqueologista de Portbou y las Adoratrices. También puede atribuirse al influjo de la casa Vicens el decorado con verdugadas decoradas escogido por Vilaseca para los paramentos de fachada de los talleres Vidal (1884), por Doménech en los del Casino de Canet (1887) y por Buenaventura Pollés en la Clínica Cardenal (1898), repetido después en numerosas construcciones de estos arquitectos.

El encargo de la Sagrada Familia, la que debía ser obra síntesis de Gaudí, acentuó en su vida el contenido religioso. El templo en construcción tenía ya una historia espiritual. Bocabella, contemplando en Montserrat una pintura que representa a la Sagrada Familia, tuvo la idea de alcanzar, mediante la protección de San José, el triunfo de la Iglesia. Fundó la Asociación Josefina y la pequeña revista titulada *El Propagador de la Devoción a San José*, que obtuvieron especiales gracias del pontífice Pío IX, desde 1869. En respuesta a estas mercedes se dirigió a Roma para regalar al Papa un grupo de la Huída a Egipto, en plata, modelado por el escultor Pagés, y a su retorno, al visitar en Loreto la Santa Casa, tuvo la idea de hacer levantar una réplica en Barcelona, como santuario de la Sagrada Familia.

Se adquirió un vasto solar, cercado ahora por las calles de Mallorca, Provenza, Cerdeña y Marina, y el día de San José de 1882 se colocó la primera piedra del templo, que empezó a levantarse según el neogoticista proyecto de Villar.

Cuando Gaudí sucedió a este arquitecto — con el que había colaborado en Montserrat—, la cripta, destinada a contener el facsímil de la Santa Casa, estaba a la altura de la mitad de los pilares [292]. Gaudí tomó el encargo el 3 de noviembre de 1883. Dió mayor altura a la bóveda, diseñó a su manera los capiteles y las archivoltas de sabor normando, en diente de sierra, y terminó la cripta en 1891. En 1885 emprendió, además, la construcción del ábside, en líneas neogoticistas depuradas, desnudas de decorado parásito. Durante su erección fué madurando en él el amor a las formas de la naturaleza, y cuando lo remató, en 1893, con los altos pináculos de 50 metros, éstos se coronaban con espléndidos motivos vegetales tomados del natural y se poblaban con formas animales.

Este cambio estilístico, viraje de Gaudí desde una concepción arquitectónica que no difería de las del pasado y el naturalismo finisecular, tuvo como origen sus trabajos en el Palacio Güell de la calle Nueva de la Rambla, número 3, que le encargó Eusebio Güell y que empezó a construir en 1885, para terminarlo cuatro años después, aunque su fachada lleve las cifras del año 1888.

ANTONIO GAUDÍ : Desván de las Teresianas

El muro es de un ritmo admirable, excepto en su remate, realmente no solucionado. La planta baja y el entresuelo dan a la calle por ventanales contiguos y ventana columnaria continua respectivamente, bajo el cobijo de la tribuna, que cartelas en perfil de equino — puestas en circulación por Doménech y Vilaseca — soportan. El ritmo de estas aberturas, que fueron proyectadas con polilobuladas zapatas nonatas, es interrumpido por las dos grandes puertas de forma parabólica por las que entra en el arte monumental tan lógica estructura.

ANTONIO GAUDÍ : *Hall* de Bellesguard. 1900

Los rectángulos de los vanos de la tribuna, los estribos que la unen — como cartelas invertidas, por lo alto — al paramento y las aberturas superiores, forman un ritmo verticalizado simplicísimo, que diluyen, en el remate, las aplastadas almenas.

Los detalles en hierro forjado son elementos esenciales de esta fachada y casi su única decoración. Forman los tímpanos de las puertas parabólicas sinuosos hierros que superan al más atrevido *coup de fouet* y terminan, en las jambas, como cabezas de serpiente. Las rejas de los portales fueron las primeras. En la enjuta común se abre, lo mismo que en los puentes sasánidas, una ventana cerrada por reja cilíndrica como en la *Casa de las conchas,* que se decora con las barras catalanas y una original cimera con dragón. Rejas de hierro torso y contracurvas conopiales cierran los vanos con la vidriería policroma de la tribuna. Los metales de los balcones altos adoptan formas de cestería.

En el ancho vestíbulo Gaudí ensayó un orden columnario muy lógico, con capiteles de forma cónica, derivados del lotiforme egipcio, con la particularidad de que el arquitrabe cae a plomo del fuste y el bulbo penetra en su forma paralelepipédica por los costados.

Una escalera entre columnitas lucientes de mármol de Garraf conduce al *hall* superior, recinto de muros marmóreos flanqueado por escaleras y tribunas de tracería metálica en el que unas trompas de ángulo mitrales sostienen el avance del techo que constituye el suelo de una galería superior, tambor de la alta cúpula que ilumina cenitalmente la estancia bajo la cónica aguja. El tema del tornapuntas domina en los fastuosos salones con artesonado, dando perfil mitral a los vanos y seccionando los recuadros decorativos de muros y canceles. Los ventanales de las tribunas ven tamizada su luz, como en la Alhambra o en Santa Sofía, por canceles de columnas que, en este caso, sostienen dinteles y arcos parabólicos en piedra pulimentada. En los vitrales domina la hoja de loto hindú cultivada por Vilaseca. La carpintería, con juegos de listones que se cortan en ángulo recto, tiene sabor japonizante.

Son notables los artesonados mixtos, de hierro y madera, con una estructura reticular pendiente de floreos torsos, ornada con pinjantes de base estrellada o con jácenas y viguetas colocadas por arista, según una fórmula que empleó también Falqués en la Ciudadela.

Algunas puertas de madera ornan sus paneles con placas de metal abolladas, con incisiones que producen el efecto de hierbas y flores. También la arquitectura pétrea, sin adornos propios, los pide prestados al hierro, convertido en sinuosidades florales en los triforios de las cámaras íntimas.

Las agujas y chimeneas, de formas cónicas, se recubren con mosaico cerámico.

Mientras duraban las obras, y para el mismo Eusebio Güell, Gaudí realizó la puerta, la portería y la cochera de su finca de Las Corts en la actual Avenida de Pedralbes (1887), en ladrillos de tono distinto y tapial recubierto con imbricaciones en relieve de cemento.

En estas construcciones el falso arco mitral de la casa Vicens, obtenido por hiladas sucesivamente avanzadas, se transforma y adquiere un perfil parabólico que se adapta, como los caballos de la cooperativa mataronense, a la curva de presiones. La enorme puerta de hierro forjado toma la forma de un dragón construído por gruesos alambres en solenoide. En la chimenea y en la cúpula de la cochera hace aparición lo que se llama mosaico árabe, formado con *trencadís* o trozos de baldosa barnizada de color, junto con elementos de alicatado, en un dibujo precozmente cubista análogo a las formas que dominarán en la Exposición de Artes Decorativas, de París, de 1925.

En la misma época recibió el encargo del Palacio Episcopal de Astorga — que debía terminar en 1893 — de parte del obispo de esta ciudad Juan Bautista Grau Vallespinós, nacido en Reus, como Gaudí.

El carácter de este palacio sólo difiere del de Güell en que algunos de los ventanales acentúan su verticalidad y en que la mole debía coronarse con altos tejados y chapiteles con buhardas. Concebido a cuatro vientos, consta de un cuerpo cuadrado con torres angulares, a la manera de Chambord, cruzado por una gran nave que asoma con ventanales de silueta gótica y en la que se albergan, en la parte anterior el Salón del Trono, en el centro el Vestíbulo, y en la parte posterior la capilla con su ábside de capillas radiales.

Si el exterior es pétreo, acastillado, y con su escueta estilización del gótico, sin ornamentos, da la pauta que seguirá Doménech y Montaner en la casa Fuster, en el interior el uso del ladrillo para los arcos apuntados con fuerte peralte, que descansan en columnas, introduce un eco de la arquitectura siciliana que ya se hallaba en el Restaurante del Parque, de Doménech.

El desprecio del nuevo obispo, Julián de Diego y García Alcolea, por el arte vivo, hizo terminar el edificio, de una manera desgraciada, por el arquitecto Luis de Guereta (1905-1907).

Hija del palacio de Astorga fué la gran casa que le encargó para la plaza de San Marcelo, de León, la familia Fernández-Arbós, llamada comúnmente Casa de los Botines (1892-1894).

De planta cuadrangular, con torrecillas de ángulo, está rodeada de un foso que permite iluminar bien los sótanos. La fachada, rematada por los agudos gabletes de las buhardas y los chapiteles angulares, es de aparejo rústico, se divide en zonas mediante impostas en forma de guardapolvo gótico y moldura sus ventanales simples, bíforos, tríforos o tetráforos, con sencillos angrelados abocinados

También construyó por los mismos años (1889-1894) el colegio de Santa Teresa de Jesús en la barcelonesa calle Ganduixer, número 41, que le encargó Enrique de Ossó.

En mampuesto y ladrillo aparente, el Colegio de las Teresianas traduce a estos materiales las formas de uno de los primeros proyectos, más verticalizados que el definitivo, del Palacio Güell. La parte baja, simple, tiene el solo ornamento de unas pobres verdugadas. Su juego es puro ritmo, como el de El Escorial. El coronamiento, en cambio, es un friso de arcos mitrales ciegos simples y arcos de doble archivolta, con ventana, bajo agudos gabletes que se repiten como almenas. En los bajos, inclusos en arrabá, se alojan falsos arcos parabólicos, como los de las Corts, cerrados por torsas y erizadas rejas ornadas con latiguillos. En el interior tienen sabor especial los pasillos de los pisos altos, bosques de pilares delgados de tochos únicos, superpuestos, sosteniendo afilados arcos parabólicos, casi mitrales, con arrabá.

ANTONIO GAUDÍ: Mercado del Parque Güell

En 1891 emprendió la renovación a fondo de la Sagrada Familia con el proyecto de la fachada del Nacimiento, que mira a Oriente.

Gaudí, que era naturalista y tenía en su biblioteca los libros del profesor Kneip [293], realizó en esta fachada la apoteosis de su naturalismo plástico.

Antes de empezarla se discutió la conveniencia de elevar el templo por zonas horizontales o por fajas verticales. Gaudí impuso el segundo criterio, con la finalidad de dejar algo hecho completamente, por una parte, y por otra con la de no atar a sus futuros continuadores, motivo, asimismo, por el cual se resistió mucho a realizar maquetas y planos de la totalidad de su proyecto.

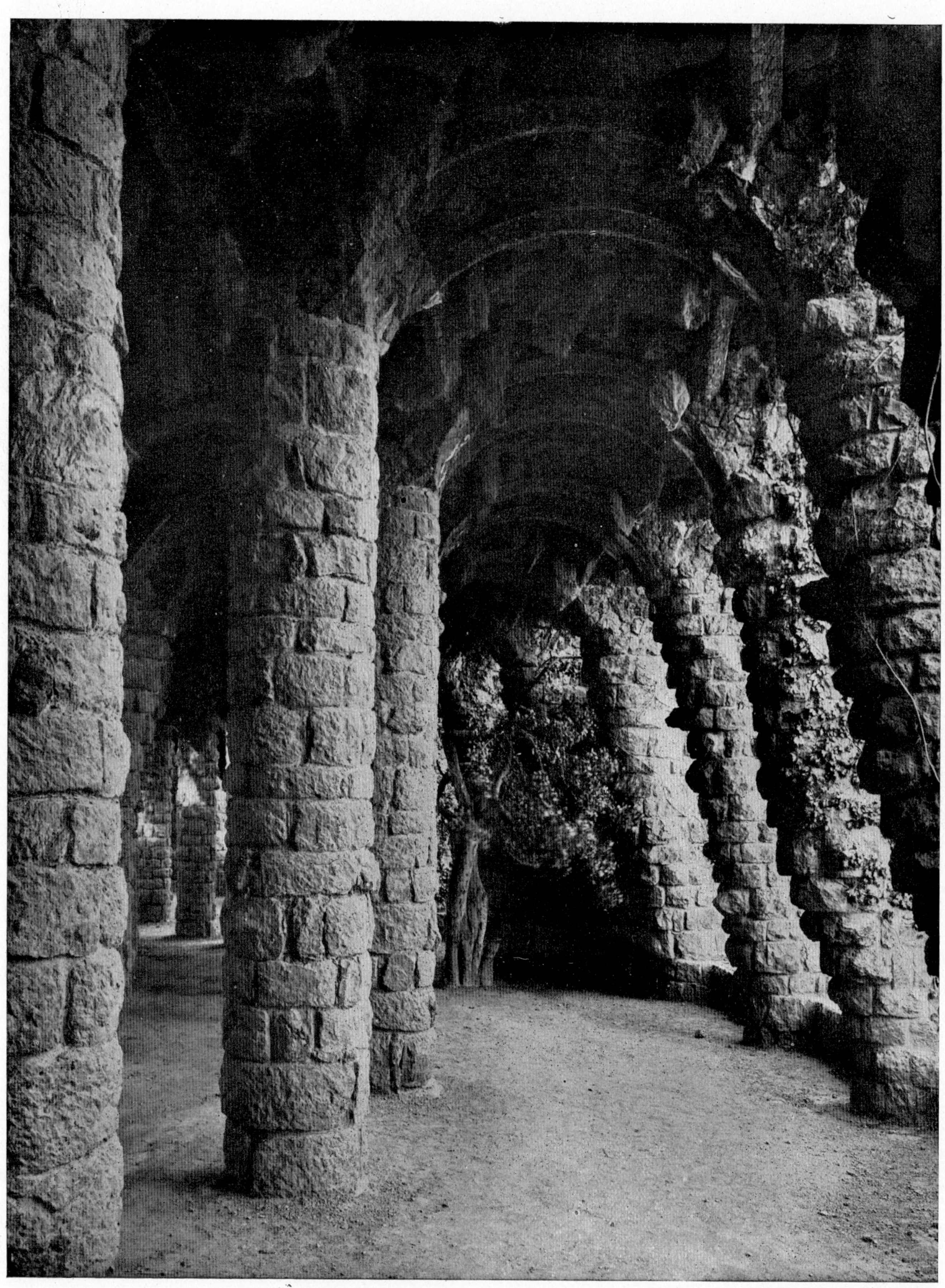

Antonio Gaudí : Bóvedas de un puente del Parque Güell

Antonio Gaudí: Interior de la iglesia de la Colonia Güell en Santa Coloma de Cervelló

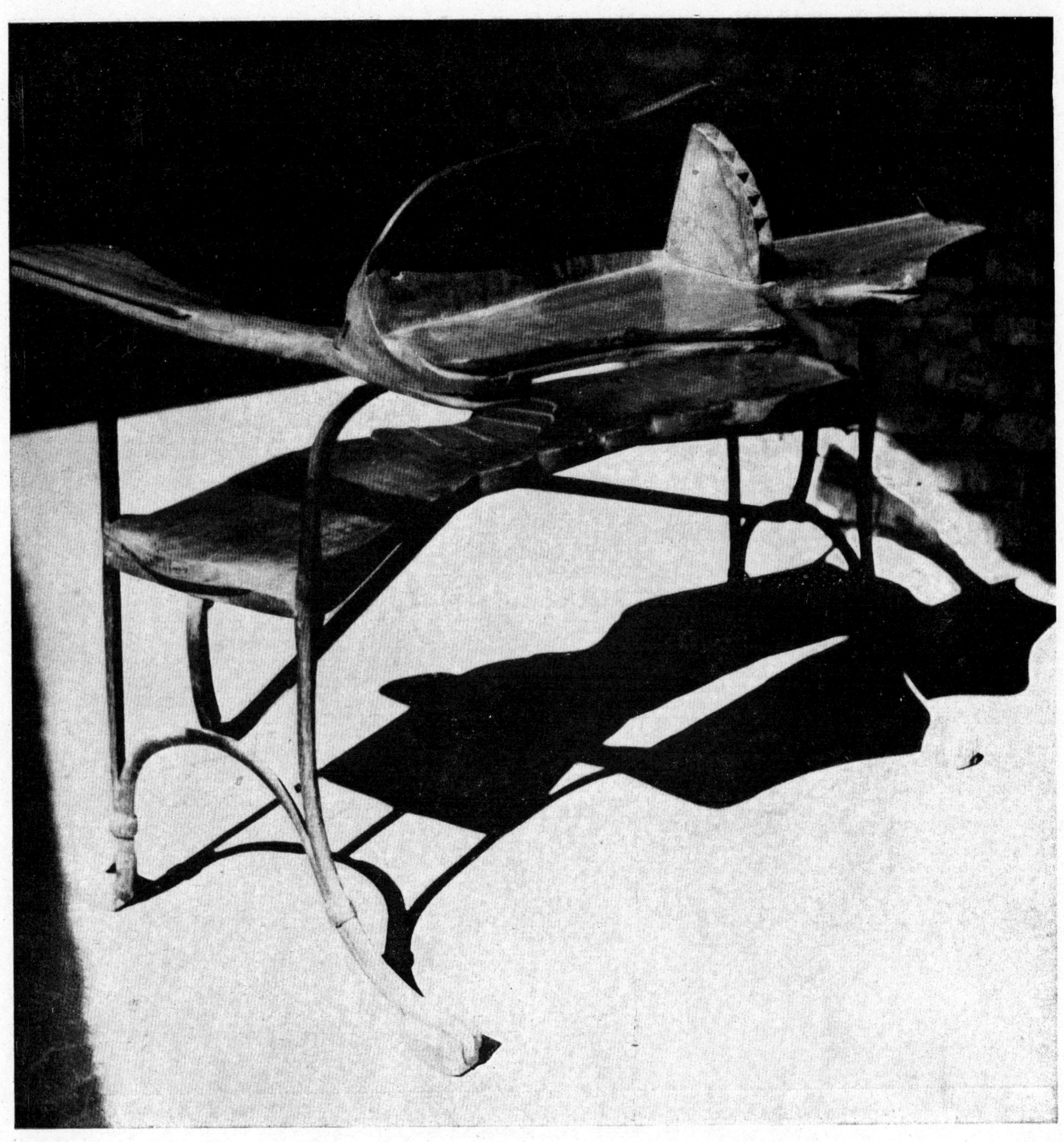

ANTONIO GAUDÍ: Banco de la iglesia de la Colonia Güell

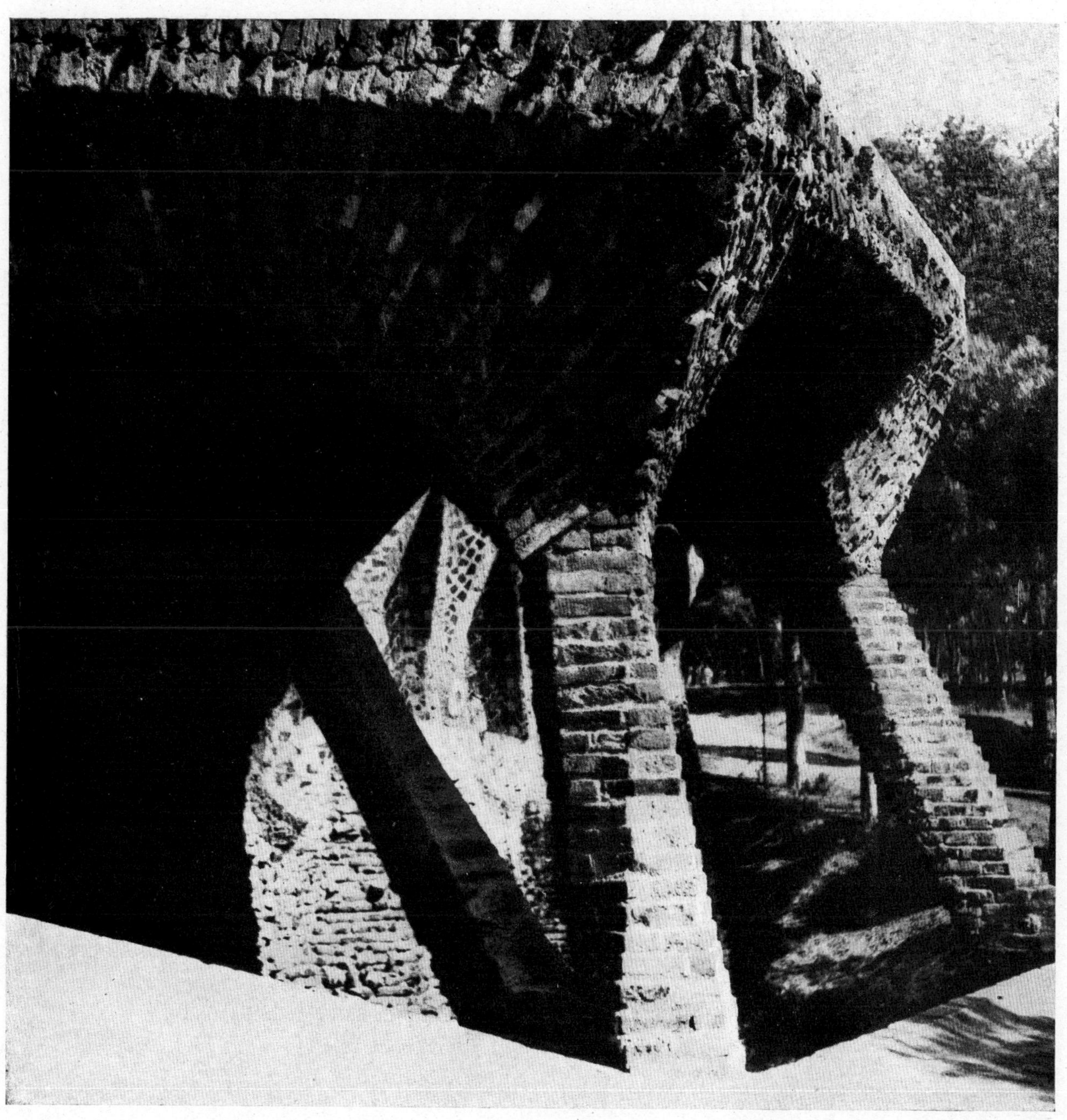

Antonio Gaudí: Exterior de la iglesia de la Colonia Güell en Santa Coloma de Cervelló

ANTONIO GAUDÍ, en colaboración con MANI:
Peana de la portada del Nacimiento, del Templo de la Sagrada Familia

Las tres grandes portadas previstas debían dedicarse al Nacimiento, a la Pasión y a la Gloria. La primera [294] está constituída por cuatro campanarios de planta cuadrada que se penetran dos a dos situados con las caras a 45° respecto al plano de fachada y que a un cuarto de su altura se transforman en cilíndricos, para después tomar un perfil ligeramente curvo, como la envolvente de un ciprés. En los anchos canales sombríos que quedan entre las torres se alojan los gabletes de las puertas, profundamente excavadas. Columnas helicoidales apoyadas en tortugas separan las puertas y tienen por capiteles a nubes y palmas cargadas de dátiles, que soportan las figuras de los ángeles trompeteros. Reyes Magos, pastores y ángeles músicos se alojan en las cavidades de la archivolta pobladas de flora y fauna. La puerta de la izquierda, conmemorativa de la huída a Egipto, se decora con flora acuática y animales también acuáticos, y la de la derecha, con Jesús niño trabajando en el taller de carpintero, se decora — alrededor de un corazón rodeado de espinas, flores y abejas — con racimos, lirios y virutas.

Sería inacabable citar todos los temas del complicado simbolismo de estas puertas, también llamadas de la Fe, la Esperanza y la Caridad, que coronan una gran roca de Montserrat y un ciprés de mosaico vidriado poblado de palomas de alabastro. El más importante detalle de su decorado es el Zodíaco, en el que un relieve casi imperceptible, nebuloso, es como la transparencia de los volúmenes realistas de los seres que dan nombre a los Signos, un carnero, un toro, dos gemelos, etc., encima de los cuales centellean los agudos vértices de unas estrellas que brotan atrevidamente de la masa.

Los campanarios, calados en forma de persianas, terminan con prismas triangulares de caras accidentadas por facetas poliédricas, todo ello revestido de mosaicos que coronan formas mitrales con cruces doradas destinadas a albergar reflectores.

Estas torres, que llegan, las laterales, a los 98,40 metros y a 107 las centrales, tardaron muchos años en terminarse. Gaudí sólo pudo ver, muy poco antes de su muerte, el final de la dedicada a San Bernabé.

Según los proyectos que posteriormente fué realizando, la Sagrada Familia debe tener 95 metros de longitud y 60 de crucero, con nave central de 15 metros de luz y laterales de 7,5. A Poniente (S. O.), una fachada de cuatro torres, gemelas de las de la puerta de la Natividad, debe dedicarse a la Pasión. Sus formas, solamente croquizadas por el arquitecto, deben ser las de un enorme pórtico columnario tríforo, de apoyos oblicuos, coronados por una galería de doble rampante. Una tercera puerta, de cara al Sur (S. E.), debía dedicarse a la Gloria. Sólo se conoce la intención de apoyar sus numerosas torrecillas en pilares centrales y su coronación con cuatro torres que, con las de las otras puertas, formarían el conjunto consagrado al apostolado, que había de rodear al gran cimborio central, cerrado a los 170 metros de altura y dedicado a Jesucristo.

Las naves, de 45 metros de altura la central y 30 las laterales, no tendrían apoyos exteriores. Sin contrafuertes, sus cargas se dirigirían al suelo por el seno de las columnas inclinadas [295]. Estas columnas, de las que hizo un modelo, y que en su parte alta deben ramificarse, reúnen la eficiencia plástica del estriado clásico con la forma derivada del crecimiento helicoidal de los árboles, gracias a estar engendradas por el movimiento ascensional y de rotación de dos polígonos de caras parabólicas cóncavas que se intersecan al girar en sentido contrario, para engendrar otras aristas en la intersección de las que ellos determinan y así ir formando secciones de 16, 32 y 64 estrías. Las bóvedas deben ser dobles sistemas de hiperboloides cóncavos y convexos, que se intersecan formando dibujos rectilíneos estrellados, que deberán aparecer trepanados por lucernarios y recubiertos de mosaico. En

GAUDI: Pabellón de entrada del Parque Güell

Carlos Mani y Antonio Gaudí: Detalle escultórico de la puerta del Rosario de la Sagrada Familia

GAUDÍ: Chimeneas de la casa Batlló. 1905

vez de muros, las naves se rodearán con inmensos vitrales policromos.

En la iglesia de la Colonia Güell, en Santa Coloma de Cervelló (1898) y en el proyecto para las Misiones Franciscanas, de Tánger (1892), ensayó las formas fundamentales de lo que debía ser arquitectónicamente la Sagrada Familia, como sistematización de la forma en sistemas de paraboloides hiperbólicos [296], superficies en las que veía el símbolo de la Trinidad, por ser engendradas por una recta infinita que resbala, uniéndolas, sobre dos otras rectas también infinitas.

El helizoide de las columnas fué una derivación de aquella forma que, en un principio, debía ser la única. Igualmente en las bóvedas el paraboloide fué substituído por el hiperboloide recto u oblicuo. Los muros acristalados deben ser asimismo hiperboloides alabeados. Solamente reina hoy el paraboloide en las grandes torres que coronan y deben coronar el templo.

La molduración de todos los ventanales representa la evolución del abocinado angrelado de León, que se ha convertido, en las maquetas, en complicadas intersecciones de hiperboloides.

Los juegos geométricos difíciles hallan su campo en las proyectadas sacristías cupulares dodecagonales, de 18 metros de diámetro, con cubierta paraboloide elíptica cobijada exteriormente por galerías de columnas inclinadas que sostienen la doble cubierta.

En 1900 emprendió Gaudí dos obras muy originales en las afueras de Barcelona. Para Jaime Figueras, la casa de Bellesguard, en la Bonanova, en el emplazamiento del antiguo palacio del rey Martín.

En mampuesto aparente logra dar calidad de apariencia preciosa a los marcos de los ventanales, de eco gótico, homenaje al recuerdo del palacio desaparecido, que se fabricaron, como sus finas columnitas, a base de un conglomerado de piedrecitas unidas con cemento, como un mosaico en relieve de humildes piedras sin pulimentar. Alta cubierta abuhardada del mismo aparejo de los muros, formada realmente por muros inclinados, brota detrás de las almenas, coronada por el vértice cónico que la cruz de seis brazos preside. En su interior — simple, blanco — las formas biológicas — fundidas, alabeadas — de los arcos se apoyan en los cilindros columnarios con perfiles de capitel cúbico o cónico.

El recubrimiento de escayola no esconde la sabia estructura de bóvedas con costillaje de arcos tabicados, ni la de aquéllas, casi planas, que se contrarrestan con torcidos tirantes de fleje.

El Parque Güell, en la Montaña Pelada, fué empezado para Eusebio Güell en 1900 y terminado en 1914. Es un jardín de cinco hectáreas, emplazado en la antigua finca Montaner, del que se quería hacer la base de una Ciudad Jardín.

Una muralla de mampuesto, decorada con grandes rodelas de mosaicos cerámico en las que las letras PARK GÜELL se contornean sinuosamente hasta recordar aquellas rodelas de letras árabes que los turcos colocaron en Santa Sofía, rodea el recinto y le da cierta defensa. La entrada tiene dos pabellones que la flanquean y que representan uno de los momentos a la vez más ricos y puros de la plástica de Gaudí.

Sus alabeados muros fueron concebidos en obra concertada con aberturas formadas por cuadrángulos curvilíneos rodeados de mosaico y partidos, en algún caso, por maineles del mismo material policromo. Las caras mayores, de curvatura más suave, son en cierto modo los hastiales y se coronan con gabletes polilobulados; las menores, de curvatura más ceñida, tienen un remate casi horizontal.

A guisa de poderosísima cornisa pende sobre estas líneas finales una turgente faja, de forma espinosa, recubierta de mosaico y con pequeñas estalactitas pendientes, que en las partes horizontales se prolongan en las almenas de unas pequeñas terrazas. Los gabletes, inclinados en falso, de las puertas de

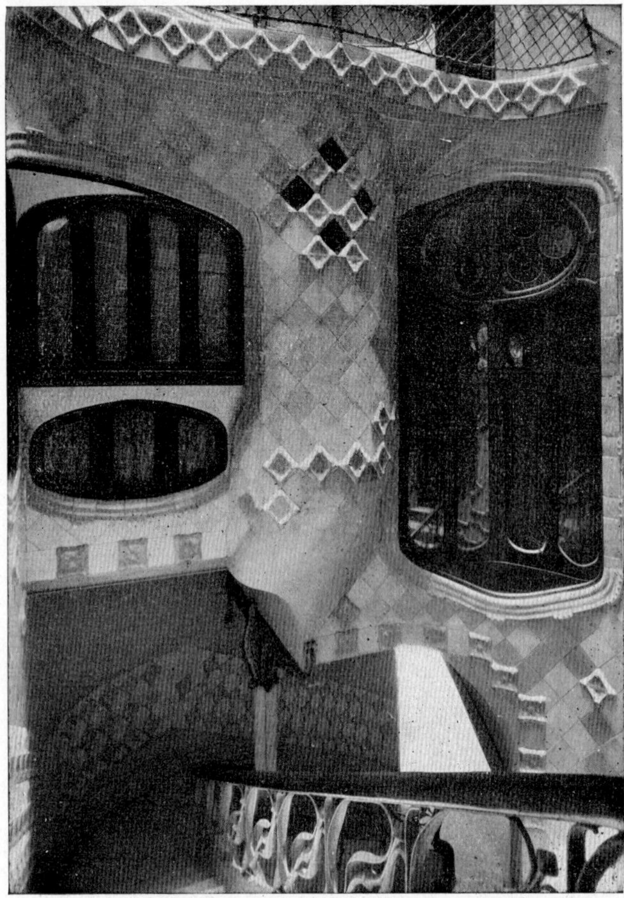

Gaudí : Escalera de la casa Batlló

acceso a estas terrazas, forman, con los de los hastiales, los apoyos de las pechinas triangulares que pasan insensiblemente a formar la base de la cubierta piramidal, enteramente musiva, en que remata el edificio, truncada y almenada en la cumbre, alrededor de una chimenea bulbosa almendrada. Uno de los pabellones es flanqueado por aguda torre de mosaico cuyo relieve de rombos horizontales recuerda el de los troncos de palmera. Hierros torsos elevan en el aire su cruz final.

Estos pabellones dan acceso a la escalinata que conduce al mercado y, contorneándolo, a la gran plaza superior, abierta sobre su columnata. La escalinata, flanqueada por las mejores policromías cerámicas adaptadas al relieve de los almenados muros de contención y centrada por cascadas rupestres y el simbólico grupo del dragón y el escudo de Cataluña, realizados en mosaico árabe, termina en las macizas columnas dóricas de la Sala de Cien Columnas, concebida para mercado, bajo la plaza. Las columnas exteriores se presentan muy inclinadas para indicar el empuje del conjunto. Después de ellas se penetra en un bosque dórico, coronado por alabeado techo con suaves cupulines aplastados entre los nervios que hacen de arquitrabe, todo ello recubierto de mosaico blanco. Allí donde por caprichoso azar faltan columnas, centellean las ricas policromías de los medallones de mosaico veneciano de Jujol.

El entablamento dórico se quiebra, en el exterior, para constituir a modo de unos arcos poligonales situados en sentido horizontal, que transmiten a las columnas inclinadas el empuje del enorme techo abovedado. Su planta de perfil angrelado sirve de apoyo a los bancos musivos que rodean la plaza.

El resto del parque (que quedó inhabitado si se exceptúa la casa que construyó Berenguer para el propio Gaudí) sólo tiene como obras arquitectónicas los importantes aparejos de contención y los puentes. De los primeros hay muros de planta angrelada que son a modo de una aplicación vertical del sistema de vigas y bovedillas ; pero la mayoría adoptan la forma de pórticos de aparejo rústico, con las columnas inclinadas unidas con el muro por medio de bóvedas, que unas veces son de piedras sin desbastar, aprisionadas entre arcos diafragma, que penden como estalactitas ; otras veces bóvedas triangulares entre arcos poligonales ; otras, suaves consecuencias de la expansión del sistema helicoidal de las columnas ; otras, simples bóvedas seguidas de perfil puramente mecánico, etc. En algunos casos las columnas se bifurcan para sustentar a la vez la bóveda y las enormes macetas. Estas últimas se sostienen en el aire, asimismo, formadas por piedras sin tocar, encima de bloques erectos, en el coronamiento de los fantásticos puentes que han inspirado las imágenes ambiguas de Dalí.

Contemporánea de los comienzos del Parque Güell fué la casa Calvet (1891-1900), premiada por el Ayuntamiento, que en rigor debe tomarse como una etapa intermedia entre su arquitectura anterior y la del Parque Güell. En ella Gaudí abandona definitivamente el goticismo, que todavía aleteaba en la portada del Nacimiento, y utiliza, para salirse de su círculo, ciertas sugerencias del barroquismo. Nada más lógico para quien no era la línea sino el volumen el valor esencial y para quien eran dignos de lástima los pueblos del interior, que tienen «*un solo ojo*» y no perciben el relieve, y admirables los pueblos mediterráneos, de esencia escultórica.

La columna salomónica, prodigada en las escaleras, los gabletes mixtilíneos, que presiden la fachada, los balcones de planta lobulada, las columnas de nudos, el aparejo almohadillado, ciertas molduras recortadas que sirven de zapata seudojónica en las columnas de la tribuna y del zaguán parecen remedar modos barrocos, aunque triunfen, en definitiva, las formas plásticas libremente alabeadas. Se ha insistido mucho en este barroquismo y quizá ha pasado inadvertida la inclinación greco-arcaica de los grandes capiteles jónicos y los adornos metálicos con volutas simétricas, como el del techo del ascensor, que parece una égida de Palas y debe considerarse como eco de la profunda fe mediterraneísta de nuestro arquitecto.

La cerca de la casa de Hermenegildo Miralles, en las Corts (1901-1902), fué el triunfo de una arquitectura de forma viva, desligada ya del geometrismo gótico e incluso de la gravedad de la casa Calvet. En ella tuvo su ensayo el sentido plástico del Parque Güell.

En 1905 encargóse de reformar la banal casa de alquiler Batlló, en el número 43 del Paseo de Gracia. Existía una fachada plana con indigentes aberturas rectangulares, pero Gaudí supo forzar la rigidez pobre de lo dado y lograr una obra hondamente emotiva, radiante, de optimista belleza. Suaves columnas turgentes que se funden insensiblemente con el techo forman el planterreno y se albergan bajo la gran tribuna, con cinco protuberancias, que cubre la planta noble, protegida bajo una cornisa formada en piedra, por estructuras inspiradas en las de una plancha metálica cortada y torcida formando rebordes.

Los vanos de perfil curvo y tenso, como bocas abiertas, son partidos por columnas de forma ósea, que terminan en nudos de caña y dejan que las adornen medio fundidos elementos de flora acuática. Balcones de plancha metálica retorcida brillan con sus tonos dorados en el resto de la fachada, que se transformó en una superficie ondulada, acanalada verticalmente, cuajada de mosaicos venecianos con todos los matices de las aguas más profundas y límpidas de una cala de la Costa Brava, como si fuera un brazo de mar puesto de pie, centelleante por los millares de partículas cristalinas y las rodelas de cerámica nacarada que dispuso, con gracia infinita, Jujol. Una cubierta de cerámica, escamosa, como el dorso de un armadillo, cubre la casa acompañada del almenar bulboso y crucial con los nombres de oro de Jesús, José y María y, en la parte posterior, de las libres chimeneas musivas.

Es muy importante el decorado del zaguán y la escalera, con ajedrezados de azulejos blancos y azul muy pálido, planos o en relieve, bóvedas de formas indefinidas, de suave caverna, cubiertas de estuco agrietado, como un *craquelé* de porcelana, alguna viga de hierro aparente, dorado y retorcido, como los pasamanos de las barandas de la escalera, que dibujan formas inspiradas en la sección de una fruta.

Los ventanales interiores de forma completamente irregular, blanda, las puertas suavemente escarzanas, se cierran con carpintería de hoyos contiguos, que sugieren los ojos de un queso de Gruyère, rellenos de cristal «catedral» o de vidrios policromos. El techo de la gran sala forma unos potentes nervios que parten del contorno para arremolinarse en el centro, alrededor de la lámpara.

GAUDÍ : Chimenea de la casa Milá

La fachada posterior, simplicísima, es un juego de las horizontales de los balcones, cerrados con tela metálica y adornados con friso de alegre mosaico floral.

Formas semejantes, pero más libres, por no hallarse sujetas a las alineaciones oficiales, había de tener ya el chalet proyectado para el pintor Luis Graner en el número 40 de la calle Nueva de Santa Eulalia, en la Bonanova (1904), pero Gaudí no pudo llevarlas a sus últimas consecuencias más que en la casa Milá, que empezó a construir en 1905 en el número 92 del Paseo de Gracia, y cuyas obras concluyeron en 1910.

Llamada «La Pedrera» por el pueblo, esta casa responde a una nueva concepción constructiva. No tiene muros interiores y todas sus estructuras de distribución se apoyan en el simple esquema del techo de envigado radial que se apoya en las fachadas y los dos patios poligonales. Lejos, muy lejos ya del goticismo, triunfa en su fachada la expresión de la realidad mecánica de su ser, acusando las poderosas horizontales con verdaderas formas de ceja, bajo las cuales se albergan los ojos, cuadrángulos curvilíneos y romos, de los ventanales. Ninguna moldura, ningún adorno, cohibe la simplicidad de esta concepción plástica que comunica el edificio valores muy emparentados son los del cuerpo humano, excepto el canto del Ave María, que brota de lo alto como base para la proyectada Virgen del Rosal, de Gracia, que modeló Mani y que el propietario no dejó levantar, en 1909, temiendo una nueva Semana Trágica que pudiera perjudicarle. Una mansarda en cemento cubre ahora el conjunto, erizada de las formas caprichosas de las chimeneas, en las que las soluciones mecánicas han conducido, como en la fachada, a escalofriantes similitudes con figuras humanas : cuerpos y rostros.

Puertas metálicas doradas, con oquedades que remedan la piel de cocodrilo, dan acceso a los zaguanes cubiertos de fingido mosaico, de formas cavernosas, que conducen a los patios, de muros policromados con violento sabor japonizante, uno de ellos cruzado por la metálica escalera, puente que enriquecen jardineras y policromía en el mismo carácter vagamente extremo-oriental.

Tienen gran interés los techos interiores, en escayola, que remedan los efectos de un papel caprichosamente recortado, de una playa, de un ondear de aguas marinas, de una concavidad de concha.

Las fantásticas barandas de hierro de los balcones, alguno con piso de vidrio, en forma de torturados flejes que aprisionan turgentes planchas recortadas, son obra de Jujol.

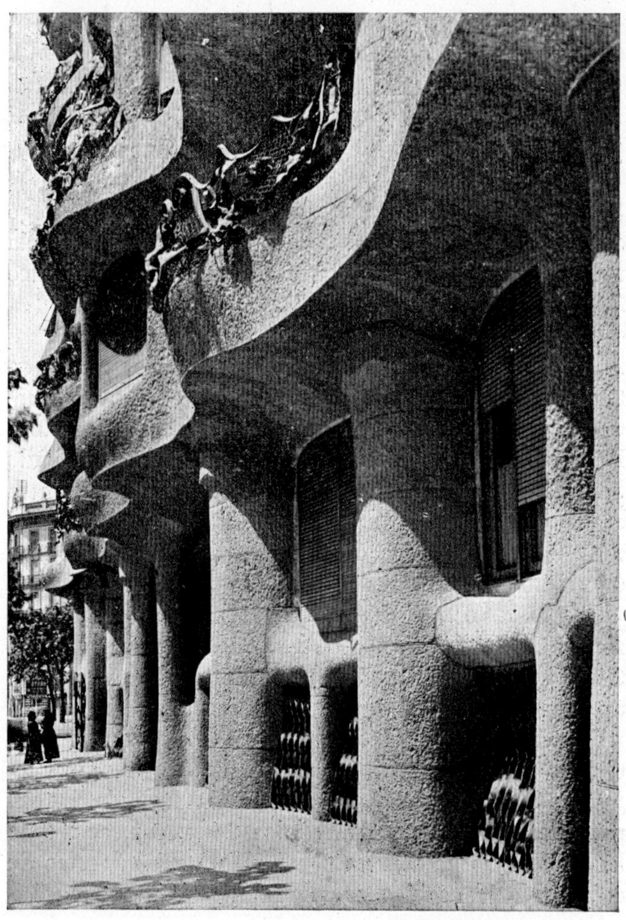

Gaudí : Fachada de la casa Milá

La restauración litúrgica de la catedral de Mallorca (1904-1914) fué un ensayo de las concepciones simbólicas que debía implantar en la Sagrada Familia. Por encargo del obispo Pedro Campins quitó el coro central para disponer su sillería gótica en el ábside, sacó el imponente retablo gótico del lugar en que ocultaba la cátedra episcopal para empotrarlo en un muro lateral y flanqueó el presbiterio en elevadas cantorías y púlpitos antiguos.

Cobijó el altar bajo un baldaquino suspendido por cadenas y rodeado por un enorme lampadario en forma de gran corona inclinada, que forma a modo de una jardinera repleta de cimbreantes espigas. Para los dorsos de los sitiales encargó a Jujol una decoración pictórica que produjo escándalo y fué suspendida, pero de la que queda el impresionante comienzo en las sillas de la izquierda propias de la cátedra episcopal, de un carácter muy semejante al de las posteriores pinturas de un Juan Miró. Para la decoración de los vitrales recurrió a la colaboración de Torres-García, Llongueres y Pascual (1907).

Al llegar a los límites del ambiente modernista, Gaudí se despegó de su época. En 1910 Cataluña ponía proa a su etapa clásico-popularista. Gaudí se salió del ambiente del arte en evolución para encastillarse en la concreción de su obra religiosa, la Sagrada Familia, en la y por la que vivió apartado del mundo que le rodeaba. La construcción, en 1909, de las Escuelas de la Sagrada Familia, alarde de los recursos del *maó de pla* o estructura tabicada en formas alabeadas, fué el adiós de su arte profano. El templo lo absorbió de un modo absoluto desde entonces, y fué la soledad de esta tarea, perdidos los apoyos de aquéllos que vibraron con su ímpetu inicial — un Yxart, un Torras y Bages, un Maragall —, lo que hizo posible que hasta su muerte (ocurrida en el hospital el 10 de junio de 1926 de resultas de haberle atropellado un tranvía el día 7 cuando, al atardecer, se dirigía a la iglesia de San Felipe Neri) pudiese continuar con el espíritu mismo de su juventud, convertido en el espíritu mismo del modernismo, fuera ya de sus fronteras cronológicas.

En su última etapa, no obstante, Gaudí no permaneció impermeable al mundo exterior. En realidad impidió que un proceso de ósmosis produjera una salida del tesoro de su individualidad para diluirse en el ambiente, pero retuvo una fuerte capacidad de absorción, de modo que pudo enriquecer sus posibilidades de realizar lo ideado mediante las novedades aportadas por la técnica. Entre estas innovaciones la más importante fué la que afectó al sistema de columnas y bóvedas.

En el primer proyecto las bóvedas apeadas en

arcos parabólicos muy cerrados debían descansar sobre las columnas, relativamente delgadas, de una manera que recuerda la ensayada en la sala de actos de Astorga. Esta estructura fué más tarde abandonada [297] y en su lugar dispuso la forma ramificada de los apoyos. A partir de la rótula capitel de la columna inclinada, distintas prolongaciones cilíndricas iban a recibir sus distintas cargas, materializando realmente los polígonos de fuerzas actuantes en la región correspondiente de la cubierta. Aparte la cubierta real y protectora del edificio, una segunda cubierta interior, formada por ligeras placas de hormigón armado, apoyadas en los centros de gravedad de las ramas superiores del árbol columnario, debía recibir la decoración musiva. Debían estar formadas por superficies regladas, a fin de facilitar el encofrado de madera, pero alabeadas, que con sus intersecciones estrelladas estaban destinadas a suscitar un gran efecto plástico y lumínico.

Como si se presintiera el paso entre la zona histórica de la inmensa caja de resonancia que era la Barcelona anterior a 1910 y la zona histórica del enfriamiento hacia el período creador que esta fecha cerraba, Gaudí tuvo su apoteosis en aquella fecha cuando se abrió en París la exposición de los modelos, fotografías y proyectos de sus obras, en la *Société Nationale des Beaux-Arts* [298], organizada por el ex ministro Hanotaux, el pintor Bonche y el escritor Marius Ary-Leblond. En *Le Petit Parisien* se habló de un «modernismo extraordinario» de un «raro mérito». Henri Bidou [299] citó a Gaudí como «el único creador de líneas y de formas de nuestro tiempo» ; Toucas Massillon [300] se maravillaba al observar cómo la multitud acudía a contemplar estas obras que Pierre Hepp [301] consideraba hijas del más «potente manipulador de materiales». Fueron realmente el *clou* de la exposición de Bellas Artes [302]. Para Ary-Leblond [303] se reveló la arquitectura de Gaudí como «una liberación del gótico, que al mismo tiempo integra, en un país medio marítimo, medio continental, toda la riqueza panteísta de la sensibilidad moderna para la Naturaleza», juicio con el que Gaudí no habría estado muy conforme, pero que no por ello dejaba de ser muy certero, pues el arquitecto, no por su fe, estaba exento del influjo del tipo de poesía latente en el ambiente de su época.

En definitiva, por grande que haya sido su aportación al acervo de las innovaciones técnicas y decorativas, lo mayor, en su obra, es la definición de originalidad como vuelta al origen, lo que le permitió realizar, en «La Pedrera», «la gracia de retornar a la arquitectura primitiva — la caverna — con todos los adelantos de la moderna», según dice Pujols [304], para quien Gaudí trabaja para buscar y encontrar la vida, «como si hundiese las manos y los puños de lleno en el corazón del ánima estética para exprimirle las entrañas y hacerle fluir el jugo de la vida».

Tenía sobrada razón Maragall cuando decía que Gaudí trabajaba «fuera del tiempo», en la región de lo eterno, sin cronología.

Jerónimo Martorell escribía : «Es un genio, es preciso seguirle» ; pero ¿quién ha podido seguirle si no es a gran distancia y exponiéndose a todos los efectos del amaneramiento?

Juan Rubió. — De los ayudantes de Gaudí, Juan Rubió Bellver — nacido, como su maestro , en Reus, en 1878 — conquistó fama en 1902, cuando en el concurso del Ayuntamiento de Barcelona se concedió una mención a la casa que levantara para Macario Golferichs en el número 111 de la calle de las Cortes, esquina a la de Viladomat.

Es un edificio de fachada movida, con entrantes y salientes, que contrapone a la piedra concertada la molduración de cerámica granate con que se perfilan los ventanales de ajimez, de abolengo goticista. Las proporciones son las clásicas de las fachadas señoriales catalanas del siglo XV, cuyos aleros parecen recordarse en la silueta de los que, en complicado juego de madera y cerámica, sombrean sus fachadas. Zócalos cerámicos, balcones de madera y esgrafiados completan el carácter rusticizante de la obra.

GAUDÍ : Chimeneas de la casa Milá

El aparejo concertado fué muy corriente en sus obras. En ésta es un evidente mimetismo respecto a la casa Figueras, de Bellesguard, que Gaudí empezó a construir en 1900 y que tiene una evidentísima semejanza estilística con la de Rubió.

Convertido a una rusticidad exagerada, este aparejo casi determina el carácter de una obra de grandes vuelos en la que no estuvo Rubió bien orientado y cedió a solicitaciones románticas que le desviaron; la enorme casa de *Fi-Vallés,* en Sant Feliu de Codines, propiedad de Emilio y Antonio Trinxet, construída con aparejo muy rústico, complicada con toda clase de sugestiones pintorescas, entre el castillo medieval y el *cottage* británico, erizada de torrecillas y chimeneas, con un inútil pórtico de piedras casi sin desbastar, cubierto por una crucería de ojivas sin plementos. En el interior abundan los motivos a lo Gallissá, desproporcionados, en los que columnas pétreas, arcos de ladrillo y revestimientos cerámicos juegan caprichosamente.

Contra la falsedad arquitectónica de muchas de las fachadas modernistas, encerradas en el puro interés decorativo, Juan Rubió y Bellver ha dejado una obra de interés constructivo en la fachada de la casa de Isabel Pomar, construída en 1904 en el número 86 de la calle de Gerona. Los únicos artificios son el estuco simulando obra vista del cuerpo medio, y la piedra artificial que forma un gran ventanal de líneas góticas, reducido a formas redondeadas como los del ábside de la Sagrada Familia (terminado en 1893), que se aloja en el agudo gablete de un hastial de pendientes nórdicas.

El planterreno, de piedra natural, tiene como parteluz una columna en forma de caña, con nudos, y cada tramo estriado helicoidalmente, lo mismo que las de Gaudí que separan los portales en la Portada del Nacimiento. Su capitel, en forma de trompa festoneada, no difiere de los de la casa Milá, entonces en curso de construcción.

Lo más interesante de esta fachada es la tribuna, que se levanta encima del planterreno. Una viga de hierro, ligeramente inclinada hacia lo alto, avanza en un plano perpendicular a la calle, llevando, como ramas secundarias de una rama de abeto, tres vigas hacia cada lado, también inclinadas hacia arriba. Esta estructura soporta unas bovedillas inclinadas de cerámica vidriada verde con relieves figurando ramos de naranjo cargados de fruto. Un pequeño parapeto cerámico amarillo y verde con relieves forma el antepecho. Columnas de hierro torso llevan el techo superior de la tribuna a través de arquitos trilobulados, de lóbulo central muy angosto, formados con hierro rellenado con piezas cerámicas del mismo vidriado verde.

Las restantes aberturas de la fachada comportan balcones que, como los de Gallissá, se apoyan en bovedillas cerámicas, que en este caso están formadas cada una de ellas por cuatro piezas con sendas hojas en relieve y una flor central en mayólica verde. Las barandillas son simples, rítmicos juegos de volutas superpuestas.

En Sarriá existen dos torres de Rubió de gran interés. Una de ellas es la casa Ripol, en el Paseo de la Bonanova, construída en ladrillos esmaltados de distintos colores, con policromo tejado, provista de una deliciosa verja flexible de cadenas, y otra torre, cerca del edificio de la Compañía de Jesús, con las fachadas de estuco y cerámica rosa formando un arabesco uniforme, geométrico, con una terminación en angostas hornacinas alargadas de ladrillo, semejante a la que dispuso Gaudí en las Teresianas (1889-1894), bajo la sombra del enorme alero de un tejado a cuatro vientos con cada una de sus vertientes partida en dos, como si la casa fuese formada por cuatro hastiales. La corona una torre, decorada de manera semejante, de muros inclinados, con una cruz metálica de seis brazos, calada, en la cúspide.

En conjunto puede juzgarse a Rubió como un seguidor muy fiel de Gaudí, que supo emplear los recursos del vocabulario estilístico del maestro de un modo natural, como si salieran espontáneamente de su concepción. Solamente que cuando dejaba de la mano a Gaudí podía perderse, llevado por una fantasía desorbitada.

Con ideas de Gaudí, Rubió proyectó, con la colaboración del escultor Gaspar Reynés, el rosario monumental del santuario de Lluch, en Mallorca. Colaboró directamente con Gaudí en la Sagrada Familia y en la restauración de la catedral de Mallorca.

Una obra suya que escapa al influjo directo gaudiniano es el curioso Sanatorio del Tibidabo, con sus numerosas cúpulas cónicas contrarrestadas con anillos de hierro colocados en el enrase.

Rubió fué un arqueólogo que publicó, en 1910, una monografía sobre la catedral de Palma de Mallorca, y un teorizador de la arquitectura, que concibió un ideal de «síntesis arquitectónica» [305] basado en la eliminación de adherencias y en la sujeción a la ciencia mecánica como primer problema, y como segundo problema el de la plasticidad.

Francisco Berenguer. — Francisco Berenguer fué el colaborador constante de Gaudí en los trabajos de la Sagrada Familia. Era un arquitecto, aunque no tuviese el título oficial de esta profesión, y trabajaba todas las mañanas por su cuenta o en colaboración con el arquitecto Pascual, y todas las tardes en la Sagrada Familia. Obras suyas son la iglesia y convento de San José de la Montaña, en piedra concertada, de cierta vulgaridad; ciertas casas de modernismo tímido, por lo comedido, como las de la Rambla de Cataluña números 92 y 94 y la de Mayor de Gracia número 13, hoy desfigurada por una fa-

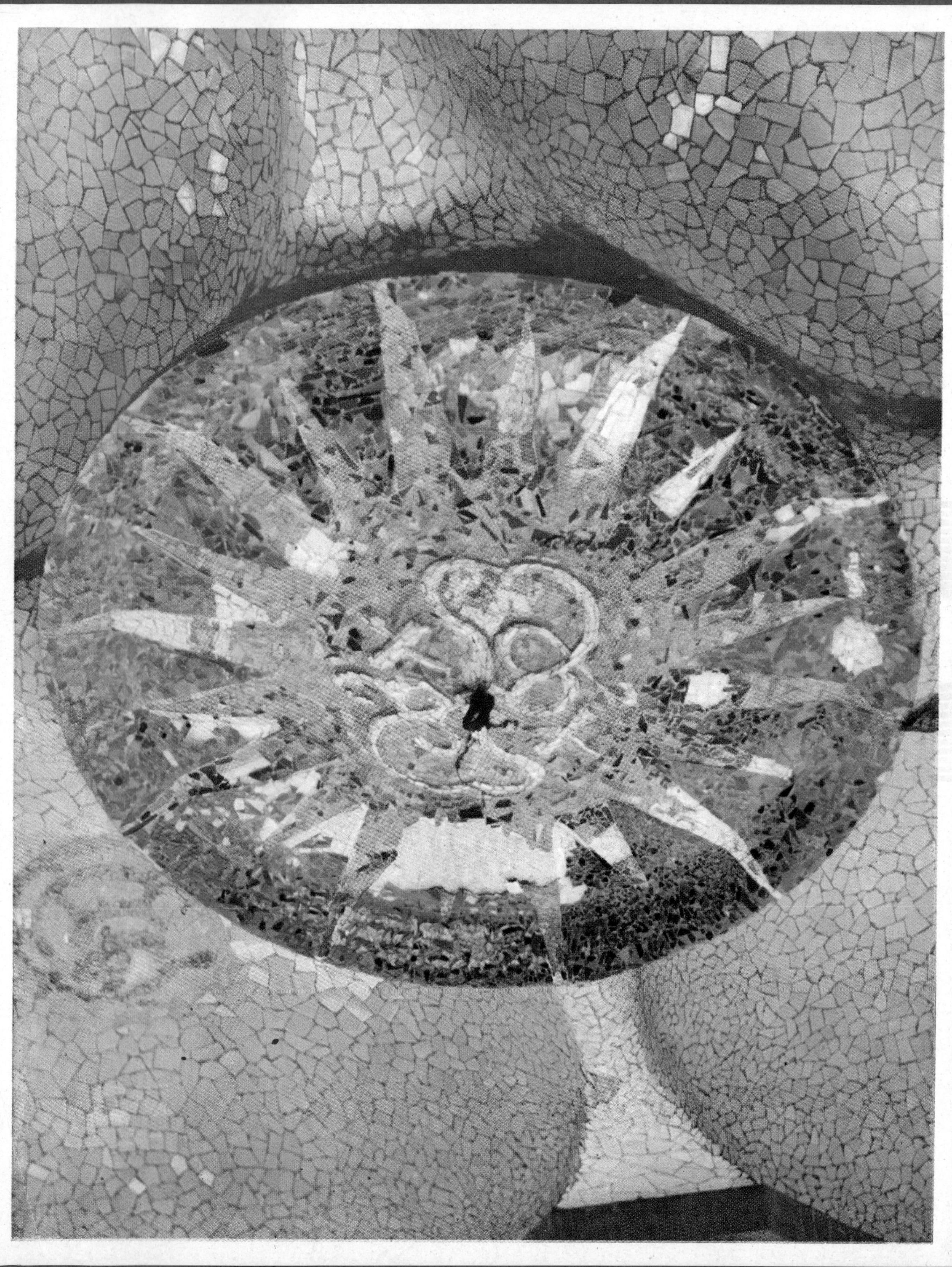

Gaudí y Jujol. — Medallón en mosaico de vidrio y cerámica en el techo de la Sala de Columnas del Parque Güell

chada reciente de piedra artificial, y unos pisos añadidos.

En el número 15 de la misma calle se conserva una fachada con adorno de volutas en relieve y unos palmones pétreos gaudinianos en la parte alta. En el número 77, una casa del año 1905, con balcones sobre bovedillas recubiertas de mosaico cerámico, de planta ondulante, motivos de voluta en las claves, semejantes a los techos de la casa Milá, y en los esgrafiados, adoptando formas de tentáculo de pulpo y con gabletes decorados con fajas horizontales, a lo Vilaseca, de azulejos. El mismo carácter tiene la casa del número 237 de la calle Mayor de Gracia.

Muy diferente de este estilo, relacionado con el de la casa Calvet, es el de sus obras de sabor medieval, como la casa núm. 44 de la calle del Oro, frente a la graciense Plaza de la Virreina, coronada por agudos gabletes de ladrillo con aberturas aspilleradas, decorada con sonrosados esgrafiados con formas de pulpo y con los balcones de bovedilla musiva.

Francisco Berenguer: Bodegas Güell, en Garraf

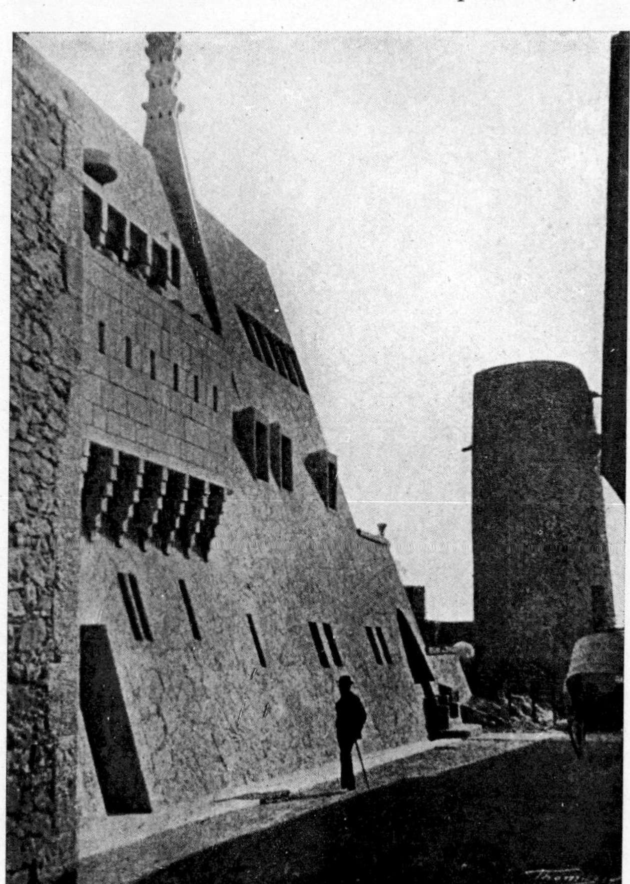

Francisco Berenguer: Bodegas Güell

Semejante, pero acentuadamente austero, es el Centro Moral Instructivo de Gracia, en ladrillo y aparejo concertado, con falsos arcos mitrales latericios, en el número 9 de la calle de Ros de Olano.

Su carácter primitivo se acentúa en el arcaísmo extraordinario de la rectoría de la parroquia de San Juan, con sus impostas angreladas, sus minúsculas ventanas aspilleradas en piedra, sus placas caladas y su aparejo con verdugada. Construyó también la casita con esgrafiados en que vivía Gaudí en el Parque Güell.

Interesante es, asimismo, una casa de la Colonia Güell, en Santa Coloma de Cervelló, con decorativos calados de ladrillo en la fachada del desván, bajo el alero apeado en alargadas cartelas, y particularmente la construcción de las bodegas Güell en Garraf, atrevida obra en mampuesto y piedra concertada gris claro, con elementos accesorios en ladrillo.

La construcción principal no tiene otras fachadas que los hastiales. Los muros laterales, inclinados hasta encontrarse en lo alto, son al mismo tiempo una cubierta en la que las ventanas se abren en excavación o formando buharda. Estos muros-cubierta son de piedra concertada bien picada; los hastiales, de mampuesto. Hacia el mar, la parte más alta está vaciada, formando una *loggia* en forma de túnel de bóveda parabólica que se apea en columnas de la misma inclinación de las fachadas. Arcos parabólicos y por tranquil resuelven, en todos los casos, los problemas estáticos de las grandes aberturas.

En el edificio de la entrada el mampuesto combina con caprichosos remates latericios.

Berenguer ayudó a Gaudí desde el comienzo de su intervención en la Sagrada Familia hasta 1913.

Francisco Berenguer murió en vida de Gaudí. Hacia el final de la existencia del arquitecto de la Sagrada Familia, sus colaboradores fueron los arquitectos Francisco de P. Quintana y Domingo Sugrañes.

Domingo Sugrañes había colaborado con Gaudí desde épocas muy tempranas. Entre 1900 y 1902 dibujó el vitral y la reja de la puerta de Bellesguard y los bancos de mosaico que flanquean la puerta, con temas marinos que combinan la línea torturada del momento con evocaciones de la greca helénica de volutas. En 1901 hizo las puertas de madera, de estructura japonizante, de la finca de Hermenegildo Miralles, en las Corts, y el banco de mosaico cerámico que las acompaña. En 1928 realizó, después de la muerte de Gaudí y según sus ideas, las lámparas del Templo Expiatorio.

Es actualmente el director de las obras de la Sagrada Familia, junto con Quintana, y en 1948 ha emprendido, en compañía de Luis Bonet Garí, la construcción del ventanal sur del crucero de la fachada del Nacimiento.

Conill y Fossas. — Amigo de Gaudí y cultivador de un gaudinismo cercano al de Rubió, enamorado de la policromía cerámica, fué Buenaventura Conill Montobbio, arquitecto que trabajó muy poco, nacido el 30 de agosto de 1875 y muerto el 16 de julio de 1946, que obtuvo el título en 1893 y se formó en Alemania. Fué el autor de la destruída iglesia de Lloret y, como teorizante, escribió unas *Notas para una filosofía imparcial* y publicó unos *Diálogos sobre estética.*

Sin ser discípulo directo de Gaudí, cayó en imitarlo el cultivador del modernismo floral Julio María Fossas Martínez, hijo del arquitecto Modesto Fossas Pi, nacido el 12 de abril de 1868 y arquitecto con título de 1890. Murió en 1946. Desde 1900 fué ayudante de la sección de ornato del Ayuntamiento barcelonés y, desde 1902, secretario de la Asociación de Arquitectos. Construyó casas en Masnou y Malgrat y su obra más característica fué la casa de la esquina de las calles Valencia-Lauria, directamente vinculada a las formas creadas por Gaudí en la casa Batlló.

ANTONIO GAUDÍ: *Géminis.* Croquis para una archivolta del templo de la Sagrada Familia

JERÓNIMO F. GRANELL : Estudio para un esgrafiado

DE LO CICLÓPEO A LO LÍRICO

Doménech y Estapá. — Caso aparte en el panorama modernista fué José Doménech y Estapá, que pretendió ser enemigo concienzudo del modernismo y no por ello escapó a su influjo. Nacido en Tarragona en 1858, murió en Cabrera de Mataró en 1918.

Su formación fué, de un modo predominante, científica. Era un gran estudioso en matemáticas, profesor de Geodesia y autor de un *Tratado de Geometría Descriptiva* y de ensayos sobre *La geometría proyectiva en el arte arquitectónico, Consideraciones acerca del progreso del álgebra en los tiempos modernos* y sobre el *Concepto pedagógico de la ciencia matemática*. Esta formación no le impidió recibir grandes encargos como arquitecto, que resolvió a menudo colaborando con arquitectos artistas, del contacto con los cuales se formó un estilo propio en el que son rasgos dominantes el funcionalismo, el colosalismo, el frontón sin base — de origen funcional, por la inutilidad de la cornisa inferior —, el dintel sobre cartelas, la arista con bordón — para disimular roturas —, el frontón romato, el zócalo escarpado, el vano verticalizado — a veces con tímpano calado —, el arco rebajado — a veces apeado en apoyos intermedios —, el ojo de buey, el uso aparente de armaduras metálicas, las cornisas de perfil de guardapolvo gótico, la parquedad en el decorado y cierta desproporción en favor de la parte alta de los edificios.

De la colaboración con Sagnier en el Palacio de Justicia le quedaron el tipo de movimiento de masas, la proporción de las aberturas, el tipo y proporción de las cornisas, las armaduras aparentes e incluso detalles como las letras en relieves en reserva. La única excepción importante a su parquedad en el decorado es la casa Almirall, en el número 83 del Paseo de Gracia, en la que los motivos y el estilo ornamental de las torres y los patios del Palacio de Justicia se prodigaron, mezclándose con las formas espinosas de la decoración de Fontseré y Vilaseca, con una afición al pentágono y a las estrellas que estos arquitectos compartían.

En la Cárcel Celular, terminada en 1904 en colaboración con Vinyals, empleó los guardapolvos enormes, ya aparecidos en el citado Palacio, para cobijar los ventanales de los testeros, bajo gabletes escalonados, y centró los brazos de la estructura crucial del edificio en una torre de bóveda rebajada, con estribos de perfil de guardapolvo y arcos interiores en hierro aparente, utilizada como capilla y sala de actos.

El Hospital Clínico, inaugurado en el mismo 1904, no es más hospitalario que la cárcel. Sus patios del cuerpo central remedan los del Palacio de Justicia y su pórtico columnario monumental se relaciona también con el de este edificio, pero con menor originalidad. El Observatorio Fabra (1906) es hijo del mismo espíritu de economía de elementos con sabor mecánico, y lo propio puede decirse del edificio de la Catalana de Gas, en la Avenida del Portal del Ángel, coronado por el típico frontón romato de rigor. Más libre, en cambio, aparece en las policromas construcciones en ladrillo y piedra, con adornos cerámicos, de la insólita fábrica de Gas de la Barceloneta (1906), contigua al puente de hierro decorado, de Elías Rogent.

Pedro Falqués o el ciclopeísmo. — Pedro Falqués Urpí, nacido en San Andrés de Palomar, obtuvo el título de arquitecto, como Doménech y Montaner, en 1873. Ello permite suponer que tendría la misma edad.

Su arquitectura parte de la búsqueda de la fuerza que preocupaba al primer Vilaseca y a Fontseré, y que hizo que Doménech y Montaner proyectara con escarpado perfil, a modo de potentes contrafuertes, la parte baja de su diseño de fábrica fantástica.

La manera como Falqués buscó la expresión de la fuerza se basó en el ciclopeísmo, el empleo de enormes sillares, cuya estereotomía estaba destinada precisamente a reseguirlos y subrayar su volumen unitario. El ornamento vegetal que acompañaba a estos bloques formaba a modo de grandes garras que parecían sujetarlos.

En estas búsquedas tuvo sólo como paralelo al Sagnier de la primera época.

Antes de encontrar la vía del ciclopeísmo, que posiblemente le fué sugerida por las obras de Sagnier, Falqués realizó en 1897 un originalísimo proyecto para la fábrica de electricidad de la Sociedad de Gas, en la calle de Vilanova. Es un edificio en ladrillo aplantillado, próximo pariente de los talleres de Montaner y Simón, con grandes arcadas en la parte baja, que ofrecen la particularidad de tener un armazón de hierro exterior que las aprisiona. Los balcones son semicirculares, con un gusto común a Doménech y a Vilaseca. En el proyecto la fachada debía adornarse con relieves de bronce y coronarse con dos grandes pirámides que no se realizaron.

En 1888 realizó, en un estilo impersonal, el palacio de las Ciencias y el de la Agricultura para la Exposición Universal.

En 1889 ganó la plaza de arquitecto municipal, y como tal fué uno de los que impusieron el criterio estético de los jurados que concedían los premios anuales de arquitectura del Ayuntamiento.

Dirigió el plano topográfico de Barcelona e hizo los proyectos de cierta cantidad de ornamentos urbanos como las farolas del Salón de San Juan, con brazos de hierro inspirados en los de las grúas y revestidos de ornamentos ; las del Paseo de Gracia, con bancos de mosaico alabeados, a lo Gaudí ; las del *Cinco de Oros,* en forma de obeliscos pétreos en su parte baja y férreos en el resto ; el monumento a Pitarra, en forma de un 2 relleno de grasos ornamentos vegetales, y el obelisco de Rius y Taulet, que ganó el concurso abierto en el año 1901, inspirado directamente en las farolas con que Charles Garnier rodeó el edificio de la Ópera de París.

En esta misma fecha realizó la obra más típica de su estilo ciclópeo en la casa del Barón de Bonet, destruída por la guerra, en la esquina de Gran Vía-Balmes, con un portal en ángulo, fórmula típica de la arquitectura de Vilaseca y Doménech, cuyas dos aberturas se semicerraban con complicadas puertas de madera y hierro, macizas en la parte baja y caladas en lo alto.

Realizó la Torre de las Aguas de Montcada, cilindro coronado por una cúpula en piedra y ladrillo ; reformó el teatro del Liceo y dejó excelentes muestras de arquitectura en la reforma del Palacio de la Ciudadela, en el que combinó fustes robustos de mármol rosa con bases y capiteles de bronce, dispuso grandes jácenas aparentes de hierro en los salones, organizó una serie de techos formados por bovedillas o placas de mármol caprichosamente sostenidas a distancia por piezas metálicas que las unen a las vigas, algunas de las cuales fueron colocadas por arista, y cuidó los detalles decorativos, todos en estilo pesado, robusto, como las puertas de madera con paramentos calados en los que se enroscan grandes hojas de plancha de hierro.

Jerónimo F. Granell o la plástica de los límites. — Uno de los más originales arquitectos del modernismo barcelonés fué Jerónimo F. Granell, con título del año 1891.

Llegado a la palestra mucho más tarde que los arquitectos de la generación medievalista, fué de los pocos que escaparon por completo a la influencia de Viollet-le-Duc. Su arte estuvo completamente dentro del curvilineísmo y floralismo del estilo que en muchos países se conoce por el nombre de la revista *Jugend*.

Su padre era el maestro de obras Jerónimo Granell, que había dirigido la traslación de la iglesia de Jonqueres a la calle de Aragón, donde está la actual Parroquia de la Concepción (1869-71); proyectó en 1883 el Museo Balaguer, de Vilanova, en un estilo semejante al de Fontseré, y en 1885 construyó el románico Hospital del Sagrado Corazón.

El arquitecto Granell construyó, en 1900, en el número 219 (antes 261) de la calle de Mallorca, una casa para el vidriero A. Rigalt.

Es un edificio muy simple, de fachada verde claro esgrafiada con ondulantes cardos, la parte baja de sillería formada por grandes pastillas blandas, como lisos almohadillados con el centro hundido, en la que los lucernarios bajos y el entresuelo forman vanos comunes, separados por vigas de hierro aparente.

Molduras de sección sinusoidad bordean la puerta, de cantos redondeados, las grandes cartelas de la tribuna, de forma escalonada, y constituyen los nervios de la tribuna, insertos unos en otros por medio de rótulas cúbicas.

Es importante el decorado escultórico, que en las cartelas representa girasoles y dalias, y en los tímpanos de los balcones plátano, castaño y girasol, incoloros o policromados. Como en los edificios de Gallissá, los balcones se apoyan en bovedillas cerámicas. También es cerámico el antepecho de las tribunas.

Las puertas, terminadas en un vitral policromo de decorado floral asimétrico, en el que se han suprimido las letras que rezaban *A. Rigalt y C.ª*, están formadas por un reticulado a 45°, por cuyo fondo asoman tablas en las que, talladas en reserva, cimbrean altas azucenas.

El vestíbulo, decorado con originales baldosas de mayólica con flores de relieve también en reserva, conduce a las vidrieras de acceso a los almacenes de Granell y Cª., la casa sucesora de Rigalt. Es una vidriera excepcional por lo abstracto de su tema, marcos amarillos y verdes con depresión en cada una de sus caras y círculos de color intenso ligados por *latiguillos* lineales.

En 1903 construyó uno de los edificios que tuvo en consideración el jurado del Ayuntamiento de Barcelona, en la calle de las Cortes, número 582 (antes 212). Es un edificio de aparejo almohadillado en las plantas altas y grandes sillares lisos en el cuerpo inferior, rematado por almenas completadas con revestimientos cerámicos y hierro forjado.

Su mayor interés se concentraba en el conjunto del planterreno y el entresuelo, desfigurados actualmente por una reforma desgraciada que les ha quitado su carácter. Unos bordones medio fundidos formaban los nervios del bloque pétreo que avanzaba por los lados y encima de la puerta para soportar el balcón florido de margaritas. Un grupo escultórico alusivo al amor familiar y ramas vegetales se alojaban en las grandes concavidades abiertas entre los nervios sinuosos. Todo ello ha desaparecido. A un lado, un solo vano de piedra formaba la puerta del almacén y el balcón del entresuelo, separados por una viga de hierro aparente, decorada con plancha recortada y un bello balcón en hierro redondo, que jugaba en curvas planas y en espirales de muelle. Al otro lado, un machón de piedra se apoyaba en el centro de la viga de hierro. Entre él y las jambas, que terminaban en forma de cuña, quedaban aprisionadas las dos grandes cartelas en que se apoya la tribuna.

El vestíbulo, que se conserva intacto, con su bó-

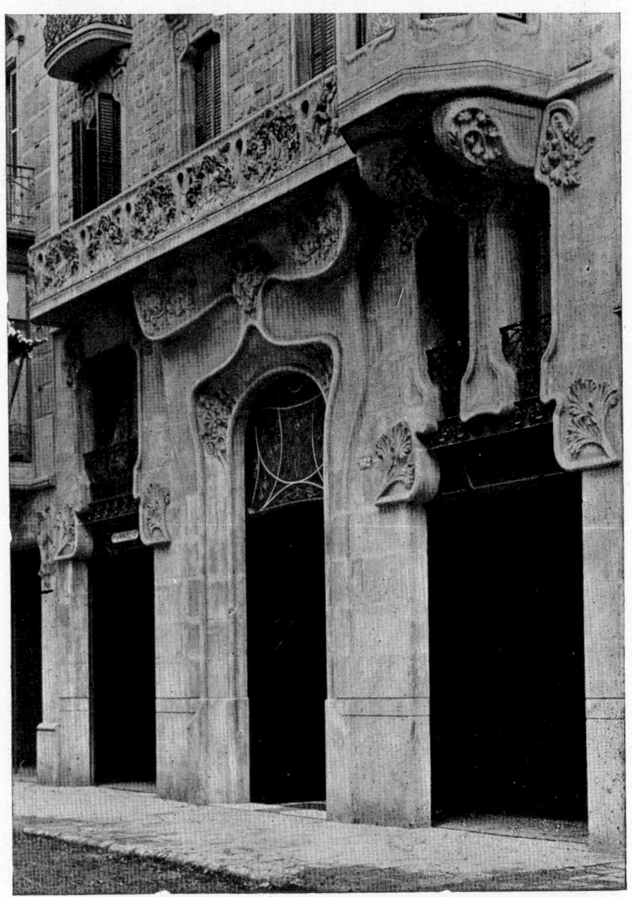

J. F. Granell: Casa en la Gran Vía. 1903

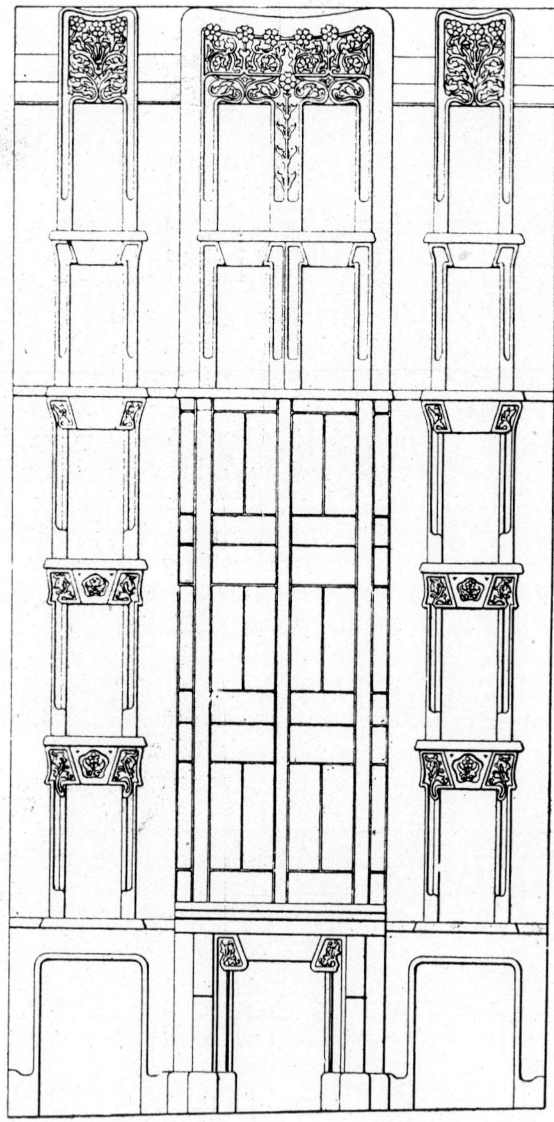

Jerónimo F. Granell : Fachada

veda de tramos escarzanos, reúne trabajos de estucado, cerámica, metalistería, vidriería policroma y cerrajería muy característicos del momento.

Carácter análogo tiene la casa del número 156 de la calle de Gerona, la mejor de las obras de Granell. Planta baja y entresuelo, de enormes sillares de piedra lisa bien ajustada, modelan suavemente su superficie con nervios romos y anchurosas y leves depresiones que dibujan un marco con orejas alrededor de los ventanales, apuntan una forma sinuosa bajo el alféizar y avanzan bajo los balcones como para apoyarlos un poco. El resto de la fachada, con esgrafiados policromos representando una vid, es un parco juego de nervios romos alrededor de unas ventanas sin balcón, que constituyen solución excepcional, luminosa, en la Barcelona, negra de hierro, de su época. Los balcones son etéreos juegos de hierro redondo con flores triangulares y hojas de plancha. Otro trabajo de cerrajería muy original, también en redondo, es el aldabón, en el que una especie de muelle dibuja la silueta de un dragón. La madera de las puertas repite el reticulado de la casa Rigalt, que aquí se rellena con rejas. Otras rejas notables cubren las lucernas del semisótano.

En la calle de Balmes número 121 se encuentra una de sus realizaciones de líneas más simples y más cercanas a lo rectilíneo y de decorado más naturalista. El esgrafiado, con triángulos curvilíneos cóncavos entreverados, asemeja un tejido de espinas de rosal. Hiedras y campanillas se alojan en los salmeres de las aberturas. La del número 65 de la misma calle se decora con esgrafiado de nenúfares verdosos y ricas tribunas de vidriería policroma, lo mismo que la de la calle Mayor de Gracia, número 61, de flora naturalista en los relieves y simples y bellas tribunas de planta estrellada cur-

Jerónimo F. Granell : Fachada

vilínea. La de la calle de Lauria número 84 abriga su fachada, como la del número 86 de la de Gerona, bajo saliente escocia. La de Rosellón número 293 es un simplicísimo ejemplo de construcción armoniosa en el reducido espacio de una fachada con sólo dos vanos por piso. En Lauria 154, en Bailén 127, se conservan edificios análogos. Los de Mallorca, 184, 186 y 188, esgrafiados, tienen curiosos antepechos trepanados en losas planas de piedra recortada.

En una torre del Paseo de la Bonanova pudo desarrollar más ampliamente su arte de los ritmos de cuadrángulos romos, las molduras blandas y la riqueza floral sujeta a estructuras geométricas simples. En otros proyectos el papel que aquí se otorga al relieve era confiado al esgrafiado, que tenía la misión de rellenar las masas simplemente distribuídas o colorear en verde claro, o alguna vez — como en la casa número 262 de la calle Mayor de Gracia, esquina a la de Nilo Fabra —, en vibrante color de rosa. Una de sus obras más simples y equilibradas es la exquisita casita con tribuna, decorada con esgrafiados, del número 75 de la calle de Padua.

Granell, que era al mismo tiempo el continuador de la casa de vidriería policroma Rigalt, representa algo único en la estética modernista catalana por su tendencia a las formas desnudas y sencillas, al modelado de las fachadas sin ornamentos parásitos y sin perder el encanto de la sujeción de lo blando a la rectangularidad. Su tendencia a la limitación de lo vivo a lo cuadrangular da forma a la talla de sus maderas, en cuyas rígidas paralelas se centran los blandos husoides, de los sillares, rellenos con las blandas pastillas con depresión, de los marcos de ventana, etc.

Las casas de la calle de Gerona causan sorpresa por el espíritu moderno de su conjunto. A pesar del curvilineísmo de cada elemento, dan la impresión de un simple juego de masas rectangulares, limpio y puro. Los elementos no se funden el uno con el otro, a pesar del modelado fundido de cada uno de ellos, sino que colocan reborde contra reborde, lo mismo que los tramos de una caña o los dientes de una boca o los chiclés de una caja.

Dentro del mismo carácter de los trabajos de Granell está sólo el arquitecto José Maymó, que edificó en 1903 el edificio para R. Godó destinado a oficinas y talleres de *La Vanguardia* y a viviendas de alquiler, en la calle de Pelayo número 28. Como la mayoría de las casas de alquiler de la época, su interés se limitó a la fachada. La decoración de las oficinas, por otra parte, ha sido posteriormente transfigurada. Hoy, un gran ventanal en el planterreno, sustitución de la antigua reja, y un remate postizo de piedra artificial, modifican el conjunto armonioso de una fachada de elementos decorativos muy planos, con sillares blandos, bordones fundidos, ramos de flores esculpidas en los dinteles, esgrafiado verde pálido y barandillas florales en verde claro y oro.

Maymó abandonó este estilo. En 1913 construía en la calle de Gerona número 86 la casa de Ramón Vila, de silueta rococó a lo Sagnier, pero con una

JERÓNIMO F. GRANELL: Casa en la calle Padua

original y profusa decoración basada en complicados juegos de volutas estriadas de perfiles cóncavos.

El estilo floral. — Una rama modernista tuvo como forma de expresión el aparejo almohadillado rústico, junto con una gran abundancia en el tema floral. Solían comportar sus fachadas balcones de planta trilobulada, de familia rococó, con barandas panzudas.

Entre las casas de tema floral gana el primer puesto la construída para Antonia Burés Borrás, en la calle de Ausias March, número 46, por el arquitecto Enrique Pi, quien, a modo de firma, quiso realizar en forma de grandes pinos, con troncos y ramaje realistas, las columnas y dinteles del planterreno. El resto de la fachada, con tribuna asimétrica y abundancia floral en el piso principal, evoluciona hacia lo alto en un sentido de progresiva simplicidad, hasta llegar a un sistema de molduraje simple, de sección sinusoidal a la manera de Pascó, en los plácidos

J. F. GRANELL: Zaguán de la Gran Vía

arcos del remate, en que se aloja un busto del Sagrado Corazón.

Una de las obras más antiguas del estilo floral fué el Frontón Condal, de Francisco Rogent y Padrosa, muerto en 1897. Este arquitecto se había dado a conocer con la bella fachada del fotógrafo Napoleón, en la Rambla de Santa Mónica, libre interpretación del plateresco con unos bajorrelieves de estilo heráldico, que la reciente reforma ha destruído, y abandonó la arquitectura tradicional para construir el gran frontón del chaflán de la calle Rosellón con Balmes [306], en el que hallamos rasgos de la arquitectura del Sagnier arcaico, como son las dovelas grabadas, el alféizar de lóbulos macizados, los grandes arcos guardapolvo y las almenas, si bien difiere del Sagnier de aquella época por la blandura de modelado del ornamento vegetal.

Muy semejante al tipo de arquitectura del Frontón Condal fué el antiguo Hotel Colón, en la Plaza de Cataluña, construído por Andrés Audet y Puig en 1902. Audet, con título de 1891, había pasado por la fase ecléctica de la casa confusionaria de Rosellón, número 121, con pilastras atandadas de falso egipcio, ornamento gótico y remate de extrañas cúpulas en fila india; pero se dió al floralismo puro en aquel edificio de coronadas almenas con senos curvos entre ellas, sobre una anchurosa arquería pensil, caprichosas tribunas y complicada cúpula floral. En el interior las columnas eran como tallos que dejaban torcer sus flores en el techo. Las vidrieras policromas con flores y mujeres idealizadas completaban su ambiente de pretendida maravilla de cuento de hadas.

En 1912 su eclecticismo le llevó a proyectar, en el estilo de Doménech y Estapá, el edificio de la Editorial Seguí, en la calle de Buenavista esquina a la de Torrente de la Olla (Menéndez Pelayo), que le valió un tercer premio en el concurso anual del Ayuntamiento.

En 1901 Salvador Oller daba arrestos ciclópeos a la casa que proyectó en la plaza de Tetuán para José M.ª Oller, en colaboración con Juan Alsina. En ella los róleos vegetales son aprisionados por los grandes bloques geométricos.

Vicente Artigas Alberti, con título del año 1900, logró que en 1904 fuese mencionada como especialmente valiosa la casa Batlló, construída el año anterior por él, en la calle de las Cortes, número 589, apoteótico despilfarro de ornamentos florales adherido a una movida estructura que recuerda el rococó. En

J. F. GRANELL: Casa en la calle Gerona

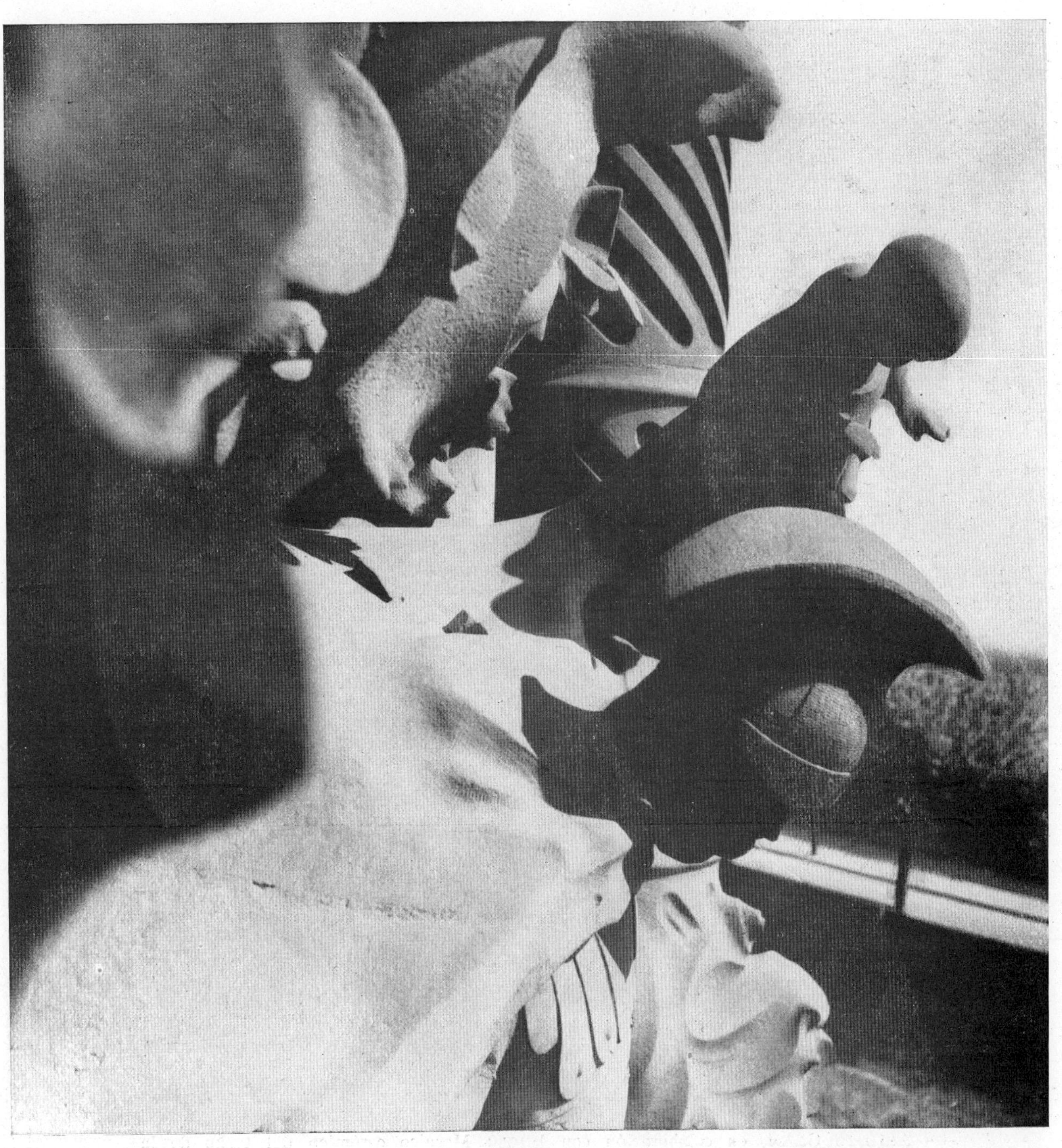

Antonio Gaudí, en colaboración con Mani: Pormenor de la portada del Nacimiento del Templo de la Sagrada Familia

ANTONIO GAUDÍ, en colaboración con JUJOL: Mosaico cerámico del techo de la Sala de Columnas del Parque Güell

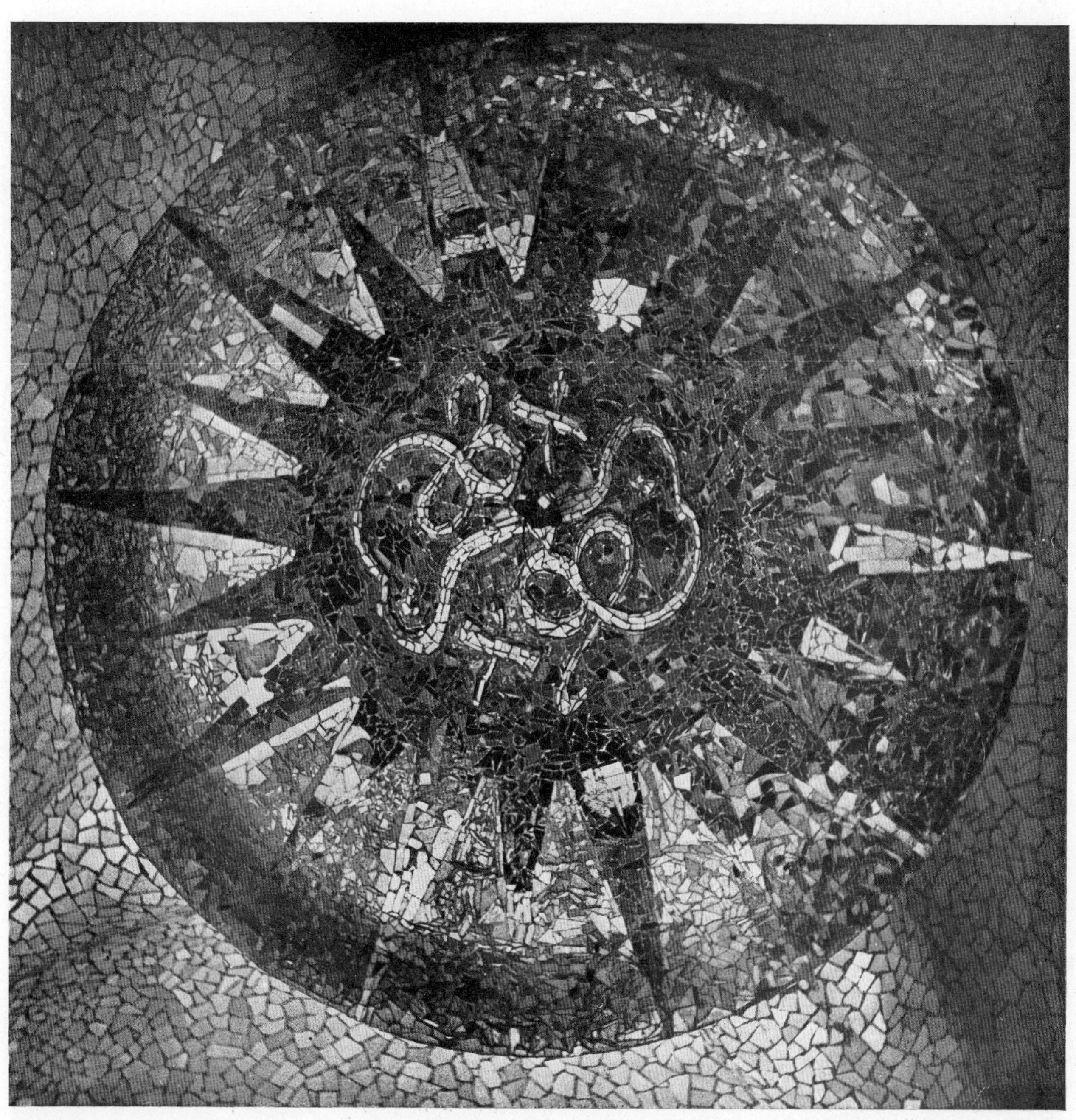

Antonio Gaudí, en colaboración con Jujol: Mosaico veneciano del techo de la Sala de Columnas del Parque Güell

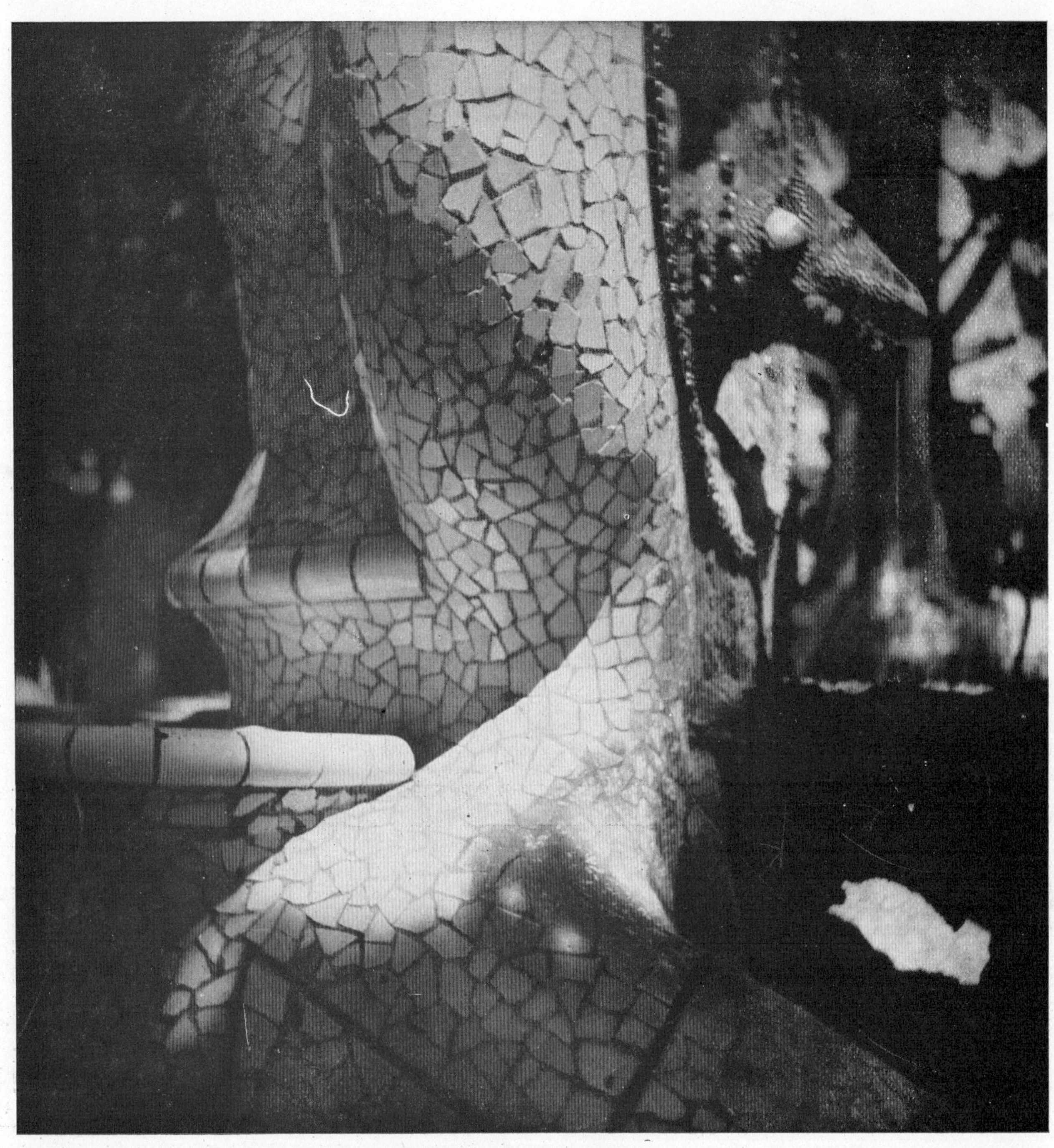

Antonio Gaudí: Detalle de una fuente del Parque Güell

A. Soler y March: Remate, desaparecido, de la casa Pons. 1909

En aquel momento Viena estaba en pleno eclecticismo pasadista, que tan violentamente combatió Nietzsche [310], pero que duró hasta que surgió la personalidad de Otto Wagner, nacido en Viena el 13 de julio de 1841, discípulo de August Siccardsburg, que empezó su carrera con la construcción del Landerbank y el Dianabad y siguiendo una etapa de crítica de arte, entre 1860 y 1890. En 1894 se le encargó el metropolitano elevado de Viena, importante por sus numerosos puentes y estaciones, en los que impuso el aparejo ciclópeo, los espolones en curva cóncava, las regatas o los listones paralelos, las coronas vegetales como tema decorativo, las jácenas de hierro aparente con decoración floral forjada, los círculos tangentes, el decorado pictórico con girasoles trazados geométricamente, elementos llamados a ser imitados hasta la saciedad en toda Europa.

El mismo año entró como profesor en la Academia de Viena, y al siguiente publicó una síntesis de sus ideas bajo el título de «Arquitectura Moderna» en un libro en el que se afirmaba que «el arte es hecho para la humanidad, no la humanidad para el arte», que «la arquitectura es una fuerza viva, documento de la vida social, la más alta expresión de la sabiduría humana y con algo divino» a pesar de concebirla como algo subordinado, «servidora de todas las exigencias de la vida moderna». Para él, lo primero que cuenta, en arquitectura, es la función a cumplir; lo segundo, los materiales de que se dispone. El estilo nace espontáneamente de estos dos principios, no de ninguna arbitrariedad del gusto. Para la Academia de Bellas Artes proyectó un *hall* de granito, con decoración de cobre batido y bronce dorado, que expuso e influyó a pesar de no realizarse.

La iglesia del manicomio de Steinhof, simple juego de cubos blancos, parcamente decorados con estatuas, vitrales y mosaicos de Koloman Moser y coronada por cúpula de cobre brillante, es ya mucho más pura de líneas, refleja ya las ideas del purismo funcional de Adolf Loos, dominantes desde entonces en la arquitectura austríaca, con quien había fundado el movimiento de *Secesión* en 1897, al que se sumaron el decorador Olbrich, que aplicó los nuevos principios a la casa de campo y al monumento conmemorativo y desde 1899 fué el inspirador del movimiento restaurador de los bellos oficios promovido por el Gran Duque de Hesse, y el checo Josef Hoffmann, nacido en 1870, profesor de la Escuela de Artes Aplicadas desde 1899, que en 1903, con Koloman Moser, fundó la *Wiener Werkstaette*. Hoffmann fué el primero en recabar la libertad de asimetría en aras a la función y depuró, siguiendo a Loos, sus formas hasta lograr la simple cristalización del sanatorio de Purkersdorf.

Soler y March. — La primera mención, a falta de premio, del concurso municipal para los edificios terminados en 1909 recayó en la casa propiedad de Heriberto Pons, construída en el número 19 de la Rambla de Cataluña por Alejandro Soler y March.

Espaciosa y lujosa, con una fachada de gran sillería en piedra de Montjuich, es la más pura muestra del estilo secesionista austríaco, a lo Otto Wagner, creada en nuestro suelo.

Rasgos característicos son los capiteles seudodóricos, con ábaco y equino fundidos, en una forma que recuerda el capitel cúbico otónico, las columnas con cinturón de hojas de laurel encerradas en zonas concretas, las pilastras adornadas con listones paralelos, a lo largo o a través de las líneas de presión, la flor cuadrática, que forma los capiteles de la galería alta, los círculos, ejes y pinjantes de las barandillas de hierro y las palomillas, las hermes de casco alado a lo Lohengrin y las piezas de abolengo mecánico, como manguitos de máquina, que hacen el papel de pináculos, las coronas vegetales, la silueta dórica, aplastante, del templete terminal, que un bombardeo se llevó, y las macetas altas, también desaparecidas, en forma de míticos pebeteros.

El espacioso zaguán conduce a la monumental escalera, una de las mayores de Barcelona, cuya curva terminal de pasamano recuerda la de Pablo Salvat en la Gran Vía, antes adornada con una gran estatua sedente de mármol.

Soler y March, nacido en Barcelona en 1873, con título de 1899, construyó, además, con Guardia y Vía, el gran edificio secesionista del Mercado Central de Valencia, asimilación no menos aislada y sorprendente del arte austríaco en la capital valentina. Levantó el Instituto de Manresa, proyectó el monumento de Rafael de Casanova y el del Padre Claret, en Sallent, y fué bastante fiel a la arqueología en la fachada nueva de la catedral de Manresa. Desde 1931 dirigió la Escuela Superior de Arquitectura de Barcelona. Como arqueólogo, ha tratado de pintura y escultura de la Edad Media y el Renacimiento. Coleccionista de pintura gótica, ha tratado en especial de la escuela gótica catalana, de los Serra, Borrassá, etc.

Opinión extranjera. — El interés que se tuvo en Francia en organizar, en 1911, la exposición de la arquitectura de Gaudí no es más que una muestra de la atención con que, fuera de nuestras fronteras, se contemplaba el fenómeno de la arquitectura modernista catalana, de la que se hablaba copiosamente en los congresos internacionales de arquitectos y urbanistas.

En 1909 el *Institut International d'Art Public*, de Bruselas, uno de los centros más vivos del arte de principios de siglo, pidió a Enrique Jardí una recensión sobre nuestra arquitectura, que vió la luz en su revista *L'Art Public* [311], en la que se lee, hablando de los arquitectos del país : «Estos artistas han comprendido que no basta, a nuestra época, tener un pasado histórico, por glorioso que sea, para justificar las aspiraciones populares y han dado prueba de una independencia de arte que eleva y glorifica sus aspiraciones. La búsqueda ardiente que han realizado en el país, y particularmente en las producciones ingenuas y fuertes de la Edad Media de los elementos constitutivos del arte catalán, tomaba energía de los sentimientos íntimos y profundos de la raza, y su esfuerzo tenaz para realizar algo nuevo en el camino de las tradiciones nacionales ha hecho que la mayoría de sus producciones expresen un carácter particular del modernismo.»

Es de notar esta apropiación orgullosa del epíteto de *modernista*, dado a menudo como despectivo. Sigue una justificación del germanismo, tan dominante en el arte de Vilaseca, Doménech y Puig y Cadafalch, cuando se afirma que «de las dos corrientes, greco-romana y germánica, que marcaron desde el principio de la Edad Media las direcciones supremas del arte universal, la última sobre todo ha influído en nuestro arte».

Describe el papel fundador de Rogent y Doménech, el fecundo florecimiento de Puig y Cadafalch, al lado de Gallissá, Sagnier y Rubió, y señala por fin a Gaudí como la figura enérgica de un «visionario y poeta de la piedra» y pone como testimonio a Gabriel Hanotaux, quien escribía a propósito de la Sagrada Familia : «Esta iglesia inmensa, inacabada, semiviva en su arte desbordante, responde perfectamente al atrevimiento, al vigor, al empuje, a la personalidad de esta extraña Barcelona que se ha levantado en un solo día como si colocase una corona de modernismo en la frente de la vieja España.»

PEDRO FALQUÉS : Arranque de la escalera de la desaparecida casa del barón de Bonet, en la esquina de las calles de Cortes y Balmes

José Llimona: Fragmento del grupo escultórico del monumento al doctor Robert

LA ESCULTURA

Las bases. — El modernismo fué un movimiento lírico, soñador, enamorado de lo impalpable. Su arte pretendía ser como una música lejana y misteriosa, vagamente perdida, un espejismo de policromías de cuento de hadas, suscitadoras de recuerdos de infancia, de mundos maravillosos, melancólicamente perdidos para siempre, teñidos a la vez de lilial inocencia y del más perversamente refinado sensualismo.

Por todo lo que en él representa una eflorescencia del mundo imaginario de la infancia, es un arte inmaterializado, pero por todo lo que representa correspondencia de los sueños poéticos o idealistas pasados con instintos vivos del hombre maduro, es una inclinación ante la plenitud de la vida instintiva, vivida con libertad y con minuciosa avidez.

Si por el lirismo de sus bases debía ser un arte de luces, de colores y de sombras, un arte de fantasmas, puramente visual, por la faceta sensual de sus correspondencias podía entrar en el dominio de los valores táctiles. Así podía justificarse la necesidad de una escultura modernista, bien que en situación de arte secundario, supeditado al gran visionarismo de la época.

Pero, en Cataluña, las bases de la escultura dominante estaban muy lejos de lo que pedía el espíritu del modernismo. En 1888 la gran ocasión, apenas pasada, dominaba el prestigio de los escultores, entre realistas y pintoresquistas, Agapito Vallmitjana, Rosendo Nobas, Jerónimo Sunyol, Manuel Oms, Francisco Bellver, Andrés Aleu y José Alcoverro; pero fué entonces cuando asomaron los que Feliu

José Reynés: Estudio. 1903

Elías clasifica como adolescentes [312] Llimona, Blay, Querol, Benlliure, Fuxá y Arnau, que colaboraron en la decoración del Parque de la Ciudadela, del Palacio de Justicia, del cimborrio de la catedral y de la nueva decoración goticista del Salón de Ciento, dirigida por el pintor Moncerdá.

Ninguno de estos escultores, ni de los otros de su generación, ha sido enteramente modernista. Pasaron por el modernismo en un momento de su evolución, el último, el central o el primero, dejándose invadir por solicitaciones que en realidad eran extrapictóricas. Sólo algunos pequeños maestros fueron fieles al estilo y nacieron y murieron para el arte con él. En general, el modernismo consiste en una fase de influencia de Rodin, por una parte, y por otra de cultivo de las formas fundidas, las actitudes extáticas, los cuerpos delgados, casi enfermizos, la frecuencia de los ojos cerrados, los cabellos huecos o sinuosamente esparcidos por el viento, la indumentaria medievalizante o vaga, que a veces nace insensiblemente de la desnudez del torso, y, de una manera más radical, en la concepción misma del modelado, en el que, según las ideas de Gaudí, sólo cuentan las partes salientes porque no importan los valores táctiles, sino las luces y las sombras, que se logran, pictóricamente, con deformaciones de lo que sería el relieve realista.

Gaudí creó el sistema decorativo, justificado con miras a la arquitectura, de la copia de tallos vegetales empapados de escayola. Las figuras más auténticamente modernistas lo adoptaron. A menudo surgieron del bloque de un pilar o de un muro, y, aun cuando fueron por completo exentas, parecían salir de un baño de escayola que disimulaba toda aspereza, semillenaba todo vacío y cerraba en adherencias las curvas de las cabelleras y de las faldas, cuya estrechez terminaba invariablemente convirtiéndose en un acampanado esparcido por el suelo. No faltó, a menudo, la representación, grabada, de joyas; gusto que llegó a la escultura partiendo de las pinturas prerrafaelitas, a través de los ilustradores del grupo de Walter Crane y Aubrey Beardsley.

Auguste Rodin representaba un concepto visual de la escultura, nacido de los mismos deseos realistas que empujaron a los creadores del impresionismo pictórico, pero evolucionó, llevado por unas ideas muy personales, hacia zonas en las que prácticamente abandonó su sentido inicial para solidarizarse con otro mundo, que es el de Baudelaire. Así nació, en 1886, la Puerta del Infierno, concepción que ya corresponde a la postura psicológica del *Art Nouveau* y en la que la presencia dominante de la *Divina Comedia* revela un parentesco con las preocupaciones prerrafaelitas.

La forma que correspondía a sus nuevos desvelos no la encontró Rodin hasta 1898. Fué entonces cuando con el bloque fundido de su *Balzac,* hombre-menhir, en el que el indumento no deja de ser una piedra desbastada, encontró el sentido expresivo del volumen concebido no como resultante de unos contornos superficiales determinados, sino como efusión caracterizada hacia ciertas direcciones, lo cual venía a introducir en escultura algo semejante a los *valores* que Corot descubriera en pintura.

Es más, Rodin sintió la «irradiación de las formas», la existencia de un halo que une lo sólido con el ambiente, base de la fusión de las formas vivas con su soporte o su compañía.

En la Exposición Universal de 1900, Rodin expuso sus obras en la plaza de Alma. Allí consiguió imponer su nombre como primer valor universal.

En Cataluña, donde las ideas de Gaudí, tan coincidentes con las de la plástica de Rodin, habían preparado su comprensión, el primero en hablar del gran escultor de París fué Raimundo Casellas desde las páginas de *L'Avenç*.

El conocimiento de Rodin fué seguido de cerca por el de aquella figura complementaria suya, que fué Constantin Meunier, el escultor de los trabajadores, que debía encontrar tan fieles seguidores entre los catalanes y al que se dedicó una sala especial en la Exposición Internacional de Bellas Artes que se celebró en Barcelona en 1907, en la que, a su lado, representaban el momento escultórico el propio Rodin, José Llimona, Blay, Mani y Smith.

REYNÉS : Cabeza con flores

RAFAEL ATCHÉ : *La Música*

Al llegar el año 1900 vivían todavía Agapito y Venancio Vallmitjana, Domingo Talarn, Jerónimo Sunyol, Andrés Aleu, Torcuato Tasso y Eduardo Alentorn, que no llegaron a sentir la influencia de las nuevas ideas, ni tan sólo indirectamente.

El último acontecimiento escultórico del siglo XIX, después de la erección del monumento a Colón, de realista escultura, fué el concurso convocado para el monumento a Rius y Taulet, al que se presentaron el arquitecto Adolfo Ruiz con el escultor Triadó, Jaime Gustá con Alentorn, Augusto Font con Agapito Vallmitjana, Pedro Falqués con Fuxá, etc.

Un jurado, integrado por los representantes del Ayuntamiento Arturo Gallard, Federico Schwartz y Carlos Pirozzini, y los de los artistas Juan Torras, José Luis Pellicer y Juan Roig, eligió la obra de Falqués y Fuxá, en 1897, obelisco decorado con vegetación parásita que tendía a fundir en una unidad sus elementos arquitectónicos y en el que el tema escultórico en bronce casi estaba obligado a adoptar el carácter de una superestructura rococó.

Manuel Fuxá Leal, nacido en 1850 y muerto en 1927, era un discípulo de Nobas y había estudiado en París con Carrier-Belleuse y en Italia. Especialista en monumentos, fué llamado a colaborar en algunos propiamente vinculados al modernismo, como éste y el que para José Anselmo Clavé proyectó Vilaseca, y terminó adoptando el fundido modernista visible en el gran relieve del Sagrado

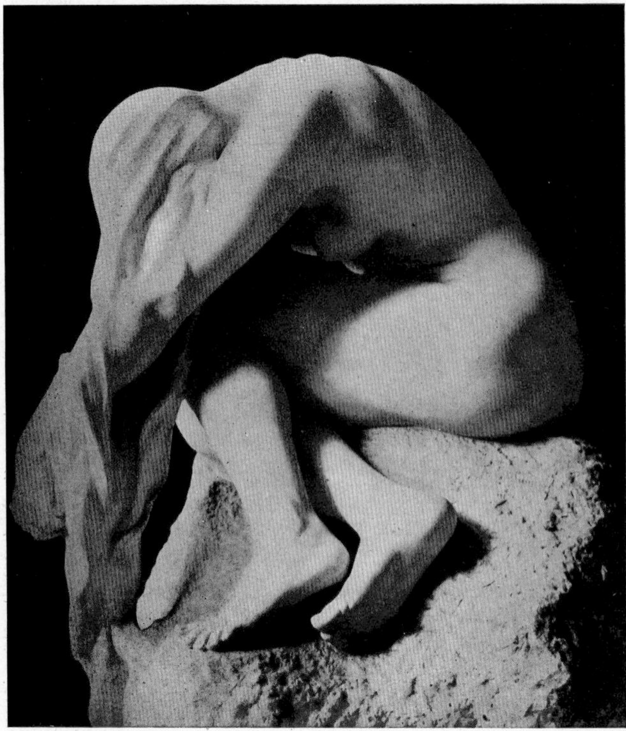

ENRIQUE CLARASSÓ: *Eva*. 1904

Corazón con que se coronaba la casa Pérez Samanillo, de Hervás (1910), destruído en 1936.

José Reynés. — A la misma generación de Fuxá pertenecía quien debía ser uno de los más típicos representantes de la escultura modernista: José Reynés Gurguí, nacido en Barcelona en 1850 y muerto en 1926, que como él estudió en la Escuela de la Lonja y en París con Carrier-Belleuse. Reynés pudo todavía conocer y recibir los consejos de Carpeaux, de quien heredó el precioso equilibrio entre los valores táctiles y los visuales.

Nos parece extraño que Feliu Elías [313] juzgue a Reynés como un «escultor académico». Sus obras, ricas en valores pictóricos, como los de la propia *Flora* que Carpeaux dejara en las Tullerías, nada tienen que ver con el formalismo del arte académico. Si no perdió el contacto con la realidad y con un gusto por el volumen concreto, no por ello dejó de crearse algo reñido con el academicismo, una propia estilización, que J. F. Ráfols [314] conceptúa de «elegante estilo». Prueba de su asimilación, aunque tímida, al modernismo, fué la posibilidad de colaborar en obras decorativas, en íntima relación con la arquitectura, como los Misterios del Camino de la Cueva de Montserrat (1903). ¿Qué académico podría haber realizado aquella especie de retablo pétreo de relieves casi fundidos, que oscilan entre la pintura y la escultura y que podría llamarse *pintura en luz y sombra,* del Segundo Misterio de Gloria, rodeado de la arquitectura entre caprichosa y goticista que Puig y Cadafalch llamaba, irónicamente, «basegòtica»?

Modernista debieron juzgarle los modernistas cuando, como remate a la glorificación del Greco emprendida por Rusiñol y los suyos, le fué encargado el monumento al gran cretense que se levanta en Sitges.

Rafael Atché. — Rafael Atché y Farré (1859-1923) fué dominado por el realismo anecdótico, que en su tiempo daba carácter a los monumentos conmemorativos latinoamericanos, y las convenciones de la imaginería religiosa, y se sintió afiliado entre los contrarios al modernismo, pero con Vilaseca decoró la Academia de Ciencias y con uno de los antimodernistas, que no dejaba de ser en realidad un modernista — Doménech y Estapá —, tuvo un papel en edificios tan característicos de la época como el Palacio de Justicia, terminado en 1911, y el Hospital Clínico, terminado en 1904.

Rafael Atché se dejó seducir por todos los elementos de la lírica modernista en su «Ángel de Ojos Cerrados», línea goticista y modelado fundido, acompañado de decoración floral (1904), y en la representación de elementos flúidos e inmateriales que intentó en *La luz del mundo* (1905).

Enrique Clarassó. — No era mucho más joven Enrique Clarassó y Dandí, nacido en Sant Feliu de Castellar en 1857, discípulo de Roig y Soler en la *Llotja* y, en París, de Chapu, que se convirtió en el compañero entrañable de los promotores del modernismo pictórico, Rusiñol y Casas, con quienes expuso, en conjunto y de una manera periódica, desde 1884, en la Sala Parés, con quienes vivió en París, y que a su retorno a Barcelona, en 1890, se instaló en el taller de la calle de Muntaner, número 38, en el que Rusiñol debía crear el primitivo *Cau Ferrat,* antes de fundar el de Sitges. A pesar de esta convivencia y de hallarse en todo momento, socialmente, en el centro mismo del modernismo, Clarassó no llegó a abandonar su anecdotismo anacrónico, correspondiente a la sensibilidad de Fortuny, que ya Benlliure había traducido en escultura, excepto en el tipo de «cabezas de estudio» [315] soñadoras, con los ojos cerrados, perfectamente modernistas.

Enrique Clarassó y Dandí gravitó alrededor del decorativismo medievalista, que le hizo independizarse del anecdotismo realista. Fué un neogótico, en efecto, en trabajos decorativos como el león rampante que llevaba el estandarte en la parte desaparecida de la fachada del fotógrafo Napoleón, y en la monumental chimenea del *Lyon d'Or*.

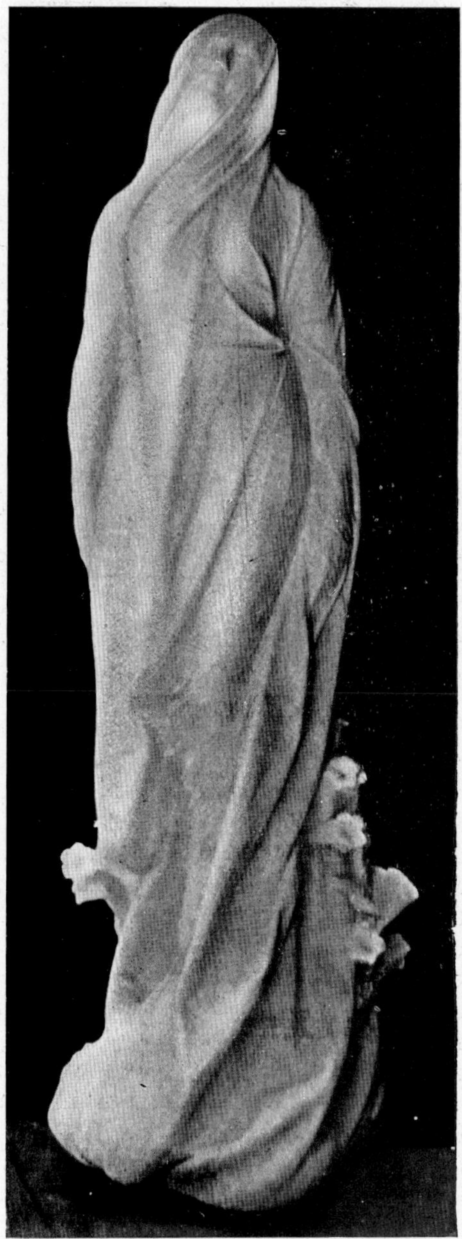

ENRIQUE CLARASSÓ : *Ànima.* 1906

JOSÉ MONTSERRAT : *¡Al mercado!* 1904

Por otra parte, sintió la atracción del lirismo vago del modernismo. Los títulos puestos a sus obras fueron sentimentales, como *Meditació* y *Perdón,* elegíacos como *Ocell de pas,* naturalistas como *Marinada, Lliri, Onada, Gavina,* o simbolistas como *Ànima Blanca.*

Es verdad que alternó sus obras modernistas con otras del realismo a lo Benlliure, como el *Hombre cavando,* destinado a una tumba (1904) y la alegoría *El Tiempo arrancando las hojas del Libro de la Vida* (1907), pero fué un cultivador del modelado fundido en obras como *La meva petita* (1909), re-

EUSEBIO ARNAU : *Beso de madre*. Mármol

trato de su hija en el estilo del *busto inmortal*, y llegó hasta el extremo de envolver toda la forma, incluso el rostro, bajo un velo, como hizo en *Ànima* (1906). Sería injusto ver en sus obras de este tipo sólo un reflejo del arte de Llimona. Por el contrario, puede afirmarse que la *Eva* sentada en el suelo, curvada sobre sí misma, con la cabellera colgante tapándole el rostro (1904), es un precedente del *Desconsol* (1907) de Llimona.

Los ojos cerrados, caros a la plástica modernista, los encontramos, por ejemplo, en su *Deixant la terra*, elegía fúnebre.

Es interesante señalar el gusto arquitectónico de Clarassó, que escogió a Juan Rubió para la construcción de su torre en el número 2 de la actual calle de Granados, en Sarriá, profundamente reformada en 1945. En esta casa todavía se conservan los curiosos balcones en ingeniosa combinación de obra vista que coronan el muro de contención que forma su base. Estos elementos eran lo único que Rubió pudo introducir de su fantasía. El resto del edificio, construído en 1906, era de una purísima simplicidad, blanco, con ventanales grandes, rectangulares, sin molduras ni adorno, dignos de una obra de Adolf Loos. Esta limpidez, que no se halla en ninguna otra obra de Rubió, debe atribuirse al gusto del escultor. Hoy un decorado de falsa «masía catalana» ha estropeado esta precoz manifestación de arquitectura funcional.

Nacido en Sant Feliu de Castellar en 1857, Clarassó murió en Barcelona el 27 de enero de 1941.

J. Montserrat. — La corrupción detallista deshizo el arte de José Montserrat y Portella, nacido en Hospitalet en 1860 y muerto en Barcelona en 1923, discípulo de Reynés, que fué profesor en la Escuela de Artes Industriales. A pesar de no haber comprendido nunca el sentido escultórico del modernismo, colaboró con este movimiento al suministrar elementos decorativos para la cerámica industrializada y formar parte del equipo de creadores de *bibelots* metálicos de la casa Masriera y Campins. Todavía, en 1910, fué uno de los representantes, en Bruselas, del movimiento escultórico catalán. Su *Manelic*, con los brazos en alto cogiendo el bastón que pasa por detrás de la nuca, inspirado en Enrique Borrás, se ha hecho una imagen celebérrima en Cataluña.

Montserrat llegó a conseguir una pieza maestra de escultura realista en el grupo titulado *¡Al mercado!*, que expuso en Madrid en 1904, obra de una gran energía dinámica hacia un solo sentido, rica en valores de espacio y en luces, especie de *Marsellesa* del realismo, de indudable categoría, en la que se atrevió a destacar el tema de las aves y las verduras, sacándolo del campo ornamental.

Eusebio Arnau. — Con la personalidad de Eusebio Arnau y Mascort, nacido en Barcelona en 1864 y muerto en 1933, encontramos una figura de primera categoría que supera, indudablemente con mucho, a Reynés.

En el arte fecundo de Arnau se suceden los rostros de ojos cerrados de la medalla de la Anunciación ; aquel manifiesto del lirismo escultórico que

EUSEBIO ARNAU : Busto de mujer, en mármol

EUSEBIO ARNAU : *La ola*

es *La ola,* bloque que remeda la acuosa protuberancia envolviendo el cuerpo de una mujer sin sentidos y el del nadador que la salva, resueltos con trasparencias de sorprendente virtuosismo (1905); el erizado goticismo del San Jorge de la esquina de la baronía de Quadras; la exquisita contención clásica de la medalla conmemorativa de la *Solidaritat* (1906) o la de la V Exposición Internacional de Bellas Artes de Barcelona (1907).

Una de sus obras más completas y monumentales fué el friso de la Casa de Lactancia, del arquitecto Falguera, presidido por la ciudad de Barcelona, personificada en una dama coronada que da el biberón a un niño. Ante un fondo en bajorrelieve que representa el paisaje de la ciudad industrial y marítima, aparecen los personajes que solicitan ayuda y que contribuyen a prestarla, tratados con evidente reminiscencia de Meunier.

Arnau conoció, en Florencia, la obra de Ghiberti, Donatello, Verrocchio, los Della Robbia y Miguel Ángel. Vió en Roma los tesoros antiguos, el Bernini y otra vez Miquel Ángel, y en París conoció el mundo escultórico que presidía Rodin y en Bruselas el que rodeaba a Meunier.

Arnau fué el creador de un tipo de femineidad encantador, en el que desaparecieron los restos de la calidad marmórea a que se ven condenados los imitadores de lo griego y de la brillantez de expresión superficial de los realistas y anecdóticos, para penetrar en la intimidad de la contextura anatómica. No fué, como Rodin y como Meunier, un trabajador en claroscuro. Amó la turgencia, pero supo ser moderado en ella y encontrar el encanto de las angulosidades óseas y de los movimientos quebradizos. Tuvo su interpretación personal del halo y de la fusión con el ambiente, que logró, sin romper la pureza de las superficies esenciales, al mover con garbo y con aire los ropajes y darles la calidad del viento, del agua, de los ramajes sacudidos, de la nube y del humo. Hablamos, al refe-

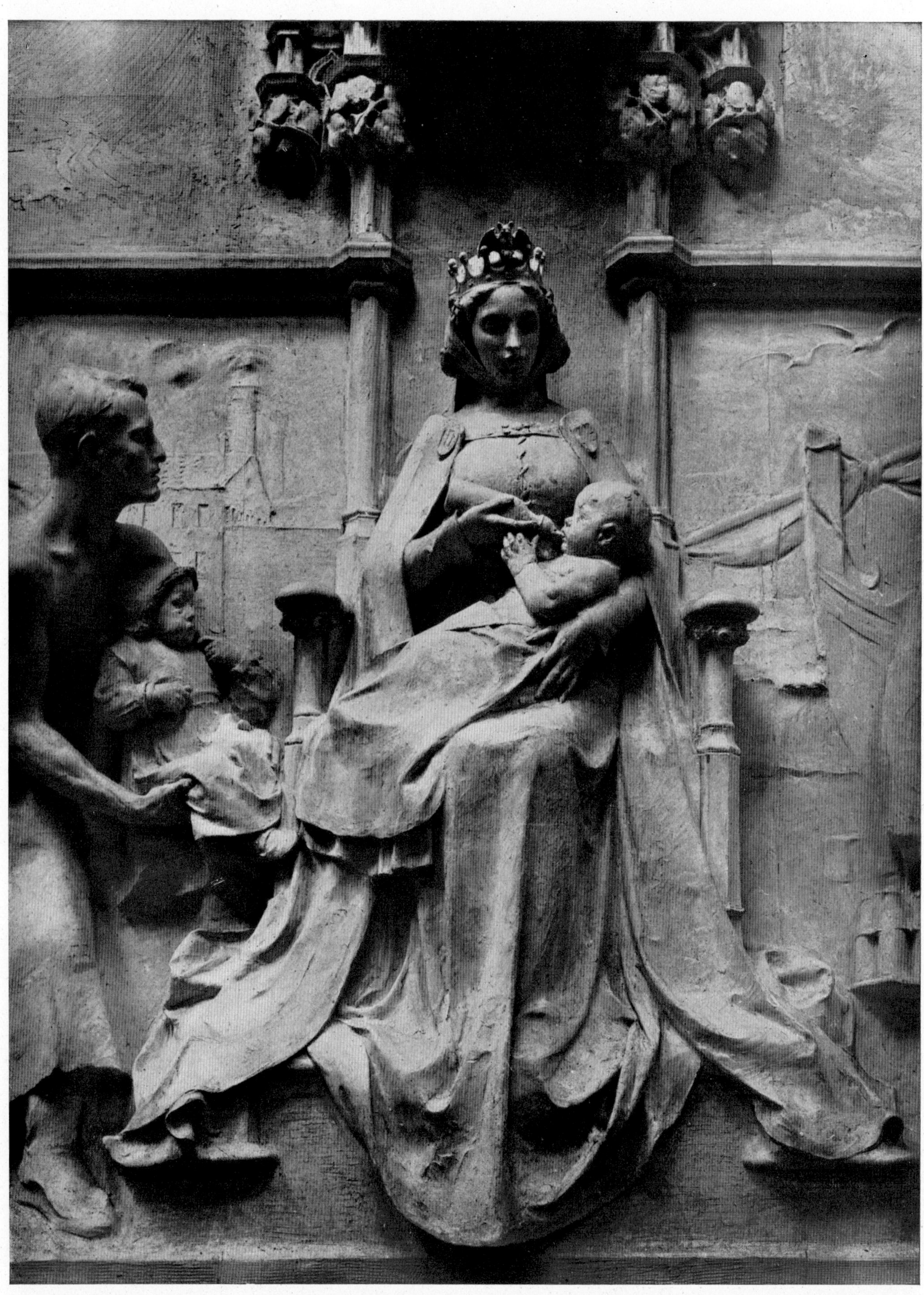

EUSEBIO ARNAU : Friso de la Casa de Lactancia

rirnos a la decoración arquitectónica, de la faceta principal de su arte, que fué esta compenetración con los constructores.

José Llimona. — El mismo año que Arnau, el 8 de abril de 1864, nació en Barcelona el más grande de los escultores modernistas y una de las mayores figuras de la plástica universal: José Llimona y Bruguera.

Fueron sus maestros, en la Lonja, los pintores Lorenzale y Martí Alsina y los escultores Venancio Vallmitjana y Rosendo Nobas, en el taller del último de los cuales trabajó desde los catorce hasta los dieciséis años de edad.

En 1880 ganó el Premio Fortuny, que le permitió trasladarse a Roma, donde permaneció tres años y desde donde envió al Ayuntamiento barcelonés la estatua ecuestre de Ramón Berenguer el Grande, que le valió la prórroga de su pensión, y obtuvo, en la Exposición Universal de 1888, una medalla de oro. Era una obra académica todavía, en la que era difícil apreciar el futuro gran escultor. El influjo de Rodin y el reflejo de Meunier lo transformaron hasta comunicarle la plástica llameante del monumento al doctor Robert que, en 1903, había proyectado según un conjunto arquitectónico de Doménech y Montaner, substituído después por el proyecto de Gaudí, que fué el que se realizó y que ha sido destruído. En este monumento realizó la apoteosis de la escultura con un contenido moral colectivo, que debía singularizar en la figura del Forjador que preside el Monumento al Trabajo de Montjuich.

José Llimona: *Ingenua*. Mármol

Llimona creó un tipo de héroe contenido, casi víctima, encarnado en el San Jorge cansado de Montjuich y en el enhiesto pero triste joven San Miguel de la escalera de Honor del Ayuntamiento de Barcelona. Su manera de comprender la femineidad dió por resultado la entrada en el arte escultórico del tipo de mujer escuálida e inteligente, envuelta en un velo de misterio. Fué el más profundo intérprete de la mujer inocente que sirvió para innumerables temas, desde aquellas muchachas pensativas que llenan de paz las tumbas de los cementerios hasta la Virgen Madre de Pompeya, policromada, sentada en su trono de triunfo y coronada, substituída, actualmente, por una copia.

Una de sus más emotivas imágenes femeninas es el *Desconsol,* escultura de mármol de 81 centímetros de altura, de una mujer

José Llimona: *Desconsol*

José Llimona: Busto de joven, en barro

Llimona, después de una vida fecunda, murió en Barcelona el 27 de febrero de 1934.

Estéticamente, fué él quien llevó más lejos los ideales de fusión, de modelado por masas en movimiento, por valores corpóreos que se unen mediante velos de modelado vago, imperceptible, entre la luz y la penumbra.

La faceta religiosa de su arte se manifiesta de manera fundamental en el grupo esculpido para el oratorio de Pedro Grau Maristany, conde de Lavern, titulado *Primera Comunión* (1903), con dos inocentes figuras de niña con los ojos entornados típicos del modernismo.

Llimona fué activo miembro del Círculo Artístico de San Lucas. Trabajó no sólo en escultura monumental, sino en el decorado. Hizo marcos para la casa Hoyos, proyectó objetos de vajilla y el báculo pastoral ofrecido al que había sido consiliario del Círculo y fué elevado a obispo de Vich, el doctor Torras y Bages.

desnuda sentada en el suelo, con la cabeza escondida, llorando sobre una roca. Simbólica imagen del tema de la canción patriótica *Plany*, tan conocida entonces, ganó el premio de honor en la Exposición Internacional de Bellas Artes de 1907 y entusiasmó al público, lo que dió lugar a que una versión de dicha escultura en gran tamaño fuese tallada en mármol para centrar, en 1917, el estanque elíptico que Forestier construyó en la plaza de armas del parque de la Ciudadela, ante el edificio dedicado a Museo.

Miguel Blay. — Junto a Llimona debe situarse a Miguel Blay y Fábregas, nacido en Olot en 4 de octubre de 1866. En su ciudad natal le inició en las artes del dibujo José Berga Boix y conoció la técnica de la escultura en los talleres del «Arte Cristiano» fundados por Vayreda para la imaginería religiosa. La Diputación de Gerona lo pensionó para estudiar en París, adonde se dirigió en 1888. Allí asistió a los cursos de la Escuela de Bellas Artes y la Academia Julien y trabajó en el taller de Chapu. En 1891 expuso un busto y una figura en Barcelona, que fueron adquiridos por las corporaciones públicas de la ciudad. Estuvo otra vez en París, desde donde se dirigió a Roma, ciudad en la que permaneció hasta 1893.

Súbitamente, la exposición por aquellas fechas de *Els primers freds* le valió una fama extraordinaria. Raimundo Casellas la saludó con entusiasmo y le fueron otorgadas la medalla de oro de la Exposición barcelonesa de 1904 y el premio extraordinario ofrecido

JOSÉ LLIMONA: *Joventut*

las mujeres, desde la elegante ciudadana hasta la campesina, de la abuela a las niñas, y los hombres, del payés al lobo de mar y del anciano al *vailet,* acompañando a la bella joven que personifica la canción, algo melancólica, entre adolescente y núbil, ligeramente enfermiza, cuya túnica ceñida al cuerpo y cuya cabellera desatada se funden con el fondo para lograr la nebulosa impresión de una forma que se aparece en la vaguedad de lo imaginado, de una visión maravillosa e impalpable, de una encarnación panteística de la Tierra hecha Verbo. Coronando el grupo con una solución que no deja de recordar la de Llimona para el soberbio monumento al doctor Robert, una gran

JOSÉ LLIMONA: *Estudio,* 1903

por la infanta Mercedes, entonces princesa de Asturias, a la mejor escultura de autor español.

En París era cada vez más conocido. Allí expuso, ya en 1903, una obra tan atrevidamente modernista como el grupo, de movimiento inclinado y arqueado, que se titulaba, de manera muy modernista, *Persiguiendo la ilusión,* pieza de un lirismo exacerbado que nos hace quedar perplejos al leer que Feliu Elías [316] llama a Blay «escultor realista por excelencia». Una mujer con el pelo desatado aparece en él, surgiendo, como un mascarón de proa, del bloque en que fué tallado el grupo.

En 1894 se había trasladado a la Ciudad Luz, donde residió unos años, para pasar a Madrid en 1906. En 1907 esculpió el más importante de sus grupos modernistas, el de la *Canción Popular,* para la fachada del Palacio de la Música Catalana.

El influjo de Meunier está presente en esta obra de significación colectiva, en la que tienen un papel las figuras de trabajador. Saliendo de un fondo paisajístico, de elementos vegetales fundidos, cantan

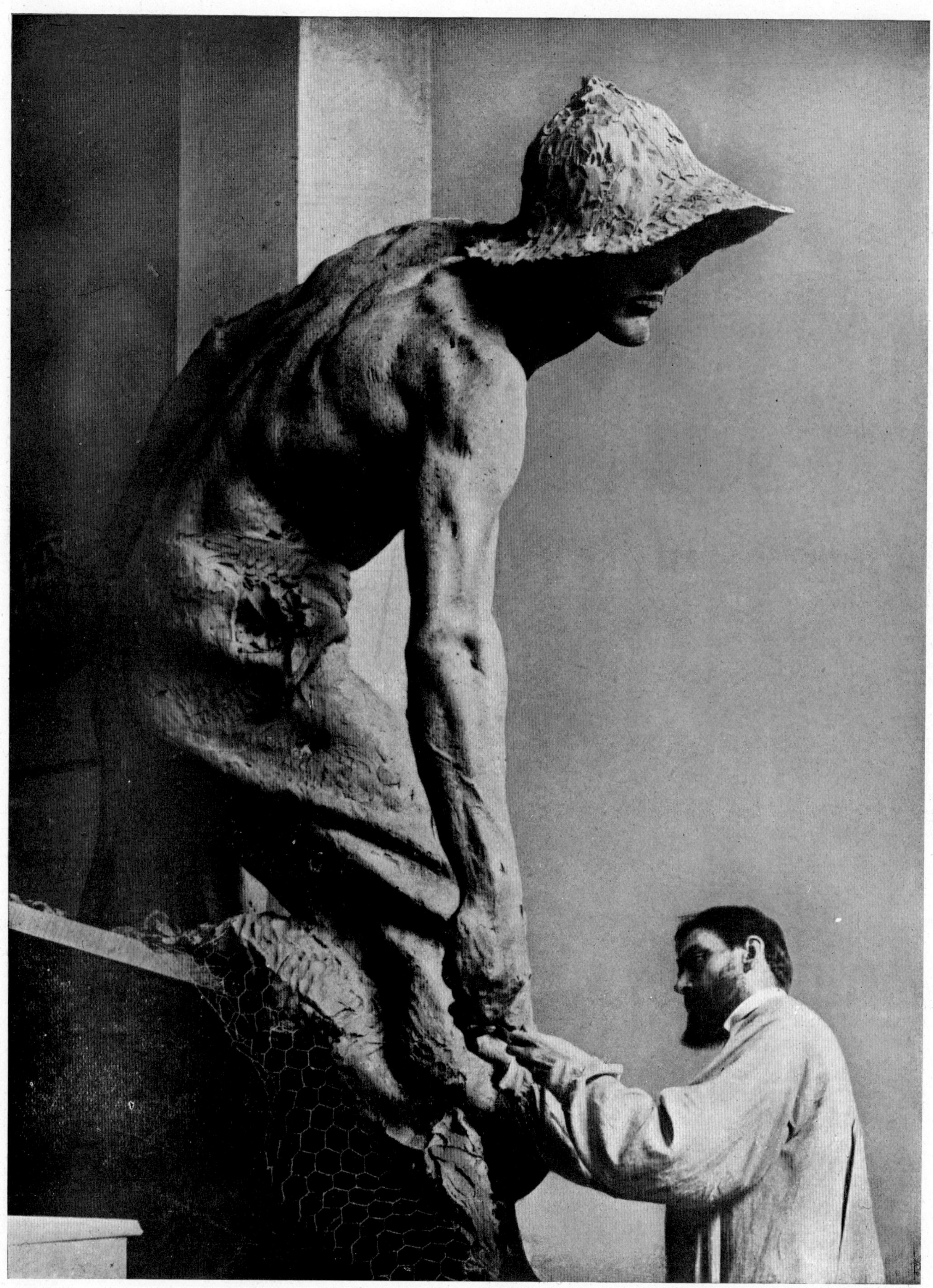

JOSÉ LLIMONA modelando una de las figuras que figuraron en el monumento al doctor Robert

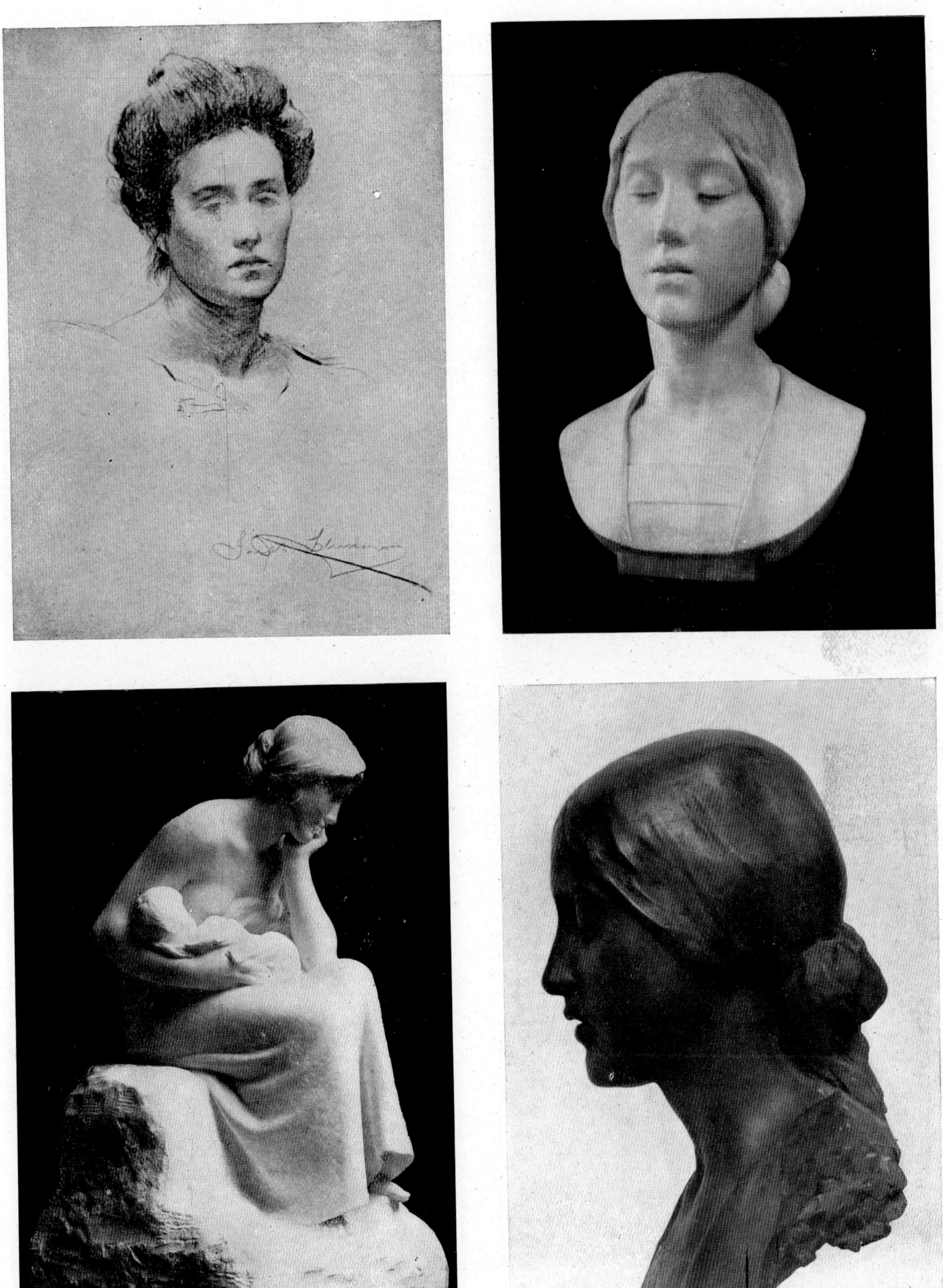

JOSÉ LLIMONA: Dibujo. Col. Luis Serrahima. — Busto de joven. — *Maternidad,* mármol. — Cabeza con los ojos cerrados

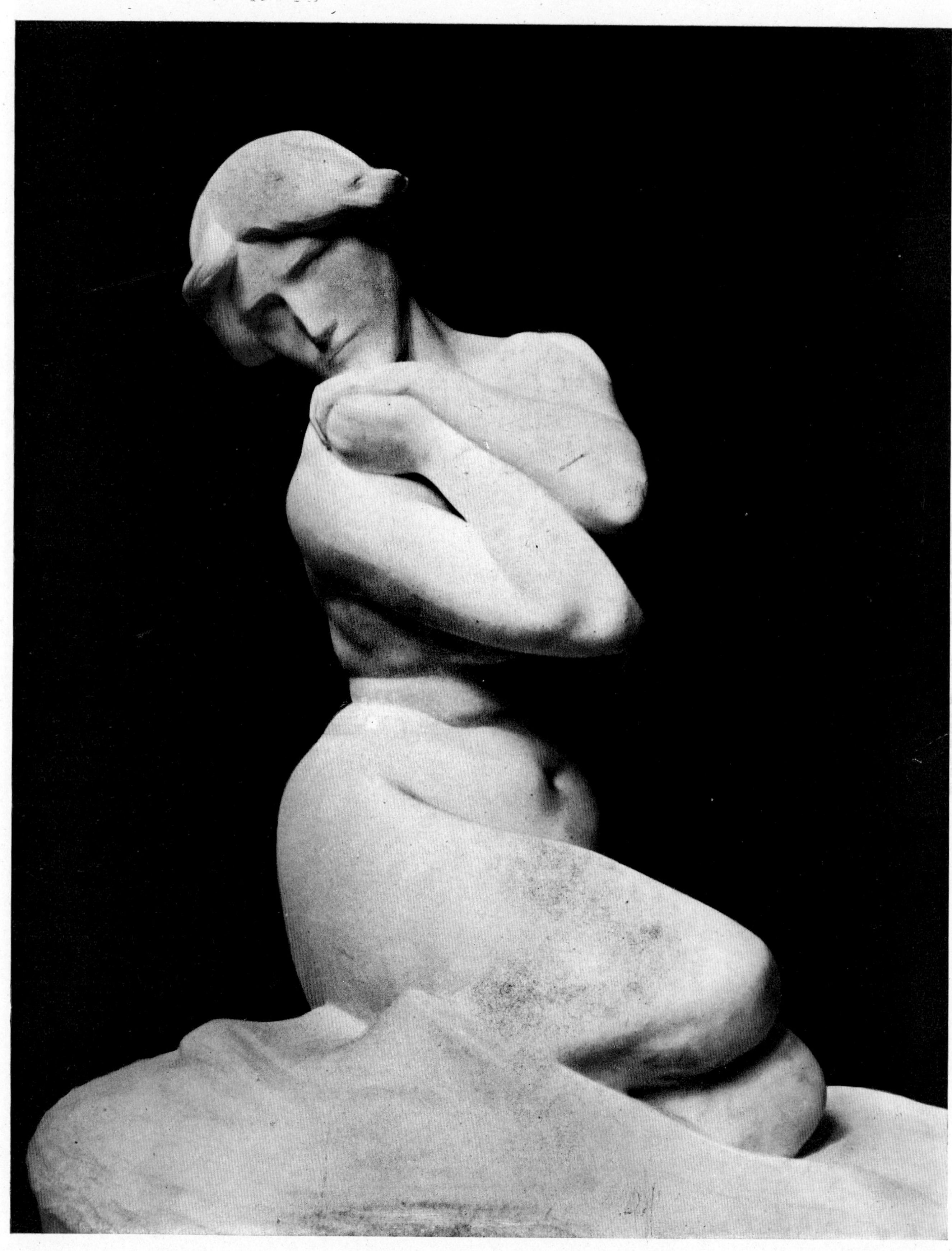

José Llimona: Desnudo en mármol

José Llimona: *Ninfa con flores*

bandera de asta crucial ondea, llevada por San Jorge, patrón de Cataluña, revestido de armadura del siglo XV e inspirada en la conocida estatuilla de plata de su oratorio del Palacio de la Diputación del General.

En el Blay del monumento a Víctor Chavarri, en Portugalete, erigido en 1906, encontramos todavía a Meunier. Otra vez sacrificó al realismo, que le hizo concebir de un modo literalmente monstruoso el proyectado monumento a Pi y Margall (que llegó a esculpir, pero que ningún Ayuntamiento se atrevió a levantar) en el cruce Diagonal-Paseo de Gracia, y le encaminó al desabrido barroquismo de la fuente de la Plaza de España de Barcelona (1929), que hace añorar sus años de delicioso modernismo.

Blay, que desde 1910 fué profesor de la Academia de Bellas Artes de Madrid, dejó desde esta fecha de ser un modernista. Murió en la capital española el 22 de enero de 1936.

Tanto o más que por su estatuaria monumental, Blay cayó plenamente en el campo del modernismo escultórico gracias a los pequeños bustos decorativos con los que el concepto decorativo de la época gustaba decorar interiores. En ellos aparecen constantemente las facciones fundidas, como de una estatua de mármol corroída por el ácido, imitación del busto griego de Chíos que Rodin llamaba *busto inmortal;* las sonrisas enigmáticas, los ojos entornados o cerrados a la manera de la Beata Beatrix de Dante Gabriel Rossetti, y los cabellos acuosos, lacios, suavemente torcidos por el aire.

En el monumento a Chavarri, al lado de los trabajadores a lo Meunier, labró una mujer brotando del bloque de piedra, rasgo no menos típico del modernismo, más acusado aún en el *Fragmento* en mármol, figura de mujer ingenua, con los ojos entornados y cuerpo difuminado, como de ensueño, que fué expuesta en 1904 en el taller de Ramón Casas, al lado de la realista pintura titulada *Una Revuelta,* de este artista. No menos idealista era el busto de niña titulado *Flor boscana,* que expuso en el mismo taller al lado de obras de tipo anecdótico a lo Benlliure como *Lo meu noi.*

En un dibujo al carbón de la misma fecha, Blay hacía otra vez profesión de fe modernista. Se titulaba *La meva terra* y representaba una cara alucinada, frontal, con la cabellera cargada de flores.

Mani, escultor de lo bajo. — Si Llimona es la faceta blanca de la escultura modernista, su idealismo, su esfuerzo de evasión ascendente, Carlos Mani, descubierto por Rusiñol en Tarragona, es la faceta negra, la tendencia a sumirse en la miseria de la concreción humana para solidarizarse con el dolor de la vida realmente tangible.

Este descenso al dolor y a la pobreza, a la enfermedad y la esclavitud, no era menos una evasión. Era un cerrar los ojos a la alegría de vivir para buscar un estado de conciencia, para huir de lo inmediato, quizá por repulsión o agravio, y subvertirlo y hallar su infraestructura repulsiva por unas vías que sólo conducen o al convencimiento de la necesidad de redención o al desespero, que han sido realmente las dos salidas de las personalidades encuadradas en la banda negra del modernismo.

MIGUEL BLAY : *La Agricultura.* Mármol

Carlos Mani Roig nació en Tarragona en 1866. Recibió sus primeras lecciones del pintor Bellver y de los escultores Yanes y Miró. A los 17 años de edad se trasladó a Barcelona, donde trabajó en talleres de escultor y asistió a los cursos de la Escuela de la Lonja. Hacia 1885 se dirigió a Madrid, donde hizo su grupo más característico, *Els degenerats,* con dos figuras sedentes de personajes primitivos, miserables, retorcidos sobre sí mismos, con los brazos colgantes, representación típica del gusto «negro» de la época, que fué expuesta en la gran Exposición Internacional de Bellas Artes de Barcelona de 1907.

En 1893 se dirigió a París con el pintor tarraconense Pedro Ferran, pensionados con 200 pesetas mensuales por el Ayuntamiento de Tarragona, pensión que se repartían los dos. Retornó en 1906, y de 1907 a 1909 se dió a conocer en las exposiciones barcelonesas.

De esta época es una de sus obras más características, de la que el título sólo ya lo dice todo : *El instinto humano.*

A pesar de haber tratado casi sacrílegamente la escultura de tema religioso en una erótica Magdalena, Gaudí, que conoció al artista a través de Casas Carbó, pudo creer que él sería el más adecuado artífice para el decorado escultórico de la Sagrada Familia. El descenso de Mani al país de los pobres, los enfermos y los viciosos era una cura de

MIGUEL BLAY : *Hacia el ideal*

humildad, una purificación que lo hacía, en realidad, más propio para un arte esencialmente cristiano que los idealistas soñadores y vagos. Su humildad le llevó a adoptar incluso el enmoldado para despersonalizar su obra y convertir los grandes conjuntos iconográficos del Templo Expiatorio en sinfonías de la misma Naturaleza alabando al Creador.

El tema modernista de la figura surgiendo del bloque revelaba siempre cierta dureza de realización, cierta incompatibilidad entre lo orgánico y lo inorgánico. De ello pudieron escapar, gracias a Gaudí, Llimona en el monumento al doctor Robert y Mani en la Sagrada Familia. Como los miembros de un cuerpo, surgen de la masa de los gabletes los ángeles sonadores de largas trompetas metálicas que anuncian el Nacimiento, y como una nube de otra nube los portadores de guirnaldas y filacterias del ventanal del crucero. En otras partes, la escultura decorativa, vegetal, se funde con la masa, tomando modelo de ramas empapadas de escayola, haciendo de la arquitectura un refugio vivo, como una selva en cuyos huecos sombríos se albergan las figuras aisladas de la historia de Cristo y los vivarachos y agitados animales caseros de las peanas y los frisos de la parte baja. Esta concepción plástica del hueco cobijador dió forma casi geométrica a las cavidades de los altorrelieves en reserva que flanquean las puertas del Rosario, como el de *La muerte del justo*.

Allí se cobijan imágenes dulces, en oposición a los dramáticos personajes, emparentados a la vez con las gárgolas de Notre-Dame y con el espíritu del *Zuccone*, que brotan del muro en papel de ménsulas para apear el arco que precede al mismo portal, como la que representa la *Tentación de la mujer por el dinero*.

Murió Mani en Barcelona en 1911.

BLAY: *Remordiment*. 1891. Barcelona, Museo de Arte Moderno

MIGUEL BLAY: Fragmento. 1904

Parera. — Dos años más joven que Mani era Antonio Parera, nacido en 1868, que estudió desde 1884 en Madrid con Jerónimo Sunyol y en la Academia de San Fernando y en 1888 marchó a Roma pensionado. Desde 1897 fué profesor de la barcelonesa Escuela de Lonja. Aunque de formación académica, Parera se aproximó al concepto plástico de Llimona, a cuyo arte se acerca no sólo por el modelado, sino por el tipo de mujer escogido, la indumentaria, el peinado, etc., en el bello grupo de *La Caridad* expuesto en 1907, con una refinada figura de mujer delgada que exprime su pecho, en el gesto de ayudar a un niño abandonado.

Delicado en el modelaje, fué un artista dotado para el medallismo. Sus medallas para premiar los servicios prestados por los guardias municipales y la de la *Festa Nacional* de 1907 son un ejemplo de ello.

Lamberto Escaler o el lirismo soñador. — El más extremista entre los escultores que cultivaron el modernismo fué sin duda Lamberto Escaler, nacido en Vilafranca del Penedès el 5 de febrero de 1874.

La obra característica de su arte, representado por él y por Juyol, fué el jarrón esculturado, pote decorativo formado por un rostro soñador de mujer y su cabellera evocadora de un mar tormentoso, alguno de ellos con títulos líricos, como *la inspiración*, de ojos cerrados, y *La música*, de sabor prerrafaelita. En algún ejemplo monumental, dos figuras enteras de mujeres portadoras de guirnaldas, envueltas en vaporosos velos, forman el cuerpo de un alto jarrón.

Cultivo también, lo mismo que Juyol, los típicos bustos enigmáticos a la manera de la *Bella Sconosciuta*, como el que tituló *Maleina*, y bustos rabiosamente modernistas de hadas de ojos cerrados y cabellera cuajada de flores como *Nurión* o femineidades incitantes como *El beso perdido*, con ojos bajos y el pecho adornado con flores.

Con uno, dos o tres rostros enlazados por sus cabelleras des-

MIGUEL BLAY: Muchacha con flores

atadas, modeló jardineras y esculpió cartelas, claves y paneles del mismo estilo. Lo mismo que Girolamo della Robbia, fabricó además medallones decorativos para aplicar a la arquitectura, con rostros frontales entre cenefas florales libres o sujetas a la simétrica estilización vienesa, algunos de ellos tan interesantes como el *Invierno,* busto de medalla medio escondido bajo un abrigo, ante un fondo vermiculado de retablo, o la *Primavera,* con una muchacha coronada de flores sobre el pelo flojo, rodeada de estilizaciones vegetales a lo Walter Crane.

MIGUEL BLAY: Minero y Pudelador

José Clará. — José Clará es solamente cuatro años más joven que Lamberto Escaler, pero en su historia plástica ha llegado a una distancia suficientemente considerable respecto al modernismo para que hoy aparezca su primera fase como sorprendente.

Nació en 1878, en Olot, ciudad de tradición artística, en la que fué educado en el dibujo por Berga, en las clases nocturnas de la Escuela de Bellas Artes, y alentado por los consejos de Vayreda [317]. Los temas costumbristas fueron los primeros en conquistar la atención del adolescente, que esperaba ser pintor antes de que se despertara en él la vocación escultórica.

Esta le llevó a ausentarse de Olot, contra los consejos de Berga, para dirigirse, en 1897, hacia Tolosa del Languedoc, en cuya Escuela de Bellas Artes pudo formarse junto a Bourdelle, Falguère, Mercié, Jean Paul Laurens y Gervais, y tener por condiscípulos a Pareyre, Guenot, Wlerick y Despiau.

Después de tres años de estudio en Tolosa se dirigió en 1900 a París, hecho definitivamente un escultor. Allí trabajó febrilmente, no sólo en escultura, sino en el cartelismo, que le valió diferentes premios. Fué, en la Escuela, discípulo de Barrios, pero visitó a menudo el estudio de Rodin y estuvo en relación con Maillol en el estudio de Marly-le-Roy, adonde acudían Russel y Maurice Denis y donde se respiraba una atmósfera teñida de prerrafaelismo británico y de simbolismo galo.

El contenido lírico de estos movimientos hallaba resonancias en su mentalidad, radicalmente anticultórica, amante de lo musical, lo flúido y lo dinámico, mucho más destructura de los valores de permanencia plástica que Rodin, quien, al fin y al cabo, era un contemplativo y no hizo más que sacrificar lo táctil a lo visual. Clará asistía religiosamente, los domingos, a los conciertos de la sala Colonne a respirar ambiente musical.

La gran oportunidad para su pasión estética lírico-dinámica fué para Clará el conocimiento de Isadora Duncan, que visitó, en 1903, la Escuela de Bellas Artes para invitar a profesores y alumnos a su *début* en la sala Colonne. En su diario [318] el

Blay: *Els primers freds,* 1894 (en mármol en 1904)

artista escribe: «Isadora Duncan, esta encarnación del ritmo y de la gracia eterna, viene alguna vez a mi taller y yo acostumbro a ir de vez en cuando a su casa, aquel gran palacio hechizado. Ella estima sobremanera mis trabajos; es muy amable. Para mí solo, en la semioscuridad de la sala inmensa de su templo, bajo sus leves vestidos, se digna bailar. Yo trabajo, me sumerjo en este baño de gracia y de belleza pura como dentro del sueño más deleitoso. ¡Qué feliz me encuentro cuando lejos, muy lejos de la realidad del mundo, vivo momentos eternamente bellos en aquellas horas de sueño que para mí son la realidad divina! Entonces la vida vulgar del mundo me parece la irrealidad inconsistente.»

Como era natural, esta plenitud de vida lírica rompió sus posibilidades escultóricas. De 1908 a 1913, la época de los dibujos de Clará inspirados en la Duncan, estancóse su fecundidad plástica, de modo que quedó aislado su arte del período anterior, como si correspondiera a una personalidad aparte.

Este primer Clará, el modernista, supo apartarse del anecdotismo literario de *Simón de Monfort ante el cadáver de Pedro el Católico,* que le valió una Primera Medalla, para encontrar formas de expresionismo en *Éxtasis* (1905), muchacha de torso desnudo, soñadora, portadora de un violín, con la cabellera llevada por la brisa, personificación del arrobamiento musical de Clará; en el *Cristo azotado* (1906), aplastado, rendido, con grandes manos pesadas pendientes que hacen pensar en las obras de Mani; en *Dolor,* que él mismo subtituló *estudio de expresión,* y en bellas cabezas de estudio de rostro estilizado y hombros angulosos, cuyo ritmo prerrafaelita señala el polo opuesto a las rotundidades del desnudo académico. Este prerrafaelismo no extraña cuando se sabe que Clará, a diferencia de la mayoría de los artistas catalanes, conoció directamente el ambiente británico en su visita a Londres (1904), donde no se limitó a estudiar los relieves de Fidias en el Partenón que el British Museum conserva. Italia, que visitó en 1906 con el producto de los relieves que esculpió para el Casino de Montecarlo, no le era tampoco desconocida.

Clará, que reaccionó contra su imposible deseo lírico acentuando la estructura, no ha sido nunca el realista que alguien ha visto en él [319].

Renart. — Dionisio Renart y García nació en Barcelona en el mismo año de 1878 en que nacía Clará. Discípulo del decorador Dionisio Renart, su padre, y de José Llimona, se trasladó a París, donde recibió el influjo de Rodin, el coloso de la época. Desde 1904

PARERA : *Natación.* Barcelona, Museo de Arte Moderno

se dió a conocer en Cataluña, pero su fase propiamente modernista cedió pronto su lugar a una orientación hacia el protoclasicismo griego. Las tareas semiindustriales de la reparación de imaginería absorbieron, más tarde, su actividad.

El primer Manolo. — Aunque nacido en 1872, antes que Escaler y Clará, Manolo no apareció en el arte escultórico hasta mucho después. Su vida había pasado por muchas aventuras. Hijo de una costurera, Ana Hugué, y de un militar que la sedujo, Benigno Martínez, su madre murió cuando él contaba 14 años de edad. El muchacho, casi sin instrucción, acostumbrado a una libertad ilimitada, no supo amoldarse a la vida de orden que le imponían los familiares maternos que lo recogieron y a quienes dejó para vivir azarosamente, mezclado con gente del hampa, en una espantosa miseria material de la que intentó salir, sin éxito, acudiendo a su padre — al que no había visto nunca — en 1889.

Aficionado al arte, asiduo de las clases de la Lonja, donde se hizo amigo de Canals y Mir, fué el arte, consagrado entonces entre los jóvenes a fijar el ambiente tenebroso de los suburbios y la vida gitana, lo que le salvó. Encontró afectuosa comprensión entre los artistas de los *Quatre Gats,* uno de los cuales, Ramón Pitxot, le brindó a menudo el ambiente seguro de su casa señorial barcelonesa o de Cadaqués. Trabajaba como modelador del joyero Masriera y cultivaba la escultura y la pintura como actividades secundarias. Fué entonces cuando pintó los *Dos pescadores* y esculpió la *Maternidad,* que conserva el *Cau Ferrat* de Sitges.

En 1901 se dirigió Manolo a París, para no regresar a Cataluña hasta el momento de plenitud plasticista del arcaísmo y de la estructuración. Después de ser uno de los grandes creadores de la escultura del siglo XX, opuesta totalmente al ambiente de principios de siglo, murió en Caldes de Montbui el 18 de noviembre de 1945.

El primer Claret. — Joaquín Claret, como Manolo, ha sido un artista más moderno que los otros de su edad. Nacido en 1879, no empezó a darse a conocer hasta 1903. Entonces, sus estilizaciones femeninas no estaban lejos de aquella especie de nostalgia que sintió la Inglaterra de Ruskin hacia la Florencia del Primer Renacimiento, con exquisiteces de Tanagra y de Myrina.

Su sensibilidad para la gracia y lo primitivo obliga a relacionarlo con el arte del rosellonés Gustau Violet, que se acercó no menos a las Tanagras en

PARERA: *La Caridad.* Barcelona, Museo de Arte Moderno

los modelos que dió a fundir a Masriera y Campins y trabajó el mármol con una precoz serenidad sólo enturbiada por ligeras nebulosidades. Viollet cultivó la deformación esbelta, a lo Primaticcio o Parmigianino, en las figurillas de bibelot, como las *Dos muchachas desnudas,* que coció en porcelana Serra.

Los hermanos Oslé. — Los hermanos Oslé tuvieron su papel en el ambiente modernista. Luciano Oslé y Suárez de Medrano, nacido en Barcelona en 1880, fué discípulo de Montserrat, lo mismo que su hermano Miguel, nacido un año antes.

Trabajaban para la fundición Masriera y Campins, en trabajos decorativos, y los dió a conocer Raimundo Casellas. Sus obras más importantes las hicieron en colaboración.

Después del realismo anecdótico de que Luciano hacía gala en el *A buen hambre no hay pan duro* , en 1889, y en *¿Sangre azul?,* cultivaron a la vez la mezcla de realismo y rodinismo que es el arte de Meunier en los *Mineros* y las suavidades del idealismo sensual del modernismo soñador en *El beso* (Luciano), en *La inspiración* (Miguel), con un bello cuerpo rodiniano de mujer y rostros refinados, pensativos, tanto de ella como del artista a su lado.

Si en algunas obras asimilaron el ambiente dramático social que tiene por campeón a Mani, como en los *Humanos* — dos hombres esposados, de enormes manos, decaídos, uno de ellos solitario, el otro abrazado, en despedida, a su esposa —, en otras obras reaccionaron contra el pesimismo desesperado de esta clase de temas gracias a la fuerza estética de una idealización de la forma. Tal fué el caso del *Reposo del pescador* (1904), en el que el lobo de mar, con sus remos, descansa contemplando a su niño, en compañía de una esbelta y misteriosa mujer con calidades de aparición.

La fuerza estética y emotiva a la vez de esta obra señala la plenitud de su fase modernista, más rica que la posterior etapa, consagrada al arte rutinario de los monumentos conmemorativos, del que han dejado testimonios en Barcelona, Zaragoza y Sant Feliu de Guíxols.

Los inicios de Gargallo y Casanovas. — Pablo Gargallo y Catalán, nacido en Maella en 1881 y muerto en Reus el 24 de diciembre de 1934, entró desde su adolescencia en el ambiente cultural del modernismo. Desde los siete años de edad residía en Barcelona y se dió a conocer como escritor en lengua catalana en 1900 [320]. A la sazón estudiaba junto a Eusebio Arnau, y el texto que publicó en *Joventut* tiene el gran valor de documentarnos sobre sus ideas, plenamente modernistas, a propósito de la escultura. Cuenta en él la aparición, en el taller de un

LAMBERTO ESCALER : Vaso decorativo

escultor, de una mujer *blanca com la neu, rossa com l'or i amb ulls d'àngel,* perfecta definición del tipo modernista, que es un antiguo amor del bohemio artista.

Es sintomático que, al decir de Gargallo, el escultor *veu en ella quelcom més que una criatura hermosa, quelcom més que una dona material. En sos ulls, hi endevina una llum ferma d'espiritual bellesa, una grandiositat d'idees incomprensible per ningú que no sigui ell... ell torna a quedar extasiat contemplant-la, admirant la perfecció de la forma, que li sembla que ha d'encloure la sublimitat del sentiment.*

Esta última frase resume la perfecta posición modernista : no ascender, platónicamente, del sentimiento particular hacia la perfección de la forma en que consiste la Belleza inmutable y suprema, sino, por el contrario, encontrar en la belleza solamente una forma expresiva de la sentimentalidad fundamental.

La entidad *Art i Pàtria* organizó, a fines de 1900, una exposición en la que las esculturas de Gargallo salieron a la luz pública. Una *Verge,* un *Nen pregant* y una *Testa de noi* fueron su aportación, más sentimental que plástica, contra la orientación que más tarde debía tomar el artista, luego de emigrar a París, en 1904, y orientarse, hacia 1910, de cara a los problemas de estructura, que asoman ya en la precoz cabeza de muchacho que realizó Serra en cerámica de reflejos metálicos.

Era un año más joven que Gargallo Enrique Casanovas y Roy, nacido en Pueblo Nuevo, suburbio barcelonés, en 1882 [321], que se formó, desde 1898, en

LAMBERTO ESCALER : Vaso decorativo

LAMBERTO ESCALER : *La Música*. 1906

el taller de José Llimona y, desde 1900, en la Escuela de Lonja.

Dióse a conocer al participar, en 1898, en la Exposición de Zaragoza, en la que ganó una medalla. Visitó París en 1900, y en 1903 expuso en los *Quatre Gats*. Desde entonces, residió indiferentemente en Barcelona y en la capital francesa. En 1903 seguía como muchos las huellas de Meunier, cuyo realismo acentuaba hacia lo misérrimo en obras como *A captar*. En una estatuílla que modeló para las cerámicas de Antonio Serra, nos da ya no la imagen del obrero vigoroso, a lo Meunier, sino la figura enfermiza de un pobre con el sombrero en la mano, la otra mano con los dedos que penden sin energía, en un gesto de claudicación que hallamos constantemente en los primeros dibujos de Picasso, prodigiosamente idéntica al dibujo en azul que de Picasso conserva el Museo de Arte Moderno barcelonés.

Para formarnos una idea de su manera de concebir el arte en el período modernista, que abandonó para convertirse en el sazonado arcaizante del año 1910, cuando expuso en el *Fayans*, es útil consultar sus ensayos de escritor. Casanovas comulgó en el decadentismo enfermizo, que le hacía tomar como objeto para su arte poético *un desvari produït per la febre que invadia ma pensa malaltissa* [322]. En él había visto, según decía, un espectro que apagó la luz de su cuarto y con su contacto hizo encoger el espacio a su alrededor y aniquilarlo progresivamente hasta convertirlo en algo etéreo, flotando por el espacio.

El texto estaba muy en su ambiente, y se publicó entre un relato lúbrico y sangriento de Suriñach Senties y otro titulado *Morfinòmana,* de Antonio Font y Laporte.

Todavía en la Exposición Internacional de 1907 Casanovas tenía una cabeza modernizante.

Era un Casanovas en el polo opuesto del filohelénico apóstol de la Cataluña griega que fué el eco viviente del arcaísmo maduro, paralelo de Maillol y gustador de la sana alegría mediterránea, extinguido en el barcelonés San Gervasio el 2 de enero de 1948.

Ismael Smith, expresionista. — Era cuatro años más joven que Casanovas uno de los escultores más característicos del modernismo, quien, con Escaler, representa la faceta más decorativa en su arte : Ismael Smith, nacido en Barcelona en 1866. Educóse en la Escuela de la Lonja y en la academia Baixas, aprendió escultura junto a Benlliure, Querol, Agapito Vallmitjana y José Llimona, y especialmente con Atché. Permaneció en Barcelona, donde trabajó intensamente como dibujante y menos como escultor, hasta que, en 1910, se dirigió a París. Allí se dedicó, hasta 1914, a las artes decorativas para pasar después a Nueva York.

Smith, como dibujante, se inspiraba en los modelos ingleses. Como escultor, a menudo se inspiraba en sus dibujos. Fué un exquisito modelador de bajorelieves, con calidades de ligera matización de sombras a la manera de Agostino di Duccio, que logró, como estupendo escultor, independizarse de las ideas derivadas de sensaciones táctiles, hasta lograr dibujar y pintar en penumbra y luz, prescindiendo de todo realismo no visual. Sus figuras, medio Botticelli medio Burne-Jones, a menudo deformadas por la exquisita elegancia de Aubrey Beardsley, solían tener pequeña cabeza, larguísimo cuello y hombros caídos; sus muchachas tenían pequeños senos punzantes y hundidos riñones. Uno de sus efectos predilectos era el de la transparencia de los velos, siempre tensos encima de las formas vibrantes.

Fué un expresionista muy precoz. Quizá sólo el ya conocido dibujo de *La Boja,* que el Picasso juvenil publicó ilustrando un cuento de Suriñach Senties, puede compararse con el estilo de sus esculturas expresionistas como *El dinero,* en forma de un esquematizado personaje de barba puntiaguda y cabeza construída con formas almendradas en 1906, un año antes de que Picasso las utilizara en las *Demoiselles d'Avignon,* punto de partida del cubismo. *La Justicia* fué para él el pretexto, en las mismas fechas, para unas formas arcaicas, estructurales, que enlazan con antiguas tradiciones nórdicas y son un precedente de los esfuerzos de Bourdelle y de las conquistas de Mestrovic. Logró ritmos que pueden llamarse arquitectónicos con rostros frontales, esquemáticos, mientras en su *Pierrot* policromado (1907) hacía latir ingenuamente la vida, en formas nerviosas como las del *Pierrot* con que Picasso, adolescente, ilustraba el anuncio de la *Lecitina Agell.*

En la importante V Exposición Internacional de Arte, de Barcelona, de abril, mayo, junio y julio de 1907, la sala de los caricaturistas fué decorada por Feliu Elías, quien pintó, también, los frisos que coronaban los muros y confió a Ismael Smith, que por otra parte era uno de los dibujantes que figuraban en el salón, el *clou* de la misma, la gran caricatura en tres dimensiones, con monstruos enormes, que centraba el recinto.

Trabajó mucho para las cerámicas de Antonio Serra, para las cuales modeló movidísimas figuras de gitana y de bailarina, en las que el movimiento se indicaba por una exagerada deformación expresionista, lo mismo que en las hodiernas estatuíllas de Clotilde Fiblá. Preparó, también para Serra, relieves con destino a placas de bizcocho, delicadísimas de detalle, en las que cobra valor la línea incisiva del mismo modo que en aquellas piezas, barnizadas, dominaban el volumen y la luz.

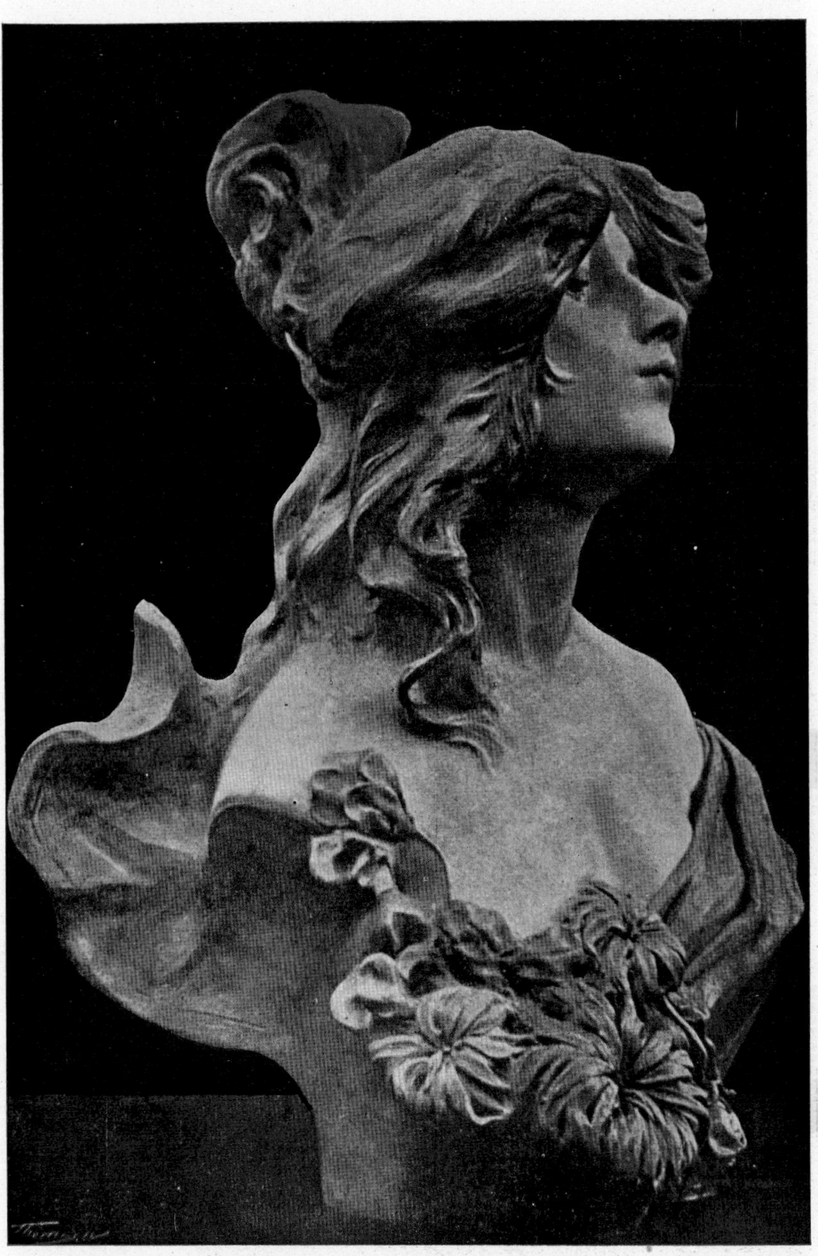

LAMBERTO ESCALER: *El petó perdut*

Ors le dedicó, en el *Glosari* [323], excelentes elogios como escultor «novecentista» por excelencia.

Los pequeños escultores. — Pequeños escultores del mundo modernista fueron J. Moner, que en sus cabezas infantiles aspira a la candidez de las de Blay; Damián Pradell, cuya *Juventud* recibió sufragios en la Sala Parés, en 1903, al lado de Casanovas; Francisco Labarta, que asimiló el decorativismo vienés en la fuente que proyectó, en 1904, en competencia con Pujol y Brull; Domingo Ferrer, modelador de imágenes espiritualizadas, castas y de ojos entornados; Gabriel Borrás Abella, que puede ponerse al lado de Mani con sus *Energías vencidas;* el decorador J. Codina, y Juan Carreras,

JOSÉ CLARÁ: Cabeza de estudio. 1906

JOSÉ CLARÁ: *Extasis.* París, 1905

JOSÉ CLARÁ: Estudio en cera, 1906

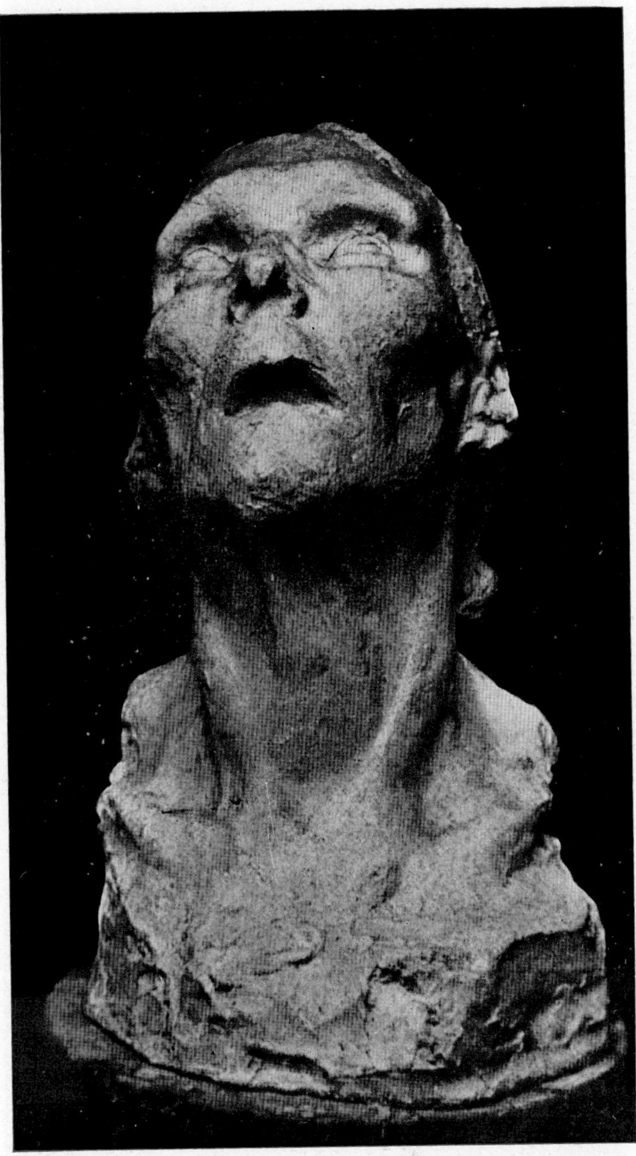

José Clará: *Dolor.* 1906

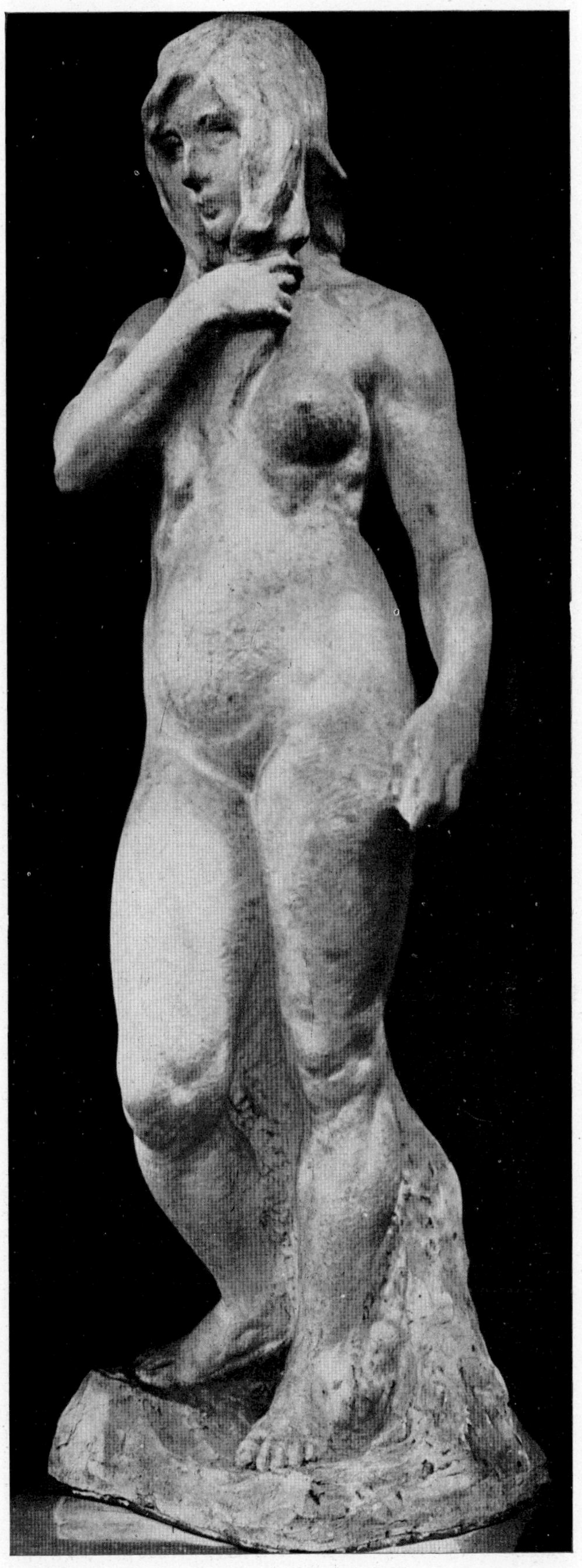

Dionisio Renart: *Eva*

que en su *Reposo* nos dió un viejo rodiniano fundido con su bloque de piedra y en su *Abuelo y Nieto* recuerda *El beso* de Rodin. Carreras trabajó mucho para el taller de Antonio Serra, en cuya casa del Pueblo Nuevo vivía. Obra suya fueron los modelos para piezas de porcelana, algunos tan excelentes como aquella obra maestra que es el retrato de *Antonio Serra,* de cuerpo entero, mirando un jarro. En mangas de camisa, en actitud displicente y expresión de conocedor, contrabalanceando cabeza con hombros, y hombros con caderas, es una obra de una pasmosa naturalidad, flexible, viva, constituída por planos fundidos bajo el barniz.

El mismo Carreras trató, para porcelanas, escenas de miseria, temas de hundimiento individual, como el *Pobre* curvado sobre sí mismo, andando con los pies a rastras y, por el contrario, modeló bizcochos

GUSTAU VIOLLET : Otoño. 1905

con elegante perfección lineal a la manera de Ingres, como el detallista retrato de cierta dama, en bajorelieve.

El mismo efecto dibujístico logró en la lápida sepulcral para la familia Carles, de Valencia, con pálido ángel y flores, que fundieron Masriera y Campins en 1904.

Fué cercano a su estilo el del propio Antonio Serra cuando trabajó en escultura, como en el grupo de una *Gitana con dos churumbeles,* del que hizo una porcelana.

También trabajó para la cerámica Damián Pradell, quien expuso, en 1903, en la Sala Parés, su cabeza en mayólica titulada *Joventut*. Francisco Socías exageró, en sentido expresionista, la faceta nebulosa de la obra de Llimona y Blay.

Dos escultores nacidos en 1888 figuraron todavía en el ciclo postmodernista : Jaime Otero y Juan Borrell y Nicolau. Otero, menorquín, estudió en la Escuela de Lonja, trabajó con Fuxá, y en París y Bruselas. Lo mismo que los Oslé en su segunda época y que Borrell y Nicolau en cierto período de su evolución, cultivó un primitivismo sintético muy de acuerdo con el gusto germanizante, nórdico, hacia el cual derivaron los discípulos de Gaudí a partir de 1910, cuando el cetro del cariño al detalle y a los bellos oficios pasó a los que rehusaron el clasicismo invasor y, como Pericas y Rafael Masó en arquitectura, se mantuvieron en el mundo de lo que quiere ser sencillo, manual, popular y original. El arte de los escultores de esta generación no tuvo ya una vida propia. Fué una actividad decorativa, en la que se encontraron con otros ingenuizantes como Esteban Monegal y como Fidel, muy lejos ya de los ensueños modernistas, y con el barroquizante a ratos y a ratos frágil arte de Jaime Martrús y Riera, nacido en 1889, que trabajó también en orfebrería y medallismo en marfil.

Si estos artistas escaparon al modernismo propia-

MIGUEL OSLÉ : *La Inspiración.* 1904

mente dicho, porque miraban hacia adelante, otros no lo conocieron porque miraron hacia atrás. No fueron sólo los viejos, como el tortosino Agustín Querol (1860-1909), que por cierto era diez años más joven que Reynés y tres más joven que Clarassó, sino algunos tan jóvenes como Enrique Bassas, que a los quince años de edad, en 1906, causó cierta sensación con el trasnochado realismo de *Miseria*, en el que insistió en el *Tirant l'art* y otras obras posteriores.

El anecdotismo a lo Benlliure y a lo Querol tuvo sus fieles, a lo largo de la primera década del siglo XX, en Pedro Carbonell, J. Canalias, José Cardona, el amigo de adolescencia de Picasso y con quien compartía el taller, en la calle de Escudellers; Berga y Boada, José Turón, Ramón Roure, Francisco Batlle, León Solá, Luis Doménech y Vicente, Arsenio Bertrán, Enrique Montserdá, etc.

El influjo extranjero actuó directamente sobre el núcleo escultórico catalán. La mayoría de los escultores de este círculo visitaron París y muchos Roma y Londres, pero además de esto y de la difusión del arte por medio de revistas y libros, hubo el contacto directo que se verificó en Barcelona, nunca con tanta amplitud como en la V Exposición Internacional de Bellas Artes del año 1907, en la que hubo una sala especial consagrada a Meunier; a la que Bartholomé envió un importante fragmento de su *Monument aux morts;* en la que Charlier expuso sus *Ciegos*, apoteosis del arte de «descenso a los infiernos», y el belga Egide Rombaux sus dionisíacas *Hijas de Satán*, Nicolini su personificación de la *Idea*, soñadoramente irreal, y Ristolfi el típico tema de *La belleza que brota de la montaña*, tan repetido en la iconografía del 1900. Estuvo brillantemente representado, en fin, el propio Rodin, quien ya en 1901 se dignaba enviar su busto de Falguière para que fuera fundido por Masriera y Campins.

HERMANOS OSLÉ: *Humanos*. 1904

La decoración escultórica. — En las fachadas florales era esencial el papel del picapedrero y el del escultor ornamentista.

En este ramo, el mejor artífice fué Alfonso Juyol, formado en el círculo de Doménech y Montaner, que además de esta especialidad fué el autor de jarrones con cabezas en relieve que surgen del humo y se coronan de flores, y de aquellos bustos de muchacha pensativa, imitación de la *bella sconosciuta* del Laurana, que tanto favor gozaron entonces, aquellos medallones con prerrafaelitas doncellas inclinadas a lo Botticelli o rodeadas del latiguillo de unos cabellos huecos a lo Rossetti o a lo Grasset.

A Alfonso y a su hermano, establecidos como canteros y escultores en el número 61 de la calle de Muntaner, les fué encomendada la parte puramente decorativa de la decoración escultórica de la casa Amatller, de Puig y Cadafalch, cuyos temas figurales más importantes fueron

ENRIQUE CASANOVAS: *¡A mendigar!* 1903

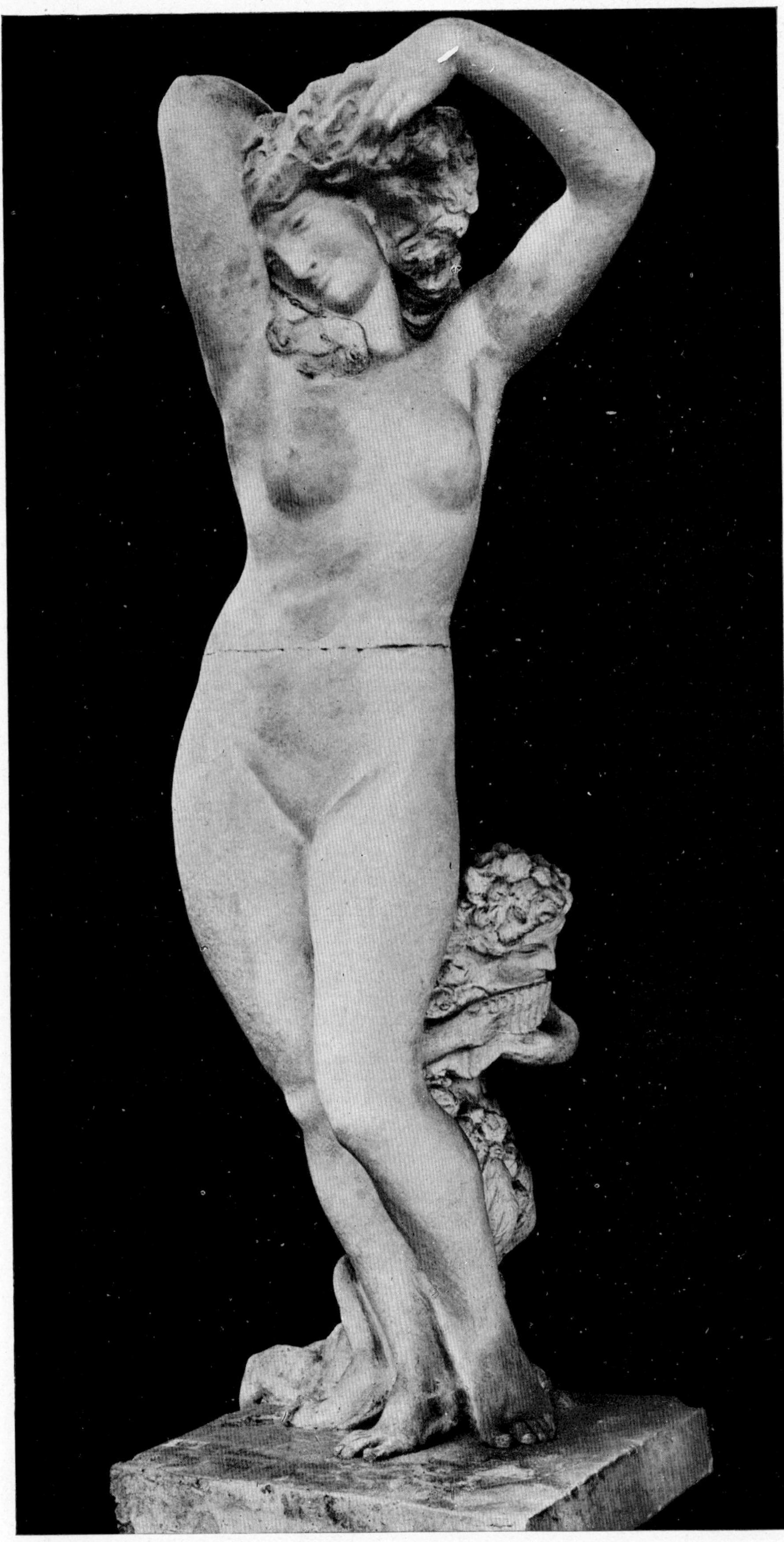

GARGALLO : Símbolo. 1910

confiados a Eusebio Arnau. En la parte ornamental hay motivos interesantes y difíciles de ejecutar. Es un alarde, por ejemplo, el águila que sostiene en su pico una cuerda con el blasón que lleva la inicial A ante un fondo de rama de almendro, en el arranque de la escalera. Tienen mucha gracia, alojados en las ménsulas de la escalera, las ranas, los monos, el águila, las ardillas, los osos que preparan chocolate, los pájaros barbudos y otros monstruos.

En la fachada debieron esculpir el escudo, sostenido por dos leones, con la fecha de 1900, los dinteles historiados de los balcones, con sus pares de *putti,* sosteniendo blasones con símbolos de la arquitectura, del libro y de la cerámica, y la tribuna repleta de ramas y flores, atadas con la cinta en que se lee :

L'AMETLLÉ ÉS FLORIT, / EL BON TEMPS S'ACOSTA / AB SOS NIUS D'AUSELLS/Y SOS POMS DE ROSES.

Por cierto que una obra de los Juyol que se hizo famosa fué el buzón del Colegio de Abogados, en la casa del Arcediano, dibujado por Doménech y Montaner. También era de Juyol el capitel, con cabeza de hada, de la Sastrería Morell, decorada por Homar.

Volviendo a la casa Amatller, los trabajos de más compromiso fueron dados a un escultor renombrado en trabajos independientes, de gran tamaño : Eusebio Arnau, pero fué Juyol quien realizó [324] las estupendas figuras en altísimo relieve que adornan los capiteles de las puertas de entrada, uno con una doncella presa de un dragón, otro con San Jorge, un tercero con el dragón que San Jorge ataca y un cuarto con un pobre que hace bailar el oso batiendo el tambor. Las figuras brotan del muro inclinándose sobre la calle y entre sus miembros circula el aire. Cada brazo aislado, cada lanza de piedra, es un alarde de técnica. Estas obras están, naturalmente, muy por encima de lo habitual en escultura decorativa.

En las enjutas de las dos puertas festoneadas figuran alegorías de las artes. Hay un arpista, el poeta romántico con sus bigotes que escribe en un prolongado papel, el escultor que modela un busto y el pintor con traje medieval y paleta moderna en los dedos.

En la capilleta que domina el portal pequeño, una doncella, en la forma típica de las hadas modernistas, de cabello hueco y falda que se esparce por el suelo, lleva un lirio.

En los capiteles del ventanal principal, un viejo se esconde a la vista del fotógrafo que, desde el otro capitel, lo retrata.

En las más importantes obras de Barcelona Arnau

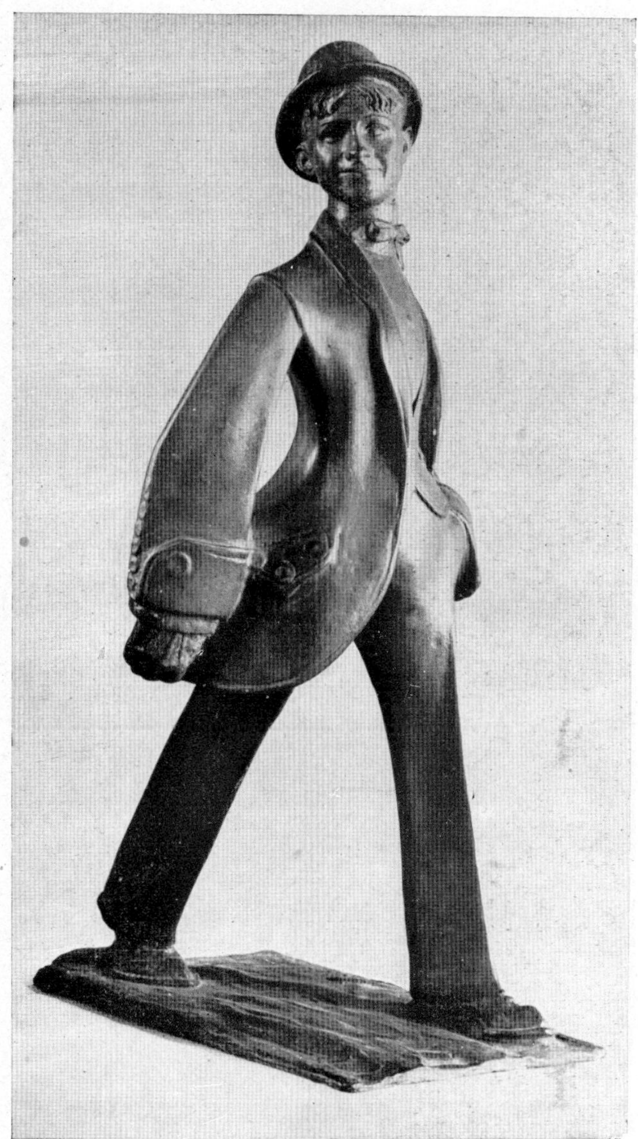

ISMAEL SMITH : Un dandy

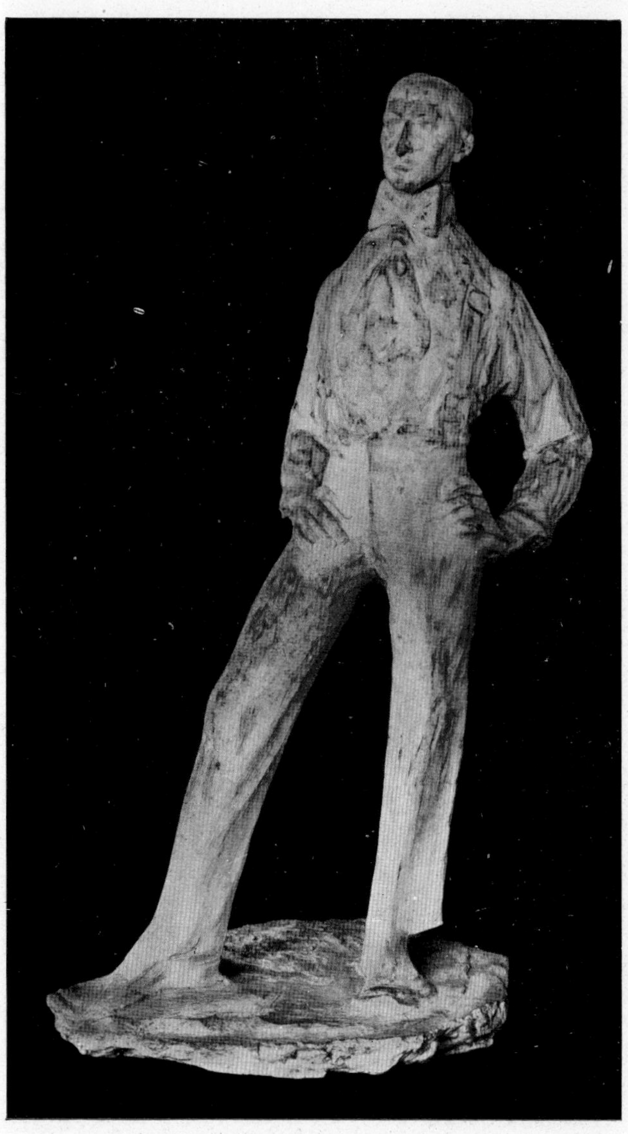

ISMAEL SMITH : Estudio

y Juyol se repartieron, como en la de Amatller, el trabajo decorativo, así en la casa Lleó Morera, de la que hemos citado las muchachas de los jarrones, de las guirnaldas y los inventos artísticos, de Arnau, y la casa de Sagnier, en la calle de la Diputación, número 250, donde Eusebio Arnau realizó las grandes cartelas que sostienen el balcón del piso principal con figuras de tamaño considerable en altorrelieve.

Arnau trabajó también en las puertas de Comillas, de Martorell ; la torre Garí en Argentona (1900) y la baronía de Quadras de Puig y Cadafalch (1907), y se encargó de toda la decoración del Hospital de San Pablo, de Doménech y Montaner (1912), bajo cuya dirección había realizado la chimenea de la Fonda de España (1903). Adaptándose a un estilo completamente distinto, realizó la bella *Diana* del

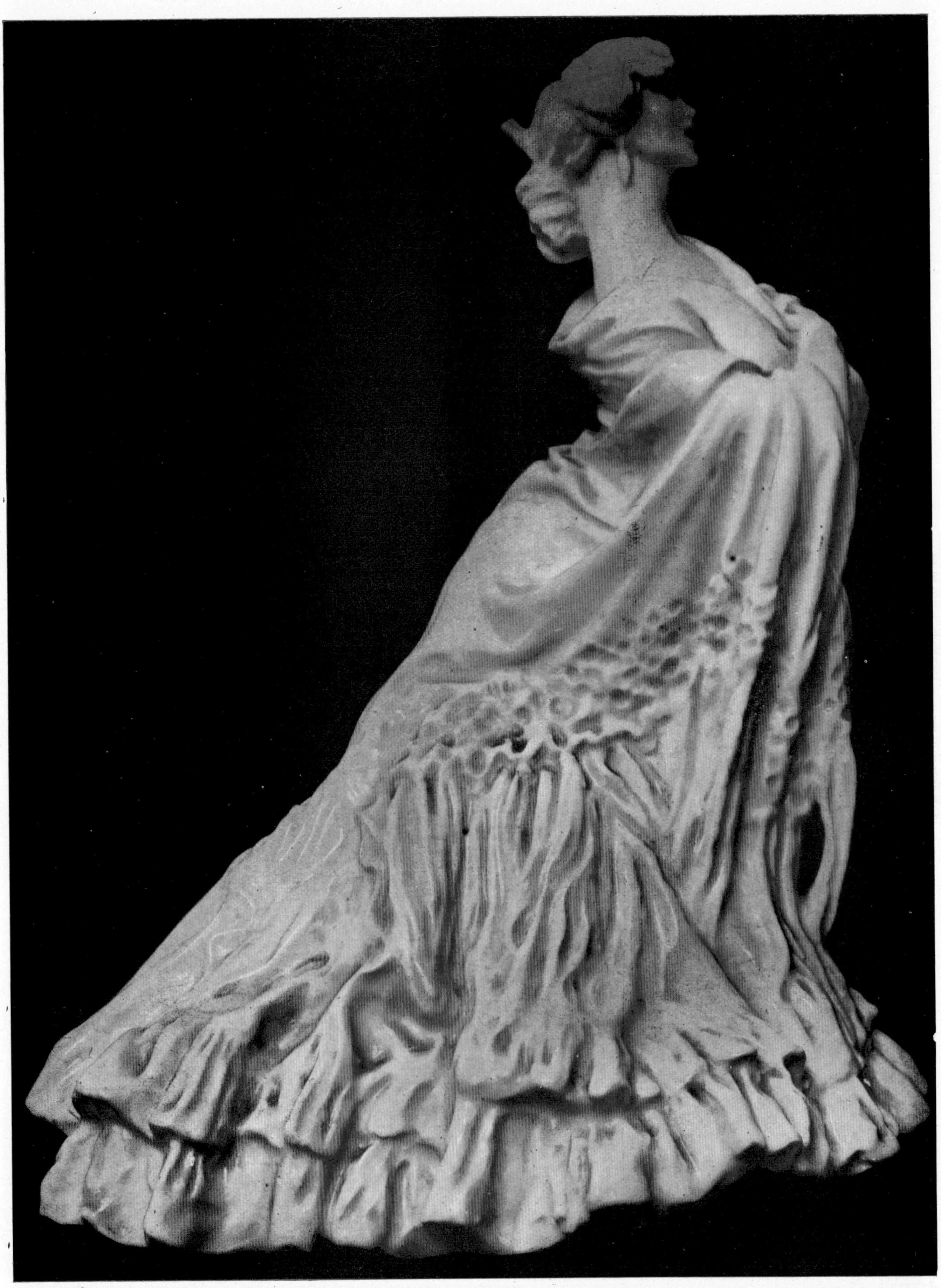

ISMAEL SMITH : *Gitana.* Cerámica Serra

arranque de la escalera y la parte figural de la fachada de la casa Heriberto Pons, de Soler March.

De estos conjuntos, el más difícil de resolver y que comportaba figuras mayores, fué la chimenea de la Fonda de España, con su fuego y humo modelados, entre las figuras pensativas del hombre cansado y la mujer con el niño en brazos, bajo una ronda de *putti* y con la presencia de un gato de enhiesta cola.

Reynés, escultor de primera fila, trabajó mucho para los arquitectos.

Lamberto Escaler fué otro escultor que trabajó en la decoración. Hacía bustos, medallones y chimeneas con temas figurales y naturalistas, como cierto ejemplar con ninfas alojadas en la sombra de unos grandes pinos.

ISMAEL SMITH : *La Justicia*. 1906

JUAN CARRERAS : *Abuelo y nieto*. 1903

Entre los escultores puramente decorativos que seguían en importancia a los Juyol estaba Riera, especializado en altares, lo mismo que Hermenegildo Blay ; José Campeny, que además de sus *bibelots* pintorescquistas y anécdóticos y sus modelos para artes decorativas trabajaba para la decoración arquitectónica y halló en los panteones un ancho campo de acción, y el decorador Juan Labarta.

José María Barnadas, escultor de altares de Juan Martorell, los balcones de Ruiz y de los bellísimos capiteles del Ayuntamiento de Granollers, edificio proyectado por Cordomí, de un espíritu plástico sintético que ha sobrevivido a todo cambio de moda ; Vives y Albareda, establecidos en la calle de Aragón, número 290, que fueron los escultores de la casa que Vilaseca construyó para Joaquín Cabot en la calle de Lauria, número 8, de una exquisita pre-

Otero : *Flora*. 1910

cisión que contrasta con la tendencia a la blandura que afecta a la mayoría del decorado floral modernista : Luis Ferrera, que trabajaba en barro cocido, escayola, piedra y mármol ; Mas Tarrach, especializado en escultura marmórea sepulcral ; los especialistas en chimeneas de mármol, Franzi y Alexandre Gioan ; y Juan Carreras, cuyos medallones en bajorrelieve con rondas de hadas son hermanos gemelos de las marqueterías de Homar (medallones semejantes, con figuras desvaídas y difuminadas, salieron del taller de Hoyos, Esteva y Cía.) deben ser también citados. Pedro Ricart Marés ganó, en 1903, el primer premio en el concurso de escultura de «Materiales y documentos de arte español», cuyo accésit fué otorgado a Miguel Picas.

La falsificación de las labores de labrado de la piedra fué frecuente en las construcciones de segunda fila, e incluso en algunas con pretensiones de importante. De ello se encargaron a menudo, con forjados de cemento, Felipe Fissé y Mamerto Parunella.

También trabajaron estos artesanos la escayola, que tuvo mucha importancia en los techos y especialmente en los zaguanes, donde se hizo difícil prescindir a lo menos de una escocia repleta de lirios en bajorrelieve, que se transformaban en muchos casos en labores más atrevidas, con salientes calados y formas prodigiosamente agitadas.

La fantasía de estos trabajos no tenía límites. Sin salir siquiera del repertorio naturalista podía llegar a hacer composiciones como la inmensa arpa, con tallos floridos en vez de cuerdas, que se dibuja en relieve en el techo del zaguán de la casa número 112 de la calle de Lauria (1904).

Ges y Bas realizaba trabajos en altorrelieve con su yeso con arpillera y estopa, el *staff* clásico ; Juan Coll hizo la cuidada primavera que decora las escayolas de la casa Amatller ; la viuda de Francisco Perales fué una especialista del más retorcido *staff* basado en el *latiguillo;* Ubiergo fué un floralista. Otros forjadores de techos decorados fueron Coll y Molas, Martín Roig, Massot, Maurell, etc.

Pedro Avila logró un gran prestigio con sus trabajos dirigidos por el escultor A. Nolla, en los que entraban restos de goticismo, naturalismo japonés y ondulante *latiguillo*.

La talla en madera, complementación del decorado arquitectónico que llegó a adquirir tanta importancia en edificios como la casa Lleó Morera o Amatller, y que no estuvo ausente de casi ningún proyecto que se estimara, tuvo por cultivadores a Francisco Rifá, José Parcerisas Carreras, Federico Amigó, Hermenegildo Blay, Juan Riera Casanovas y Antonio Ruiz.

Doménech y Montaner proyectó tallas rehundidas, de un neogoticismo que se sirve del modelado egipcio, para la casa Thomas. Granell utilizó también el rehundido para las tallas floreales de sus edificios. Hemos citado a Llimona como tallista de marcos, es-

Francisco Socías : *Tardor*

José Cardona: *Al regresar del trabajo.* 1904

pecialidad en la que fué galardonado con accésit de «Materiales y documentos de arte español» en 1903, Miguel Picas. Pilar Purtella, que desde 1904 cultivaba la alfarería decorada y el pirograbado, y fué premiada en la Exposición de Bellas Artes de 1907, daba en sus trabajos de decoración para arquitectura la nota del naturalismo más fiel.

La decoración escultórica constituyó, en realidad, la base de lo más característico en el arte modernista, y particularmente en la arquitectura. .

A pesar de los esfuerzos de Gaudí,en efecto, la construcción de los años que flanquean la fecha de 1900 no representó ninguna revolución en las estructuras, ni en su contextura íntima ni en sus envolventes o manifestaciones superficiales. En realidad, el drama de esta arquitectura, su talón de Aquiles, fué la exteriorización de una cierta incompatibilidad entre el decorado y la red de líneas básicas que constituyen a modo de la urdimbre del trabajo del arquitecto, derivadas del empleo de la plomada y del nivel, y del empleo de la regla y la escuadra; líneas que señalan la permanencia del principio básico de perpendicularidad entre horizontales y verticales como retícula sólida o esqueleto geométrico de los conjuntos.

El ideal del decorado no obedecía ya a la idea fundamental, vitruviana, según la cual, decoración es la aplicación del decoro, y el decoro consiste en utilizar en cada caso las formas más adecuadas. Al racionalismo implícito en este punto de vista se oponía el influjo de la vaguedad apoyada en el concepto que se tenía, al sur de los Pirineos, de la vaporosidad y la dispersión del impresionismo pictórico, y al influjo manifiesto de las nebulosidades mentales

Querol: Cabeza con los ojos cerrados

Massana: Relieve del bar Torino

que cultivaba el simbolismo poético, con todas las formas subsiguientes de decadentismo.

Este punto de vista poético hizo que se buscara el apoyo en una posición seudojaponesa, en la que la flora vive incrustada encima de cualquier objeto de uso. Se olvidó que, para la cultura japonesa, la flora tiene un sentido fundamental, constituye uno de los pilares de la representación del mundo y una de los formas de expresión de los problemas sentimentales e incluso intelectuales. Se olvidó que, para el concepto japonés, el ornamento floral constituye una verdadera decoración según la idea clásica del decoro, porque la vegetación que puebla parasitariamente y anima con su elegancia los objetos salidos de las manos de los artífices del Extremo Oriente tiene un sentido que pasa de las fronteras de lo simbólico para adentrarse, incluso, por las regiones de lo narrativo.

Vaciado de este valor fundamental, el adorno de fítica no podía sino luchar, en vano combate, por la unidad, con la rigidez de los juegos lineales determinados no sólo por el nivel y la plomada y por los útiles de dibujo, sino por siglos de arquitectura occidental, enraizados en lo griego.

Por ello, cuando una escultora como Pilar Purtella intenta modelar una pilastra paralelepipédica, con temas florales realistas embebidos en su masa, exterioriza un conflicto insoluble, y en cierto modo pone de manifiesto la incompatibilidad, que Pascal ya definía, entre el espíritu geométrico y el espíritu de finura.

Pilar Purtella había querido, no cabe ninguna duda, poder apoyar un techo encima de las líneas cimbreantes de una mata de cardos, pero el sueño, quizá solamente asequible a la metalistería, quedó convertido en la imagen de un cajón transparente con las flores en su interior como peces en una pecera o pájaros en una jaula. Esta imagen de naturaleza en prisión es la sugerencia más inmediata con que puede nimbarse una obra de este tipo, tan generalizado en el decorado del modernismo.

Contra esta mezcla detonante reaccionó el concepto de que hicieron gala, por ejemplo, Massana y Buz-

Eusebio Arnau: Alegoría para la chimenea de la Fonda de España

zi en el altorrelieve que adornaba la pilastra central de uno de los grandes vanos del Torino.

Huyendo expresamente de la línea recta, ocultando el esquema constructivo tradicional, imitando, como en la obra de Gaudí, las formas ístmicas de la naturaleza, como la caña de un hueso, el cuello de un animal, la campanilla de la garganta, se quiso ahuyentar la idea del peso y de la hilada, de la sujeción del hombre a unas leyes y a unas costumbres de la física y la sociedad. Y así pudo fundirse con mucha mejor cohesión la forma viva de una mujer joven y la forma que sugiere la vibración de unos pámpanos, con la masa grávida de un elemento arquitectónico sustentante.

En las labores decorativas que realizó Juyol, al servicio principalmmente de Puig y Cadafalch, se recurre sistemáticamente a la estilización conocida. Se busca el patronazgo mental de las habitudes contraídas, de la costumbre cultural creada por la contemplación de las obras arquitectónicas y decorativas de épocas fenecidas, en la cual el prestigio de los siglos, de tipo intelectual y sentimental, se superpone al poder psicológico de la repetición, que llega a crear una segunda naturaleza en los moldes mentales del gusto.

Por un mecanismo intuitivo automático, pues, al recurrir a la tradición puede facilitarse la aceptación de lo que sería más inaceptable, de lo más inconexo y repelente para unos ojos vírgenes. Y por ello, el espectador contempló con mucha más sensación de reposo y de equilibrio, lejos de la gran angustia creada por el libre decorado floral, las soluciones que, inspiradas en el decorado de la época plateresca, se encontraron para adornar las fachadas del tipo de la de la casa Serra.

En el uso de este cómodo mecanismo mental, soslayando el problema de la incompatibilidad de las formas, y evitando la creación de estructuras con fusión verdadera, se cimentó una de las causas de la decadencia de la originalidad y, por ende, de la corriente modernista. Así nació y se desarrolló el arqueologismo, el gusto por las antigüedades y por el decorado escenográfico de tipo folklórico, que debía encontrar en *Forma* su portavoz y en Miguel Utrillo un cultivador prestigioso, que debía dejar impreso el espíritu de esta etapa final en su importante proyecto para el conjunto de edificios de Maricel, en Sitges.

El panorama de la decoración escultórica de los edificios y, en el fondo, por lo que ello representa en la época, el panorama del concepto arquitectónica en general, apareció, pues, matizado entre la lucha de inspiración poética para sojuzgar la naturaleza y conciliarla con los vestigios del racionalismo, de un lado, y del otro la cómoda evocación de ambientes culturales conocidos, antiguos, como solución psicológica apta para una aceptación generalizada. Entre

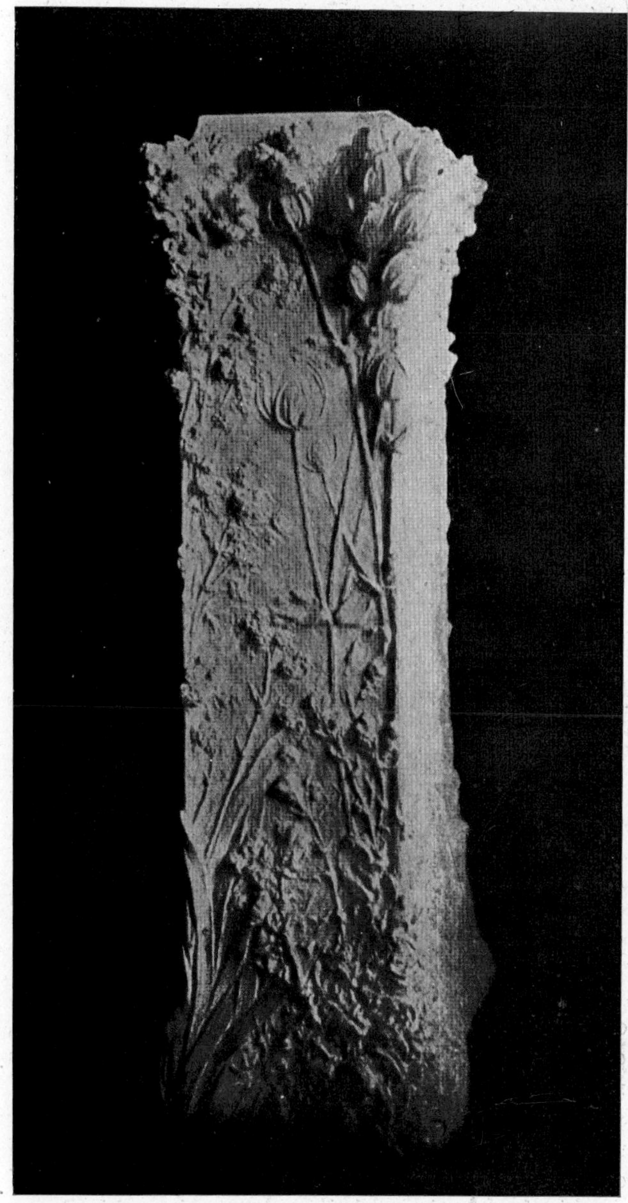

PILAR PURTELLA : Pilar floral. 1907

unos y otros, entre Pilar Purtella y el Puig y Cadafalch de la última época modernista, estaba la posición de los que supieron mezclar y alambicar, para obtener la condensación de una gramática expresiva sintética nueva, válida y generalizable, llamada a constituir una de las conquistas más importantes del momento modernista, por lo que, a través de los años del anticuarismo, del decorativismo y del funcionalismo, ha podido llegar a ser una de las bases de la posición de la arquitectura orgánica que cobra su fisonomía cincuenta años después.

Es curioso señalar un hecho muy revelador para comprender la significación de los cambios sufridos por la decoración escultórica en los años del modernismo y en su momento final. Este es el cambio de temática en el terreno de la fítica. Fué un fenómeno

En la evolución de la decoración floral modernista el fenómeno tuvo un sentido contrario. Empezó con detalles florales realistas, del tipo introducido en el dibujo por Apeles Mestres, que fueron estilizados después buscando la norma en lo arcaico o en lo exótico, en lo prerrafaelita o en lo japonés, hasta que el exceso de estilización condujo a lo arbitrario, y de lo arbitrario surgió el retorno a lo prestigioso

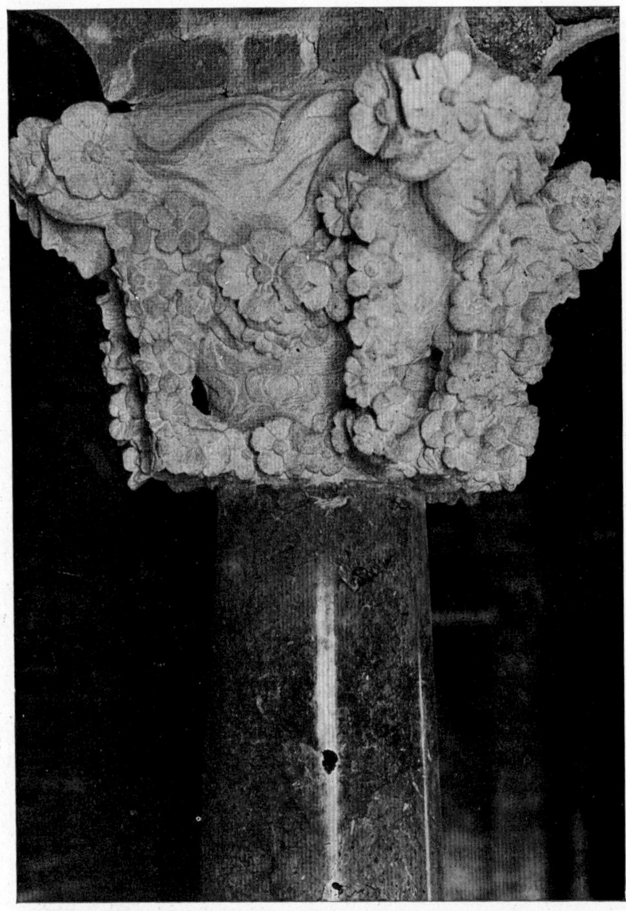

JUYOL: Capitel de la casa Isabel Llorach

de la misma significación, pero de sentido contrario, que el que presidió el cambio estilístico de la época románica a la época gótica.

El paso de lo románico a lo gótico fué precedido por un cambio de tema en la escultura decorativa. El cambio de tema obligó a un cambio de tratado, y el cambio de tratado produjo a su vez el cambio de estilo. Este es un fenómeno elocuente que nos ayuda a comprender que, como sostenía Lermontiev, lo más significativo, para revelar la marcha de la evolución artística, son los pequeños detalles, y nos ayuda a comprender también una de las maneras por las que una filosofía general influye sobre la técnica.

En la Edad Media, lo que se produjo fué el abandono de la palmeta, del acanto, de la rosácea, del amento sinusoide, de la hoja hemiplexa, que constituían el repertorio románico, por el jazmín real, los cardos, la achicoria, los pámpanos, el roble, la hiedra, la sagitaria, la col, la lechuga de la época gótica. El cambio era equivalente a substituir unos temas prestigiosos y tradicionales, de origen asirio, griego, egipcio, persa, por temas cercanos, vivos, cotidianos; a substituir, en fin, una forma de tipo cultural por otra de tipo vital.

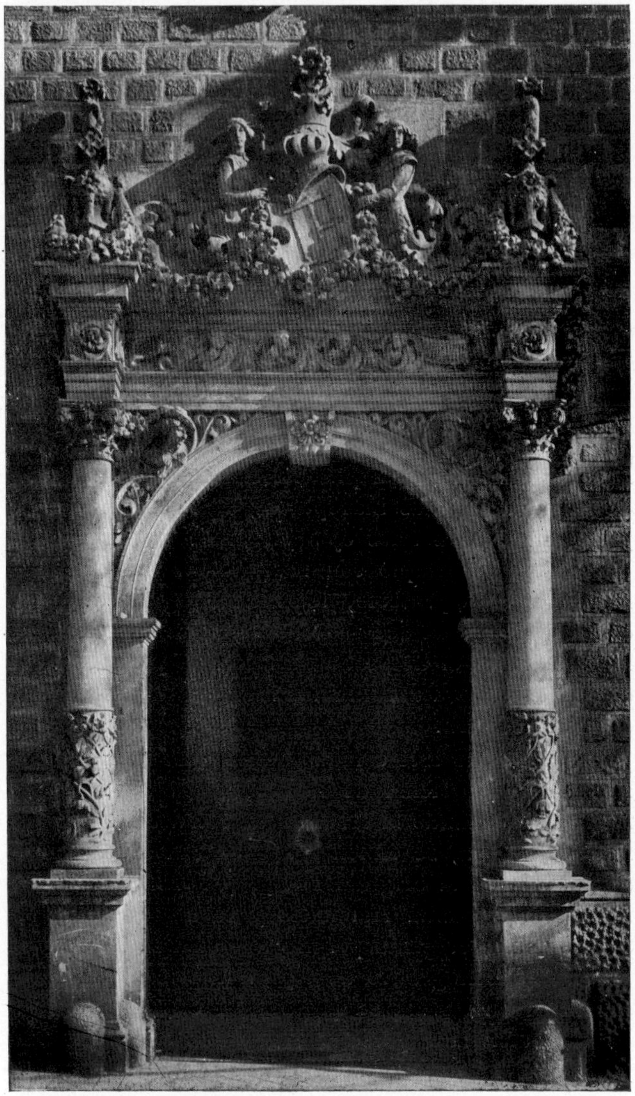

JUYOL: Puerta de la casa Serra, proyectada por Puig y Cadafalch

y cultural: al laurel, al olivo, al boj, al mirto, la vid y la hiedra, abandonando los lirios, las anémonas, los iris, las azucenas, las rosas y las orquídeas en beneficio de un nuevo mundo vegetal que llevaba en su seno, implícita, la semilla esencial del clasicismo.

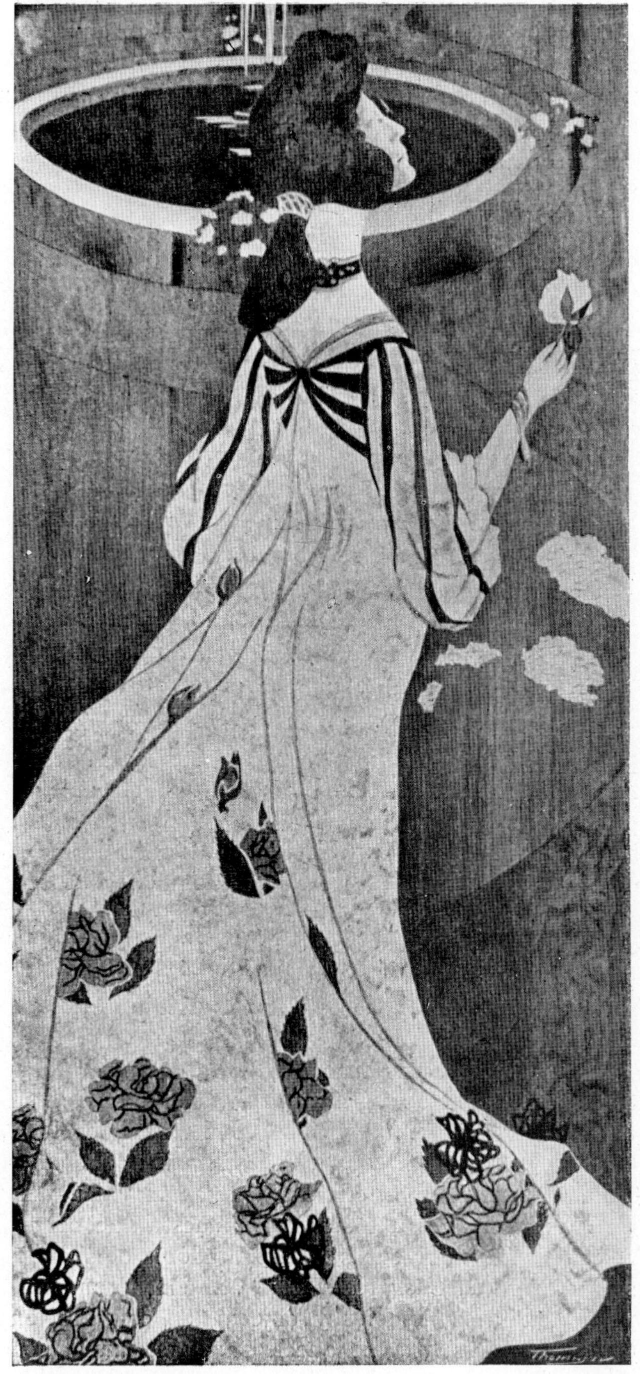

GASPAR HOMAR : Marqueterías

LAS ARTES DECORATIVAS REVIVIDAS

La decadencia. — Bonaparte o la falsificación. Dificultades económicas y delirio de grandezas. Por primera vez, en el Primer Imperio, se imitó el bronce en el hierro pintado de verde de los leones del *Palais Bourbon,* se imitó la forja con la fundición, la tapicería con el papel de empapelar, los bordados con las indianas, etc. En todas partes se prodigaron falsos mármoles, falso oro, falsas sederías...

Fué el principio del fin, ayudado por los embates de la Revolución sobre las manufacturas reales

DOMÉNECH Y MONTANER: Paneles de madera tallada de la casa Thomas

de productos de lujo y por la conquista napoleónica de las cortes italiana y española, en las que extinguió la mayoría de las industrias de arte costosas.

Vino una decadencia, acentuada por la bastardización a que conducía el progreso de la industria al hacer posible la fabricación en serie de objetos a imagen y semejanza de los buenos.

Reviviscencia en Inglaterra. — Tal era el estado de postración cuando se produjo la reacción de Ruskin y su resultado práctico, que fué la creación de unos talleres en los que volviera a darse importancia al trabajo manual, islotes fortificados contra la invasión de las máquinas. William Morris (1834-1896), poeta, autor del *Paraíso Terrenal,* no formó parte de la cofradía prerrafaelita, cuyos siete miembros eran Holman Hunt, Millais, Woolner, Collinson, Stephens, D. G. Rossetti y W. M. Rossetti, pero podemos considerarlo como un prerrafaelita, no sólo por el estilo de sus obras, sino también por haber recibido un gran influjo de Dante Gabriel Rossetti. En su esfuerzo para dar realidad a los deseos de Ruskin se asoció con Ford Madox Brown (1821-1892) que, lo contrario que él, era ya prerrafaelita antes de la fundación de la cofradía y fué el maestro de Rossetti (1828-1882), y con Edward Burne-Jones (1833-1898), antiguo seminarista admirador de Rossetti, consagrado por éste a la pintura y compañero de viaje de Ruskin en alguna de sus visitas a Italia.

Desde la Exposición de Londres de 1851, la del *Crystal Palace,* se hacía sensible el influjo de las lecciones de Ruskin en los bellos oficios manuales, pero el verdadero impulso renovador data de la fecha de 1861, en que montaron su establecimiento productor Morris, Madox Brown y Burne-Jones. En sus trabajos pretendieron realizar un nuevo concepto del objeto de arte, previsto por Ruskin, adaptado socialmente a los nuevos tiempos, creando productos de coste limitado capaces de ser adquiridos por el pueblo, de rodear la vida de todo el mundo de formas agradables y de educar el gusto artístico de las masas.

William Morris [325] nació en Elm House, Walthamstown, el 24 de marzo de 1834, en el seno de una familia de comerciantes. En el Exeter College, de Oxford, conoció a Burne-Jones, gracias a cuya amistad penetró en el círculo de Rossetti y Ruskin. G. E. Street fué su insuficiente maestro de arquitectura y los prerraelitas los inspiradores de su poesía [326]. Para su *Casa Roja,* edificada en Upton, proyectó todos los muebles y objetos, en colaboración con sus amigos, trabajo que le sugirió la fundación de un taller de arte decorativo que tomó el nombre de Morris, Marshall, Faulkner & C°., destinado a fabricar muebles, vidrieras, tapicerías, metales, etc. La poca fortuna económica le obligó a vender su *Casa Roja* y trasladarse a Londres, donde se estableció en Queen Square, para trasladarse, en 1878, a Kelmscott House, en Hammersmith, y montar un nuevo taller en la Merton Abbey. En Hammersmith dió alas a la famosa imprenta Kelmscott Press, cuyos libros ayudaron en mucho a crear el estilo de la época.

Murió el 3 de octubre de 1896.

Morris tuvo la gran importancia de dar a las doc-

PEDRO MASCARÓ : Brazalete esmaltado

trinas de Ruskin, a menudo basadas en concepciones irreales, desasidas de toda significación práctica, una salida eficiente.

Ruskin identificaba la decadencia de la arquitectura de la primera mitad del siglo XIX con una decadencia moral de los arquitectos. Hijo de esta idea, el esfuerzo de Morris tuvo, ante todo, una significación moral. En su tiempo, como dice Giancarlo de Carlo [327], la vida del hombre era triste y desolada, el trabajo era pesado y se hacía en condiciones antihigiénicas ; la clase dominante rehusaba reconocer a los pobres y a los oprimidos el derecho a una dignidad humana. Los artistas no se preocupaban de esto ni del arte, que había caído en la erudición, mientras la industria invadía el mercado con productos carentes de calidad y de gusto. Morris odiaba la clase dominante, la juzgaba «estéril, ignorante e irresponsable» y creía, en cambio, en la energía y el frescor de los hombres que pertenecían a las clases oprimidas. Creía en la revolución social, en un mundo mejor liberado de la injusticia y de la miseria. Pensaba que la labor del artista, y en particular del arquitecto, era la de anticipar el advenimiento de esta nueva civilización, provocarlo con los medios de su arte, no transformando el arte en un instrumento de lucha, sino enriqueciéndolo de contenido humano.

«Para crear un arte vivo»— decía — «es preciso ante todo interesar al pueblo en el arte. Es preciso que el arte se haga parte integrante de su vida, importante como el agua y la luz». «No puedo concebir el arte como privilegio de unos pocos, como no puedo concebir la educación o la libertad para unos pocos.» Por ello, en vez de crear un establecimiento de decoración para la nobleza inglesa, creó una escuela de artesanos, trabajando él mismo, con sus manos, entre sus propios obreros. Dibujó y construyó muebles y objetos para la casa ; estudió y experimentó nuevos procedimientos artesanos ; exploró, sin prejuicios, en el terreno de todas las culturas artísticas, desde las de la Edad Media hasta las del Extremo Oriente, para extraer de ellas enseñanzas útiles a los artistas de su tiempo.

En Inglaterra, cuando Morris llegó a la lucha, el arte se hallaba dividido en dos campos. De un lado estaban los prerrafaelitas, acaudillados más por Ruskin que por Rossetti ; del otro, los impresionistas, acaudillados por Whistler [328]. Aquéllos representaban la vuelta a la tradición, éstos la fe progresista. Morris no quiso ponerse en la posición, a menudo retrógrada, de Ruskin y los suyos, y concibió el intento atrevido de poner a contribución, en su tarea de rehabilitar los bellos oficios, todos los adelantos logrados por el impresionismo.

GRANELL : 1900

El tema floral en la plástica : Puerta con hojas de castaño, premiada por el Fomento de las Artes Decorativas

Si su arte resultó medievalista no fué debido a una voluntad de imitación a la manera de la época victoriana o de Viollet-leDuc, sino a causa del intento de volver a comunicar a los artífices aquella fe en el oficio, en la belleza implícita en cada material y en cada técnica, que habían dado carácter al arte de la Edad Media.

Ahora bien, en esta dirección Morris llegó a un contrasentido, pues al no querer admitir ningún procedimiento de tipo industrial moderno, sus productos fueron mucho más costosos que los de las manufacturas que trabajaban en serie, y en vez de llegar al pueblo se convirtieron en piezas de lujo para coleccionistas privilegiados.

En sus *Noticias de Ningunaparte* [329] describió la soñada ciudad del futuro, en la que el arte tenía un papel total, desde el embellecimiento de los más mínimos enseres de la vida cotidiana hasta la concepción total urbanística, una concepción que marca el primer paso hacia el urbanismo contemporáneo [330].

Morris fué, además, el creador de algunas bases decorativas válidas todavía al finalizar la primera mitad del siglo XX, como el predominio de la estilización sobre el naturalismo en el ornato vegetal, el contraste entre zonas de adorno compacto, encerradas por líneas virtuales simples y grandes

El tema floral en el color : Vitral de tribuna, por JERÓNIMO F. GRANELL

Proyecto de J. S. HENRY, de Londres, realizado por Juan Busquets, de Barcelona. Mesa de juego en roble natural, con taraceas de sicomoro y verruga de fresno. 1908. Destinada a la Vda. Torres Vendrell

superficies desnudas, el neopopularismo y los elementos vegetales reducidos, por contornos invisibles, a llenar ciertas zonas en forma de faja o corona. Fué también el creador de un tipo de mobiliario muy simple, que se generalizó en Inglaterra y de allí pasó a toda Europa, caracterizado por los ensanchamientos de la parte inferior de las patas, el exceso de altura de los montantes, que terminan más altos que el mueble, con una especie de pequeñas plataformas, y el gran papel otorgado a las superficies caladas, con listones, en respaldos de silla, costados de librería, etc.

Con su mejor discípulo, Walter Crane, cultivó las artes del libro, en las que introdujo un nuevo concepto de la ilustración y el decorado, en contacto directo con el ambiente del primer Renacimiento florentino, ligeramente teñido de goticismo, y laboraron en la resurrección del arte de la encuadernación ; fabricaron telas estampadas, papeles pintados para el decorado de los muros, tapicerías, vitrales emplomados, mosaicos, etc. Burne-Jones pintó los cartones de las tapicerías de *La Estrella de Belén*, del Exeter College de Oxford, y los del *Santo Grial*, y Morris el del tapiz goticista de *Flora*. Los dos colaboraron en las vidrieras de la casa Powell de Londres, la Catedral de Oxford, las iglesias de Allerton, East Hampstead, San Felipe de Birmingham, San Gil de Edimburgo, San Juan de Torquay, las aulas de Hawarden y Dundel, las universidades de Cambridge, Boston, Nueva York y Londres, aparte numerosos vitrales destinados a casas particulares. Burne-Jones tiene el más importante de sus mosaicos en el ábside de la iglesia americana de Roma, donde aparece Jesús con los brazos extendidos en cruz ante el Árbol de la Vida, entre Adán y Eva, según el gusto prerrafaelita por la creación de nuevos símbolos.

Reviviscencia en Francia. — En Francia hubo una personalidad aislada que coincidió en muchos puntos con Ruskin, pero no fué escuchada ni obtuvo la gran influencia que se ganó el incansable teorizador británico : el conde L. de Laborde, que vió la necesidad de que «el arte se supeditase al oficio sin perder su nobleza» y pudiera así ser «generosamente prodigado, popularizado para la alegría del bienestar, tender a ofrecerse a todo el mundo gratuitamente y no solamente al coleccionista y en la forma vana del bibelot».

Era fatal que la posición de Laborde, como la de Ruskin, llevara al medievalismo. El conde francés empezó por darse cuenta de las desgracias causa-

ANTONIO GAUDÍ : Decoración compuesta con muebles heterogéneos, según el concepto premodernista. Palacio Güell. 1888

das por la Academia y describía de este modo el ambiente de las artes bajo los últimos monarcas franceses : «Grupos enemigos se constituyen, imbuídos de sus prerrogativas, creando en el arte una jerarquía... La supresión de las corporaciones... a pesar de todos los abusos que se les han podido reprochar legítimamente, no hará más que agravar estas dificultades. Poco a poco ha desaparecido el fondo de antiguas familias en el cual se encontraban los artistas de cada especialidad... El creador está en un lado, el realizador en otro, y se hacen reclamaciones injustas por las dos partes : los artistas están descontentos de ver que sus modelos son mal ejecutados y los fabricantes o sus obreros declaran estos modelos como irrealizables. Esta ausencia de compenetración produce una escisión lamentable y un desdén recíproco.»

Laborde observa el hecho de que los movimientos populares — la Revolución, el Imperio — reaccionaron contra el progresivo dominio de las «artes liberales» sobre las «artes útiles» y volvieron a mezclar en los salones los productos de pintores y escultores con los de la fabricación, pero una vez restaurada la Monarquía renació vigoroso el desprecio hacia los bellos oficios, los cuales, a su vez, se veían progresivamente corrompidos por la industrialización.

Después de visitar la *Exposición de Arte y Comercio*, de Londres (1851), en el momento en que John Ruskin publicaba sus *Stones of Venice*, Laborde se sintió identificado con él [331]. En la Exposición de París de 1855 se quiso imitar la de Londres y, como allí, se quiso premiar no sólo a las casas productoras, sino también a los artistas y obreros que hubiesen intervenido en los trabajos, lo que chocó con la resistencia de los patronos a dar los nombres de sus mejores colaboradores, por miedo a que una casa rival se los quitara [332]. Michel Chevalier [333] pudo hacer la frase, algo chauvinista, a propósito de esta exposición : «Hemos llevado a los ingleses por el camino de lo bello : por un intercambio mutuo y feliz, ellos nos llevan hacia lo útil.»

Reja de tema floral, proyectada por HOMAR (en la Travessera de Dalt, de Barcelona)

Todo ello no podía ocurrir sin el horror de Monsieur Ingres, que protestaba en nombre de la «jerarquía» contra la revolución artística en ciernes.

En efecto, la revolución se organizaba precisamente contra la falsedad de unas jerarquías oficiales establecidas sin contacto con la realidad. Se organizaba contra los dos significados de los «grandes estilos» académicos, contra la idea de unas artes superiores y el desprecio al oficio y contra el artificio del tema clásico rutinario. Así, en dos formas de la tendencia a la sinceridad, se ensalzó al trabajo y al obrero y se buscó inspiración en la naturaleza.

En este último aspecto fué muy precoz el escul-

Proyecto de MAJORELLE, de París, reproducido por JUAN BUSQUETS, de Barcelona: Armario en nogal tallado con paneles de marquetería en fresno de Hungría y metales repujados. 1905

tor Barye, cuya especialidad en la escultura de animales nos habla ya de un radical sentimiento opuesto al antropohelenismo de la Academia. Barye proyectó, en 1860, para la *Union Centrale des Beaux Arts appliqués à l'Industrie,* unos candelabros exclusivamente decorados con temas florales sacados de la Naturaleza, sin contacto con interpretaciones estilísticas anteriores. La *Union* había sido fundadda a iniciativa del arquitecto y decorador Guichard por varios industriales de París, como Lerolle, Philippe Mourey y Ernest Lefèbvre hijo, con la finalidad de «mantener en Francia el cultivo de las artes que persiguen la realización de lo bello en lo útil, de ayudar a los esfuerzos de los que se preocupan por los progresos del trabajo nacional, desde la escuela y el aprendizaje hasta el grado de maestro... de excitar la emulación de los artistas en sus trabajos, vulgarizando el sentimiento de lo bello y mejorando el gusto público, tendiendo a conservar para nuestras industrias de arte, en el mundo entero, su antigua y justa preeminencia, hoy amenazada».

Al lado de Barye, Davioud, Paul Sédille, Chapu, Louvrier de Lajolais, etc., se sintieron entusiasmados por el programa. Las publicaciones ayudaron al ambiente. En 1865 Adrien de Longpérier sentaba una de las bases del futuro Modernismo, que debía

GASPAR HOMAR: Estilización floral en un paragüero

tardar casi treinta años en cristalizar, afirmando la necesidad de que los artistas recurrieran a la «fecundidad de su imaginación». Ruprich Robert dió a los innovadores la ayuda y la orientación de su famosa colección de documentos para la decoración floral [334]. En una dirección muy semejante debió influir la sintomática Exposición retrospectiva de Arte Oriental organizada en París en 1869, gracias a la cual se impusieron, aliados, orientalismo y naturalismo.

Las exposiciones de 1864, 1865 y 1869 no representaron prácticamente ningún progreso en el sentido trazado por los promotores del nuevo movimiento artesano. Más eficaz fué la labor de la Escuela Nacional de las Artes Decorativas de París, que fundó el marqués de Chennevières, y de la cual fué el primer director el citado Louvrier de Lajolais, a pesar de que sus trabajos sólo tuvieron, de momento, un valor técnico y se mostraron muy tímidos en el aspecto plástico.

En realidad es preciso esperar a la Exposición Universal e Internacional de 1889 para hallar, en Francia, los primeros resultados de la voluntad renovadora.

Esta exposición, precedida por la gran novedad de la torre Eiffel, de 300 metros de altura, apoteosis del progresismo ochocentista, de la que se pudo decir que «estaba ya en germen dentro de la Declaración de los Derechos del Hombre», fué audaz en el empleo de estucturas y materiales nuevos para los edificios, aunque encontrara dificultades para concebir una ornamentación para éstos, fuera del repertorio de los prestigiosos estilos monárquicos.

Escaño del neorococó puesto de moda por la Exposición de 1900. Obra de JUAN BUSQUETS, en madera dorada, para la residencia Cassina de Santiago de Chile. 1908

La sorpresa de la exposición innovadora del 1889, en el campo de las artes decorativas, tuvo como causa indirecta la propagación de las ideas de Laborde y sus continuadores y como causa directa el interés que súbitamente sintieron arquitectos, pintores y escultores por el conjunto armónico del hogar moderno.

Aunque este intromisión de los cultivadores de las llamadas Bellas Artes en el campo de lo útil estaba en contradicción con las ideas fundamentales de Ruskin y de Laborde, fué muy útil porque removió el ambiente artesano con ideas nuevas que fueron aprovechadas cuando el ebanista volvió a ser, como en la Edad Media, el creador de los muebles; el forjador, de los hierros, etc. Algo quedó, no obstante, al cristalizar este nuevo orden artesano, del espíritu alimentado por la fase de intromisión de los artistas, y este algo, que gravitó sobre todo el movimiento artístico finisecular, fué la tendencia a soluciones teóricas, alguna vez difíciles de compaginar con las condiciones técnicas.

El tubo metálico cimbreante. Paragüero de HOMAR

un rico repertorio naturalista, desligado de los estilos tradicionales y quizá sólo relacionado con las formas cultivadas por Bernard Palissy, como en los extraordinarios efectos de calidad material y de color conseguidos con nuevas combinaciones químicas y artificios de cocción y enfriamiento.

A su lado también habíase dado a conocer Dammouse, ceramista que con sus nuevas formas y el frescor de sus temas naturalistas ganó tanto prestigio como por su virtuosismo en los grandes fuegos, que hizo tambalear el bien establecido prestigio burgués de los rutinarios talleres de Sèvres.

El año 1889 fué el de la apoteosis — ni que decir tiene que sólo para un público reducido y selecto — del arte de Dammouse y de Gallé, de su temática revolucionaria y el atrevimiento de sus oposiciones violentas de colores intensos, a pesar de lo cual la incomprensión de la novedad hacía sentir a algunos entusiastas que el arte nuevo tenía «el aspecto atrayente, el sabor picante, el perfume mordiente de la mujer fea que se quiere».

En cierto modo pueden figurar al lado de esos artífices, por su precocidad en el naturalismo, los orfebres y joyeros Boucheron y Christofle, que se inspiraban mucho en la metalistería japonesa y estaban obsesionados por el esmalte y las aplicaciones de marfil. A su lado hay que considerar, desde 1889, a Jules Brateau (1844-1923), Lucien Falize, Diomède, Vever, etc. Falize llegó, en su naturalismo, a decorar un servicio de orfebrería con repujados representando verduras comestibles.

Al lado de Dammouse se abrieron camino Auguste Delaherche, Adolphe Moreau, Cazin, Chaplet (1835-1909), autor de valiosas porcelanas flameadas, y Carriès (1855-1894), que trabajó tanto en vasos como en figurillas.

Nuevos oficios vinieron a añadirse al movimiento renovador en la forja de hierro de Emile Robert (1860-1924), y en las encuadernaciones que, inspirándose en las inglesas, realizaba Marius Michel.

Todos estos esfuerzos habrían sido divergentes y

Pocas excepciones hubo en este desarrollo de las artes decorativas francesas, pero las que hubo fueron de la mayor importancia. Existe una personalidad aislada, de primera categoría, que retuvo posiblemente la mayor parte de la creación de una temática decorativa nueva: Emile Gallé (1846-1904), polifacético, vidriero, ceramista, dibujante de mobiliario, conferenciante y escritor. Gallé fundó la Escuela de Nancy, en la que debía aparecer el gran mueblista Majorelle.

Gallé causó sorpresa cuando en la Exposición Universal de 1878 aportó las primeras muestras de unos trabajos que tenían el gran valor de estar concebidos al mismo tiempo desde el punto de vista del artista y del artesano y cuyo valor residía tanto en las originalísimas formas y en la adaptación de

poco fecundos de no haber existido una voluntad de constitución de un estilo. En 1889 esta voluntad estaba encarnada en Roger Marx, quien aclaró y expuso los términos del necesario paralelismo entre las épocas y los estilos. Pero sus ideas teóricas habrían carecido de eficiencia sin alguien encargado de estudiar, de una manera práctica, la estilización. Esta tarea incumbió al suizo Eugène Grasset (1845-1917), nacido en Lausana y naturalizado francés, que dió a conocer sus ideas indirectamente cuando ilustró *Les Quatre Fils Aymon* (1882-1883), y de una manera sistemática en *La Plante et ses applications ornementales* (1896).

La estilización, tal como la concebía Grasset, consistía en una interpretación sintética, e incluso esquemática, de la Naturaleza. Se basaba en la simplicidad de la línea, en el carácter estricto de la forma encerrada en un trazo, en la dosificación de los colores naturales que permite extraer de su complejidad el alcaloide de los tonos raros, el acuse de la significación decorativa de los objetos: figura humana, zoódica, fítica, paisajes y cielos.

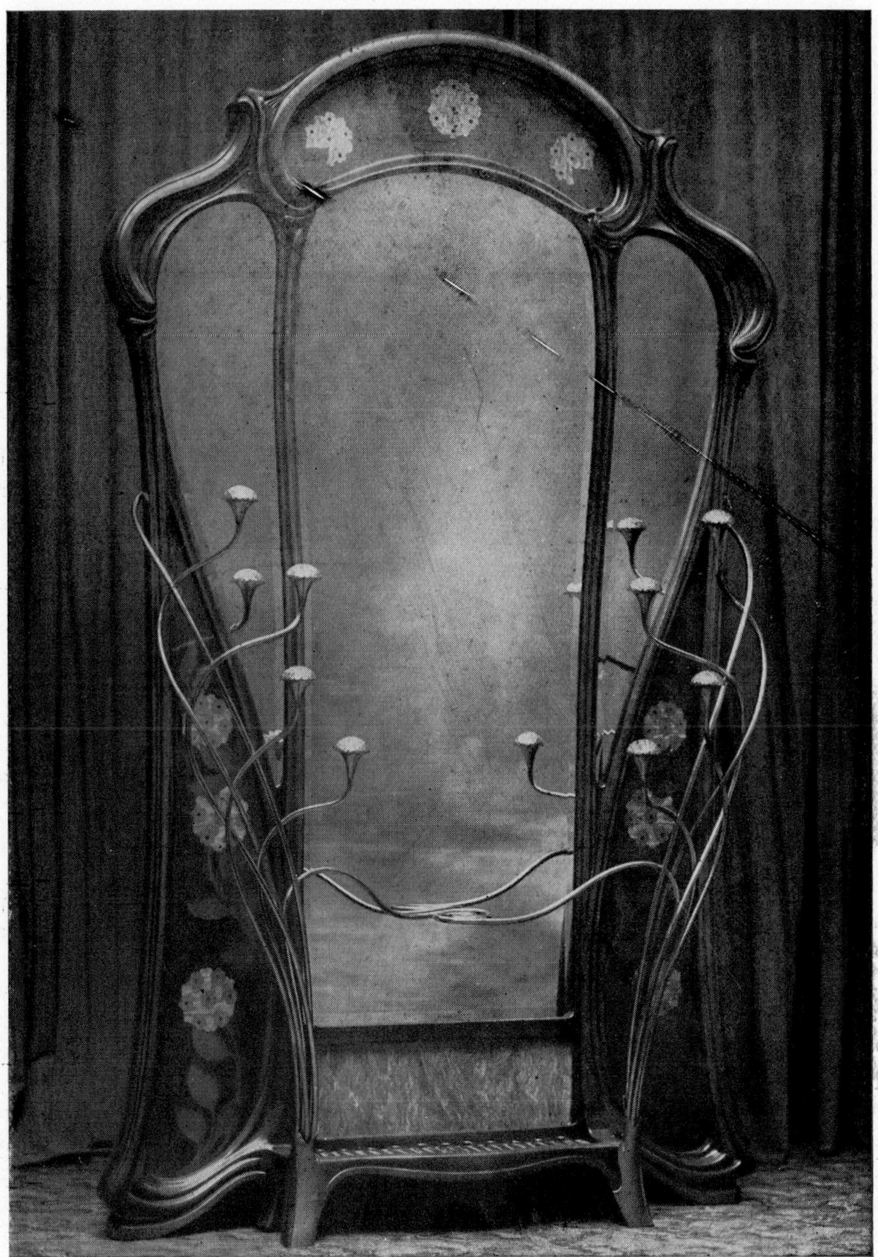

JUAN BUSQUETS : Paragüero de caoba con marquetería

Como dice Emile Bayard [335], «mediante la selección del gráfico más que por su simplificación, plano por plano, mancha por mancha, la armonía brota de la línea y del color, destacando el espíritu de un detalle, el brío de un tono, la característica de un movimiento».

«Se trata, por ejemplo, de academias adornadas de raíces, de ramas en sus extremidades, en las manos, en los pies, en las cuales flores monstruosas, fuera de escala, repeticiones geométricas, nubes, constituyen fondos pacientemente dibujados. Cualquier cosa sirve de pretexto para un efecto decorativo, el vuelo de un ropaje, de una cabellera. Se descomponen sus elementos naturales y se esterilizan con cuidado para llegar a composiciones dispuestas asimétricamente en su marco, compactas, según un esquema extraño, turbadoras de la fantasía, de una ingenuidad, en fin, sólo aparente.»

«De esta abreviación resulta cierta rigidez; cierta sequedad nace también de este simbolismo de la expresión que constituye en puridad el encanto decorativo, si no muy nuevo, a lo menos muy bien renovado de los modelos naturalmente ingenuos de la Edad Media.»

Para Eugène Grasset [336] «dos leyes dirigen el arte ornamental. La primera es que la forma de conjunto de los objetos adornados debe adaptarse al uso de estos objetos y que esta forma no debe ser alterada por sus ornamentos. La segunda es que la materia opone un límite a la representación exacta de los objetos naturales y que este límite no debe ser traspasado por ningún alarde técnico».

JUAN BUSQUETS: Secreter y butaca en fresno. 1910

cimbreante silueta de los iris.

Edmond de Goncourt, delicado catador de las exquisiteces de las civilizaciones decorativas más refinadas, entusiasta del rococó y del arte japonés, protestaba indignado contra las influencias inglesa y austríaca que dominaban en el gusto de los franceses y les hacía preferir lo simple, lo higiénico y lo confortable a lo rico en fantasía, en habilidad y en rarezas de concepción y de material.

En cierto modo la Exposición Universal de París de 1900 obedeció a una idea semejante a la de Goncourt. Flotaba en el ambiente la necesidad de que la finura, la viveza y la gracia francesas y — ¿por qué no? — la tradicional supremacía parisiense en lo femenino, reaccionaran contra sistemas demasiado ceñidos a lo práctico e impusieran una vez más al mundo una manera de vivir rodeándose de una fantasía picante y ágil.

A estas consideraciones generales para uso de artífices añadía Grasset todo un recetario de fórmulas para la reducción de los motivos naturales a líneas simples y a manchas elementales para destacar el carácter de un objeto o el espíritu de un detalle y para captar la esencia de los movimientos. Los esquemas de Grasset tienen ante todo un valor de ritmo, matemático, que podríamos llamar musical. Dan, por ejemplo, todas las maneras de rellenar un cuadrado con una rama de castaño y, viceversa, estudia los polígonos en que puede resumirse un complejo natural dado.

En sus ilustraciones y composiciones figurales Grasset siguió más bien una estilización por sensibilidad indefinible a la manera japonesa; en los trabajos meramente decorativos, proyectos para artes industriales y decoración de libros, fué donde siguió estrictamente sus propias prescripciones regularizadoras.

Uno de los aspectos más fecundos del arte de Grasset fué la creación de una iconografía. Fué él quien inventó el tipo japonizante de unas damas de mirada vaga rodeadas del capricho retorcido de unas cintas al viento, el deshilvanado de unas nieblas misteriosas o la torturada silueta oscura de unos pinos azotados por el viento que se inclinan sobre el mar. Él fué un gran divulgador de los estanques con cisnes y quien impuso en la flora decorativa del modernismo de los países meridionales la

En arquitectura este ideal fué muy mal comprendido. Los palacios de la Exposición, de Girault y Louvet, el *Grand* y el *Petit Palais,* escondieron las estructuras de hierro y se recubrieron con una reestilización de los últimos estilos monárquicos, una mezcla de rococó y Luis XVI, y el puente Alejandro III, de Cassien-Bernard y Cousin, dió también a su parte metálica un disfraz setecentista. La voluntad de empalmar el nuevo estilo floral con el rococó se destacaba, no obstante, en algunos palacios efímeros como el *Château d'Eau et d'Eléctricité.* La única construcción de un espíritu totalmente nuevo era la puerta monumental en hierro proyectada por Binet, inspirada en un hueso de un cuerpo humano y constituída por un armazón muy tupido en hierro, que formaba una irregular estructura de cúpula de planta trapezoidal, sin ningún ornamento rutinario.

Aunque fuera muy pobre la aportación francesa al decorado de interiores, hubo la obra de Frantz Jourdain, decorador de la sección de perfumería, que alió algunas formas de palanca, derivadas del mecanicismo progresista, con motivos naturalistas, como la balaustrada de lirios, dentro de un esquema de líneas generales rococó en el que se nota el influjo de las ideas de Edmond de Goncourt. Hubo también la obra de otro arquitecto, Plumet, poco francesa por sus mástiles de caoba y sus limpios zócalos de gres. Benouville decoró la sección de farmacia con ramas ondulantes de metal y carteles de cristalería policroma y la sección de cueros con vitrinas de caoba, de las que se dijo, como un mérito, que habían sido molduradas a máquina, y paneles de Félix Aubert en la característica técnica del pirograbado. Las líneas torturadas a lo Héctor Guimard dieron forma al *stand* de papelería que decoró Sorel. Todo ello era muy pobre y demostraba la desorientación que incluso Grasset tenía, desde el momento en que, para decorar la sección de modas en colaboración con Costilhis, no empleó ningún sistema de decoración propiamente dicha, sino que utilizó los recursos del cartelismo, de sus propias obras y de las de Jules Cheret, Willette, Carrière y Léandre.

JUAN BUSQUETS : Escaño con espejo y vitrina. Marquetería de rosas en doradillo con fondo de limonero veteado. 1904

Los muebles franceses no se presentaban en la forma orgánica de algunas instalaciones extranjeras, sino con el desorden de una tienda de muebles. No obstante, el contenido era muy interesante. El arquitecto Guimard presentaba sus obras aparentemente construídas con tallos flexibles. El gran Majorelle, de Nancy, aportaba muebles de superficie alabeada, patas bifurcadas, abundancia de motivos *coup de fouet* y naturalistas, marqueterías de amaranto y tuya con incrustaciones de metal y nácar. A imitación de los muebles japoneses, estas marqueterías no constituyen pequeños motivos decorativos; pero, a diferencia de las marqueterías catalanas, no se logra en ellas una culta estilización europea, sino una evocación oriental vagamente persa.

Los arquitectos Charles Plumet y Tony Selmersheim presentaron muebles arquitectónicos, entendiendo por esto no el recuerdo de órdenes pasados, sino la simplicidad de unas sólidas estructuras de barrotes de sección cuadrada levemente arqueados y sin ningún adorno.

Edme Couty presentaba muebles de un modernismo comedido que Chevrelo decoraba con marqueterías en las que flores de boj blanco del Paraguay y limonero y hojas de madera verde de Saint-Martin y de ciruelo se destacaban de un fondo de raso.

Formaban un grupo compacto las obras, presentadas bajo el nombre de *Art Nouveau,* de Salomón Bing, que representaban un intento de realizar una especie de nuevo rococó japonizante sin caer en la profusión decorativa, sino sólo adoptando una suave flexión de líneas y una leve salpicadura de motivos florales en color. Bing había abierto al público en 1895, en la parisiense rue de Provence, su tienda de *Art Nouveau,* cuyos principales proyectistas de muebles eran Eugène Gaillard, el más atrevido en las inflexiones, hasta el límite del *coup de fouet;* Georges de Feure, con cierta tendencia a lo suavemente redondeado, y el exquisito Colonna, el más cercano al Extremo Oriente.

Es curioso recordar el hecho de que fué precisamente en esta instalación donde se dió a conocer el pintor José M.ª Sert, el cual realizó un friso con exuberantes evocaciones mitológicas de un sensualismo entre griego y oriental en el estilo recargado que, durante cierto tiempo y de una manera absurda, fué llamado asirio.

En el campo de la cerámica Bing tomó a su servicio al danés Willumsen, que cultivó la decoración en relieve, que tenía otro único cultivador en Gröndahl, establecido en Copenhague; pero la verdadera cerámica francesa en la Exposición de 1900 estuvo a cargo de Delaherche, Carries, Chaplet y Lasserre, que había introducido el nuevo espíritu en la manufactura de Sèvres.

La vidriería seguía estando presidida por Emile Gallé, pero no pasaba del campo de los vasos, pues en Francia la gran vidriería fundida a lo Tiffany no fué cultivada, continuando, en cambio, el antiguo oficio de pintor vidriero, encarnado a la sazón por Grasset (realizado a veces por Gaudin), Besnard, Carot, Magna y Leprévost.

MORAGAS Y ALARMA: Establecimiento Sangrá. 1910. Decoración inspirada en el estilo secesionista vienés

Uno de los grandes creadores del *Art Nouveau,* René Lalique, presentaba vasos en pasta de vidrio, en los que Roger Marx saludó un nuevo estilo que le valía los calificativos de «enamorado de la materia rara, dotado de fino gusto, espiritual y ligero, esencialmente francés». En ellos los insectos y los pájaros aparecían «entre las flores ebrios de libertad, en el aire y la luz». En estos vasos alternaba la técnica del vidrio fundido y el grabado.

Lalique era un entusiasta de la naturaleza rayano en el panteísmo. Para él «la Naturaleza es un templo de pilares vivientes por el que el hombre pasa a través de bosques de símbolos».

Gallé, en sus vidrios, introdujo la libélula en el arte. Lalique tenía que convertir este insecto en un tema precioso para la renovación de la joyería. Fué él quien enseñó que una joya no vale por las piedras que encierra, sino por el arte con que ha sido cincelada. Huyendo de las joyas costosas en boga, se complugo en las piedras semipreciosas, las ágatas, el sílex, la concha, el cuerno, los esmaltes e incluso el vidrio, materiales que le permitieron el logro de unos inéditos efectos de calidad y de color. Algunas joyas fueron realmente creación suya, como el broche de blusa y el brazalete de manga. Los dibujos son de una sorprendente verdad compatible con una sabia armonía decorativa.

Al lado de la orfebrería de Lalique pierden importancia las piezas de servicio cinceladas y patinadas por Boucheron con las flores de la época: la amapola, la mimosa, el botón de oro, la anemone y el cardo, y los animales y plantas realísimos de las primeras galvanoplastias logradas por Christofle.

La decoración en Austria. — Adolf Loos nació en 1870 en casa de un picapedrero y escultor [337]. Era pobre. Para ganarse la vida, en América, trabajó de albañil. De nuevo en Europa empezó a escribir artículos en defensa apasionada del viejo espíritu artesano que él veía tan amenazado por la tendencia a la falsificación, propia del siglo XIX, y los caprichos del *Jugend-Stil* [338]. La idea fundamental que Loos se formuló en 1897 era la siguiente: la evolución de la humanidad lleva hacia la necesidad de prescindir del adorno. Lo que antes podía hacerse: beber en un cántaro en el que aparece figurado un combate de amazonas o sostener un bastón terminado en la figura de un personaje, repugna al hombre moderno. El trabajo de los decoradores (bordadores, tallistas, torneros, etc.), no se paga ya a su justo precio. Reconociendo esto, fué preciso combatir duramente a aquellos que querían, de nuevo y por la fuerza, hacer entrar otra vez el ornamento y el arte en los oficios manuales, en la artesanía [339]. Loos demostró que todos los esfuerzos para encontrar ornamentos nuevos serían vanos, puesto que no subsiste ya ningún vínculo orgánico entre los adornos y nuestra cultura. Hizo comprender que estos esfuerzos estériles eran perjudiciales y afirmaba que los Estados los sostenían porque pensaban que era más fácil dominar a hombres retrógrados.

Llegó a profesar tal odio por los adornos que pudo compararlos con los crímenes [340]. Otra de las preocupaciones fundamentales de Loos era la expresión pura del carácter de los objetos. Hablando de él pudo decir el gran escritor Karl Kraus: «Adolf Loos y yo, él de una manera práctica y yo por la palabra, no hemos hecho nada más que enseñar que hay una diferencia entre una urna y un orinal y que la cultura consiste precisamente en darse cuenta de esta diferencia. Pero los otros, gente positiva, se dividen entre aquellos que utilizan la urna como orinal y aquellos que utilizan el orinal como urna.» Realmente esta sátira pinta, con gran exactitud, el estado de confusión a que se había llegado a fines de siglo.

A su retorno de los Estados Unidos pasó por Inglaterra antes de establecerse en Viena, en 1896. Desde esta fecha publicó artículos en la *Neue Freie Presse,* cuyas ideas sobre el traje y la decoración sorprendieron. Al mismo tiempo decoraba tiendas y cafés a la inglesa. Loos consiguió convencer de sus ideas al propio Otto Wagner, mucho mayor que él (1841-1917), que al año siguiente se convirtió en caudillo de la llamada «Secesión», que logró reunir a los discípulos de Wagner Josef Hoffmann, Josef Olbrich y Koloman Moser. Favoreció a este grupo la llegada a Austria de los ingleses Ashbee y Mackintosh y el nombramiento, como Director de Artes e Industrias del Imperio, de Myrbach, que había tenido efecto en 1895. De acuerdo con las idas de Ruskin y Morris, y con la preocupación del trabajo colectivo, fundaron en 1900 la *Wiener Werkstaette,* dirigida por Hoffmann y Moser, cuya primera obra importante, planeada por el primero de ellos, fué el sanatorio de Purkersdorf, de una simplicidad de líneas que se adelanta 30 años a su fecha y en el que sólo ponen un sello de la época los bajorrelieves de Richard Luksch y los vitrales de Moser. Debe retenerse la presencia, como temas decorativos en este sanatorio, de la cenefa ajedrezada de cerámica, las vidrieras de pequeños cristales formando cuadrícula interrumpida por rombos y las jambas de puerta que avanzan, en curva cóncava, como los soportes de una máquina.

Los arquitectos secesionistas proyectaron la decoración interior en todos sus detalles, incluso los muebles. Loos creó el muro revestido en parte de madera, con la parte alta decorada con un friso en papel estampado de carácter británico o japonés. Wagner y Moser, como él, emplearon un tipo de mueble que hoy podemos llamar cubista y que Olbrich quiso hacer más sonriente con marqueterías un poco Sheraton.

Con estos jefes de fila colaboraron Mme. Elena Luksch Makousky, ceramista y repujadora de metales ; Leopold Bauer, inventor del ornamento cuadrático y más tarde dado al naturalismo ; el checo Jan Kotera, discípulo de Wagner ; Mlle. Sika, creadora del nuevo tipo de lámparas ; Mlle. Rosa Vachsmann, autora de papeles pintados para paredes, de alfombras y tejidos y decoradora de libros ; Mme. Peyfus, autora de nuevos modelos textiles ; Prutscher, cuyas joyas de estilo arquitectónico, cuadrangular o simétrico, con estrías y estrígilas paralelas, vinieron a romper con el tipo absolutamente naturalista de las joyas de Fischneiter.

Los extranjeros en la Exposición de 1900. — De las aportaciones extranjeras a la Exposición Universal de París de 1900, las más interesantes fueron la inglesa y la austríaca. Los ingleses presentaron conjuntos armónicos de decoración de interiores supeditados al llamado «principio de adherencia», por el cual la casa y los muebles están pensados al unísono y, por lo tanto, se hace frecuente el uso de los muebles empotrados. Las instalaciones inglesas más importantes fueron las de la casa *Heal and Son,* de Londres, con sus muebles simples y rectilíneos, la de *The Bath-Cabinet Makers Company,* semejante a la anterior, y la de la *Bromsgrove Guild,* en cuyos trabajos, medio popularistas, medio arcaizantes, de maderas simplemente

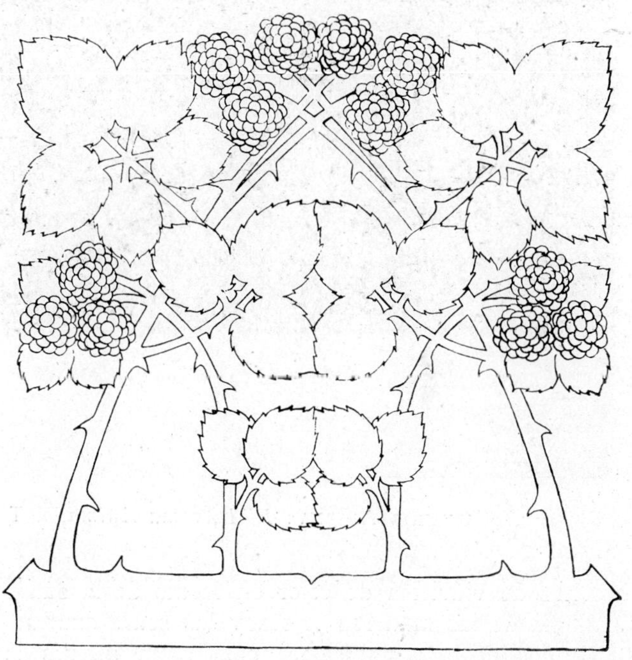

HOMAR : Bisagra de latón en estilo cuadrático

entramadas cuyos paneles se poblaban de poéticas e irreales visiones prerrafaelitas, colaboraron una nube de dibujantes, ebanistas, mosaístas, cinceladores, bordadores y tejedores de alfombras.

La instalación de Austria fué dirigida por Baumann y causó sensación entre los franceses, bastante merecidamente. El decorado contenía gran cantidad de tópicos del estilo creado por Otto Wagner, como los vanos túmidos, los arbustos de talla o de metal recortados en formas geométricas simples, los juegos de flores simétricas, las ninfas simbólicas con los brazos en alto y las faldas al viento y una especie de falsa Isis con diadema y falsos pendientes encuadrando las mejillas. Allí se presentaban, formando interiores completos, los macizos muebles sin decorado del mueblista Antón Pospischil, que proyectara el arquitecto Hoffmann, los de Olbrich, que dejan lugar para fantasías curvilineales moderadas y paneles geométricamente limitados, con tallas, aplicaciones de metal o vidriería policroma. Más ligeros y muy británicos eran los de Josef Niedermoser, con el único ornamento de unos

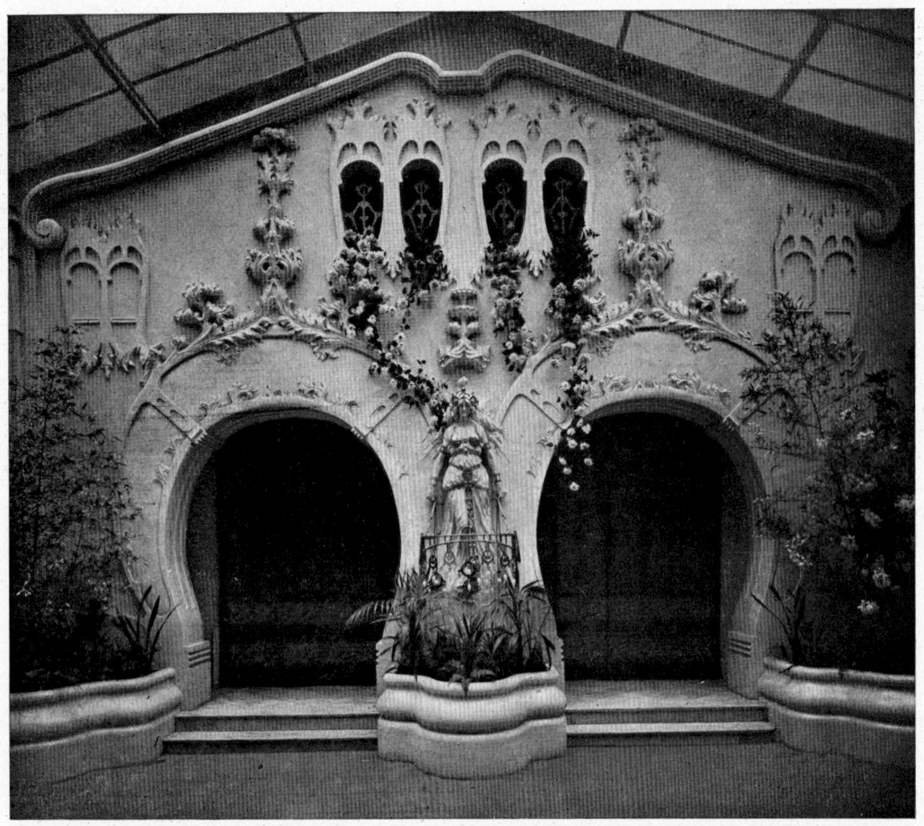

SALVADOR ALARMA: *El Diorama Animado.* Típico estilo 1900

cuencias, el mueble de fibras flexibles pensado por Guimard, al sustituir el trabajo en madera por tubos de metal. Sus logros en el campo de los juegos lineales torturados fueron paralelos a los de los creadores de lámparas como Truffier y Dampt, el inventor de las bombillas moldeadas en forma de flor, que expuso una lámpara sensacional, como un ramo de orquídeas, en contraste con las simples lámparas arquitectónicas, combinadas en cobre amarillo y cobre rojo, del inglés Benson.

Los países escandinavos y Rusia no presentaron más que muebles de un ruralismo mal entendido, pero Dinamarca deslumbró con los productos de su Real Fábrica de Porcelanas, renovada desde 1889, bajo la dirección de Philipp Schou y Arnold Krog, con la colaboración del modelista Linberg. Los productos de sabor oriental de estas manufacturas se enriquecían con cristalizaciones y otros recursos técnicos, pero eran siempre prudentes, sin el atrevimiento de las formas inéditas, como los caprichosos jarrones de base cuadrada de la Manufactura Real de Rozenburg, en Holanda, que dirigía Jurian Kock, y en los que Thesmar daba libertad a sus pinceles para crear las más atrevidas combinaciones de esmalte y oro.

Una de las aportaciones extranjeras más importantes fué la de Louis C. Tiffany, hijo del orfebre Charles Louis Tiffany, creador del estilo llamado «sarracénico», que daba entrada a los motivos japoneses e hindúes en las artes decorativas de los Estados Unidos. Louis Tiffany renovó el vitral policromo y le dió una calidad que no había tenido nunca. Ya no empleó el sistema de la yuxtaposición, por medio del plomo, de pequeños trozos de vidrio cuyos colores propios venían a formar a modo de un mosaico en la primitiva vidriería medieval, ni tampoco la técnica renacentista de los pintores vidrieros, sino que, a la manera de los fabricantes de pequeños objetos preciosos de vidrio, quiso lograr todo el esplendor de su policromía mediante el trabajado de la pasta vítrea incandescente. Con vapores de metales en fusión conseguía irisaciones opalinas y calidades mate de perla. Trazaba dibujos en la pasta blanda con bastones de vidrio diferente que un segundo fuego incorporaba a la masa. Así

trocitos de vidriería de color en medio de la suave armonía de las maderas grises y las sedas azules.

De las otras instalaciones sólo tenía interés la decoración de la sección holandesa, con la sala que proyectó Cuypers con grandes paneles pintados, con vistas y personajes con traje típico, por Smith y Oosterbrau, y unos grandes vitrales con visiones de ciudades holandesas, por Shouten, y ciertos pabellones alemanes, como el de la A. E. G. del arquitecto Hoffacker, al estilo vienés, recargado de temas florales simétricos en hierro forjado, y la original reja de F. P. Krüger, en la que se sacaba partido, casi exclusivamente, de familias de curvas tangentes, realizadas en pasamano.

Los muebles expuestos en la sección alemana tenían un carácter muy propio. Si Bader Nattin, de Estrasburgo, demostraba una influencia de Majorelle, los otros proyectistas elaboraron un tipo de mueble pesado vagamente funcional que supieron presentar con la gracia del *rendez-vous* de caza de Bruno Paul, o bien el wagnerianismo, medio céltico medio románico, de los decorados monumentales de Riegelmann, de Charlotemburgo, con sus trípodes de hierro y sus sillones macizos decorados con entrelazados, hojas de roble y tallas de perros y ardillas.

Un húngaro, Buchwald Sándor, de Budapest, pudo llevar a la realidad, hasta sus últimas conse-

Ornamentos influídos por GAUDÍ, proyectados por JUAN BUSQUETS para la capilla Torres Picornell en L'Arbós, en roble natural y marquetería

conseguía representar unos remolinos de agua, unas nubes deshilachadas y unos reflejos de pluma de pavo real que sorprendían tanto por su verismo como por su gran poder decorativo.

Imitando a Tiffany, E. Feuillâtre encontró un esmalte translúcido que utilizó en alveolados metálicos, constituyendo la parte transparente y coloreada de platos, copas, etc.

Algo semejante, pero de mayor dificultad técnica, fueron los camafeos creados por Gallé con esmaltes nacarados vertidos sobre porcelana de vidrio; las pastas de calidades exquisitas obtenidas mezclando en la pasta polvo seco o grasiento destinado a producir efectos de nebulosidad, de calidad de nieve, de espuma y de ópalo, o bien la marquetería de vidrio conseguida con la incrustación, en caliente, de piezas con dibujo y relieve propio.

El interés por los bellos oficios en Cataluña. — La labor de Doménech y Gallissá en favor del renacimiento de las artes decorativas catalanas fué definitiva. Con su autoridad y prestigio, Doménech y Montaner pudo pedir al Ayuntamiento de Barcelona la concesión de un taller en el edificio del *Castell dels tres Dragons,* llamado así por el pueblo, con una denominación que encantó al propio arquitecto. Allí trabajaba ayudado por Gallissá, al cual deben atribuirse la mayoría de las innovaciones decorativas de Doménech, que era más arquitecto y organizador pero menos detallista. Se proyectaban hierros forjados, motivos para fundir en bronce, barros cocidos, cerámica esmaltada y de reflejos metálicos, alicatados de mayólica, tallas de madera, etc.

Eusebio Arnau, que en el momento de la Exposición contaba sólo 24 años de edad, debutó allí en trabajos de escultura decorativa, junto con Quintana, que había llegado de Madrid recomendado por Arturo Mélida (1899-1902), el medievalista autor del edificio cerámico policromo para Escuela de Artes Industriales contiguo a San Juan de los Reyes, de Toledo.

El aragonés Tiestos empezó una especialidad de la cerrajería artística llamada a ser la firma del modernismo: el adorno floral con plancha de hierro tratada al martillo, especialidad dirigida por Gallissá, en la que se tropezó con toda clase de dificultades hasta que se encontró un artífice capaz y al que todos conocieron por el nombre de Vulcano.

El renacimiento cerámico salió también de allí, donde se estudiaron minuciosamente las instrucciones que los ceramistas de Manises dieron a Floridablanca para instalar la fábrica de la Moncloa, las tradiciones transmitidas, por un anciano de Manises, llamado Cassany, al que Gaudí y Doménech fueron a interrogar a su pueblo, y los procesos de Dack y de los italianos. Se pidió la colaboración del ingeniero ceramista Santigós, Pujol empezó las pruebas y el valenciano Ros aportó el secreto de la cerámica dorada.

Otras técnicas no nacieron allí, pero allí encontraron un consultorio para su orientación artística; tales la metalistería, cuyos grandes artífices fueron Campins, que fué a Italia a estudiar la técnica de la cera perdida, y su socio Masriera, y la vidriería artística, en la que las ideas de Doménech y Gallissá hallaron posibilidad de desarrollarse gracias a la gran variedad de vidrios lograda por Rigalt.

Lo más espectacular del taller era la forja del hierro, que daba apariencia de antro ctónico al recinto interior de la torre cuadrada.

Mientras se trabajaba comparecían en el *Castell dels tres Dragons* Antonio Aulestia, Prat de la Riba y tantos otros de los jóvenes apasionados por los problemas políticos, y tanta importancia tomaron sus discusiones que Doménech pudo escribir que de los talleres del Restaurante del Parque *ne va sortir una cosa que ha donat més que dir: les bases de Manresa.*

ANTONIO GAUDÍ y JUAN BUSQUETS : Paragüero de la residencia de Juan Busquets, en caoba, tulipier, majagua y coral, con metales y paneles de piel. 1914

Gallissá, como personalidad independiente del taller de Doménech, supo conquistarse rápidamente un renombre como decorador. Una de sus primeras obras, y la más célebre sin duda, fué la *Senyera* que proyectó para el *Orfeó Català* en 1891.

Hemos tenido entre las manos los distintos bocetos que hizo para este estandarte, con imágenes de San Jorge ecuestre y escudos inclinados y recortados de influencia germánica. Por fin escogió el dibujo que tiene a un lado un motivo barrado diagonalmente en oro y rojo, sembrado de coronas inclusas en pentágonos — el motivo constante de sus azulejos — junto a la fecha, y al otro lado el escudo real de los Condes de Barcelona con la caprichosa cimera, inspirada en las de la serie del Toisón de Oro de la Catedral, compuesta con una corona y una lira.

La gloria de este guión, que fué apadrinado por la poesía de Juan Maragall y la música de Luis Millet, hizo de Gallissá un dibujante de estandartes. Los más fastuosos y fantásticos fueron los destinados a conmemorar, por encargo del Consistorio de los Juegos Florales, los grandes poetas desaparecidos. Para el *Orfeó Vigatà* compuso una *senyera* radicalmente distinta de la tan verticalizada del *Orfeó Català*. En forma horizontal, sostenida por un brazo metálico, penden de ella libres, ondulando al viento, las barras heráldicas.

Otro estandarte proyectó para el gremio de plateros, con la efigie de San Eloy, que, lo mismo que el San Antonio esgrafiado de su casa, se reducía a unos rasgos esquemáticos y un rostro sin facciones.

Los temas derivados del arte de los blasones fueron su campo favorito. Además de los estandartes proyectó el escudo en mosaico que preside la sala del Palacio de la Música Catalana, inspirado en los del capítulo del Toisón de Oro, con un fondo verde análogo al reverso de la *senyera;* el escudo inclinado, bajo cimera con lambrequines, y el *rat-penat,* con una estola colgante, de las invitaciones que enviaron don Eusebio Güell y Bacigalupi y la señorita doña Isabel Güell y López, padrinos, para la primera misa de Mosén Norberto Font y Sagué [341], y los ex-libris del Gremio de Agricultores de Valls, con San Isidro arrodillado entre los blasones de Cataluña y de Valls, y del Patronato Católico del Obrero, con sus fondos de vermiculado en negativo [342].

ENRIQUE SAGNIER: Bufete del palacio Juncadella, en roble natural, realizado por Juan Busquets. 1901

Proyectó varios conjuntos de interior, con detalles de mobiliario inclusive, para el citado salón del conde de Sicart; el comedor y la bodega Gomis, en Papiol; el conocido despacho del doctor Llagostera, que hubo de llamar poderosamente la atención por sus elementos de nogal, sus puertas de madera calada, sus arrimaderos de azulejos, sus tapices, espejos y vitrales dibujados, y la tienda de lampistería de Costa y Ponces, en la calle de Santo Domingo del Call, de un carácter muy arraigado en lo autóctono, que permitió que se le considerara como *el ressuscitador d'un art que és l'art de Catalunya, el símbol de lo que volem que torni a ser* [343].

Para la iglesia de Santa María del Mar, su predilecta, proyectó el altar de la Santísima Trinidad, que debía alojarse en una capilla lateral antigua, sin ocultar el valioso vitral del fondo y respetando las advocaciones de la Virgen de la Merced, San Ramón Nonato y San Andrés, establecidas tradicionalmente en ella [344].

Dispuso la mesa con un pilar central y un parapeto de fondo y un retablo con guardamalletas goticistas cobijando, en el centro, la Virgen de la Merced y a ambos lados los bustos, a la manera de relicarios de *chef,* de San Ramón y San Andrés. En la parte alta una gran composición escultórica representaba a la Santísima Trinidad, bajo doselete coronado por calada aguja que se destacaba ante el ventanal. Viladevall hizo el altar, Miguel Marigó las tallas y Eusebio Arnau las esculturas. Después de su muerte continuó la dirección de los trabajos su entrañable amigo José Font y Gumá.

Para Martí Codolá proyectó una chimenea; para el novelista Pereda, la cruz de plata y hierro — para la que se aprovechó el cañón de la escopeta que le causó la muerte — conmemorativa de la muerte de su hijo, adornada con pasionarias argénteas, y en 1902, con motivo de las Fiestas de la Merced,

BUENAVENTURA BASSEGODA : Decoración del comedor de la casa Segura

del ladrillo, del que es testigo el proyecto fantástico para una clínica de accidentes del trabajo [347]. A veces adoptó el modernismo tímido, con líneas neorococó, que aparece en sus casas del Paseo de Gracia, 65 y 65 bis, construídas por José Pons.

En el terreno de la decoración, intervinieron a menudo artistas de otros campos. Así algunos arquitectos, como Sagnier, que en el conjunto de los muebles de la casa Juncadella, realizados por Busquets, halló un curioso sintetismo neorococó, o como Buenaventura Bassegoda. Más desconocida es todavía la creación de muebles por el pintor Sert, a uno de cuyos modelos responde el reclinatorio que Antonio Comas, ebanista, realizó para el abogado Luis Serrahima Camín, de una gaudiniana simplicidad biológica.

proyectó los adornos luminosos de la calle de Fernando, en hierro negro y dorado, con numerosos medallones de vidriería emplomada policroma luminosos que hicieron juzgarle [345] como un arquitecto del siglo XV conocedor de la electricidad.

Su intervención en las artes decorativas pudo tener mayor extensión gracias a los trabajos hechos con destino a casas industriales. El dirigía artísticamente la fábrica de lámparas de Costa y Ponces, daba modelos para los azulejos de la casa Pujol y Baucis y dibujaba papeles pintados para decoración mural en la especialidad llamada «Pegamoid».

Fué, en conjunto, un modernista, por el ansia de combatir las fórmulas académicas y la busca de la sinceridad en el uso de los materiales y los métodos constructivos, pero no buscó la originalidad individual, aunque la consiguió. El deseaba, con altitud de miras sociales, un arte colectivo que progresase por peldaños, basándose en la roca sólida de la tradición, y cuya divisa era, al decir de Puig y Cadafalch : *copieu-vos els uns als altres.*

En este tradicionalismo estaba influído, en gran parte, por las doctrinas de una persona que tuvo gran ascendente sobre él, el arquitecto José Torres Argullol, al que hemos visto empujándole a tomar parte en el concurso para el panteón de La Riva. Torres Argullol era un enemigo de las obras hijas de lo que él llamaba *la protesta dominante,* cuyo sino es el de marchitarse, mientras perduran las enraizadas en el trabajo de las generaciones pretéritas [346]. Por su parte cultivaba cierto insípido gótico mecanicista traducido a menudo a la técnica

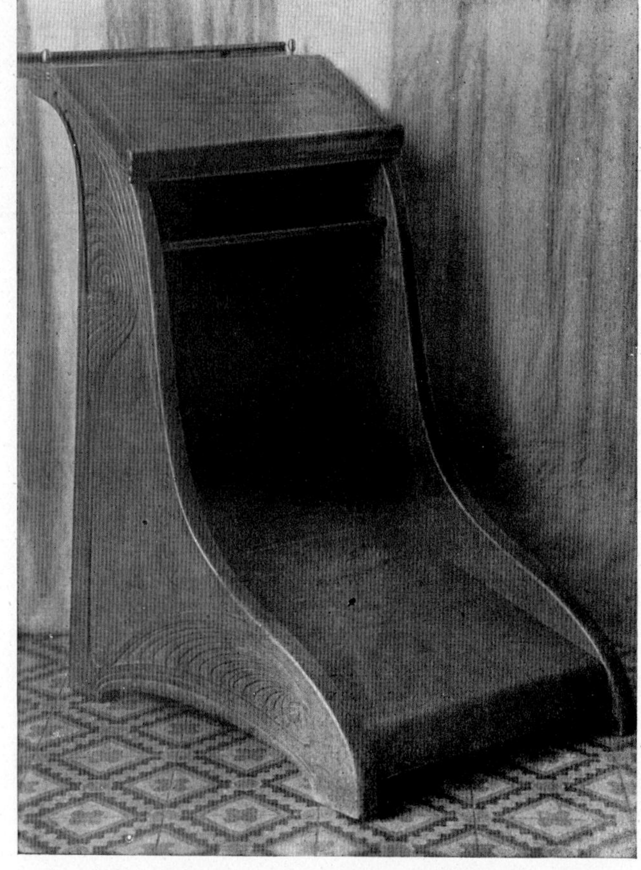

JOSÉ MARÍA SERT : Reclinatorio
Ejemplar perteneciente a Luis Serrahima Camín,
realizado por Antonio Comas

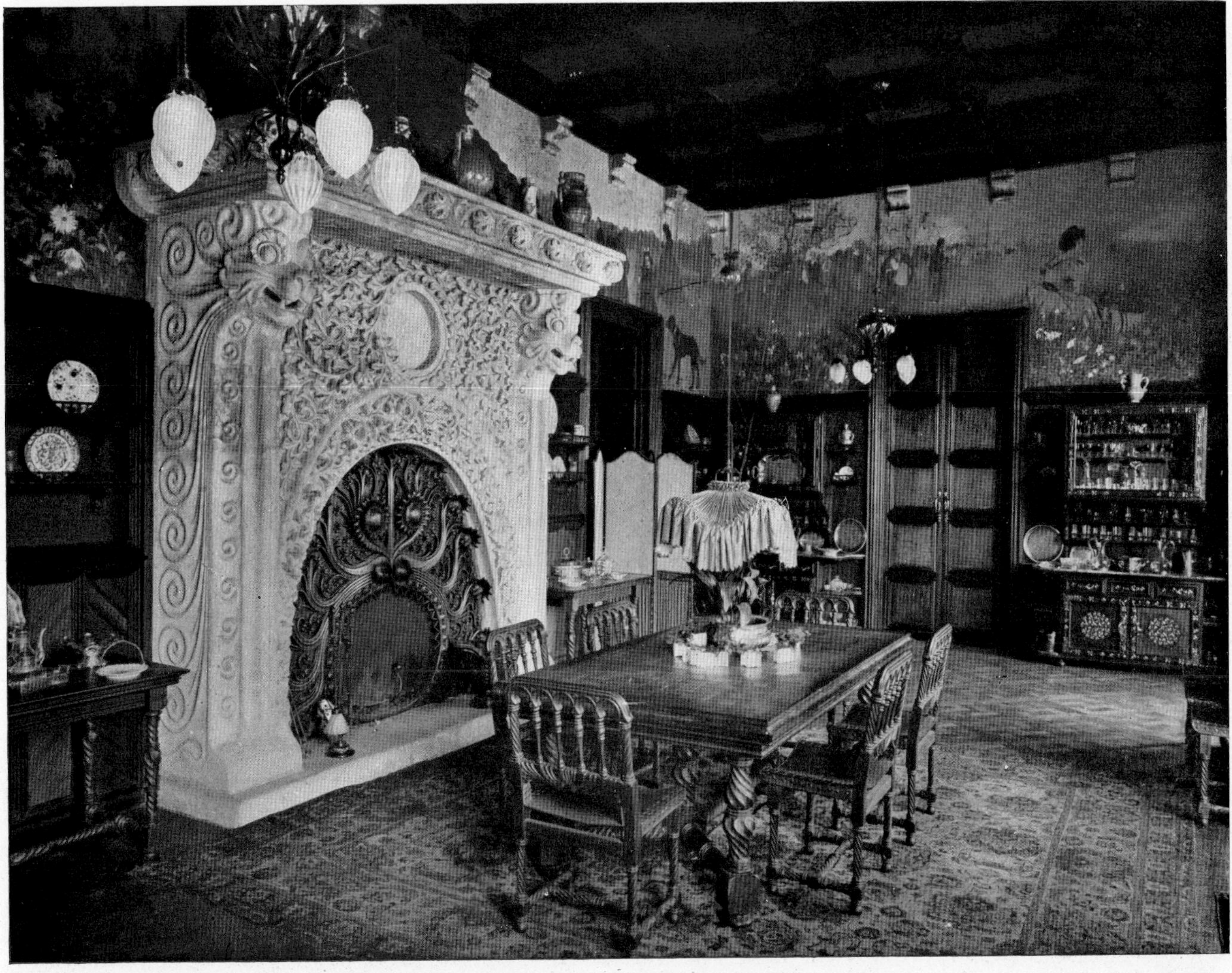

José Pascó: Comedor de la residencia de Ramón Casas

LOS DECORADORES

José Pascó. — En los primeros años del siglo hubo dos clases de decoradores: los que partían del oficio y los que partían del dibujo.

Como en los países extranjeros, los artistas precedieron a la gente del oficio. En Cataluña, artistas como Alejandro de Riquer precedieron al apogeo de los artífices, que fué seguido por la obra de decoradores propiamente dichos como Moragas y Alarma.

El primero de los decoradores artistas que penetró en el modernismo propiamente dicho fué José Pascó y Mensa, nacido en Barcelona en 1855, y muerto en 1910. Formado en el gusto decorativo mecanicista de las panoplias alegóricas y los rótulos de J. L. Pellicer, que contribuyó a enriquecer y difundir, obtuvo una cátedra de dibujo en la Escuela Superior de Artes e Industrias Artísticas, lo que garantizó su influencia. Fué, efectivamente, muy conocido y se le otorgaron medallas de tercera clase en la Exposición Nacional de 1887, de segunda en las de 1890 y 1892 y medallas de oro en las Universales de Barcelona, en 1888, y de París, en 1889.

Pascó dejó entrar en su arte las sinuosidades japonesas, el tema floral libre o sutilmente estilizado y el gusto por la asimetría. Consiguió, quizá, sus mejores obras, en sus delicadísimas encuadernaciones, cuando olvidó el rabioso *latiguillo* de la del catálogo de la casa Escofet y cultivó los temas florales de sencillo lirismo, no exentos de recuerdos de las que, en Inglaterra, realizaba Talwin Morris.

Tuvo la suerte de que Ramón Casas apreciara su talento decorativo y le encargara la concepción

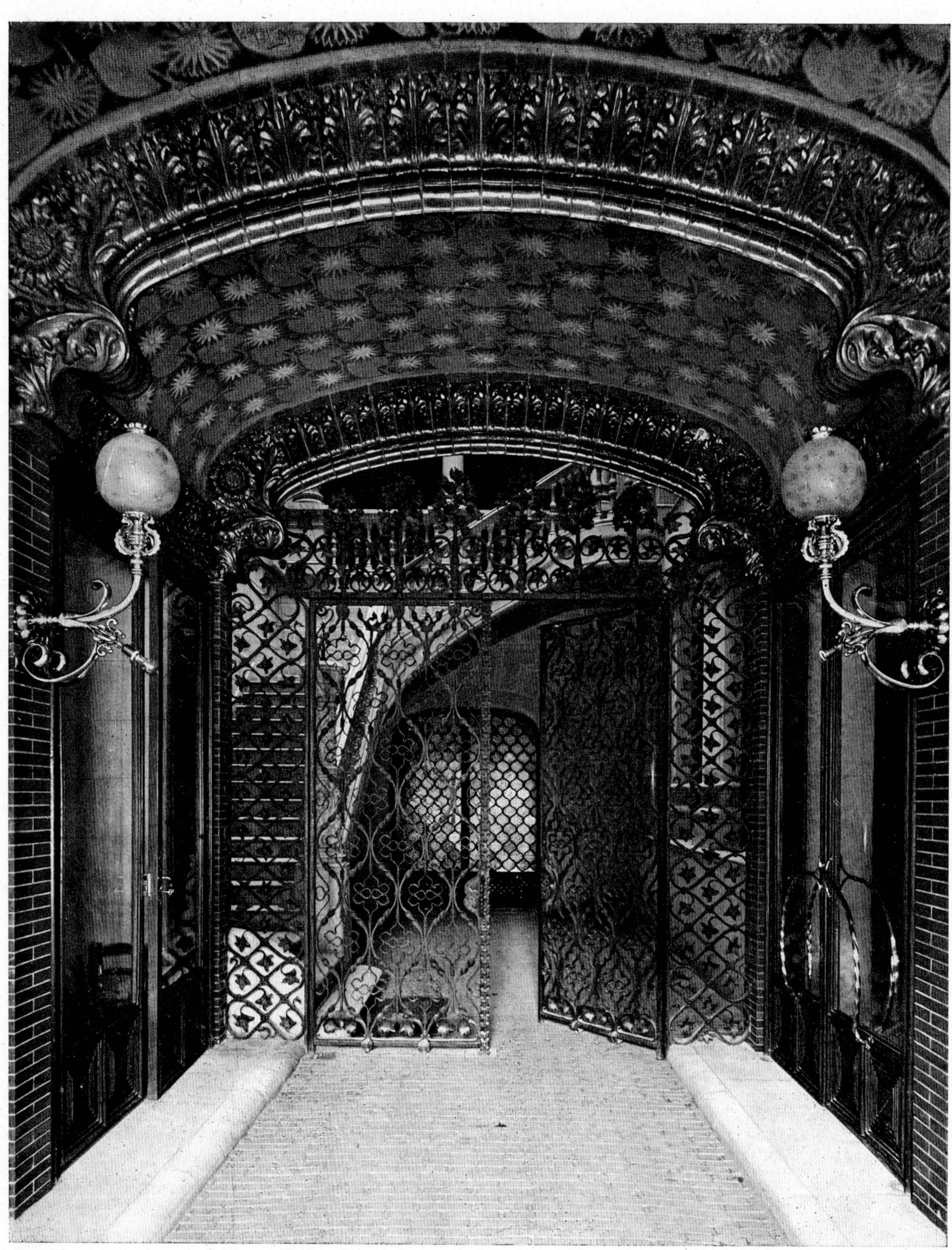

José Pascó : Vestíbulo de la residencia de Ramón Casas Carbó en el Paseo de Gracia

decorativa de sus casas en el Paseo de Gracia, números 94 y 96, al lado de la *Pedrera*. Una fachada de piedra picada, con suave redondeado de todos los cantos, molduraje blando, a menudo de sección sinusoidal, y parco ornamento naturalista, tiene su *clou* en el palmón de piedra, de sabor gaudiniano, que orna uno de los balcones altos. El zaguán adorna su bóveda escarzana con arcos torales de cerámica cobriza con reflejos metálicos cuajados de girasoles, la flor del momento, con el pequeño *latiguillo* de rigor en los salmeres. Una muestra regular de nenúfares y sus hojas tapiza la bóveda, en suaves tonos entre el gris y el cobre. El tema floral se estiliza en los brazos de latón de los faroles lo mismo que en la reja de grano de mijo en floreo torcido, aparentemente gótica, coronada por variados ramos de flores, que forjó Flinch.

Un patio cubierto, con escalera a la catalana, conduce al piso del pintor, suntuosamente decorado por el propio Pascó (1901), en el que la pieza más importante es el comedor, con techo de envigado de madera aparente y un alto arrimadero lignario provisto de anaqueles en forma de balconcillo, en los que se alinean las porcelanas chinas y japonesas. La parte alta de los muros contiene pinturas de Ramón Casas: fiestas rústicas, escenas de calle urbana o soledades propicias a la contemplación sentimental.

La enorme chimenea está flanqueada por estribos de modelado fundido, con volutas, terminados en cabezas de dragón, y corona su boca, que cierran girasoles de metal en llameantes tallos simétricos, con un tapiz de róleos de acanto espinoso. En mesa y sillas el estriado torso domina como único ornamento de todas las partes cilíndricas. En bufete y trinchante las incrustaciones de metal, medievalescas. Las lámparas son simples, etéreas, naturalistas, de globos con laticinio.

En otras piezas de la casa el estriado fundido se aplica a jambas de pórfido que soportan jácenas aparentes de hierro, en original atrevimiento.

miliarizó con el arte de William Morris, de Frank Brangwyn, de Walter Crane, etc.

Particularmente le interesaron los *ex-libris*, a lo que nos referiremos en su lugar; pero lo que aquí importa es señalar su trabajo como decorador. Conocido desde que, en la Exposición Universal de 1888,

ALEJANDRO DE RIQUER: *Ex-Libris*

Alejandro de Riquer. — Junto a Pascó debe estudiarse a Alejandro de Riquer, solamente un año más joven que él, nacido en Calaf en 1856 y muerto en Palma de Mallorca en 1920.

Riquer, hijo de los marqueses de Benavent, estudió en Béziers y Toulouse, de donde regresó con el título de Ingeniero Mecánico, que debía permanecer olvidado. Recién llegado ingresó en la Escuela de la Lonja, donde cultivó sus facultades artísticas, que perfeccionó en el extranjero. En 1879 partió para Roma y luego pasó temporadas en París y en Londres.

Su gran importancia deriva de su estancia en Inglaterra, donde conoció el foco artístico alimentado por el fuego del ya pasado prerrafaelismo y se fa-

ganara una medalla como pintor, organizó un taller en la calle de la Frenería, en estilo goticizante, con un gran ventanal abierto sobre el ábside de la Catedral, en el que hoy se alberga el Archivo Mas.

Allí tuvo por discípulos a José Triadó, Antonio Maura, José María Sert y Miguel Massot.

Importante proyecto decorativo suyo fué el local del *Círculo del Liceo* (1900), en el que la nota medievalesca ruskiniana de las grandes charnelas de las puertas, elementos de metal que casi las llenaban por completo con sus ramificaciones, alternaba con las formas mecánico-florales de unos muebles del tipo de los primeros de la fase modernista de Homar y una decoración mural con pálidas doncellas situadas entre la evocación helénica, Botticelli, y el punto de perversidad de Dante Gabriel Rossetti. Todo ello fué iluminado por los vitrales de tema wagneriano que proyectó más tarde, en 1904, Olegario Junyent y realizó A. Bordalba.

Como decorador tomó parte en la Exposición Universal de Chicago, en la que ganó una medalla de oro de Mobiliario. Interesado por los vidrios antiguos logró reunir una importantísima colección, especialmente de piezas catalanas, que en 1902 le compró Emilio Cabot, por legado del cual figura actualmente en los Museos de Arte de Barcelona.

José Triadó. — Su discípulo José Triadó Mayol nació en Barcelona en 1870 y murió en 1929. Estudió el bachillerato y siguió los cursos de la Escuela Superior de Artes Industriales y de Bellas Artes, que continuó, con una bolsa de la Diputación, en Madrid. Fué ilustrador, dibujante de *ex-libris* y proyectista de cerámica, de joyería, de metalistería, de bordados, etc. Desde 1902 fué profesor en la Lonja. Dirigió la *Revista Gràfica* del *Institut Català de les Arts del Llibre,* la *Revista Ibérica de ex-libris* y el *Anuari de les Arts Decoratives,* y organizó en 1906 la Exposición Bibliográfica de la Lengua Catalana.

Su estilo decorativo, más macizo, menos etéreo y suave que el de Pascó, tuvo también fortuna. En 1904 se le encargó el estuche de un álbum dedicado al Káiser, que solucionó con alabeadas aplicaciones de metal, algo pesadas.

Adrián Gual. — Adrián Gual era un decorador nato. Por su polifacetismo estaba especialmente preparado para enfrentarse con todas las facetas de los bellos oficios, y tenía sobre los artistas puros la ventaja de haber sido educado en un taller, aprendiendo el oficio de litógrafo. Nacido en 1872, más joven que Ruyra y Maragall, que Rusiñol y Casas, y mayor que Zanné y Alomar, que Anglada, Mir y Sert, perteneció al mundo de los más jóvenes. Como ellos fué, ante todo, un decorativista. Como Zanné cuidó el detalle, como Alomar el ritmo preciosista hinchado, como Anglada y Mir el esmalte cromático arbitrario, como Sert la factura abarrocada con irisaciones y ribetes. Hasta los veintinueve años de edad fué litógrafo en el taller de su padre, que se había educado en un París de influjo ingresco, paralelamente a Sert, que recibió de los dibujos de los estampadores del siglo XVIII, en el taller paterno, la inspiración definidora. El gusto de uno y otro por los dorados será un detalle revelador de su ascendencia artesana. De la vida de litógrafo, que debía reflejar en su obra de teatro *La fi de Tomàs Reynal,* en 1905, quiso salir por los caminos de la poesía. En 1881, la publicación de su *Nocturn, Andante morat,* libro poético con makimonos en morado y oro, de proporción verticalizada, mereció, a pesar de su acendrado simbolismo, el interés del mismo pontífice del naturalismo Narciso Oller, quien habló de él con cierta ironía, comparándolo con un muestrario de botones, pero también con el respeto de quién descubre algo auténtico, en la casa de Sojo, en la que una niña, que así oyó hablar de él por primera vez, debía convertirse en su esposa. En 1901, Gual era un hombre que, desde *Joventut,* afirmaba que sólo con las leyendas y por ellas los hombres pueden llegar a la comprensión de los secretos humanos. Su espíritu estaba en la línea de un William Blake, a quien asemejan en cierto modo las ilustraciones de la *Atlántida* de Verdaguer, por otra parte cercanas a Sert, y el *Cartel de las fiestas de la Merced* de 1902, con un racimo humano prendido a las campanas de la catedral, flotando en el cielo.

Ecos de Whistler debieron imponerle la idea musical del nocturno, del andante morado, cuyo color es el del amaranto que caracteriza los muebles de Homar. Como los británicos, quiere unir música y plástica en el *Teatre concert,* cuya *Bressolada* parece uno de los cuadros blancos de Casas, y cuyos *Schuman al vell casal* y *Les filoses* obedecen al mismo monocromatismo, como la *Simfonia d'un dia serè,* cuyos cuadros *Matinada, Migdia, Capvespre* y *Nit* corresponden a cuatro preludios de Bach. Quería ir *al alma por la palabra, al oído por la música, a la vista por el color.*

El cartel de la representación de *Canigó,* escenificado por Carner en Figueras (1910), tiene una nebulosidad que pasa de Whistler a Carrière, en una vía

Adrián Gual: Proyecto de joya

ADRIÁN GUAL: Proyecto de jarrón

misteriosa que debía permitirle el arte negro de *La culpable,* de la colección Plandiura.

El japonesismo, cultivado en las viñetas, y que influyó tanto en sus carteles de la *Catalana de Concerts,* de las bicicletas *Cosmópolis,* en la portada de *Catalònia,* en *Hojas Selectas,* debía completar el teclado expresivo de un decorador que no desdeñó proyectar cerámica, joyería, metales, indumentaria, muebles, etc., en una libre fantasía a la que debía poner punto final al clasicismo de Xenius, eco importante del cual fué la tan famosa y significativa representación de *Nausica,* de Juan Maragall, interpretada en el Teatro Eldorado por los discípulos de la *Escola Catalana d'Art Dramàtic* y escenificada en negro y rojo, a imitación de una cerámica eritrográfica griega.

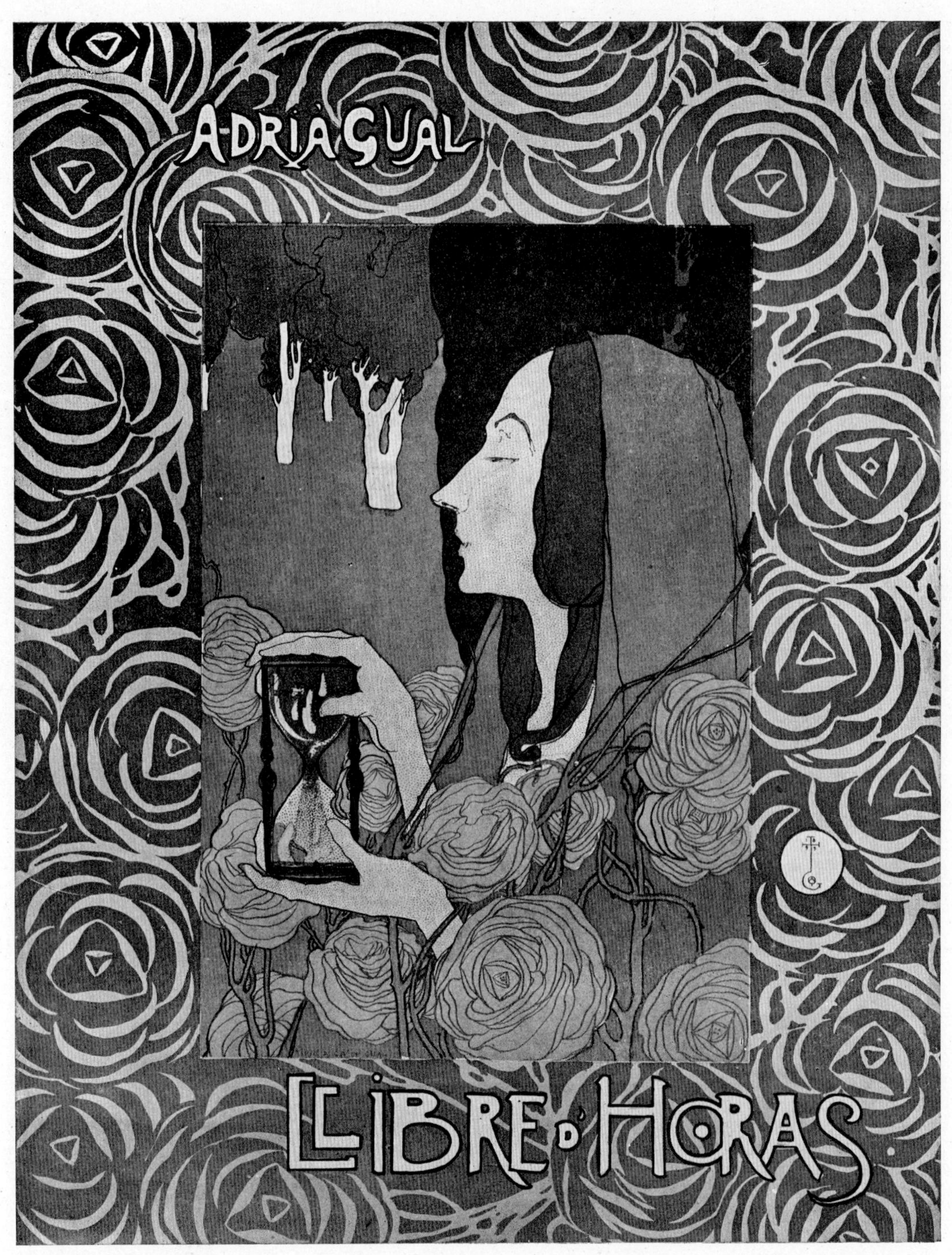

ADRIÁN GUAL: Cartel anunciador del *Llibre d'horas*

RICARDO CAPMANY : Café Torino. 1902

Otros decoradores. — Ya nos hemos referido a los más ilustres entre los hombres de oficio, los mueblistas Gaspar Homar y Juan Busquets, pero no fueron ellos sólo los que dirigieron conjuntos decorativos.

Fué muy importante la casa Casas y Bardés (antes Bardés y Cía.), en la que confió Puig y Cadafalch (1900) para decorar la casa Amatller en el mismo estilo neogoticista del edificio y que fué encargada, al año siguiente, de realizar los proyectos de Antonio Gaudí para el mobiliario de la casa Calvet. Estos muebles, enteramente curvilíneos y alabeados, adaptados al cuerpo humano y a sus movimientos, conservaban cierto parentesco con piezas bávaras populares y con los modelos creados en Holanda en el siglo XVII y adoptados en Inglaterra bajo la reina Ana, a partir de 1715. Si las patas siempre tienen una inclinación tirante, funcional, sin la absurda sinuosidad de los muebles Reina Ana, los travesaños adoptan su recortado, los brazos su ondulación, los respaldos sus formas orejudas. El decorado se reduce a pequeñas y difuminadas tallas y a calados, a veces con motivos de *scroll* céltico.

En la casa Amatller, además de Casas y Bardés, trabajaron Homar, M. Roviralta, Pons, Salats y José Fernández. Este último, establecido en la casa números 243 y 245 del Paseo de San Juan, desde fines del siglo XIX se había especializado en el decorado de tiendas y es el autor de gran número de estos modestos conjuntos modernistas que todavía subsisten en toda la ciudad.

También fué pródigo en rótulos modernistas otro ebanista y carpintero, Juan Griera.

Es extraño encontrar, en 1900, para decorar un establecimiento, un arquitecto como Antonio Serrallach y un escultor como Carreras, que hicieron la Farmacia Boadella, semigoticista, decorada con dragones y amapolas.

El de más categoría entre los talleres de carpintería y ebanistería que se encargaban de la decoración de tiendas fué el de R. Calonja, que trabajaba con su hijo en la calle de Roger de Flor, número 247. Una obra suya maravilló al público en 1900: el café Alhambra, entre el Paseo de Gracia y la Rambla de Cataluña, que fué la más desbordante orgía del latiguillo, en el que cada ondulación de los listones de madera albergaba en su seno numerosas pequeñas ondulaciones de otros listones secundarios.

En 1902 realizó el alarde más importante en decoración comercial, el café *Torino,* en el Paseo de Gracia, número 18, dibujado y dirigido por Ricardo Capmany. Era un establecimiento propiedad de Flaminio Mezzalama, dedicado especialmente a la degustación del *vermouth,* y que formaba ángulo, con una gran portada en el Paseo de Gracia, otra en la esquina y una tercera en el chaflán de la calle de las Cortes.

La abertura del Paseo de Gracia era un gran arco túmido aplastado, casi una elipse apaisada, perfilada con molduras de madera que se retorcían en la parte baja, formando *latiguillos* con vegetación goticizante y contracurvas rococó, con el intradós de mosaico floral, en el que se apoyaban dos escaparates de hierro, con motivos inspirados en las rejas de la Catedral. Un robusto pilar formaba el parteluz de esta doble puerta. Los escultores Massana y Buzzi se encargaron de adornarlo con un notable relieve que empezaba muy bajo en la parte inferior para hacerse alto y calado hacia lo alto. Imperceptiblemente, vides y otras plantas asomaban sus hojas, medio fundidas con la masa del pilar, a media altura, para terminar con un sarmiento realista, en pleno bulto, cargado de pámpanos y racimos, a guisa de capitel. Ante este fondo, una bella muchacha, que surge también de un modo difuminado, tendía su copa, que un chiquillo, una especie de Puck travieso escondido en la espesura, llenaba.

Unas enjutas pintadas, de resabio goticista, rezaban en sus filacterias: *cervezas, café,* etc.

La puerta de la esquina se coronaba con una marquesina de hierro y cristal policromo. La del chaflán era asimétrica, como la mitad de la del Paseo de Gracia.

Las puertas eran de vidrio emplomado, con hexágonos alargados formando el fondo de unas vides policromas. El interior tenía un arrimadero de madera tallada, un friso alto con pinturas, un envigado aparente de madera, puertas de caprichosa forma, de vidriería policroma, tapices, mosaicos venecianos, revestimientos cerámicos, cueros repujados, que justificaron la idea de un fausto y ostentación sin precedentes que se hizo el jurado al otorgarle el premio para los establecimientos terminados en 1902 [348].

Capmany utilizó, para la construcción del *Torino,* proyectos parciales de Falqués, Puig y Cadafalch y Gaudí. Saumell y García se encargaron de los frescos; Urgell, de los tapices; Massana, con Buzzi, de la escultura decorativa; Doménech, de los metales; Ballarín, de los hierros; Bordalba, de los vitrales; el veneciano Mussio, de los mosaicos; los Fratelli-Tosso, de Venecia, de las lámparas de cristal; Quintana, de la fundición; Hermenegildo Miralles, del artesonado, y la vienesa casa Thoret, que tenía sucursal en Barcelona, de los muebles.

En 1904 otro establecimiento decorado por los Calonja llamó la atención: la Joyería Bosch, de la calle Jaime I, con tendencia a lo rococó.

Rival del *Torino* en el concurso de 1903 fué la *Perfumería Ideal,* propiedad de Teodoro Sánchez Illá, sita en el número 642 de la calle de las Cortes, de un decorado naturalista que se interpretó como una «glorieta de jardín».

Entre los establecimientos premiados el año siguiente, junto a la Fonda de España, de Doménech y Montaner, y la casa Masriera y Campins, a la que nos hemos referido al hablar de la musivaria, se premió la *Maison Dorée,* propiedad de M. Pompidor, en la esquina de la Plaza de Cataluña y la calle de Rivadeneyra, decorada por Augusto Font, con delgadas columnas de hierro que sostenían, por medio de arcos escarzanos, grandes bóvedas baídas, todo ello decorado con temas florales distribuídos según las ondulaciones simétricas del neo-rococó y acompañado de grandes composiciones pictóricas murales, alegóricas, de Alejandro de Riquer, Rius, Urgell, Vancells, Gual y Ferrater.

En el mismo año se inauguró la farmacia de Antonio Novellas, en la Rambla de Cataluña, cuyas maderas seguían un *latiguillo* moderado y simétrico, cuyos vidrios de color, de la casa Rigalt, lo mismo que los hierros, de Ballarín, afectaban las formas cada vez más geometrizadas del floralismo austríaco, y en cuya parte alta los pintores Marcelino Gelabert y Luis Bru realizaron unas composiciones muy de la época, con figuras melancólicas en un paisaje florido, al salir el sol, y un niño de aire nietzscheano contemplando el ocaso a través de las nubes estiradas y tristes [349].

Esta clase de pinturas alegóricas estaban en el orden del día. Un comerciante, Juan Llussá Puig, acababa de convocar un concurso de bocetos al óleo sobre los temas humanitario-idealistas siguientes: *La libertad impulsando el progreso de los pueblos; La virtud arraigando en el trabajo y en el amor al prójimo; La repugnante trata de blancas, vergüenza de los pueblos civilizados; La plaga de la usura; Los males del juego, desde la Lotería hasta las cartas,* y concedía un premio de 1.500 pesetas para cada uno, a otorgar por un jurado integrado por Federico Rahola, Román Ribera, tres otros pintores y tres críticos.

MORAGAS Y ALARMA : Exterior del bar La Luna. 1909

En el mismo año la casa Hoyos, Esteva y Cía., decoraba el despacho de una fábrica de sederías con armarios de esqueleto exterior exento, mesas de un simple mecanicismo a la inglesa y techos de escayola con cardos ondulantes, y Homar decoraba una lechería de líneas sencillas y la dulcería *La Colmena* con un curioso escaparate en el que los vitrales polícromos parecen apartarse, cual cortinajes, para dejar ver un gran cristal transparente central en forma de pera, y un mobiliario puramente inglés.

Salvador Alarma. — Salvador Alarma, al mismo tiempo, realizaba por su cuenta un proyecto de importancia : *El Diorama animado,* sala de espectáculos de la plaza del Buensuceso, de un gusto que es difícil no encontrar horrible. Recuerdos de guardapolvo gótico catalán rodeaban las puertas túmidas del vestíbulo, como las umbelíferas de Gallé las de la sala. También era suyo el proyecto del teatro *Poliorama,* en el que enormes *walkirias* de *staff* con alas de cola de pavo real hacían el papel de impostas de los arcos de la sala o sostenían las luces entre los portales (1906). Cañas de bambú, quentias y flores vivas se mezclaban con las de *staff* en la fachada.

La boca del escenario era lo más ponderado, cercano a los modelos de la decoración de Otto Wagner y Olbrich, con resabios hindúes y hermas de rostro de Isis.

Una interesante innovación se introdujo en este decorado, en los elementos arquitectónicos iluminados interiormente, de una gran precocidad.

El decorador Salvador Alarma nació en Barcelona en 1870 [350]. Educóse en la Escuela de Lonja y en el estudio de Alejandro Planella. Tenía antecedentes artísticos familiares en un bisabuelo, decorador mural ; un hermano de este bisabuelo, miniaturista ; un abuelo, primer oficial de José Planella y Coromina, y su padre, encargado de los trabajos decorativos, anejos al teatro, de Soler Rovirosa. Desde muy joven se asoció con su familiar Miguel Moragas, con quien produjo gran cantidad de decorados para el Liceo, el Romea, los espectáculos Graner, el Teatro Lírico Catalán, etc.

En el *Diorama animado,* inaugurado en septiembre de 1902, Alarma realizó como espectáculo cuatro grandes conjuntos corpóreos con figuras en movimiento, representando un destacamento boer con prisioneros ingleses en el Transvaal ; el naufragio de *El Cometa* en las costas de Noruega ; unos buzos en el fondo del mar explorando un barco hundido, y una corrida de toros en las Arenas, con una cogida, todo ello con figuras de 51 centímetros de altura.

Hoy es una obra difícilmente asimilable, pero en su tiempo se consideró que acreditaba a Alarma como «demasiado artista y nada negociante» [351].

Alarma ganó gran prestigio con esta decoración, que se acercaba al estilo de Wagner, ignorado casi siempre por los otros decoradores catalanes. Más tarde trabajó asociado con Miguel Moragas. Los dos juntos ganaron el primer premio de los establecimientos terminados en 1909 con el bar La Luna *(La Lune),* propiedad de Jaime Terradelles, en la Plaza de Cataluña, número 9.

Unos simples marcos de madera, con las estrías paralelas transversales caras a Alarma, y el tema derivado del ojo de cola de pavo real, también típico de su obra, encuadraban, en el exterior, los anuncios del Anís del Mono con la gitana de Ramón Casas y el melancólico tema suburbial del hombre-anuncio en una calle solitaria, del cartel de *Martini Rossi.* El tema de la pluma de pavo real se repetía en los vidrios polícromos emplomados y en los cristales grabados de las puertas, bajo el vitral con el nombre francés de la casa. En el interior se utilizaba el tema del arco anchuroso interrumpido por columnas. Si el mobiliario en madera del interior era de simple gusto inglés, las mesas de hierro exteriores eran una apoteosis del *latiguillo.* Banderolas de vi-

MORAGAS Y ALARMA: Fachada del Cine Doré. 1910

portales. El resto del interior de los arcos se decoraba con azulejos.

El primer accésit se concedió al escritor Evelio Doria Bonaplata por su establecimiento propio de la Ronda de la Universidad, número 31. Evelio Doria había montado una *Sociedad Catalana de Pavimentos monolíticos y similares* que se dedicaba a realizar esta especialidad, en la que los suelos podían adquirir la unidad y libertad de dibujo de unas alfombras, que realizaban con *xylolita* y decoraban con los temas florales de la época, en particular el girasol.

Con técnica semejante crearon la *duroxila,* que se prestaba para la reproducción industrial, económica, de trabajos escultóricos, y extendieron su acción, partiendo de bases análogas, pero

tral policromo, pendientes del techo, junto a las lámparas, completaban el pintoresco ambiente.

Al año siguiente volvió a ganar el primer premio de establecimientos uno proyectado por Miguel Moragas y Salvador Alarma, y lo decimos así porque el premio no se otorgaba a los artistas, sino al propietario, que en este caso era Francisco Sangrá, el fabricante de lavabos, bañeras, etc., establecido en el número 10 de la Rambla de los Estudios.

La tienda tenía forma abovedada, con arcos fajones en los que los listones paralelos transversos, de ritual en su estilo, aprisionaban hermas entre prerrafaelitas y egiptizantes. El tema de la pluma de pavo real era el motivo constante de los grabados en escayola de arcos, muros y bóvedas.

Los mismos artistas intervenían en el decorado de los objetos fabricados por Sangrá, en los que imponían lámparas florales y motivos derivados del girasol y el pavo real.

Su mismo gusto se impuso en un local contiguo a *La Luna:* el *Cine Doré,* en el que aparecen los consabidos listones paralelos y los arcos túmidos, bajo policromas marquesinas.

Decoradores del segundo quinquenio. — Juan Alsina fué el director artístico del establecimiento que ganó el premio del Ayuntamiento entre los terminados en 1905, con la *Casa Pince* del número 31 de la calle de Fernando. En su fachada unos altos arcos englobaban a la vez las puertas del planterreno y los reducidos balcones del entresuelo. Unos arcos rebajados de hierro, con dibujos calados, cubrían los

SALVADOR ALARMA: Un aspecto del interior del Teatro Poliorama

ADRIÁN GUAL. — Cartel para la escenificación del poema verdagueriano *Canigó,* por José Carner

operando con piedras en vez de con maderas, a la piedra *gaufrée* y al *mármol regenerado,* materiales con los que prepararon multitud de chimeneas, arrimaderos, marcos de abertura, etc. En estos elementos vemos introducirse, al lado de las sinuosidades convergentes a lo Majorelle, el laurel y la rosa cuadrática de tallos simétricos austríaca, a lo Leopold Bauer, y combinarse la simple geometría de los anaqueles de material pétreo, a la manera de Loos y Hoffmann, con relieves de *duroxila* reproduciendo escenas de gusto ruralista indígena, como la abuela refiriendo cuentos a sus nietos, que corona una chimenea.

En el concurso para establecimientos terminados en 1905 el segundo accésit se concedió al taller de fotografía de Audouard, sito en la casa Lleó Morera. Se trataba evidentemente del interior, del conjunto de la instalación, ya que en el exterior se respetó escrupulosamente la fachada de Doménech y Montaner y solamente se añadieron los letreros metálicos, pendientes con cadenas de las cabezas aladas de monstruo que surgen del intradós de la segunda dovela de los arcos escarzanos. En el interior dos elementos heterogéneos convivían; los muros, decorados con los arrimaderos de madera, los mosaicos, los esgrafiados, las columnas torsas de madera y los envigados riquísimos de Doménech y de Homar, y el mobiliario de Juan Busquets, de una severa simplicidad británica.

El tercer accésit fué concedido al establecimiento del *Anís del Mono,* propiedad de Vicente Bosch en el número 30 de la calle de Fernando. Es curioso que el jurado le diera el premio por el lujo de la tienda, «a pesar de su ausencia de estilo». En realidad lo que faltaba en ella era el estilo corriente; pero hoy, vista a distancia, la encontramos perfectamente típica, aunque un poco adelantada respecto al estilo barcelonés. En la parte inferior, tanto el escaparate central, con su remate de vidrios de colores formando ondulaciones interrumpidas por círculos, como los escaparates laterales, que se presentan en la forma de elipse truncada por los dos extremos, cara a Olbrich, tienen marcado carácter secesionista. El letrero, en cambio, con su vegetación fundida, revela el manifiesto influjo de la portada del Nacimiento, de Gaudí. En el interior aparece, en cambio, una forma ya típica en la decoración y la arquitectura modernistas: el arco apaisado, túmido, con unas columnas uniendo el zócalo que estrecha su base con el intradós.

Las formas a lo Olbrich, que encontrábamos en el local del *Anís del Mono,* se fueron abriendo paso y dieron carácter a la Farmacia Doménech, del arquitecto Juan Torner, construída en 1907 en el número 71 de la Ronda de San Pablo. Entonces el gusto del jurado había evolucionado y al lado de este establecimiento se premió la casa Butsems Fradera, de Pelayo, número 22, que no tenía nada de modernista.

EVELIO DORIA: Chimenea

De los establecimientos terminados en 1908 se conserva todavía, con todo su carácter, la semolería del número 7 de la calle del Carmen, con sus bajorrelieves y sus mosaicos.

Hemos hablado ya de los proyectos de Moragas y Alarma que se llevaron el primer premio entre los terminados en 1909 y 1910.

De los de 1911 la joyería y relojería *El Regulador,* de la Rambla de las Flores, número 37, esquina a la calle del Carmen, obra del arquitecto José Bori, acredita el éxito de las formas vienesas, que no son ya comprendidas con el recargamiento de adornos semiorientalizantes de la versión provincial que Alarma hacía del arte de Otto Wagner, sino en el sentido de simplicidad de Adolf Loos, en quien se buscó la inspiración para unas ingeniosas marquesinas festoneadas, apoyadas en trompas de cristal, que fueron el único adorno en la fachada. J. Llongueras, en el *Café Royal* de la Rambla de

EVELIO DORIA : Chimenea

los Estudios, número 8, acentuó todavía la simplicidad. Esta era la primera obra importante de su carrera de decorador y en ella vemos aparecer el arco de campana, elegante curva de inflexión que, en el mismo año, empieza a cultivar Puig y Cadafalch en sus edificios.

La Farmacia Espinós, de José M.ª Pericas, en la calle de la Diputación, número 264, nos vuelve a traer a la memoria a Loos. Es una obra modernísima, en la que se solucionó de un modo muy ingenioso el problema de colocar dos puertas y un escaparate en el espacio que habría requerido para sí sola una puerta doble, con el artificio del escaparate de planta triangular, con arista en el centro, hacia adelante, flanqueado por dos puertas inclinadas a 45° respecto a la calle. El decorado exterior casi puede considerarse ausente. En el interior hallamos el arco de campana y los temas austríacos de los triángulos con pequeños motivos al tresbolillo, y el motivo encerrado en un óvalo aislado.

El clasicismo entró en la palestra con los frisos áticos, verde bronce, que alternaban con letras a lo Grasset en el establecimiento de Esteva y Cía., en el número 18 del Paseo de Gracia. Con menos gracia, en forma de aquella degeneración del estilo Luis XVI que constituye el «estilo Gran Casino», José Plantada y Artigas le daba entrada, en el mismo 1911, en el *Ideal Cine,* de la calle de las Cortes, número 605, sustituído después por la Casa Llibre, en cuya fachada sólo la marquesina, con características coronas fíticas a lo Otto Wagner y óvalos de cristal, recordaba la nueva arquitectura europea.

El año siguiente, 1912, fué el de la orfebrería Heydrich, de un estilo entre clásico y rococó, y la no menos falta de estilo vivo Dulcería Llibre, de la Plaza de Cataluña. La decoración modernista había muerto.

Quedan todavía por citar mueblistas como Francisco Vidal, precoz en modernismo ; Queraltó y Planas, del número 11 de la calle de San Ramón del Call, que adoptaron el *slogan* de la «especialidad en muebles de fantasía» ; José Morell, que adoptaba formas simples que parecerían inglesas si no coexistiesen con serpenteantes recortados simétricos ; Carlos Laguna, que usaba en sus muebles el esqueleto exterior, a lo Guimard ; Antonio Pena, de un desenfrenado *latiguillo* y cierta inclinación a los temas vikingos ; Antonio Ruiz, etc.

Víctor Masriera, el metalista, que se señala al hablar de los mosaicos, fué un fecundo y variado decorador. Proyectaba un biombo pirograbado, con una niña japonesa entre lirios de agua, combinado con tallos y cardos metálicos aplicados, lo mismo que proyectaba muebles u objetos de variado material. Para unos muebles suyos dibujó los símbolos de la Vida y la Muerte en pirograbado.

La casa Viuda Estela, para conmemorar el número 25.000 de sus pianos Bernareggi, cifra realmente asombrosa, le encargó una decoración original, que él realizó convirtiendo en naturalistas ramas de hiedra los candelabros, ornando el frente alto del piano con un paisaje sacudido por el viento, japonizante, y la parte inferior, bajo el teclado, con plantas floridas también inclinadas bajo el soplo romántico.

El escultor A. Nolla, junto con el yesero Pedro Ávila, realizaron decoraciones de establecimientos, como el café orientalizante que proyectó el arquitecto Puiggrós.

Dionisio Renart fué uno de los decoradores en boga. Proyectó cerámicas de formas simples que contrastaban con figurillas encaramadas ; hizo modelos para joyas, para mangos de utensilios, modeló ceniceros originalísimos como uno formado por una figura femenina envuelta por un velo transparente que una brisa lleva hacia un lado retorciéndolo en forma cóncava ; candeleros, como uno en el que una mujer desnuda sostiene una tulipa, y especialmente retablos de un falso goticismo tendiendo al floralismo japonizante en algún detalle, con estofados y labores en yeso, dedicados a la Sagrada

Familia, a San Jorge, a San Severo, a la Virgen del Rosario, a Santa Eulalia y todas las devociones más características de Cataluña.

Renart fué uno de los cinco decoradores de la Exposición Internacional de Bellas Artes de Barcelona, en 1907.

Guillermo Llibre, el repostero, ayudado por el escultor Reynés, emprendió también trabajos de decorador, dedicado en especial a la instalación de comercios.

Es preciso señalar también aquí la curiosa actividad de la casa Palos, situada en el número 5 de la calle de la Corribia, que introdujo como especialidad independiente la decoración de escaparates. Para ello ponía a contribución anaqueles de caprichosa forma, asimétricos, combinados con elementos florales artificiales, con la misma concepción del ritmo difícil que preside la confección de los ramos de flores por los mejores especialistas japoneses.

Complemento de los decoradores fueron los tapiceros, entre los que José Franch tuvo la primacía, con Mauricio Torres, en el difícil arte de crear nuevas formas y modelos de pasamanería.

La pintura decorativa. — En la Plaza de la Constitución, de Gracia, en el número 7, vivía en 1900 un pintor decorador llamado Marcelino Gelabert, que tenía las pretensiones suficientes como para titularse, en su propaganda, «Primer introductor en Barcelona del arte decorativo modernista». Por si tuvo parte de razón, va aquí citado en primer lugar.

Lo cierto es que los pintores de caballete que emprendieron trabajos decorativos tuvieron dificultades para acometer la estilización. Así Olegario Junyent al colaborar en los trabajos de Riquer, de Homar o Busquets, Adrián Gual, José Xiró, Rius, Urgell y Ferrater. Quizá sólo Alejandro de Riquer, José Pey y Vancells tuvieron un sentido estilístico propiamente modernista, ya que los otros obedecieron al momento por sus preocupaciones temáticas. Fué una personalidad curiosa, que a menudo recuerda a Monticelli, el ingenuo Ramón Fraxenet, que unas veces imitaba países de Watteau y otras se daba a los ensueños prerrafaelitas.

No nos referimos aquí a los pintores murales independientes de la arquitectura, como Dionisio Baixeras, Juan Llimona, José M.ª Sert, Massot, etc.

El repertorio floral y *latiguillo,* los restos prerrafaelitas y japonizantes sucedidos por el *Jugend* y estilo secesionista pasaron, gracias a láminas y revistas, a los talleres de pintura decorativa de Ramón Brossa, Víctor Brossa, Miguel Cortada, José Doménech, Marcelino Gelabert, Luis Morell, Antonio Santiveri, Modesto Santiveri, Rafael Sastre, E. Saumell de Llaballol, Isidro Mas, Vilaró, etc.

El lugar reservado a estos artífices fué, por lo común, el techo. Los muros solían cubrirse con papeles pintados de José Pineda, Ángel Cuchi, Eduardo Devenat, Salvador Roura, Llop y Vila, José Girona, Portet y Miguel Tarragó.

En la decoración del salón de la Asociación Wagneriana, Gual siguió las líneas generales del estilo inglés, simple, con sus fajas de madera plana cortadas perpendicularmente unas a otras, y la tonalidad clara del fondo contrastando con el color caoba del falso entramado.

En los paneles decorativos que formaban a modo

VÍCTOR MASRIERA: Tienda en la calle Fernando, con mosaicos, realizada por Marengoni

ADRIÁN GUAL: Decoración de la Asociación Wagneriana

de un friso en el recinto, desarrolló su visión de la historia de Parsifal, en la que los temas topográficos de Montserrat se mezclan con una clara adaptación de la arquitectura gaudiniana. Así, en ellos, tres ingredientes esenciales de la cultura del momento, la mística racial, el wagnerianismo y el influjo del arte de Gaudí, se entretejieron en una síntesis. Evocó también la grandiosidad wagneriana del *Tristán e Isolda* en unos paisajes de Cornuailles vistos con ojo tan abarrocado como teatralmente patético, con grandes nubes cuyos ribetes y masas se acercan más a las concepciones de un Luis Masriera que a las de un Tintoretto.

Sin personajes, la evocación resultaba de tipo panteístico, fuertemente influído por el neogermanismo de que se hiciera vehículo Maragall. Por el resultado obtenido, esta obra puede considerarse paralela a los momentos del expresionismo paisajista de Galwey.

Más tarde debía desarrollar, para un proyecto detallado de escenografía que no llegó a realizarse, el tema del Parsifal, tomando como base un portentoso edificio rupestre con ecos de la cueva de Menga y del santuario de Santa María de Cervelló.

El tema de *Tristán* lo desarrolló también escenográficamente, en 1920, para la *Trilogía del Amor* que, como *Romeo y Julieta* y *Francesca de Rimini,* representaron Vila y Daví; con una solitaria torre de Brangania cilíndrica acompañada rítmicamente de chopos, ante un paisaje exclusivamente en azul, coronado por cúmulos reseguidos por ribetes de luz, y con un barco en forma de tienda de Vikingos, cuyos detalles nos recuerdan la atmósfera de los muebles de la casa Burés por Homar.

GASPAR HOMAR y JUAN CARRERAS : Chimenea de la casa Lleó Morera

LOS MUEBLISTAS

Gaspar Homar. — Los muebles barnizados de negro, con la típica concha en los remates, que substituyeron al mueble isabelino hacia 1860, fueron sucedidos por los estilos que llamaban «renacimiento alemán» y «estilo ruso» [352], el primero de ellos recargado en elementos recortados y columnas torneadas en candelabro, con gallones, parecido al Luis XIII, y el segundo primitivista, con elementos mecánicos ostensibles.

El comienzo del modernismo propiamente dicho fué tomado como una *reprise* del Luis XV, «fuerte sacudida — al decir de Busquets — que logró despertarnos».

La sacudida se expresaba, gráficamente, en las líneas mismas del latiguillo, el motivo japonés recién asimilado por el arte occidental que venía a substituir a las angulosidades góticas y se introducía a menudo, en muebles de líneas rígidas, sólo en los relieves refundidos.

Cuatro firmas representaron, a fines de siglo, la

HOMAR : Muebles en sicomoro, boj y palo rosa. 1891

renovación : Gaspar Homar, Juan Esteva y Hoyos, Juan Busquets y la Vda. de Ribas, cuyo dibujante era el belga Simonis, especializado en muebles de gusto inglés. La casa vienesa Thonet representaba el mobiliario de madera curvada.

Gaspar Homar [353] fué quien llevó la iniciativa en la rama más original. Mallorquín, nació en 1870 en el arrabal llamado Oriente del pequeño pueblo de Buñola, donde su familia se dedicaba, como por herencia, a la carpintería. Su padre, que lo mismo se encargaba de maderas de construcción que de fabricar prensas para aceite o ataúdes, hacía al mismo tiempo bellísimos muebles fieles a tradiciones de la época barroca y a contactos ultramarinos con los modelos británicos. Desde muy joven trabajó en Barcelona, y allí ingresó, a ios trece años de edad, en el taller de ebanistería de Francisco Vidal. Vidal no dibujaba y le permitía proyectar con libertad distintos bocetos para cada mueble, de entre los cuales escogía después el que debía realizarse. Antes de entrar él en la casa se seguía allí un tipo de mueble ruso, muy rígido y severo, en el que Homar introdujo el atrevimiento de los detalles curvilineales.

A los veintitrés años de edad, o sea en 1893, se estableció, pero antes, ya en 1891, habíase construído muebles para sí, como un armario de sicomoro, boj y palo rosa que todavía posee. Es un mueble influído por las líneas goticistas impuestas por los dibujos de Viollet-le-Duc. Se termina con una crestería inclinada hacia fuera, como una especie de corona de hojas estilizadas ; adorna sus cajones con el tema de los listones unidos por articulaciones y las puertas con una talla rehundida en zigzag que recuerda los tornapuntas reforzadores y las charnelas de las puertas góticas a lo Viollet. Es muy notable la búsqueda, en este mueble, de molduras cuyo perfil no tiene ni rectas ni ángulos. A este armario corresponde una silla originalísima, con el respaldo formado por una especie de X cuyo cuadrante alto se rellena con tallas de formas geométricas a modo de un abanico.

Dentro de esta mezcla gótico-orientalizante decoró el edificio del mismo estilo, con la fachada coronada de azulejos con reflejos metálicos, de la casa Montaner, hacia el año 1894, que fué su primer conjunto importante.

Proyectaba no sólo los muebles, sino los arrimaderos, el decorado de muros y techos, las vidrieras, los cortinajes, las lámparas y, tema que fué una de sus predilecciones, las chimeneas. La fama de estas últimas llegó lejos, y la Sociedad de Labradores de Sevilla, sita en la calle de las Sierpes, se adornó con una de ellas. Lo típico de estas chimeneas eran las bajorrelieves de doradillo, dibujados por José Pey, que solían coronarlas.

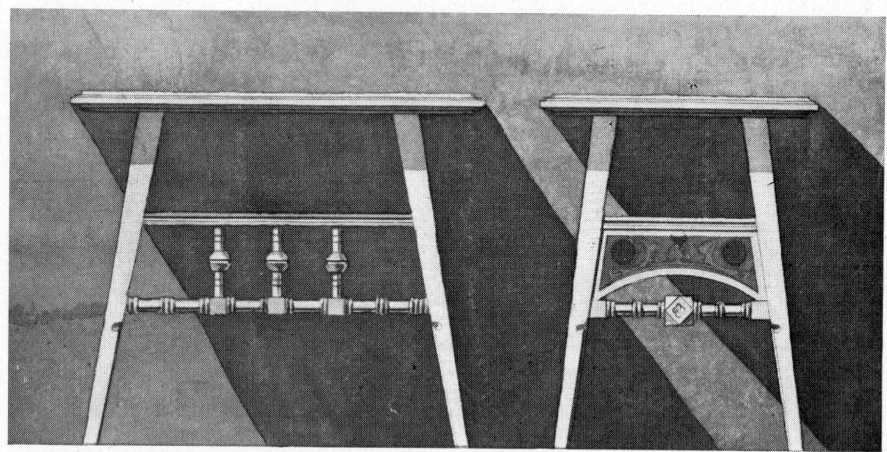

HOMAR : Mesita con rótulas. Hacia 1894

HOMAR : Mesa. Hacia 1895

Los primeros muebles de Homar, establecido en el número 4 de la calle de la Canuda, estuvieron dentro del gusto neogoticista. Proyectó también muebles *trobadour,* sillas de alto respaldo arquitectónico de talla o tapicería, sillas anchas basadas en la línea de los asientos en catre y mesas caprichosas en las que dominaron siempre dos ingredientes : el mecanicismo de los maderos inclinados, triangulados o en cruz, y el adorno de róleos espinosos goticistas. Los había de madera blanca, con adornos en oro, o con policromía, de majagua, de roble, etc. Su modelo de mesa típico tenía dos apoyos laterales, a la manera de las mesas romanas y renacentistas, unidas por unos tirantes. En éstos hallábase el motivo de los ejes con rótulas y los calados tendidos entre columnillas. Era general el uso del disco partido por una hoja hemiplexa, tan frecuente en las primeras obras de Gaudí, y el adorno grabado, corriente en la arquitectura desde 1870, en el que la presencia de flores de lis viene a ser como una firma del influjo de Viollet.

En el armario que hemos citado aparecían ya elementos ondulantes, que fueron, en efecto, muy precoces en su obra. El proyecto que lleva el número 63 entre los suyos, y que por lo tanto puede situarse hacia 1894, es un bargueño decorado con las puertas con tornapuntas, los listoncillos, las columnas con grabados helicoidales, las triangulaciones, etc., de rigor en el arte mecánicogoticista violletiano, pero en él las patas terminan en una forma de pie ondulante y el tablero que une los tirantes contiene unas tallas rehundidas de gran movimiento ondulante, inspiradas quizás en motivos flamígeros (él afirma no haber sufrido influencia japonesa) que realmente son anteriores a las realizaciones *coup de fouet* o «latiguillo» impuestas en Francia por Héctor Guimard quien, desde que, en 1886-1887, había construído el Castel Béranger, daba vida al «estilo alambre».

En algunos casos las novedades curvilineales naturalistas se refugian en detalles de un mobiliario de líneas generales goticistas. Tal es el caso del salón de la casa del negociante en maderas Oliva, en sicomoro, con el típico armario vertical, el escaño, el bargueño y la mesita central de rigor. Homar hizo para él incluso el piano. Lo modernista son los detalles del coronamiento del respaldo de las sillas y las cartelas que unen patas y asientos, pero sobre todo la lámpara, de tubos metálicos recurvados, ornados con grandes hojas espinosas, el aplique como una mata de flores, la tapicería del escaño, con pequeñas flores cuadráticas, la faja bordada de los cortinajes y las coronas de flores en bajísimo relieve, unidas por ondulantes tallos, de la escayola del techo. Para la propia casa Oliva

HOMAR : Armario para el Marqués de Mariano

HOMAR: Salón, en sicomoro, de la casa Oliva

hizo un dormitorio con dos grandes camas, cuyo ornamento principal era un gran tapiz floral geometrizado en suaves curvas. Los muebles eran de doradillo esculturado y rebajado.

La más pura aplicación de las formas curvilineales es la mesa de majagua, madera verdosa, que lleva el número 51 entre los proyectos de Homar. Sus patas están inclinadas, preocupación dominante en los escritos de Viollet-le-Duc. Se perfilan como haces de tallos jóvenes y enlazan con la tabla horizontal mediante unas cartelas en forma de tallo retorcido, sinuoso, del que encontramos también el modelo en los dibujos futuristas del arquitecto francés. La parte baja se dobla contra el suelo, blanda y también sinuosa, formando una especie de pie como la cola en que se apoyan ciertas gárgolas, por cierto imitadas en los dragones de algún mueble goticista del propio artista.

No obstante, lo dominante en los muebles anteriores al 1896 son los elementos del mismo estilo de la Exposición Universal e Internacional de París, de 1889, la de la Torre Eiffel, certamen en cuyos edificios los elementos de la decoración arqueologista se mezclaban con el mecanicismo progresista de los armazones aparentes de hierro. Es posible que Homar, aunque sin intención japonizante, recibiera indirectamente el espíritu de síntesis del arte violletiano y elementos japoneses que se realizó en los objetos de artes decorativas presentados al salón de la *Société Nationale des Beaux Arts*, de París (1891), y en el de la *Société des Artistes Français* (1895).

Por otra parte los ilustradores ingleses habían acogido las líneas de *latiguillo* por manifiesta influencia japonesa. Una de sus primeras apariciones está en el *Libro encantado para muchachas y muchachos*, ilustrado por Walter Crane en 1892, en la lámina de *Pandora abriendo la caja*.

Poco después J. D. Batten, en los *Cuentos de hadas ingleses*, utilizaba estas sinuosidades exageradas como tema ornamental para cenefas.

En arquitectura no se empleó hasta que, en 1890,

HOMAR : Armario decorativo con marquetería de José Pey

HOMAR : Columna de la Sociedad de Labradores de Sevilla

levantó Horta la casa Tassel, pero en los dibujos de Viollet se observan ya algunas formas de origen gótico, en las cuales se acusa la nota sinuosa.

Fué en gran parte el prestigio que ya tenía Gaudí lo que influyó definitivamente en la adopción de la sinuosidad como base estilística en 1896.

Homar afirma que en ningún caso obedeció al influjo de lo que se hacía en el extranjero, aunque después haya observado que hubo cierto paralelismo con lo de fuera, sino que solamente obedeció a su instinto y a la guía de Gaudí. Con referencia a ese paralelismo recordemos que en 1896 abría su esta-

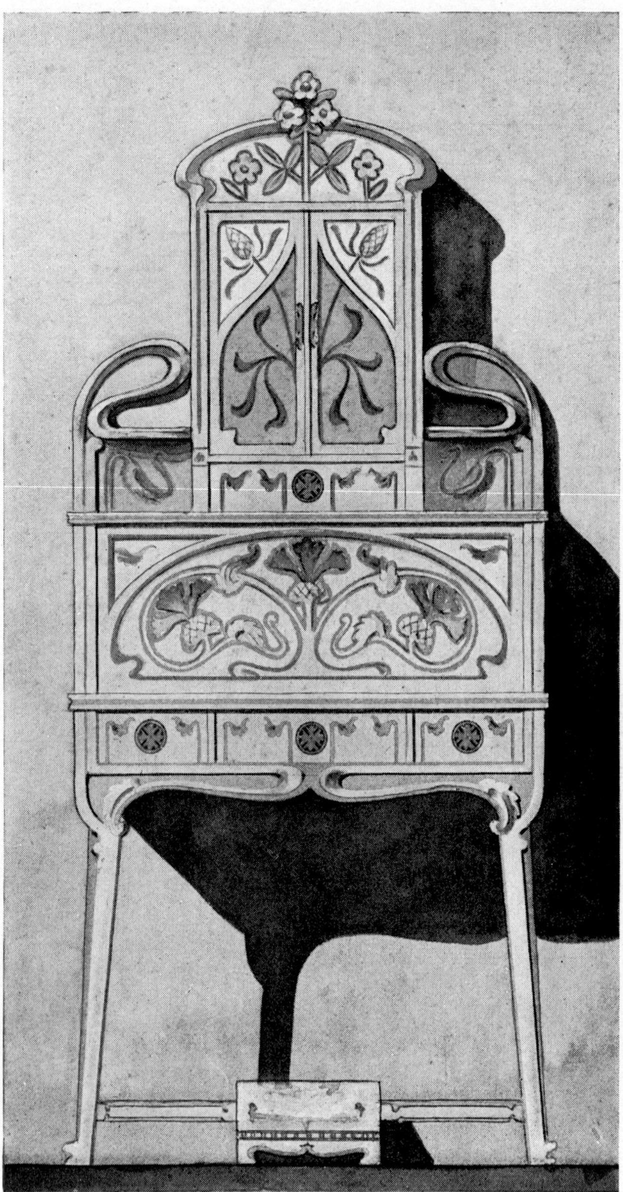

GASPAR HOMAR : *Dressoir*

blecimiento en París el marchante Bing, bajo la enseña del *Art Nouveau*. Gaudí había construído ya su última obra orientalizante en el Capricho de Comillas (1886), y había dejado entrar las formas biológicas en el Palacio Güell (1885-1889), la terminación del ábside de la Sagrada Familia (1893) y en la nueva puerta del Nacimiento, recién empezada.

Uno de los más antiguos muebles *latiguillo* de Homar es un bargueño de líneas generales idénticas al que hemos citado con el número 63. Es el número 287 de sus proyectos y en él las molduras se han convertido a la sinuosidad más complicada, las puertas ya no se decoran con los temas grabados violletianos, sino con una marquetería que representa a una muchacha que hace signo de despedirse melancólicamente con un pañuelo, y en la parte baja, apaisada, con otra marquetería, bajo un arco rebajado, una muchacha arrodillada entre lirios — la flor impuesta por Grasset —, junto a un cisne, especie de Leda vestida de una manera florentina, de prerrafaelita ambigüedad.

Si en este mueble y sus distintas versiones con grabados o tallas rehundidas de tema floral sinuoso, las líneas generales se sometían todavía a unas coordenadas cartesianas y a una ley de simetría, pronto se olvidaron estas condiciones y se tendió a una libertad compositiva que hallaba su campo predilecto en los «salones», armarios decorativos, verticales, del tipo de los *dressoirs* franceses. En ellos podían combinarse puertas y cajones, hornacinas y repisas con dosel recortado según curvas caprichosas, unas partes decoradas con espejos, otras con tallas, otras con marqueterías.

En este período se crea un tipo de mueble en el que el aspecto de ebanistería suele perder complicaciones técnicas. En vez de los tallos moldurados de patas y cartelas, de largueros y travesaños, los elementos básicos de la construcción adoptan una simple seccion cuadrangular.

Muebles de este tipo alternan con modelos de la época anterior, nervados, en el salón de la casa Par de Mesa, en el que una mesita de patas incli-

GASPAR HOMAR : Taburete

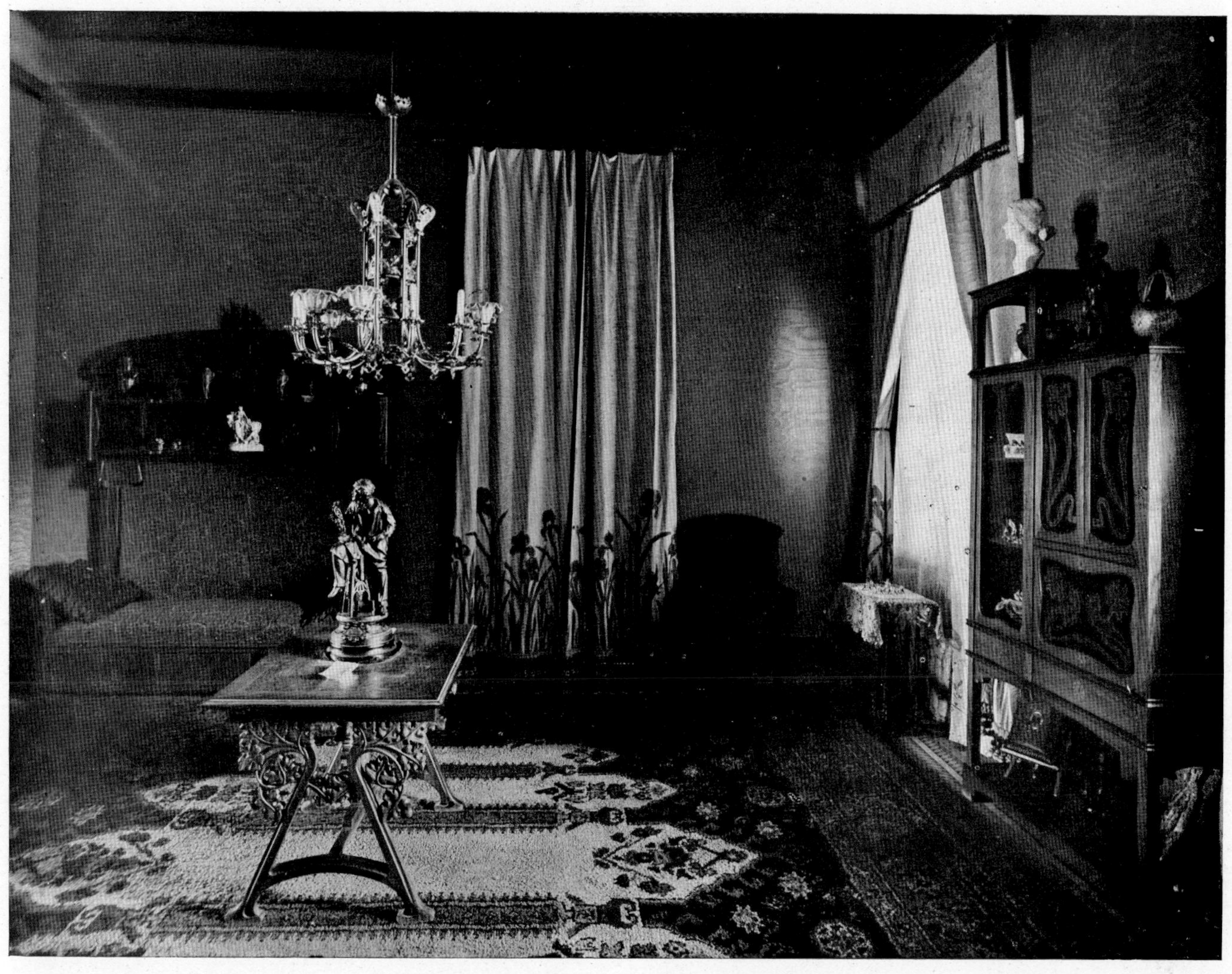

HOMAR : Salón de la casa Par de Mesa.

nadas, con nervios y vegetación goticizante, alternan con un escaño y un armario de perfiles rectangulares, ornamentados con flora ondulante, latiguillo, con los típicos lirios azules y adormideras. Los cimbreantes lirios azules aparecen asimismo en la parte baja de los cortinajes y en su galería, pintados a mano en los propios talleres de Homar. La lámpara, como la mesa, es un juego de nervios y hojas espinosas.

El tipo de mueble de secciones triangulares de este salón se repite en una serie de muebles de caoba que empiezan alrededor del modelo 1200 y en los cuales las superficies se dividen en recuadros cruzados por barrotes oblicuos, a modo de cabestrillos ligeramente sinuosos. Entre estos muebles hizo fortuna un tipo de taburete de patas inclinadas que, siguiendo la norma de Viollet, eran más delgadas en la parte baja que en la alta, unidas por cabestrillos sinuosos que siempre se presentaban inclinados desde la parte baja izquierda hasta la alta derecha, de modo que desde cualquier punto de vista se cruzaban con los del otro lado, en elegante contraposición.

El latiguillo de la arquitectura belga influyó en las artes decorativas desde que, en 1897, Van der Velde se trasladó a París y colaboró con Bing, y particularmente desde que, en 1898, se dieron a conocer los muebles proyectados por Héctor Guimard, en los cuales todo se reducía a esquemas formados por fibras delgadas de aparente flexibilidad, dibujando etéreas composiciones según unas leyes mecánicas aparentes, que serían reales si se tratara de tallos elásticos, pero que se reducían a puro juego escultórico al tratarse de piezas homogéneas de madera tallada. Homar siguió por un momento la sugestión de estos muebles, particularmente para los paragüeros o los escaños con lampadario, piezas en las que se daba un gran papel, tradicionalmente, al metal, porque realmente sólo en metal podían tener una realidad los aparentes juegos elásticos de Guimard, y su tendencia al adelgazamiento de las fibras, que halló una forma perfecta en los muebles de latón y cobre que construía el húngaro Buchwald Sándor, pero reaccionó rápidamente contra ello y tendió a forjarse un estilo más relacionado con la simplicidad de formas de los decoradores austríacos.

Si su proyecto, que lleva la cifra 1088, pertenece a la zona paralela a Héctor Guimard, el 1243 es un mueble sujeto a unas formas casi intransigentes de líneas rectas. Se trata de una cama para niño, de formas cuadradas, en la que los dos montantes de la cabecera sobresalen un poco, según un artificio muy caro a los decoradores ingleses y austríacos. Unos dientes de sierra y unas flores muy esquematizadas, de tallos rígidos, alineadas, forman la única decoración, de una simplicidad muy grande y una voluntad marcada de escapar a la curva.

HOMAR : Mueble de estilo lilial

La Exposición Universal de París en 1900 fué la vulgarización del «*art nouveau*» en sus variedades, ya viejas, del sinuoso latiguillo, pero en los medios avanzados marcó una regresión de este estilo a causa del prestigio alcanzado por los mueblistas germánicos. Ingleses y austríacos eran los campeones de una simplicidad que pareció muy nueva a los latinos, y los nórdicos, escandinavos y rusos cautivaron la atención por sus piezas de un arte basado en tradiciones populares más o menos reforzadas por una arqueología romántica.

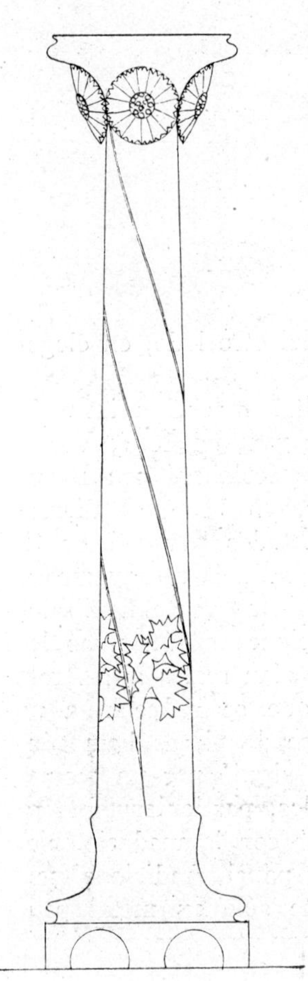

HOMAR : Columna torsa

Es natural que este popularismo pasadista sugestionara a los artistas de un país en pleno hervor de reconstitución. Ello explica que Homar proyectara, para la casa Burés, un mobiliario algo distante del estilo floral, tímidamente goticista y bastante japonizante, de la arquitectura. Su comedor adopta para las sillas el alto respaldo en aticurga y los brazos arqueados de los asientos nórdicos, y se decora con entrelazados caprichosos, de carácter vikingo, y dragones caprichosamente entrelazados o enfrentados, tratados a la manera de las prestigiosas tallas de las iglesias escandinavas de madera. La mesa se adorna con marqueterías dibujadas por Pablo Roig. La lámpara metálica, obra del mismo Homar, era una especie de gran corona bizantina, de placas, cada una de las cuales contenía los mismos dragones enfrentados, sumidos en complicados juegos de entrelazado. En las cadenas dominaban, recortadas en metal, las características formas arremolinadas de la metalurgia anglosajona, sacadas quizá de las miniaturas que las imitan. Paisajes y temas de saga noruega, pintados por Olegario Junyent, decoraban los muros y vitrales.

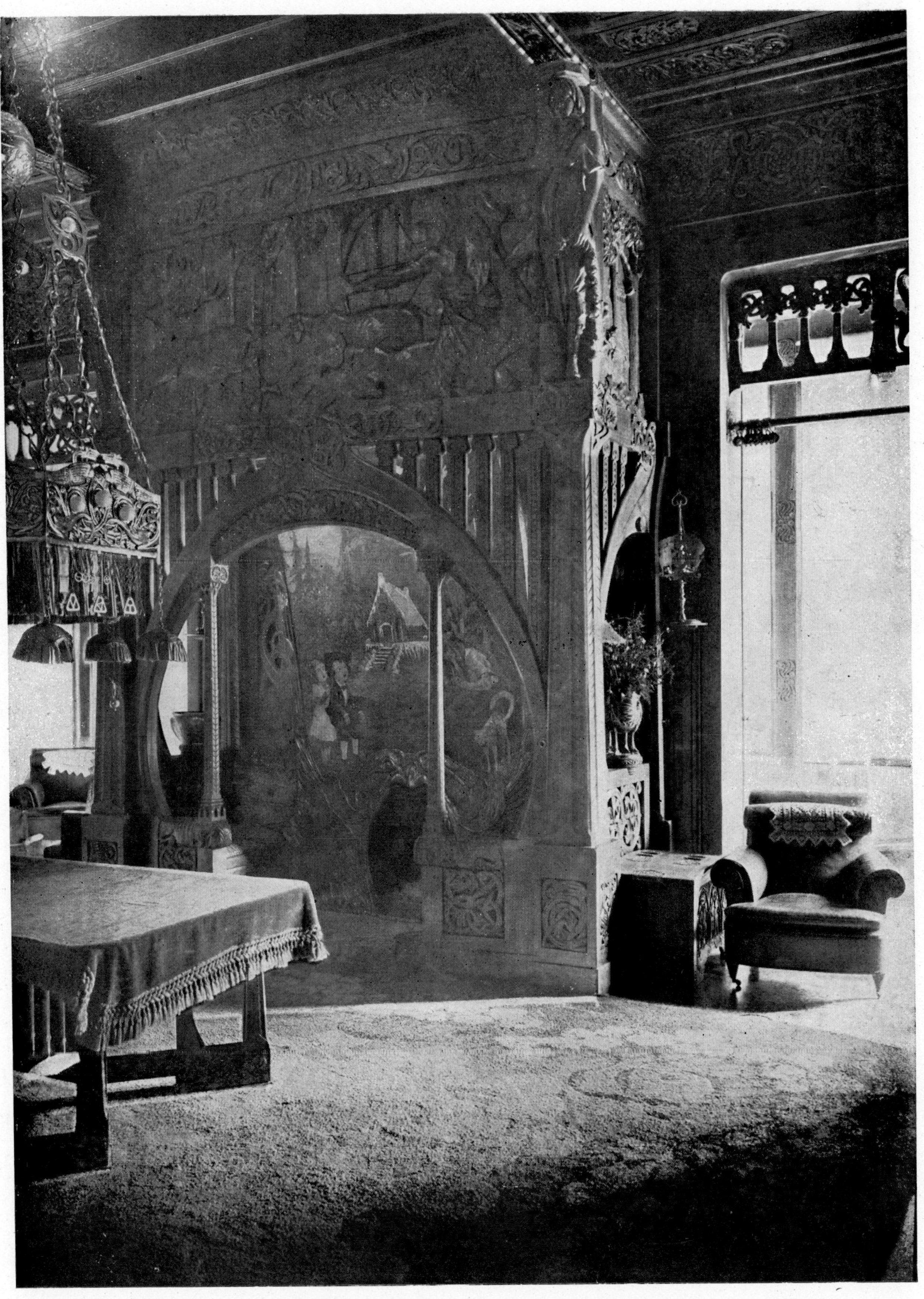

Chimenea de la casa Burés. Muebles de GASPAR HOMAR, talla de JUAN CARRERAS, pintura mural de OLEGARIO JUNYENT

GASPAR HOMAR, mueblista y OLEGARIO JUNYENT, pintor mural: Comedor de la casa Burés

HOMAR: Mesa del comedor de la casa Burés

HOMAR: Bufete realizado para el comedor de la casa Burés

HOMAR: Proyecto, no realizado, de bargueño en amaranto para el salón de la casa Burés

HOMAR : Salón de la casa Lleó Morera Marqueterías de JOSÉ PEY

Una chimenea, encerrada, con sus escaños, en una construcción de madera de ecos goticistas, acentuaba el ambiente primitivo y nórdico de este comedor. Se decoraba con relieves de Carreras representando escenas de cacería y pinturas de Olegario Junyent, medievalescas. La boca de la chimenea era una boca de dragón en cobre.

La sala de juego de la misma casa se decoraba también con pinturas de Junyent, que constituían un friso paisajístico nebuloso en la parte alta, encima de un británico arrimadero de madera.

No llegó a realizarse el soberbio proyecto de un salón en madera de amaranto para la misma residencia, con muebles de patas en forma torsa, nerviosa, y superficies surcadas por nervios llameantes de una gran belleza, salpicados de flores doradas, enmarcando relieves de *holly* de tema legendario, esculpidos por Carreras. Otros muebles goticistas evolucionados fueron los de sabor inglés, caracterizados por los recuadros simples, rectangulares, que limitan su medievalismo a los cristales biselados montados en latón, de suaves nervaduras *decorated*.

Estos muebles, en aquel momento, debían de tener la sugestión de un primitivismo wagneriano, que se acentúa en los de la casa Lleó Morera, en la

HOMAR: Estudio para el salón de la casa Lleó Morera

que, en el seno de una ubérrima naturaleza virgen, rica en flores espléndidas y enormes, los muebles macizos y las piezas de metal tratadas con fantásticos dibujos arcaicos, producirían una ambientación de saga maravillosa.

El salón de la casa Lleó Morera pertenece de lleno a un naturalismo en consonancia con el del edificio. Los muros y techos se decoran con relieves de mármol de dos colores, mosaicos, taraceas y tallas, en los que se superpone la muestra rítmica, de abolengo gótico, de los ramos de tres flores enclavados en granos de mijo, al tresbolillo, grabados en mármol de tonos alternados, con el motivo austríaco, tratado en relieve, de unas fajas arqueadas de hojas y flores de adelfa doradas, incluídas en líneas paralelas, como formando coronas, unidas entre ellas por delgados tallos cimbreantes.

Los marcos de puertas y otros elementos de carpintería inmuebles, como los pares de columnas torsas, se decoran con regiones, geométricamente bien delimitadas, de macizo floral, particularmente de rosas silvestres.

Un arrimadero y el neto de las puertas se decoran con grandes marqueterías con las carnaciones de los personajes en relieve. Representan doncellas de vago traje prerrafaelita y peinado hueco, entre guirnaldas, árboles floridos y estanques con cisnes. Los muebles se decoran igualmente con tallas en los elementos de estructuras y marqueterías en los paramentos. La mesita y las sillas se adornan con flores esparcidas con libertad pero con simetría. En el armario preside la marquetería de dos damas y un caballero de leyenda medieval. Más japonizante es el ambiente de la marquetería, inclusa en un arco túmido, del escaño, en la que dos damas, con las consabidas faldas acampanadas sobre el suelo, cogen flores en un jardín de esbeltos árboles, ante el fondo de una balaustrada.

Estos muebles, wagnerianos o naturalistas, se interpolan en la serie de producciones de estilo sencillo, que puede definirse con ciertas características bastante bien determinadas.

Un detalle fundamental es la presencia del *ornamento cuadrático* inventado por el austríaco Leopold Bauer. Otro es la división de las superficies en recuadros cuadrangulares que solamente cuando son muy extensos permiten que el montante de su marco se curve ligeramente por la parte interna, tomando generalmente mayor anchura hacia lo alto, la terminación de los muebles con cantos romos y

GASPAR HOMAR, decorador, OLEGARIO JUNYENT, pintor: Salón de juego de la casa Burés

a veces una suave tumescencia central, otras veces con cornisa y otras con un resalte lateral inspirado en una silueta frecuente en la mecánica, como si los montantes tuvieran el papel de cartelas para alguna carga superior.

Es frecuente el uso de cristales biselados montados en latón según cuadriculado y de marqueterías con tema vegetal simétrico, con tallos paralelos o muy esquematizados en líneas sencillas, soportando ramos de rosas silvestres, de olivo, de naranjo, de castaño, de roble, incluídos en unas invisibles líneas rectas, como si fueran recortados por un jardinero.

El ornamento cuadrático es a veces de marquetería, pero generalmente de talla, o en relieve saliente o rehundida, y en muchos casos consiste en una aplicación de metal repujado o de una madera diferente.

Frecuentemente aparecen sistemas de dos o tres listones paralelos, motivo que se repite en los respaldos de las sillas, en las cabeceras y los pies de las camas, y entre las patas de las mesas o uniendo los travesaños con la tabla superior.

Los travesaños altos de armarios o mesas a menudo tienen forma de arco rebajado.

En estos muebles se abandona la caoba del *latiguillo* y domina la madera clara, de tonos verdes y grises o blanca. Los hay en madera de un verde suave, con ornamentos cuadráticos de amaranto o de latón y de sicomoro, con flores talladas en la misma madera, de metal o de marquetería policroma.

Entre las mejores armonizaciones cromáticas están un despacho blanco de formas cúbicas muy simples, con grandes recuadros rellenados con marqueterías que figuran ramas de roble y olivo, en color sobre fondo gris, y ciertas aplicaciones cuadráticas de latón; un armario de salón de madera también blanca, con flores en marco cuadrado, de talla, otras en color, y unas marqueterías intensamente coloreadas, con las figuras de un tocador de mandolina

GASPAR HOMAR, decorador, JOSÉ PEY, pintor : Comedor de la casa Lleó Morera

y una dama medieval, en las que domina la nota morada del amaranto, y varias chimeneas decoradas con naranjos estilizados tallados en majagua y cincelados en latón.

Para el coleccionista Barbey fabricó muebles de ornamento cuadrático, con aplicaciones de metal y tallas en reserva, recubiertas con oro fino.

En la casa Navás, de Reus, proyectó el comedor con chimenea, los vitrales policromos adornados con estilizados naranjales, hortensias y pimientos ; el techo envigado con bovedillas decoradas con castaño florido y flores de granado.

Para los muebles del marqués de Marianao empleó también el tema de los castaños floridos, estilizados de un modo muy rectilíneo, de marcado influjo vienés.

Para la casa del comerciante en ultramarinos y jefe de una compañía naviera, Arumí, proyectó un bello salón del tipo habitual, con armario alto, mesa de patas inclinadas y cortinajes adornados con iris. Proyectó, también para la misma casa, la verja del jardín, estilización floral rítmica.

Para el despacho de los señores Godó, Milá y Batlló, en «*La Vanguardia*», proyectó una mesa escritorio para tres personas, muy original.

En la tendencia a la simplicidad de formas, su evolución fué paralela a la del arte en general. Uno de sus primeros conjuntos en estilo reposado y sereno fué fabricado para amueblar la casa Trinxet (1904) en la calle de Córcega, obra de Puig y Cadafalch. En el comedor, que decoró Mir, adornó los muebles con aplicaciones de metal representando plantas floridas y las ramas de olivo típicas del gusto secesionista.

Entre sus proyectos se encuentra uno, que no llegó a realizarse, de un interior de vagón de ferrocarril, que le fué encargado por la casa Teyá, entonado en color rosa, con decorado de marqueterías, en el que aparecen las características rondas de hadas y ornamento floral de rosas estilizadas.

Un conjunto muy completo del mobiliario simple de Homar es un dormitorio de la casa Oller, con cama, tocador, canapé, mesilla, armario y sillería decorados con simples tallas florales dispuestas se-

Homar : Bargueño en maderas de colores distintos, con tallas e incrustaciones de metal, e inicio del estilo cuadrático

Homar : Mueble en madera clara con motivos recuadrados y estilizados según las normas del estilo cuadrático y con cornisas inglesas

Gaspar Homar : Mesa de despacho en madera gris claro, con aplicaciones de metal y tallas dentro del estilo cuadrático austríaco

HOMAR : Mueble de estilo cuadrático

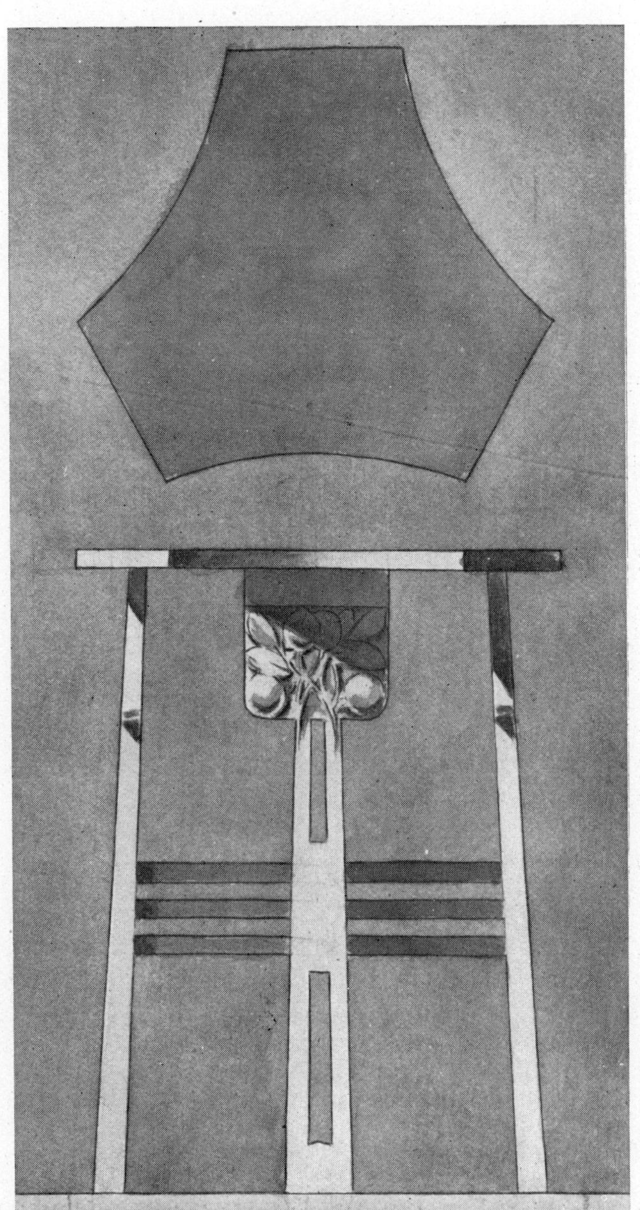

HOMAR : Mesita con tallas cuadráticas

HOMAR : Mesa con decorado floral en marquetería

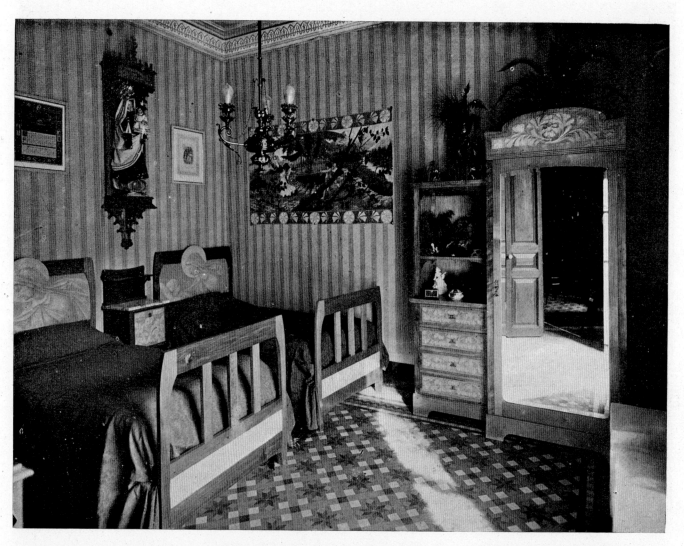

GASPAR HOMAR: Dormitorio de la casa Barret, con las cabeceras de las camas decoradas con grisallas de José Pey

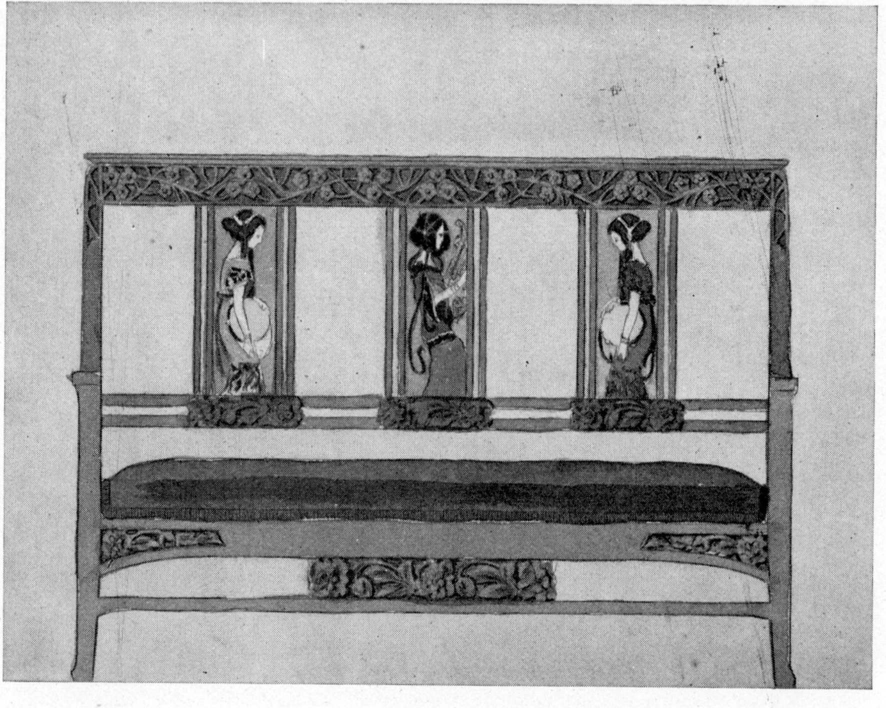

GASPAR HOMAR: Banco con tallas y marqueterías

GASPAR HOMAR: Dormitorio de la casa Oller. Son de Homar los muebles, las marqueterías, los tapices y las tapicerías, el papel pintado de las paredes y el decorado del techo

GASPAR HOMAR: Biombo de marquetería

HOMAR: Dormitorio de la casa Oliva

gún el sistema de fajas rectangulares unidas entre sí por la sinuosidad de unos tallos muy finos, simétricos. El mismo tema, en color, sujeto a una muy rigurosa estilización cuadrática, decora el tapiz de cabecera, el cubrecama, la tapicería, el biombo y el techo. En la cabecera se alberga una imagen en bajorrelieve.

Mucho más simples son los muebles del dormitorio infantil de la casa Barret. Sus camas gemelas no tienen otro ornamento que la grisalla de sus cabeceras representando a la Virgen ayudando a dormir a un niño. El armario tiene ramos de flores de marquetería en los cajones y el remate.

A pesar de su originalidad conocemos también obras de Homar que son adaptaciones directas de modelos extranjeros, como una ingeniosa librería de montantes formada por listones curvos, del vienés Josef Niedermoser, y una mesa de V. Valabrega, de Turín, con la tabla reforzada por un arco del que las patas son radios, expuestos en la Exposición Universal, de París, en 1900.

Desde 1910 hasta 1914, fecha final de la producción modernista de Homar, se simplificaron las formas todavía más. En grandes superficies lisas se situaban pequeños ornamentos de talla o marquetería, reproduciendo un gusto casi *Sheraton,* pero con temas nuevos. En las molduras se hicieron corrientes les cenefas de rosas incluídas en dos rectas paralelas no trazadas. Es de esta época la terraza de la casa Pladellorens, con una fuente de mármol que adornan mosaicos con árboles geometrizados.

Durante la Guerra Europea una reacción universal contra las novedades dificultó la continuación del esfuerzo creador. Todos los países fueron invadidos por una oleada de arqueologismo, esta vez no basada en el espíritu renovador de Viollet, sino en el papel desempeñado por los anticuarios, que inundaron las casas particulares de elementos de altar barroco, candelabros, retablos, estatuas carcomidas y toda clase de objetos antiguos. Para rellenar estos conjuntos, o para imitarlos, surgieron manufacturas de muebles y hierros forjados destinadas a una

GASPAR HOMAR : Decoración de la casa Pladellorens

GASPAR HOMAR : Muebles de la etapa final : hacia 1910

falsificación del mobiliario renacentista y mallorquín, sin escrúpulos ni gusto.

Homar pasó entonces por un eclipse comercial. Contra la corriente, quiso mantener su aportación creadora, pero las necesidades comerciales terminaron obligándole a ceder ante el gusto imperante. Desde entonces no consideró los objetos salidos de su taller como obras de arte, sino como productos industriales.

Homar participó en varias exposiciones. Fué miembro del jurado en la Internacional de Venecia de 1908 y obtuvo medallas en la *International Exhibition of Artistique Furniture* del *Crystal Palace* de Londres, en la Exposición Internacional de Madrid y en la V Exposición Internacional de Arte, de Barcelona, en 1907 ; en la Exposición Hispanofrancesa de Zaragoza, en 1908, y en la *Exposition Internationale du Confort Moderne,* de París, en 1909.

En Zaragoza halló un discípulo entusiasta en el mueblista González. En Madrid, el primer mueblista de la Corte, Freginal [354], le encarga conjuntos para sus decoraciones de residencias aristocráticas. Allí realizó Homar todo el mobiliario del palacete del conde de Capriles, incluso los techos. El conde, entusiasmado, le ofreció 50.000 pesetas, entonces una suma importante, para que empezara a trabajar en Madrid, pero Homar no aceptó.

La obra *Materiales y documentos de arte español,* que publicaba Parera, al lado de fotografías de monumentos antiguos, de arte decorativo de todas las épocas, reprodujo frecuentemente muebles y tapicerías de Homar.

Más tarde, después de años de olvido, cuando el modernismo pasó de moda, volvió a hablarse de nuestro mueblista a propósito de la intención de Joaquín Folch y Torres de instalar, en el desaparecido Museo de Artes Decorativas, del Palacio de Pedralbes, unas salas destinadas a sus creaciones, propósito que el desmontaje del museo impidió realizar.

Hoy Homar es de los pocos que sostienen con orgullo el arte de su juventud. Con su frondosa

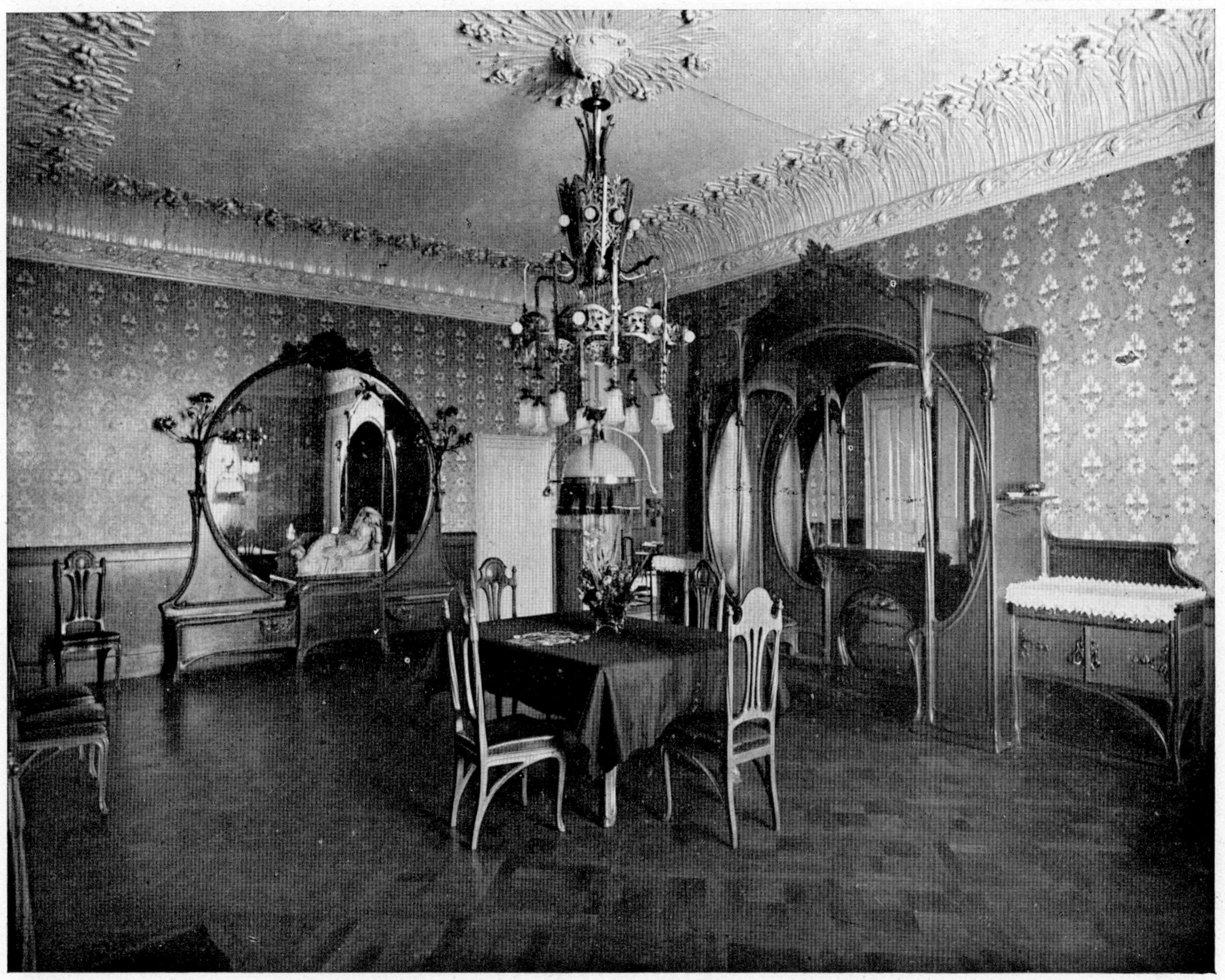

JUAN BUSQUETS : Comedor de la casa Arnús, en el Tibidabo. 1903

barba blanca, sus ojos azules, recuerda al Maillol de los últimos años. No es un anciano. Su voz vibra todavía de entusiasmo cuando habla de sus creaciones desde un sillón de mimbre, tras el luminoso ventanal de su casa de Garraf, acompañado de la azul presencia del mar y el cielo, en el más simple de los panoramas.

Los muebles de Juan Busquets. — Juan Busquets [355] llegó muy poco después de Homar. Así como éste se impuso al público, Busquets nos dice que hizo modernismo porque se lo pidieron. Y se comprende, porque Homar estada educado en un ambiente de mueble progresista, fantástico, imbuído de ideas violletianas, y en cambio Juan Busquets era el hijo de una casa antigua, fundada en la primera mitad del siglo XIX, arraigada en la clientela burguesa de Barcelona y de todo el país, y con una ejecutoria de seriedad y perfección en los estilos opulentos del eclecticismo imperante durante los años de Napoleón el pequeño.

Busquets era cuatro años más joven que Homar : había nacido en 1874. Estudió en la escuela de la Lonja, donde se le enseñó a proyectar muebles «Renacimiento» y góticos. Su padre, un obrero independizado, había acreditado su nombre con los premios obtenidos en la Exposición Universal de Barcelona de 1888, donde se manifestó muy por encima de sus competidores. En 1892 llamó la atención con el curioso *stand* que se comenta en la *Illustració Catalana* [356] de un modo elocuente, describiendo la escultura «de belleza oriental» que recogía los cortinajes de blonda, la mezcla de arquillas Renacimiento, jarrones de Sèvres, ricos tapices japoneses, espejos y un conjunto de sofás y butacas en las que *lo capritxo s'harmonitzava amb la més exigent elegància* y se presentaba *la varietat de formes que avui s'exigeix a la «sillería»*.

JUAN BUSQUETS: Silla con asas en tulipier industrial. 1898

El hijo de la casa Busquets empezó a proyectar en el año 1895, cuando contaba veintiún años. Una de sus primeras obras fué el recibidor de la casa de Manuel Felip, en el cual una estructura más o menos pompeyana soporta elementos violletianos, como el frontón romato de almenas, tan frecuente en la arquitectura de la época, y los dragones inspirados en gárgolas góticas. El mismo goticismo vago inspira cierto lavamanos para clínica y cierto *bufet* con los consabidos detalles de las líneas incisas trazando un tornapuntas en las puertas y las flores de lis violletianas. Del mismo año es la cama de la viuda de Fernando Puig, decorada con flores sobre fondo de madera pálida, detalle que no se hacía en marquetería policroma, desconocida entonces en el taller de Busquets, sino en pintura sobre dibujo pirograbado.

Hasta 1898 continuó el mismo estilo violletiano, que no le impidió ganar, en dicho año, una medalla de Primera Clase en la IV Exposición General de Bellas Artes e Industrias Artísticas, de Barcelona, con un bargueño que adquirió el Museo, terminado en almenas y poblado de dragones en las cartelas y en las cornisas, cuyas colas ondulantes prefiguran el *latiguillo*.

El modernismo empezó para él, a petición de una dama, en 1898. En esta fecha adoptó un tipo de muebles con el armazón aparente, de nogal, y los paramentos de sicomoro teñido y pirograbado con decoración floral, especialmente lirios de agua, blancos, girasoles y hiedra. Sólo sobrevivía el goticismo en los detalles metálicos de estos muebles, como las charnelas. Los interiores de las puertas se decoraban a veces suntuosamente con dibujos grabados, de fondo martilleado, y todo ello dorado. De este estilo fueron un armario, construído para Jaime Torres y Vendrell, y un bargueño regalado a Alberto Rusiñol por un hermano suyo en ocasión de su boda, todo él en madera clara, fresno y sicomoro, con decoración de cardos y campanillas y una curiosa cornisa de formas concoides.

Ello no marcó una ruptura con el pasado, que todavía exigía un tributo a lo gótico en ciertos paragüeros con espejo provisto de marco de hierro forjado, y un tributo al orientalismo en la vivienda de estilo chino de Miquel y Badía.

J. BUSQUETS: Tocador en tulipier de la Sra. J. Bringas. 1899

JUAN BUSQUETS : *Chaise-longue* en tulipier, para la señora Josefina Bringas. 1899

JUAN BUSQUETS : Armario con pirograbados para el fotógrafo Audouard

En 1899 el panorama era muy diferente. Busquets se lanzó a la fantasía estructural de fibras curvas a la manera de Héctor Guimard y de Majorelle, de Nancy, creador de las patas bifurcadas.

Ciertas preocupaciones funcionales condicionaron las formas orgánicas de un curioso «palanganero», una consola o un canapé, curvaron los respaldos de las sillas con asiento de rejilla en abanico y dieron asas laterales a sillas sin brazos. Las formas óseas, reivindicadas por Gaudí, se incorporaron a las partes sustentantes, que de ese modo no se inspiraron solamente en lo vegetal ; se adaptaron los travesaños oblicuos, a la manera ya descrita en las obras de Homar, y las patas terminaron casi indefectiblemente en un blando plegamiento sinuoso. Se inventaron las más complicadas consolas, y las camas, con su colcha de grandes amapolas, se cobijaron bajo fantásticos baldaquines de tul erizados de lazos de seda brillante, sostenidos por caprichosas curvas de latón.

Simplificación de este estilo nervioso fué el de armazón con piezas de sección cuadrada del *stand,* construído en 1899, con que los «Sobrinos de Juan Batlló» se presentaron a la Exposición de París de 1900, ornado con tallas que representaban la flor del algodón.

Antes de la Exposición parisiense Busquets dejó llegar el influjo de los muebles vieneses. Para don Manuel Arnús proyectó un tipo de mobiliario rectilíneo, con armazón aparente, en el que se empleaban las cerámicas ajedrezadas, tan caras a los secesionistas.

En 1900 Busquets recibió la influencia directa de Gaudí, que vigiló la construcción de los muebles de la casa Calvet [357], simples, de formas orgánicas. En 1901, otro arquitecto, Sagnier, intervino en sus proyectos para la casa Juncadella [358], sin ornamento

Busquets: Bufete en madera de satén, con paneles de sicomoro pirograbado y policromado

Busquets: Mesita de fresno de la galería de la Sra. Viuda de Baixeras. 1902

Busquets: Mesa de despacho de José Roig y Bergadá, en nogal, con hierro forjado

alguno, de una gran simplicidad, con suaves juegos de curvas simétricas en sus paramentos alabeados, los primeros paramentos no planos construídos por Busquets, en roble de color natural. Fuera del control suavizador de Sagnier, no obstante, Busquets continuó en el más atrevido curvilinealismo en obras como la mesa de despacho de Roig y Bergadá, con sus anaqueles laterales sostenidos por brazos, exteriores al mueble, en forma de cuello de cisne.

BUSQUETS : Cama de fresno natural con paneles de sicomoro pirograbado y policromado. 1902

Inspirado directamente en el espíritu de las obras de Majorelle, pero con gran originalidad, realizó en marzo de 1902 uno de sus conjuntos más completos y típicos : la galería de la residencia de la viuda de Baixeras, en la Gran Vía [359]. Utilizó, de Majorelle, la idea de hacer de las patas delanteras de los asientos una continuación del respaldo, que tenía forma de una fibra que se doblara para trazar, asimismo, las patas traseras, y encontró una estructura muy ingeniosa en la mesita cuyas patas, bifurcadas hacia lo alto, se doblaban, apoyando su curva inferior en el suelo, para convertirse en un afilado colmillo que salía por la bifurcación y sustentaba un anaquel bajo. Cierta idea funcional, algo desorbitada, hacía una vitrina de lo que, por el otro lado, era una chimenea abierta de cara al comedor. El techo, con pares de vigas sinuosas que se apoyaban por el centro y quedaban exentas por los lados, era una bóveda suave, en parte convertida en luminosa por los vitrales policromos y las flores bombilla, realizados por la casa Bordalba.

En la misma casa el comedor era de un pesado Renacimiento «segundo imperio» y el salón de un absurdo y desenfrenado rococó, presidido por dos enormes jarrones chinos.

En la decoración de la casa construída por el arquitecto Sagnier para Evaristo Arnús al pie del Funicular del Tibidabo, en 1903, alternó las formas curvilineales a lo Majorelle, con unas características familias de curvas degradadas, con los motivos rígidos, cuadrangulares, las flores esquemáticas, simétricas, y los rombos subdivididos, de la decoración secesionista, trazados en marquetería o en vidriería de color, como en la curiosa mesilla de noche para guardar rifles. Con líneas suaves utilizó los vanos túmidos a lo Sagnier y las columnas torsas a lo Majorelle.

En 1903 los pirograbados teñidos empezaron a ceder su sitio a las primeras marqueterías policromas de Busquets, como la de un lujoso mueble de paramentos cilíndricos decorados con margaritas blancas o bien de lustroso fresno de Hungría, entre un entramado de caoba.

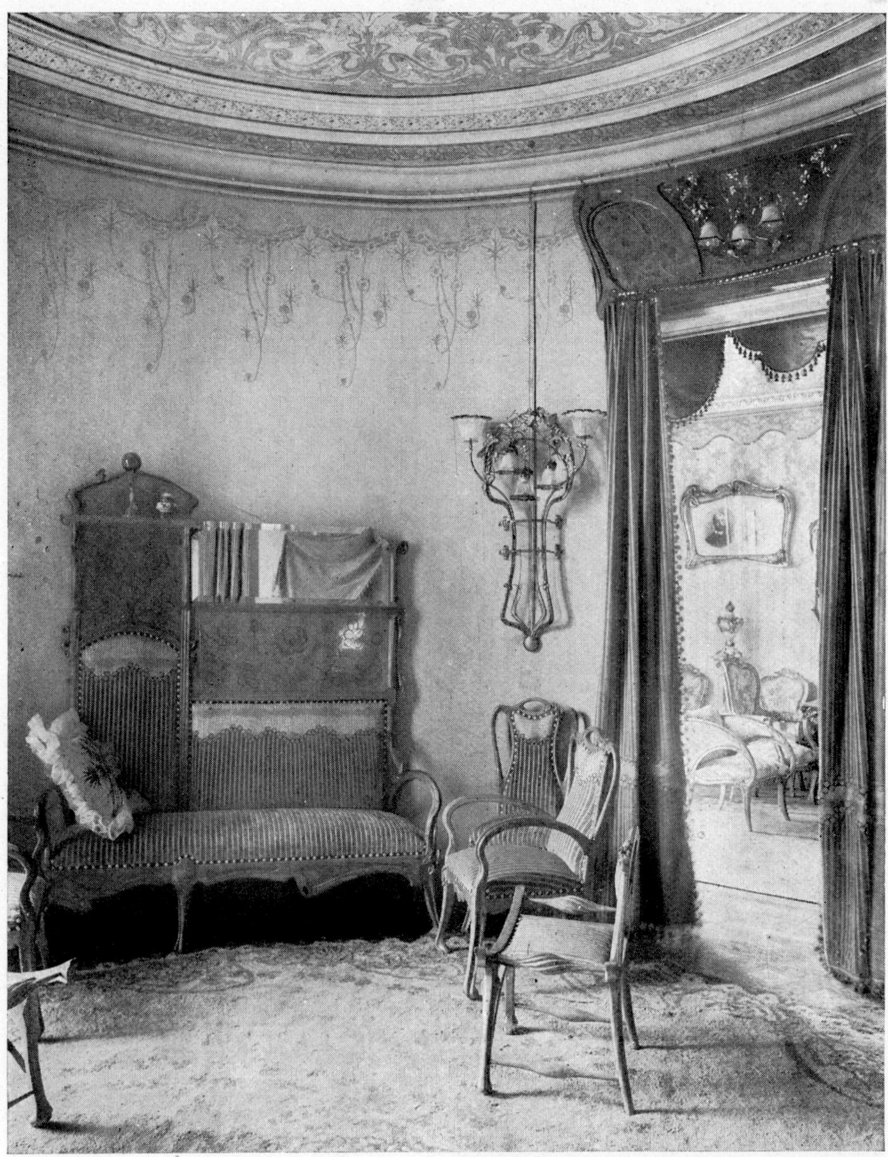

BUSQUETS : Salón de fresno tapizado en piel y terciopelo bordado. Paneles de sicomoro pirograbado. Luces murales de metal bruñido y alfombras proyectadas en conjunto. 1905

Un acentuado curvilinealismo, canto del cisne del *latiguillo,* con los consabidos senos auriculares en las esquinas rectas para desvirtuar la dureza de los ángulos, presidió también los curiosos muebles del dormitorio de una dama, en madera de olivo, con la cabecera presidida por un Sagrado Corazón que pintó Julio Borrell y cuya túnica se esfuma en el gris natural de la madera.

Una extraña mesilla de noche de tres pies, coronada por una luz en forma de corona de cristales policromos, tiene un gran receptáculo para el vaso de noche. Otro mueble curioso es el reclinatorio, iluminado con un globo de cristales de color, fácilmente transformable en *bidet.* El armario, coronado por una crestería de tulipas, guarda, recóndito, un tríptico de espejos.

Desde 1903 Busquets es, con preferencia, un mueblista inspirado en modelos ingleses y austríacos. Los muebles de la viuda de Torres Vendrell, simples, decorados con el motivo de la flor cuadrática, concebidos en líneas rectas, son perfectamente británicos. Su armario, con la inscripción «Pax Vobis», es una copia, muy fiel, de uno que expuso J. S. Henry, de Londres, en la Exposición

BUSQUETS : *Vis-à-vis* de madera coral con hilos de oro. Tapizado de terciopelo gofrado. 1908

JUAN BUSQUETS: Muebles del dormitorio de don Francisco Cambó. 1907

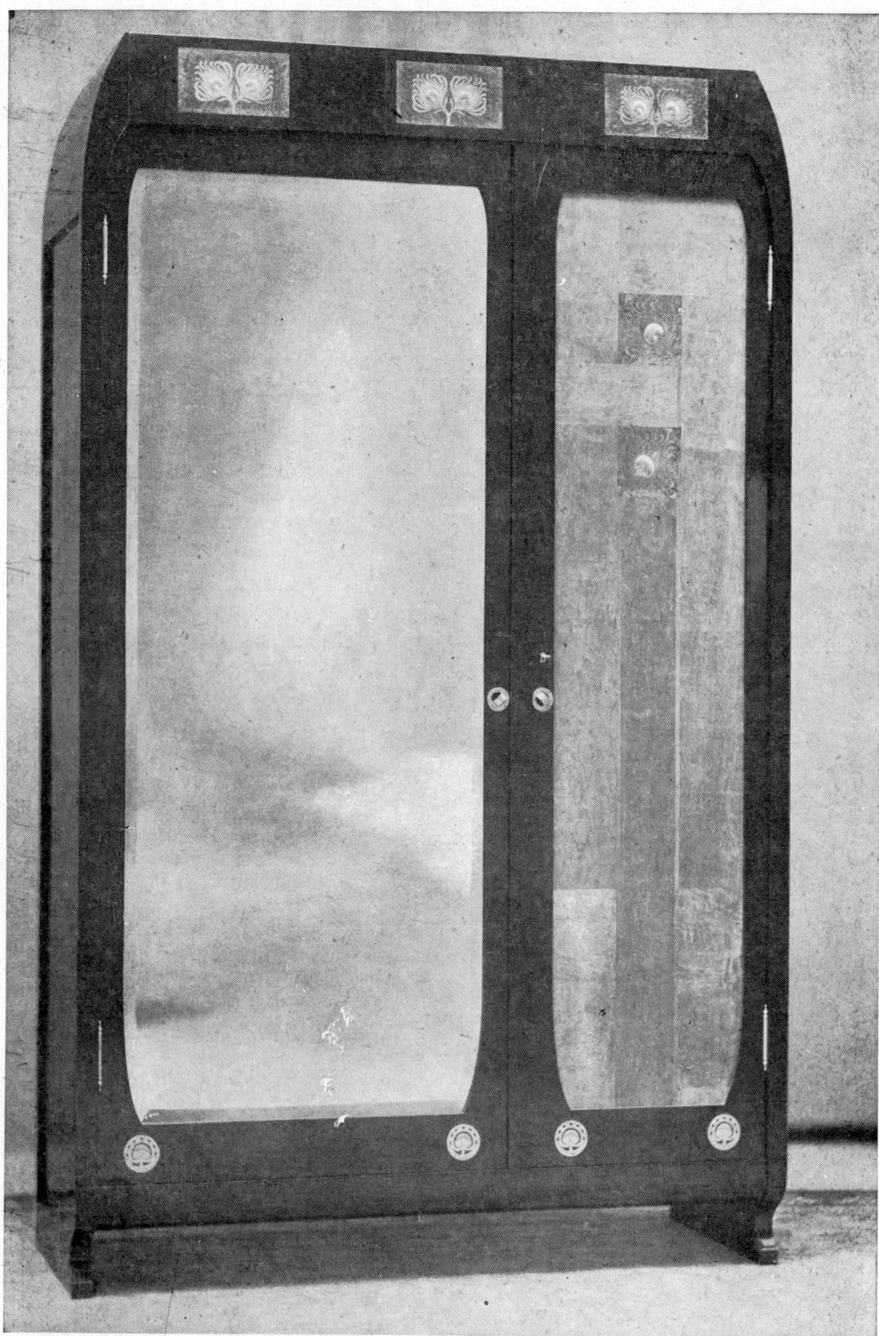

BUSQUETS : Armario del dormitorio de Francisco Cambó en caoba de color cereza madura, con paneles y abedul gris y ornamentos de metal. 1907

En 1904 y 1905 adquirieron importancia muebles de un nuevo tipo, en rojo cereza para el entramado y abedul de Noruega gris para los paramentos.

Así se compusieron muebles pesados, con los elementos fuertes de sección rectangular, sin molduras, a la manera de los que, por la misma época, realizaban los ingleses Thomas Johnson y Leonard Wyburd.

De este tipo fueron los muebles del dormitorio de Francisco Cambó, con sus montantes ligeramente cortados en curva hacia lo alto, por la parte externa, y sus plumas de pavo formando un elemento cuadrático que repartía en svástica los paneles de abedul.

En 1907 una ola de influencia nórdica hizo adaptar a los frisos las tallas caprichosas de la decoración vikingo. Son muchos los muebles de nogal claro con frisos de esta clase realzados con toques de oro.

Por influjo de Gaudí, Busquets implantó un sistema para colgar los sombreros en superficies inclinadas con una semicopa calada por la que sale el hierro destinado a detener su caída, como los del recibidor de Enrique Baixeras y el suyo propio.

Pocas veces trabajó en conjuntos relacionados con la decoración mural, pero sí en la casa Clapés, de la calle de la Diputación, obra del arquitecto Bassegoda, donde realizó unos colgadores combinados con un zócalo cerámico y unos paneles decorativos que pintó José Pey ; en la biblioteca de Pablo Torres Picornell, que fué presidente de la Diputación de Barcelona, en forma de estancia octogonal coronada por una cúpula ; y en varios oratorios, como los dos, casi idénticos, de la Vda. de Gener, en Barcelona y en l'Arboç, con un altar en vitral luminoso y unos paneles pintados con la vida de la Virgen, en los muros, que se unen con el techo por medio de un costillaje de madera, como el de las velas de las tartanas.

En 1910 llegó el juicio. Las formas con tendencia a lo cuadrangular, aunque con los cantos romos,

de París de 1900. Su *secretaire* con patas inclinadas reforzadas por listones verticales, su arco tudor rectificado, sus cuadriculados decorativos, es copia, todavía más exacta, de un *secretaire* expuesto por el mismo mueblista.

Los ornamentos cuadráticos empezaron a tomar la forma de una rosa rebajada del plano y dorada, con fondo picado, de una rosa en relieve, deformada en cuadrado, o un cuadrado con una pluma de pavo real situada diagonalmente.

JUAN BUSQUETS : Reclinatorio transformable. La vitrina es giratoria. 1906

utilizaron maderos de sección cuadrada. Se despidieron las últimas columnas torsas y las últimas caprichosas *causeuses,* llamadas en Barcelona *vis-à-vis* del mismo modo que los franceses llaman *toreadores* a los toreros. En 1911 se implantaba el rusticismo de los entramados nórdicos, y triunfaba el clasicismo comedido, sin detalles clásicos, de una modernización del Sheraton.

Busquets no fué un creador como Homar, pero por lo mismo que no fué un creador tiene todavía una mayor importancia desde el punto de vista de la Historia del Arte. Querríamos ayudar a comprender este hecho fundamental de la importancia del manierista en el primer plano del estudio de la ciencia del arte. Y se comprenderá : sólo es Ciencia lo que trata de generalidades, y ningún hecho particular ni ningún conjunto de hechos particulares, por grande que sea, podrá constituir, con su sola enumeración y descripción, la base de ningún conocimiento de tipo científico. Al historiador, pues, debe interesarle antes que nada la mediocridad del manierista, la sensibilidad del que sabe estar en el punto dulce, exacto, de la moda, la visión del comerciante que ausculta finamente los deseos del público, el sincretista, el hombre reflejo, porque hombres reflejo constituyen la masa que arrastra a la historia y, a menudo, incluso a los héroes, y porque en los porcentajes de cada una de las facetas del hombre reflejo se puede valorar la eficiencia de cada una de las fuentes que manan en la mente de los hombres geniales.

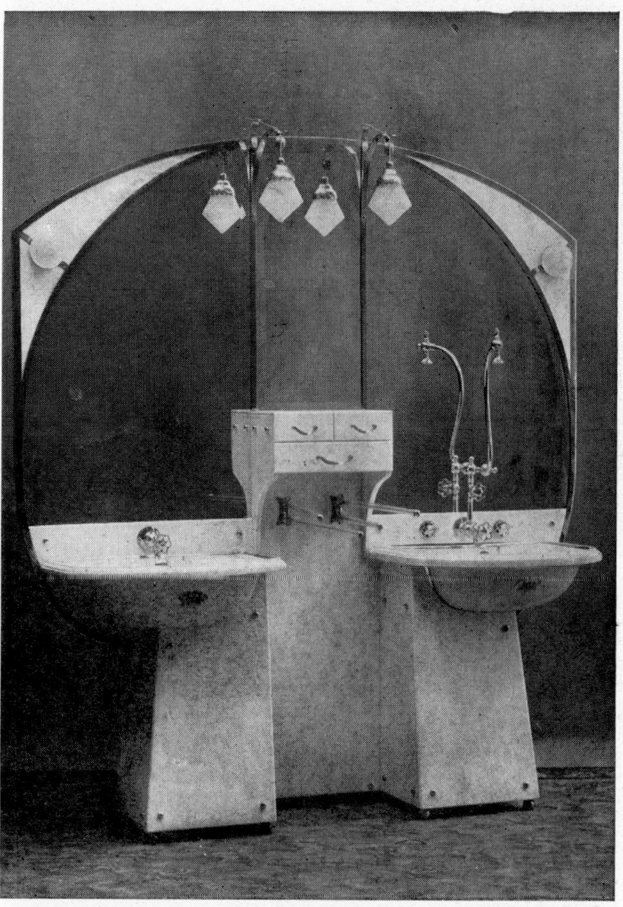

BUSQUETS : Lavabo en mármol grabado y porcelana. 1908

Juan Esteva. — Juan Esteva [360] fué un decorador con mucha personalidad que realizó conjuntos muy completos, como el del palacio Pérez, en la Diagonal esquina a la actual calle de Balmes, obra del arquitecto Ruiz, que ganó un primer premio del Ayuntamiento de Barcelona. Allí alternan los trabajos de carpintería, cerámica, estuco y vitral, dentro de una orientación rococó a lo Edmond de Goncourt, con la nota original del óvalo de flores de vidrio blanco del techo, que se ilumina por el interior.

JUAN ESTEVA : Mesilla de noche de estilo japonizante

HOYOS ESTEVA : Mesa de juego de estilo inglés

Por lo común, no obstante, no siguió este estilo, sino la orientación inglesa de que hizo una especialidad su hijastro Hoyos [361].

Otra variedad de su producción fueron los muebles japonizantes adornados con pintura y, más tarde, con marqueterías de torturado tema floral.

Los muebles de Gaudí. — En la decoración de la casa Vicens, como en la mayoría de las estancias del palacio Güell, en la que intervino el mueblista Francisco Vidal, que no tenía casi nada de modernista, Gaudí dejó campear libremente una concepción de mobiliario ecléctica, con tendencias arabizantes y medievalistas, e incluso el remedo de los estilos franceses de los Luises. En el palacio Güell, Vidal, el padre de la pintora Luisa Vidal, utilizó versiones pintorescas del mueble medieval, como las sillas curules con incrustaciones, los bargueños policromados con temas a lo Gallissá y los arcos convertidos en bancos, con la tapa por respaldo. Pero la huella de Gaudí se nota en muebles como la *chise-longue* de un dormitorio (1889), en metal torso, *capitonnée,* constituída por difíciles superficies alabeadas, que representaba una casi total independización respecto a las líneas mecanicistas, con rótulas, hélices y temas decorativos relacionados con el neoegiptismo que se encontraban todavía en su propio pupitre, construído en 1878.

En la casa Calvet (1901) los muebles gaudinianos se refugian en una doble corriente. Unos, los del piso particular, adoptan el libre movimiento sinuoso sin traba alguna ; otros, los del despacho comercial, toman del estilo holandés, que conocemos por la denominación británica de «Reina Ana», y de la sillería popular de Baviera, formas alabeadas y recortadas, curvilíneas y alabeadas, muy adapta-

GAUDÍ : Interior de la casa Batlló. 1906

das al cuerpo humano, que decora utilizando, como los arquitectos neoegipcios, la talla en reserva y el calado, que él traduce a un vitalismo naturalista delicioso, no exento de recuerdos, en las formas arremolinadas, de la decoración céltica.

En los muebles de la casa Batlló lo decorativo cede y se acentúa la adaptación de las superficies a los movimientos del cuerpo humano hasta conseguir realizar, sin decorado alguno, obras que parecen nacidas de la naturaleza, prodigiosamente semejantes a esculturas de Hans Arp o de Henry Moore, verdaderos caparazones para hombres, prolongaciones corporales.

El problema que Gaudí quisó plantear y resolver en su mobiliario fué intuído pero no precisado por el conjunto de los mueblistas del modernismo.

Los muebles de nogal tallado, con incrustaciones de latón, con que el mueblista Juan Riera y Casanovas, de la calle de Ripoll, dió ambiente a lo Viollet-le-Duc a tantos interiores barceloneses durante el último decenio del siglo XIX, fueron el punto de partida de un planteamiento del problema del mueble que no derivaba ni de la rutina ni del gusto, sino de una consideración que pretendía ser racional, aunque anduviera muy teñida de escenografía.

El racionalismo de Viollet, que era un arquitecto, no podía ser sino un racionalismo constructivo. Esta fué, pues, la primera manifestación de una postura que pretendía satisfacer al cientismo progresista, al tratar el asunto con un punto de vista ingenieril, y al poetismo vitalista, al tratar de hallar soluciones nacidas de la necesidad y no del eclecticismo pintoresquista. Tal primer racionalismo tuvo dos inconvenientes : ser incompleto, porque hacía caso omiso de una racionalización funcional, y ser exagerado, porque reflejaba en las estructuras de pequeños muebles todo un mundo de tirantes, contrafuertes y tornapuntas digno de las mayores obras de ingeniería.

Cuando Buigas y Monravá, premiado con tres medallas de oro en la Exposición Universal de 1888 y con Diploma Honorífico en la de Bellas Artes

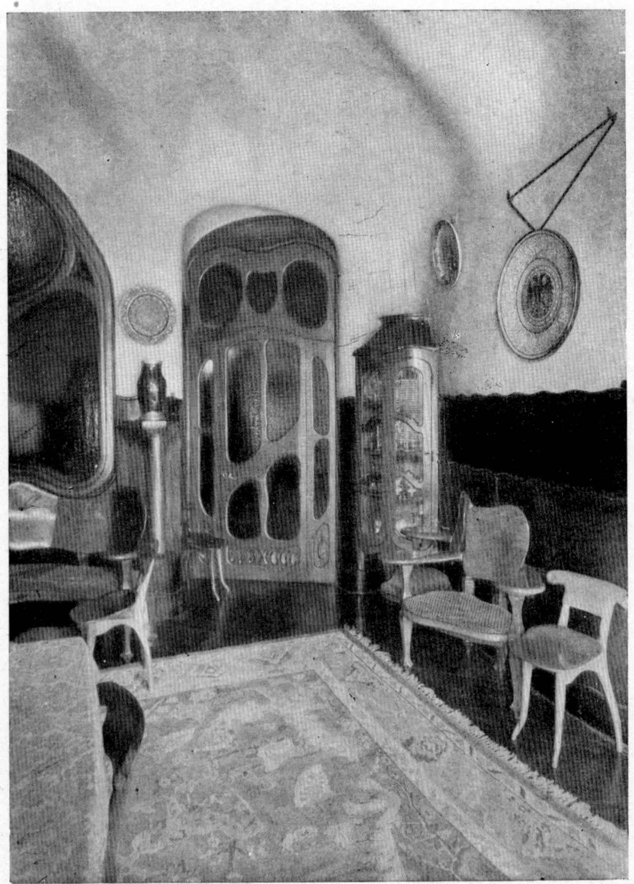

GAUDÍ: Detalles del interior de la casa Batlló. 1906

de 1891, proyectaba el mástil o el candelabro que en 1894 expuso; cuando Callén y Corzán y Rodríguez y Villegas querían habilitar como local de reunión un invernáculo; cuando Font y Carreras proyectaba un mercado o Gustá y Bondía su Palacio de la Industria, estaban dominados por el prestigio orgánico de las construcciones de hierro, que Gaudí debía reflejar en sus mástiles del Parque de la Ciudadela y en sus farolas de la Plaza Real, y que los mueblistas del modernismo debían traducir en madera al adoptar la característica profusión de articulaciones y tirantes de la primera época.

Importantes creadores del estilo, como Homar y Busquets, no pasaron de esta etapa, y esta limitación, combinada con un impulso lírico para captar y adoptar formas naturalistas, engendró una duplicidad que nunca dejó de manifestarse con cierta violencia. En la mayoría de los muebles modernistas, en efecto, se hace patente una lucha entre el intento de crear unas formas semejantes a las de la naturaleza y la necesidad psicológica de conservar los elementos esenciales del mobiliario tradicional. En definitiva, pues, se trató de ornamentar de un modo naturalista la cama, la mesa, la silla, el armario, pero no se trató de hallar algo de concepción nueva, una manera de proporcionar al hombre el utillaje doméstico que necesita.

El gran mérito de Gaudí es haberse enfrentado a principios de siglo precisamente con este problema, que Le Corbusier y los funcionalistas en los años treintas, y, en los años cuarentas de nuestro siglo, los artífices de la «arquitectura orgánica», han intentado resolver.

Las soluciones de Gaudí, en parte prefiguración de las conseguidas por los italianos del grupo *Domus* o *Stile*, no han podido ser adoptadas de un modo general en el mundo hasta que de una manera muy generalizada se han destruído los esquemas rutinarios de los cuales, en su tiempo, Gaudí fué quizás el único en saber escapar. Ha sido preciso el desarrollo de la aerodinámica, con las nuevas formas de los aviones y los automóbiles, para que entraran las estructuras alabeadas en el uso corriente y dieran forma, sistemáticamente, a radios, neveras, aparatos eléctricos distintos, teléfonos, etc. El estilo de insecto, de mosquito o de saltamontes, que tenían las máquinas o los muebles de fin de siglo, a consecuencia de un esquema lineal rectilíneo, corporeización de una física abstracta concretada en líneas de fuerza, adaptada al uso de un material tenaz, dúctil y maleable como

GAUDÍ : Muebles de la casa Batlló. 1906

el hierro, ha cedido el paso, siguiendo la dirección de Gaudí, a las formas que tienen más de la concha y la esponja, propias de una física indeterminista, que conoce la estructura molecular de los materiales, y para la cual ha vuelto a aparecer la significación plena del material concreto, no abstracto, como campo de acción de fuerzas mecánicas siempre variadas. La gran intuición de Gaudí le permitió dejar implícitos, en sus muebles, el principio de Heisenberg y la visión eddingtoniana de la Naturaleza.

El influjo de la línea goticista dió otro carácter a los muebles de la Sagrada Familia. Los confesionarios y púlpitos de la cripta fueron consecuencia inmediata del triangularismo mecanicista convertido en estilo; el prodigioso armario de la sacristía, con sus celosías de hierro protegiendo las puertas, fué como una arqueta preciosa, influída por el entrelazado carolingio; el banco para los sacerdotes oficiantes, con sus miembros torsos y sus respaldos esculpidos en reserva, no hincaba menos sus raíces en la alta Edad Media, pero en los pequeños objetos de metal, candelabros, farol del Viático, tenebrario, atril, triunfaron las formas biológicas, no sólo las de la serpiente, caballo de mar y pata de gallo, rígidas y geométricas, que dan forma al atril, sino asimismo los alambicados juegos de superficies alabeadas, torsas y perforadas que, en los candelabros, recuerdan la estructura de los más complicados entre los huesos del cuerpo humano.

Las marqueterías. — El introductor en Europa del arte de la marquetería policroma fué Emil Orlik (nacido en 1870), que residió durante cierto tiempo en el Japón y aprendió allí esta técnica, que después empleó, en Europa, para paneles decorativos de un gracioso estilo ingenuo, dedicados particularmente a los temas infantiles y rurales.

Homar, que tenía exactamente la misma edad de Orlik, fué, pues, muy precoz en la difusión de la marquetería, que en un principio intentó imitar con maderas teñidas y más tarde realizó en toda la per-

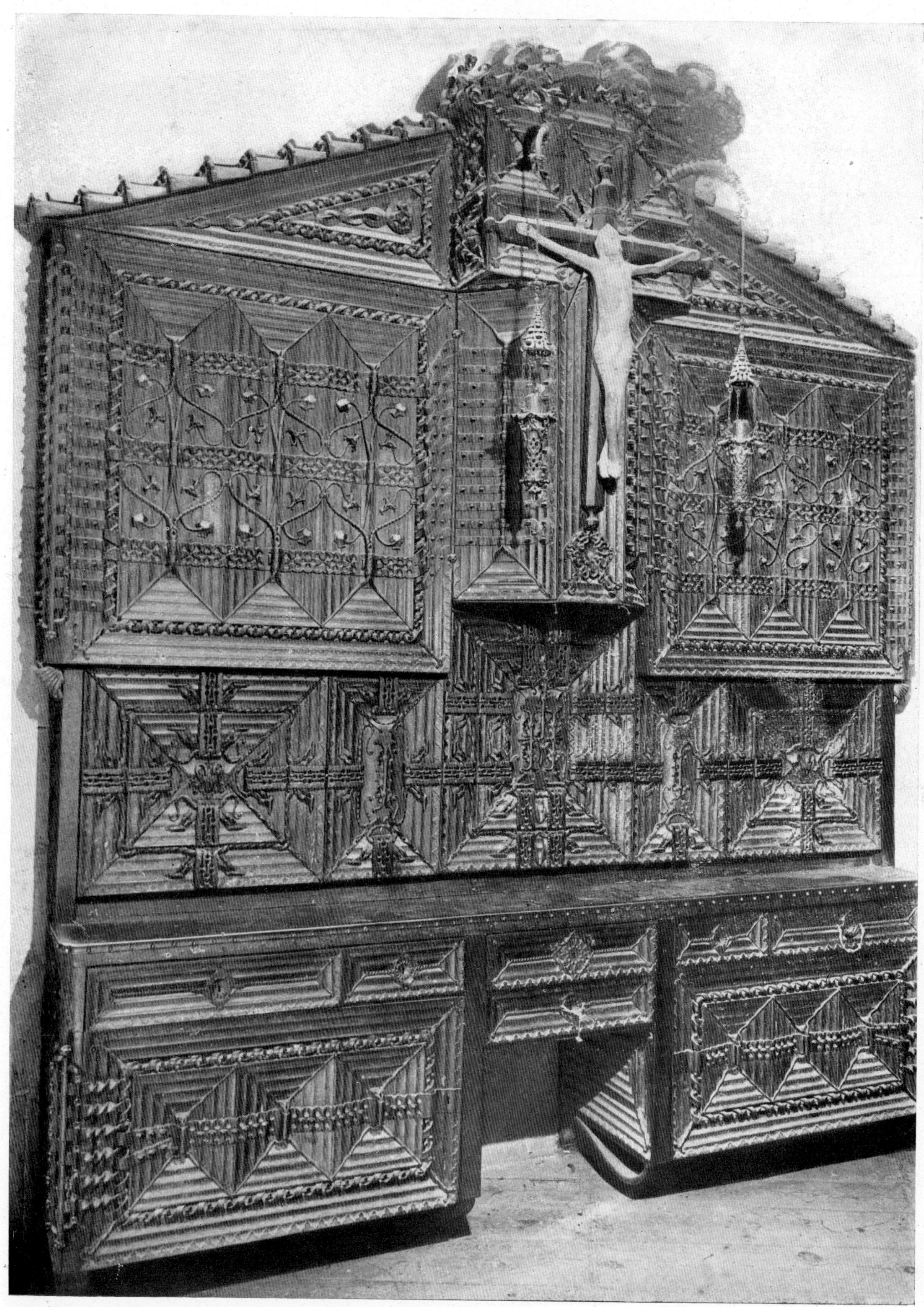

Gaudí : Armario de la Sagrada Familia

Gaspar Homar. — Escaño con relieves de Juan Carreras. Marquetería dibujada por José Pey.
Aplicaciones de metal y tapicería del propio taller de Gaspar Homar

fección del oficio, sólo con materiales de color original, desde 1896.

En las marqueterías se empleaba, para las carnaciones en bajorrelieve, la madera de *holly,* de un blanco permanente, que no se oscurece como el sicomoro ; para el rosado, el palo rosa ; para el anaranjado, la madera de tuya, que dibuja a modo de pequeñas pinceladas ; para el morado, amaranto ; para el cobrizo, la llameante caoba de Asia ; para el marrón cálido, el laurel sabino de Puerto Rico ; para el pardo con manchas pálidas, la magnolia ; para el verde pálido, el fresno de Hungría ; para el verde intenso, el majagua ; para el gris plateado, la raíz de olmo ; para el amarillo, el olmo ; y para el negro, el ébano. Estas eran las maderas principales empleadas, pero Homar llegó a emplear cuarenta variedades.

GASPAR HOMAR : Marquetería

A ello se añadían las incrustaciones de metal, de nácar y de piedras duras.

La mayoría de las marqueterías, como los bajorrelieves salidos del taller de Homar, eran dibujadas por José Pey. Este artista, nacido en 1875, después de pasar por la Lonja apenas si continuó la carrera de pintor. Hemos visto el retrato juvenil de Homar, que pintó dentro de una suavidad a lo Rusiñol, y un lienzo suyo, de tipo prerrafaelita, representando a una muchacha enigmática, vista de frente, oscura, a contraluz ante un vitral de colores, que posee Olegario Junyent, que muestran sus perdidas posibilidades de pintor al óleo. En realidad, se dedicó a la ilustración, y de un modo especial a los proyectos para los bellos oficios. El fué el proyectista de muchas de las mejores cerámicas y porcelanas de Enrique Serra, y su arte halló una gran difusión gracias a las realizaciones de Homar. Encerrado en la sencillez de un carácter

GASPAR HOMAR : Marquetería

HOMAR Y PEY : Escaño con marqueterías

bellera a la manera de Dante Gabriel Rossetti, pasean como apariciones casi invisibles entre los inverosímiles tallos de un embrujado y misterioso bosque de laureles.

Otro dibujante que trabajó para estas marqueterías fué el que después ha sido gran pintor : Pablo Roig. Olegario Junyent también proyectó algunas. La forma de las marqueterías es variable. Las hay enmarcadas por un arco, como tímpanos, otras se incluyen en mandorlas, otras son cuadradas o forman trípticos ; muchas, por último, adoptan la proporción acentuadamente verticalizada de los *makimonos* japoneses. A menudo los marcos son también de marquetería, pero a veces se decoran con dorados o con tallas, en las cuales el tema más frecuente es el macizo de rosas silvestres, limitado por las líneas de un cuadrángulo.

No es frecuente — pero en la casa Lleó Morera hay un ejemplo importante de ello — la aplicación

humilde, después ha pintado poco. Pasado el período modernista, ha renegado de él. Hoy le parece un mal sueño pasado y afirma que se trató de una «época buñuelo». Sus dibujos de tema histórico han ilustrado numerosos libros de cuentos y las páginas de «Hojas Selectas». Nosotros lo hemos conocido en su espacioso taller de la calle Buenavista, en Gracia, lleno de objetos distintos, de pequeñas notas de color al óleo que todavía cultiva, entregado a su trabajo de paciente y experto restaurador de pintura antigua. No conserva nada de sus dibujos modernistas. Casi el único recuerdo de la época son allí algunas pálidas porcelanas procedentes del taller de Serra. El nos describe las aventuras del taller fantástico, cerca del Cementerio Viejo, en el que lucharon contra grandes dificultades técnicas, en un prolongado y misterioso trabajo nocturno, y nos muestra los vasos desvaídos, en los que ninfas de recogida y hueca ca-

HOMAR : Marquetería con aplicaciones de nácar y metal

HOMAR: Bufete con marquetería

de la marquetería al decorado mural, en los arrimaderos.

Entre todas las marqueterías de la época se hizo célebre el San Jorge, de Homar, prodigio de técnica sobre dibujo de José Pey. En ella aparece un primer término de rosas silvestres formando un macizo del que surge, de medio cuerpo, la figura frontal del santo, revestido de armadura, con un rostro enigmático, de expresión prerrafaelita, ante un fondo que representa el mayor alarde de virtuosismo técnico. En él la escena legendaria del combate de Jorge con el Dragón y de la doncella se desarrolla en un paisaje accidentado, rico en vegetación. Todo ello se colorea de una manera muy pálida, entonada alternativamente en matices amarillentos y rojizos según franjas verticales, que vienen a producir un efecto como si la escena fuera vista a través de un cristal en el que estuvieran pintadas, con esmalte muy transparente, las cuatro barras heráldicas.

Una serie de marqueterías de la Virgen de Montserrat, con cabezas y manos en bajorrelieve de ébano, generalmente en mandorlas o tímpanos arqueados, muy a menudo en forma de tríptico, con ángeles en los costados, tuvieron especial difusión, pero son mucho mejores las simples evocaciones poéticas de Pey o de Pablo Roig.

El tema característico son las hadas de mangas generalmente holgadas hacia la parte baja, cintura muy alta o inexistente y faldas acampanadas, esparcidas por el suelo. Unas veces danzan en ronda, entre rosales, sobre el césped de una pradera, en

HOMAR: La danza de las hadas. Marquetería

cuyo borde no falta el bosquecillo sagrado; otras veces, en los *makimonos,* parecen jugar a hacer la serpiente, destacando sobre los fresnos del fondo la nota cálida de un traje de caoba de Asia, la mancha negra de una falda de ébano y el brillo de los collares de metal y de nácar. A veces son *korai* griegas tocando la lira, vestidas con trajes de

JOSÉ PEY: *La Virgen de Montserrat.* Marquetería y relieve realizados por Gaspar Homar

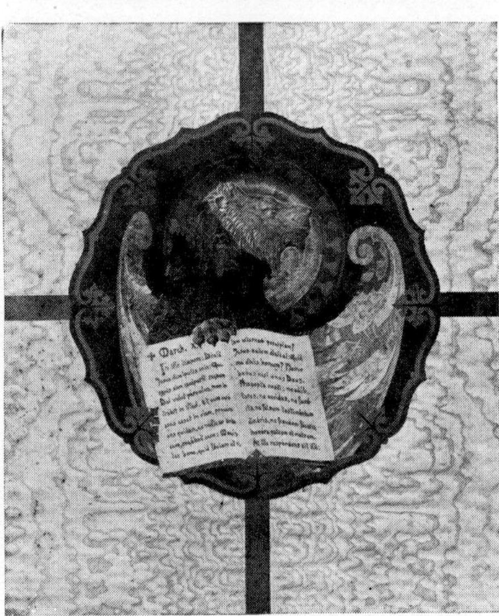

JOSÉ PEY: Marqueterías de Antonio Torres Picornell, realizadas por Juan Busquets. 1910

amaranto, junto a unos árboles otoñales de tuya, o personajes de historias del Dante, evocaciones botticelianas pasadas a través de Walter Crane, Frank Brangwyn o Aubrey Beardsley, las muchachas leyendo a lo Morton Nance, con la mezcla de clasicismo y goticismo de un Anning Bell, oliendo una flor al borde de un lago o acariciando un cisne [362].

El apogeo de estas marqueterías poéticas tuvo efecto hacia el año 1903. Antes Homar hizo distintos ensayos, uno de ellos consistente en aplicar a muebles muy a lo Guimard, del año 1900 [363], la técnica de reseguir con metal los perfiles de los objetos, como si se tratara de una obra de esmalte. El brillo metálico aumentaba el sabor oriental de las estilizaciones de rosas silvestres, de nenúfares y adormideras.

Quizá la más importante de las marqueterías de este momento fué una ronda de hadas, de sinuoso cuerpo y faldas acampanadas, danzando entre rosas, al borde de un naranjal en forma de misterioso *bois sacré*.

Entre los otros autores de marqueterías, Hoyos Esteva fué muy admirado por el retablo de San Jorge en marquetería, con bajísimo relieve, goticista, modernista y orientalista.

También hizo retablos Juan Busquets, parece que por iniciativa del colecionista de retablos góticos Matías Muntadas, que quiso aumentar su colección con piezas modernas y le encargó un tríptico dedicado a la Virgen de la Merced. En él la técnica tradicional del estofado tiene una aplicación que falta en las obras de Homar y Hoyos.

GASPAR HOMAR : Bufete. Realizado hacia 1895

LUIS BRU: Mosaicos del ábside del *Palau de la Música Catalana*

Los mosaicos. — Las ideas de Théophile Gautier:

Oui, l'oeuvre sort plus belle
D'une forme au travail
Rebelle,
Vers, marbre, onyx, émail,

corresponden a un gusto por los materiales duros, preciosos, consustancial con el decorativismo que la literatura parnasiana volcó en nuestras sensibilidades modernistas. La literatura parnasiana está cuajada de imágenes de este tipo, como los versos de José María de Heredia:

De sa splendide écaille éteignant les émaux
... ...
Et brusquement, d'un coup de sa nageoire en feu
Il fait, par le cristal morne, immobile et bleu,
Courir un frisson d'or, de nacre et d'émeraude.

Las pinturas de los prerrafaelitas ingleses, con sus personajes ricamente enjoyados, lo mismo que los que pintaba Gustave Moreau, contribuyeron a una sensibilidad por lo precioso que se concretó en la formidable resurrección de los bellos oficios, y en especial de los que se basan en materiales de calidad: orfebrería, porcelana, marquetería, mosaico.

La más directamente vecina de la arquitectura, entre estas artes, fué la musivaria. Ruskin regresó entusiasmado de «*The Stones of Venice*» y se convirtió en el más eficaz de los defensores de la arquitectura policroma. El prestigio de la ciudad que Baudelaire veía como una joya

d'hyacinthe et d'or

contó mucho en favor de la entronización del revestimiento musivo.

La catedral de Marsella, levantada por Vaudoyer en 1855, es un edificio totalmente en color. Los funcionalistas constructores en hierro, como Hittorf y, a fines de siglo, Frantz-Jourdain, el constructor de *La Samaritaine*, adaptaron las placas cerámicas de color, mientras que el arte ecléctico buscaba los mismos efectos con un recargamiento de materiales nobles, como en la fastuosa Opera de París, de Charles Garnier, donde se dan cita los mármoles exóticos más raros, y en aquellos muebles de los que pudo escribir Didron : «se prefiere, por vanidad, un mueble en madera preciosa, incrustado de nácar y metal, pero feo, banal y frágil, a un mueble de madera vulgar pero práctico, sólido y de bella forma».

El gusto por la policromía y los materiales de precio atravesó los Pirineos. Sin esperar el momento modernista, en el que el color tiene categoría de protagonista y en el que las joyas con el *leit motiv* de tanta literatura de circunstancias, el colorismo arquitectónico se impone, con la ayuda de la cerámica, en las construcciones de gusto orientalizante, entre las cuales la más importante, naturalmente, es la casa Vicens, de Gaudí (1878-1880).

En ella las piezas de cerámica son utilizadas en forma de taracea, sin llegar a constituir mosaicos propiamente dichos. Yuxtapuestas, pero de formas dadas independientes del dibujo abstracto que deben formar, vienen a ser como los elementos de un aparejo decorativo, de un caprichoso ajedrezado. En realidad corresponden a la especialidad islámica del alicatado o concertado de piezas prefabricadas, predecesor del vulgar azulejo decadente. Las verdugadas y algunas superficies lisas se recubren con azulejos del tema floral que se repite infinitamente como la muestra de una tapicería.

En la Exposición del 1888 el Arco de Triunfo recibió unos inicios de policromía en los cupulines de cerámica en azul y oro que lo coronan y en los tonos naturales del aparejo de ladrillo, pero el apogeo de la policromía cerámica aplicada a la arquitectura debía realizarse en el Parque Güell.

Gaudí condujo esta obra desde el año 1900 hasta 1914, y en ella se reveló de una originalidad deslumbradora. En el Parque Güell el revestimiento policromo adopta tres formas principales, después de perder definitivamente la rigidez del alicatado que hallábamos en la casa Vicens : el mosaico, el azulejo aplastado y el *collage.*

Históricamente, en todas las culturas en las que se ha empleado el alicatado se ha pasado al azulejo. Es más cómodo pintar, en piezas de cerámica uniformes y fáciles de colocar, cualquier dibujo por complicado que sea, que construir pacientemente una taracea. Lo mismo ocurrió con los vitrales, que tendieron a olvidar el sistema de piezas de color puro para adoptar el de grandes piezas blancas pintadas, y otro tanto en el esmalte, donde el alveolado y el *champlevé* terminaron en la esmaltería o en la pintura al pincel ; pero Gaudí supo remontarse, contra toda facilidad, como obedeciendo al

> Fi du rythme commode
> comme un soulier trop grand

de Gautier, y se concentró en la búsqueda de lo difícil.

Empleó el mosaico de piezas cerámicas para los ingredientes de tipo popularista de su parque, como el pintoresco dragón que divide la escalera de acceso, y también para las fantásticas cubiertas de los pabellones de entrada, divididas en una imbricación en la que se mezclan los elementos matizados con técnica musiva y los decorados con muestras uniformes de las propias piezas empleadas. Las columnas, los marcos de ventanal de estos pabellones y sus agujas muestran las mismas técnicas.

El ondulante techo de la sala de columnas griegas se reviste totalmente de mosaico cerámico blanco, y en la caprichosa ausencia de ciertas columnas en el emplazamiento que les correspondería por el orden de las restantes, aparecen grandes rosetones, como huellas dejadas por el capitel arrancado, en los que centellean los cristales azules, verdes y de brillo dorado en un caprichoso mosaico veneciano. El ayudante de Gaudí, Jujol, fué el autor de estas maravillosas rodelas.

Más original que éstos es el procedimiento decorativo de los muros de las escaleras y el banco y la barandilla de la gran plaza que descansa encima de la columnata griega. En estos lugares los muros se ondulan de un modo continuo y van pasando de un tono a otro mediante manchas de color obtenidas con azulejos con dibujos aplastados y aplicados conservando en lo posible el dibujo, pero adaptándose a las concavidades y convexidades del muro. Con este sistema, la presencia del azulejo y su propio dibujo pierden individualidad, y, no obstante, uno y otro conservan su valor como nota de color y como valor de intensidad de red de su dibujo.

Esta manera de sacar un azulejo de lo que es para convertirlo en un puro valor plástico y hacer lo mismo con el dibujo que lo decora no es sino el principio atrevidísimo, nuevo y fecundo, que llevó a Gaudí a practicar el *collage.*

Antes de que Picasso pegara un pedazo de periódico en sus telas, antes de que Max Ernst recortara ilustraciones antiguas para su pintura o los surrealistas utilizaran arena, cucharas y zapatos, siguiendo el gran descubrimiento de los «objetos exilados» hecho por los dadaístas en 1919, Gaudí lo practicó en el Parque Güell. El antiguo presidente de la *Associació d'Amics de l'Art Nou,* Prats, nos ha hecho notar la presencia, en los mosaicos de este jardín, de objetos enteros incrustados. Hay botellas enteras, hay muñecas y hay, salpicando con su brillo dorado una esfera profundamente negra, un juego de jícaras para chocolate. Aprovechando el nervio inferior de base de unos platos rotos, se dibujan, en ciertos lugares, alambicados arabescos curvilineares, ricos en juegos de espirales.

Para la casa Milá (1905-1910) Gaudí pensó una

vez más en el mosaico, pero esta vez en el mosaico veneciano que debería recubrir, con figuraciones, los muros interiores. Tan fastuoso decorado sobrepasaba con mucho las posibilidades económicas, y fué sustituído por la imitación musiva pintada que todavía se conserva en parte, por ejemplo en el zaguán del Paseo de Gracia, por cierto que en considerable mal estado.

En la especialidad romana de la musivaria, o sea con teselas de mármol, quien enseñó técnicamente a todos fué el italiano Mario Maragliano, fundador del primer establecimiento barcelonés dedicado a este especialidad. Trabajaba en un taller de la calle de la Diputación, en el número 317, y le eran familiares las tres técnicas del mosaico, el romano, con teselas de mármol; el veneciano, con teselas de esmalte, y el que llamaba «árabe», realizado con fragmentos cerámicos, llamado, por su economía, a ser una de las técnicas artísticas fundamentales del mundo modernista.

Su trabajo, firmado, en la fachada de la Fundición Artística Masriera y Campins, ganó el tercer premio en uno de los concursos de establecimientos del Ayuntamiento de Barcelona.

El proyecto del mosaico, que formaba el marco de la puerta, era de Víctor Masriera, y en él se combinaba el mosaico con los detalles de bronce fundido. A un lado la cartela asimétrica, de ornamento floral en *latiguillo,* que anuncia «lápidas monumentales» y «metalistería artística», se inserta en un fondo de paisaje con árboles floridos; en el otro lado el humo de una explosión es la fuente de los caprichosos latiguillos que rodean el título de la casa y se convertía en un cuerpo saliente metálico, para acariciar un simbólico vaso.

En el mismo año de 1903 realizó el mosaico veneciano que, en Montserrat, formando parte del Rosario Monumental de la Santa Cueva, representa el Pentecostés, inserto en el Segundo Misterio de Gloria, proyecto de Juan Martorell [364].

Gaudí dirigía él mismo a los albañiles que concertaban los pedazos de baldosa esmaltada rotos con que construía sus mosaicos o los que rompían azulejos para aplicarlos a las superficies alabeadas, o pegaban en los mosaicos objetos escogidos. En realidad no se valió de ningún mosaísta, y pudo hacerlo porque no pretendió conseguir más que manchas de color, sin un dibujo determinado.

El mosaico con dibujo fué una creación de Gaspar Homar, personaje de gran importancia en la creación del modernismo y a quien estudiamos ya detenidamente al hablar de los muebles y la decoración. Homar, en su taller de mueblista, tuvo que improvisar la técnica y los operarios, pero logró rápidamente resultados satisfactorios. Su especialidad fué el mosaico de pequeñas teselas cerámicas, obtenidas limando trozos de baldosa. Los dibujos figurales eran de José Pey o, en algún caso, de Pablo Roig; los meramente decorativos eran del propio Homar.

La materia prima para el resto del mosaico era el azulejo liso de Valencia o, para ciertos colores raros, baldosilla importada de Inglaterra.

En un principio los rostros y las carnaciones en general los realizaba con mosaico veneciano, con esmaltes vítreos, lo mismo que los dorados, pero más tarde, por influencia del efecto buscado con las aplicaciones de rostros y manos de marfil hechas por los japoneses a las lacas e incluso a la pintura sobre papel de los abanicos, concibió la idea de dar relieve a las partes aparentes del cuerpo humano.

Para ello encontró un colaborador en el ceramista Enrique Serra, otro de los grandes creadores del modernismo, quien se encargó de modelar y cocer exprofeso, en bajorrelieve de porcelana luciente y rosada, los rostros, las manos y los pies de las figuras musivas.

Los mejores, entre estos mosaicos, estaban destinados a la decoración interior. En la calle quedan algunas obras puramente decorativas, más groseras, salidas del taller de Homar, como las de la casa de música Cassadó, en el Paseo de Gracia, de la casa de vinos Arnó y Maristany y de la Farmacia Fita; *latiguillo* aquéllos, japonizantes los segundos y con las plantas cuadradas vienesas estos últimos.

También cultivó Homar, por último, el mosaico romano, de teselas de mármol. En la Farmacia Fita [365], construída en 1909, realizó un delicado pavimento de líneas muy simples, con una gran corona de motivos vegetales encuadrados por dos circunferencias concéntricas virtuales, unida a las esquinas por tallos ondulantes, simétricos, en mármol verde de Frejus destacándose de un fondo de mármol blanco.

Sus más importantes mosaicos murales fueron los de la casa Burés, de la calle de Ausias March, construída en 1902, de la casa Lleó Morera (1903) y de la casa Navás, de Reus, donde se encargó de revestir por entero los cuatro muros de un patio.

Los mosaicos exteriores de la casa Lleó Morera se confiaron a Luis Bru.

Luis Bru fué el primer mosaísta de oficio catalán. En un principio eran italianos los que se dedicaban a esta especialidad, muy amanerada, consagrada a ciertas aplicaciones habituales en iglesias y cementerios. Bru, nacido en 1872, empezó su carrera artística como escenógrafo. Trabajó junto con Soler y Rovirosa y particularmente con Mauricio Vilumara. Este último había recibido el encargo, que pasó por entero a Luis Bru, de los decorados con que debía presentarse en el Teatro del Liceo la ópera *Hänsel und Gretel,* esperada con tanta ansiedad por el público catalán porque muchos de sus motivos musicales se sabía que estaban sacados de canciones populares de la tierra.

Gaspar Homar. — Marquetería

GASPAR HOMAR : Vitral, marquetería y mosaico romano en mármoles blanco y verde, de la Farmacia Fita. 1910

Doménech y Montaner fué quien lo convenció para que se dedicara a estudiar el oficio de mosaísta e hizo que lo enviasen a Italia. Estuvo en Venecia, donde aprendió todas las técnicas musivas, y de retorno decoró con temas florales simétricos, en mosaico cerámico, los entrepaños de la planta baja de la casa Lleó Morera, hoy escondidos bajo el desgraciado sistema de placas de piedra de una tienda de mal gusto, los muros del zaguán y las cúpulas que coronan el edificio. En el zaguán el mosaico cerámico forma un alto arrimadero con los tallos verticales de las grandes hortensias talladas en forma geométrica e inscritas en hexágonos de mármol blanco con detalles dorados. El resto del muro imita el mosaico con estucos policromos en dos planos, inspirados en tejidos góticos. En el techo, entre las vigas, alternan también los mosaicos florales y los estucos de color.

En la cúpula se utilizaron, lo mismo que en los primeros decorados de Gaudí, azulejos cuadrados con su dibujo original, combinados para formar dibujos de conjunto.

Cuatro años después tuvo ocasión de desarrollar el mismo tipo de decoración para el Palacio de la Música Catalana, que proyectara Doménech y Montaner. Allí decoró con mosaico de trozos de baldosilla de tamaño considerable, y otros regulares, de unos cuatro o cinco centímetros, la parte baja de los pilares de entrada y las archivoltas. Con el mismo tipo de mosaico llenó el ábside del escenario, en el que doce hadas en traje heráldico, tocando instrumentos musicales antiguos, llevan lazos ondulantes y guirnaldas. El busto de estas hadas es de bulto entero. Brota de la pared, acentuando atrevidamente el efecto de los relieves introducidos por Homar en el mosaico. Los trajes, de reminiscencia germánica, se elevan por la parte baja, como animados por un viento misterioso del Nadir, lo mismo que en los personajes de la antigua pintura religiosa china y japonesa.

El mismo tipo de mosaico grosero sirvió para los escudos y los nombres de músico en coronas de la parte alta de los muros.

Otro tipo de mosaico, parecido al clásico por el

GASPAR HOMAR: Mosaicos de la Farmacia Fita

ocasión de trabajar no sólo en motivos decorativos, sino asimismo en los grandes frisos históricos que narran la fundación del viejo Hospital de la Santa Cruz y la del moderno de San Pablo. Para Buenos Aires envió una fachada entera de mosaico, con los paneles enmarcados en hierro.

Bru practicó por primera vez el mosaico romano en la casa construída por Puig y Cadafalch para el barón de Quadras. El zaguán, con el decorativo patio a la catalana, tiene un pavimento de esta técnica, en mármol blanco y negro. En él se planteó un problema, a causa de lo resbaladiza que resultaba para los coches la rampa del zaguán. Puig y Cadafalch tuvo la idea de reseguir el dibujo con un surco, y el mosaísta pudo hacerlo respetando todo el resto. Para la casa Garí

empleo de pequeñas teselas cuadradas, enriquece con variada fantasía los fustes de las columnas de la sala y de los balcones de la planta noble, en fachada. Estos fustes, variadísimos, fueron proyectados por Bru, según él mismo dice, bajo la supervisión del arquitecto. En ellos se emplean los rombos ondulantes, derivados de la palmeta persa, que dividían los tejidos góticos, como armazón para juegos de flores distribuídas en tresbolillo; se utiliza la hélice para separar cintas decoradas con el tema de la «rosa cuadrada»; se forman figuras geométricas inspiradas en las de los azulejos con grupos de cuatro campanillas, se distribuyen las hortensias o las flores o las hojas de castaño a lo largo de tallos verticales, se ponen pasionarias al tresbolillo, etc.

Con un tema de tejido gótico por fondo centra el ábside un mosaico de pequeñas teselas con el escudo de Cataluña coronado con la cimera del Conquistador, rodeado del collar del Toisón y de lambrequines, que fué dibujado por Gargallo, el hermano del escultor, hoy dedicado a la vidriería artística. Un gran mosaico, en la parte alta, representa al *Orfeó Català,* cantando, presidido por una reina, personificación de Cataluña, y la *senyera,* que dibujó el arquitecto Gallissá. Las cúpulas se revestían de mosaicos, hoy desmontados.

Luis Bru realizó otro gran conjunto de mosaicos figurales como éste en la curiosa edificación emprendida por el doctor Andreu, bajo la dirección del arquitecto Adolfo Ruiz, en el comienzo de la Avenida del Tibidado. En ellos se representan todos los deportes de la época.

En el Hospital de San Pablo, por último, Bru tuvo

RIGALT Y GRANELL: Vitrales de la casa de José Comella, en Vich

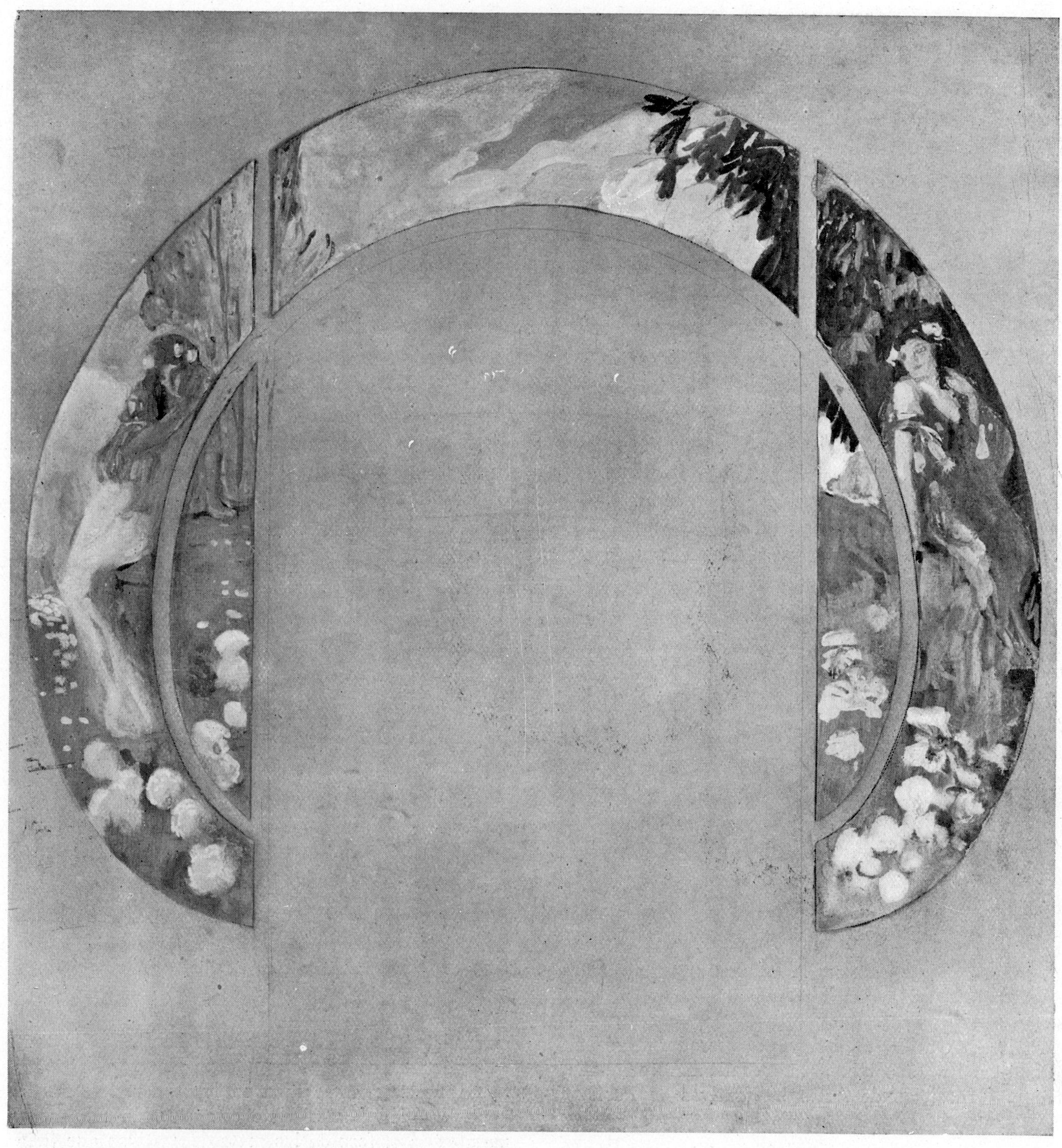

LABARTA: Boceto para unas pulseras y sobrepuerta en vitral policromo

del Paseo de Gracia [366], realizó los más importantes mosaicos romanos de Barcelona, tanto en el pavimento del zaguán, del que se hicieron célebres los dos elegantes perros abrazados por un mismo collar, como en largos arrimaderos en varios colores con pares de aves y flores, que dibujó Puig y Cadafalch.

Pasado el momento modernista, Gaspar Homar cerró su taller. Luis Bru continuó trabajando hasta la actualidad, supeditado a los gustos, que podríamos llamar comerciales, de los que le encargaron obras de un absurdo realismo, como el ábside de San José Oriol o el desaparecido friso del templo del Tibidado, o los que hoy le encargan obras neoclásicas, como los pavimentos y las mesas de mosaico del palacio de March, que han proyectado el

JERÓNIMO F. GRANELL: Puerta de vitral para la casa Fernando Calvi, en Sevilla

arquitecto Gutiérrez Soto y el decorador barón de Plantier. En 1925 recibió la medalla de oro, tardía, en la Exposición de Artes Decorativas de París.

El vitral. — El más antiguo entre los talleres que, a fin de siglo, se dedicaron al renacido arte del vitral policromo, uno de los fundamentos de la nueva concepción del decorado despertada en la Inglaterra prerrafaelita, fué, en Barcelona, el de los Amigó, fundado en 1701, que en 1900 tomó el nombre de *Hijo de Eduardo R. Amigó y Compañía.* Sus labores eran pobres y rutinarias. Basta ver los vitrales de cualquier iglesia barcelonesa, rehechos en el siglo XIX, incluso los que adornan, con tanta indigencia, el palacio Montaner, edificado en 1893, para darse cuenta de cuán bajo habían caído tanto el arte como la técnica en este oficio.

La renovación se hizo en los talleres de A. Rigalt, a quien hemos visto contrastando sus experimentos en el foco de las artes decorativas que fué el *Castell dels Tres Dragons* bajo el imperio de Doménech y Montaner. Apeles Mestres, Riquer y otros dibujantes de su grupo proyectaron sus primeros vitrales goticizantes.

Rigalt obtuvo, ya en 1896, una medalla como sanción a sus búsquedas y hallazgos, aunque la renovación, de momento, sólo era técnica. En 1899 todavía la última novedad de sus vidrieras eran refritos de la versión «Segundo Imperio» del decorativismo Luis XIII, pero un año más tarde había llegado ya a sus mesas el eco de las obras de Gras-

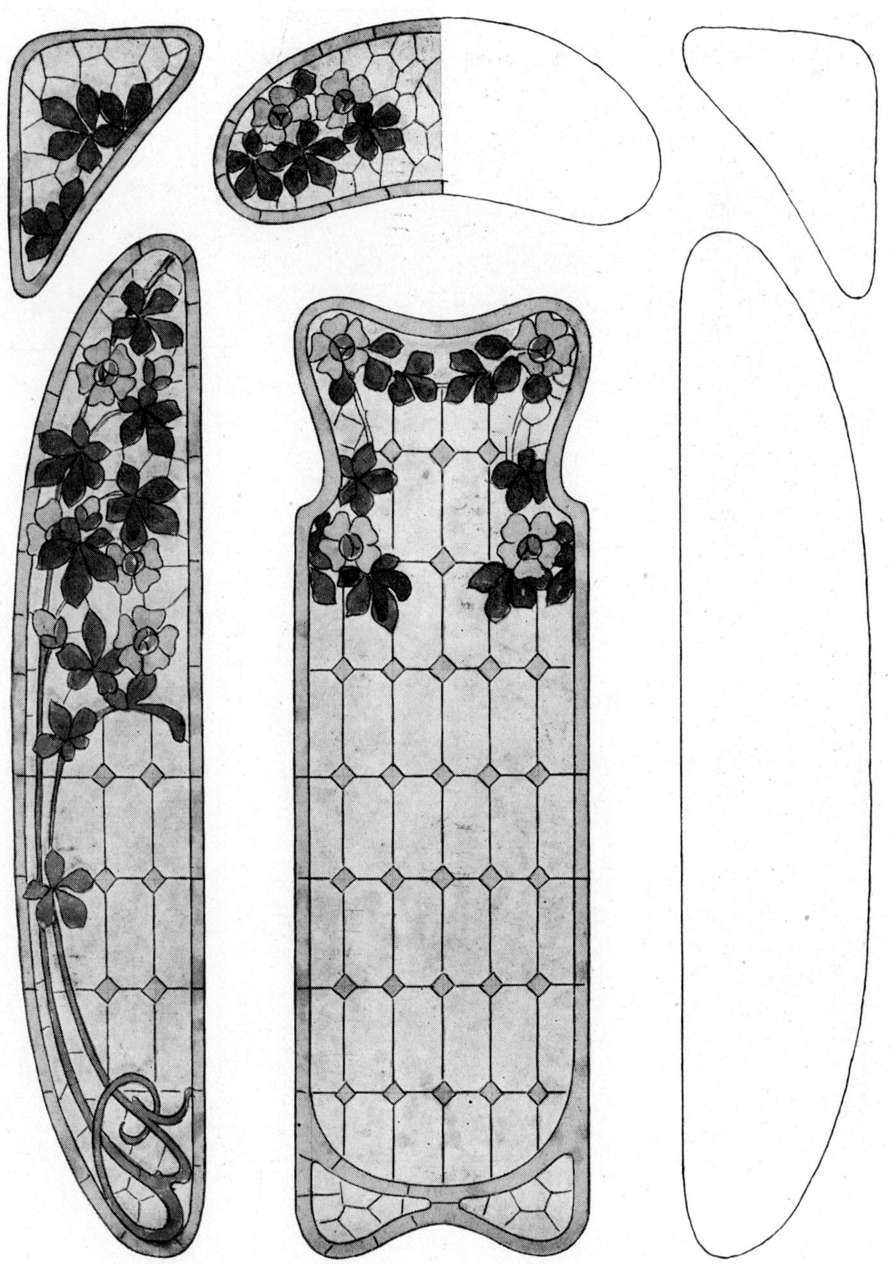

JERÓNIMO F. GRANELL : Puerta y pulseras en vitral floral

set, y de ellas surgían etéreas visiones de muchachas desvaídas y sentimentales paseando una amorosa paloma entre lirios, ante un fondo japonizante de pinos retorcidos, dejando caer una filacteria con la inscripción AMORE.

Junto a esta faceta vaga y panteizante, lírico-decadente, llegaba el dinamismo nietzscheano, en el hondero prehistórico que Rigalt expuso como un alarde de su taller, sacado de una pintura simbolista alemana.

La Exposición de París de 1900 tuvo la utilidad de poner nuestros artistas al día. Tiffany fué conocido y admirado en Barcelona y sus obras reproducidas con todos los honores [307]. Homar utilizó pastas adquiridas en el taller de Tiffany para sus lámparas y para sus incrustaciones.

Con reflejos del arte del gran vidriero norteamericano se prepararon, en casa de Rigalt, poéticas vistas de una Grecia arcádica, utópica, con lirios cimbreantes, doradas mieses y melancólicos cipreses bajo cielos cargados de nubes ante los que se recortan montañas coronadas de ruinas (1901).

Obra original fueron los misteriosos vitrales para iglesia de tema abstracto y rico colorido que hizo Rigalt para el arquitecto Rubió.

Más importantes todavía fueron los tres grandes

RIGALT : Vidrieras del Banco Vitalicio, con ornamento cuadrático

vitrales que, para tomar parte en un concurso del Ayuntamiento de Barcelona, proyectó Joaquín Mir. En el centro del tríptico un jardín de naranjos, un estanque, un rebaño ante la casita blanca que se recoge bajo imponentes precipicios rocosos, nos hablan de la sugestión de Mallorca en un lenguaje dificilísimo, en una estilización de manchas ovaladas colocadas según hiladas verticales, que es la más concreta versión de las directrices que quedaban veladas en la fluidez de sus pinturas al óleo. El ventanal de la derecha es la imagen de un *gorg blau*, tras un primer término de bueyes y carneros, con sus pastores, pasando entre cipreses, y el de la izquierda un huerto cargado de frutos y flores, con agua brillante por los regueros del suelo.

En 1909 el influjo de la Exposición de Arte Cristiano de Düsseldorf ayudó la evolución del vitral hacia formas más rígidas. Por otra parte, se introducían los temas holandeses y británicos y, paralelamente con la literatura, se desarrollaba toda una lírica de los jardines poblados alguna vez de princesas pálidas y adornados de pavos reales, con sauces teñidos de otoñal coloración, en los cuales van desapareciendo progresivamente los elementos misteriosos y la estilización japonizante para pasar a imitar el decorado filohelénico introducido por *Apa* desde *Garba*, y terminar, por allá 1911, con visiones de un mundo clásico imaginario, con columnas jónicas, balaustradas y guirnaldas, paralelo al movimiento del gusto que halló su centro en Francisco Galí.

Jerónimo F. Granell: Vitrales de la casa Emilio Serra

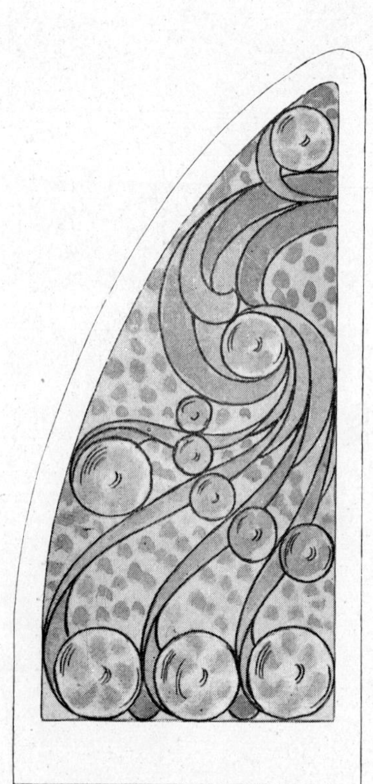
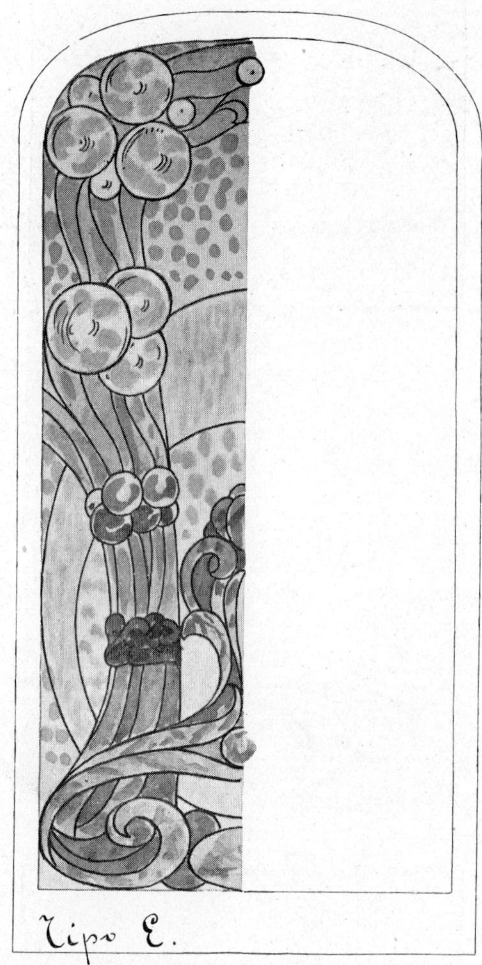

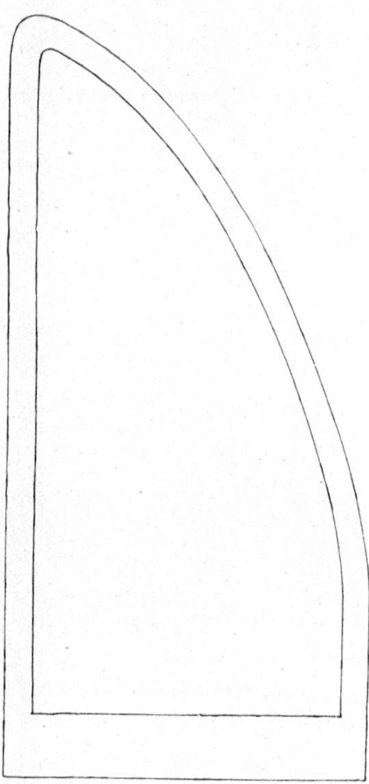

JUAN VALERI: Vitrales del corredor de la casa Comalat

FELIU ELÍAS (*Apa*): Vitral que figuró en la Exposición de Bellas Artes de Barcelona, en 1907

Del taller de Rigalt salió A. Bordalba, que en 1904 decoraba vitrales con paisajes japonizantes en los que se buscaban los difíciles efectos de la luz de la aurora y el crepúsculo, mediante esmaltes al fuego superpuestos a los vidrios de color.

Bordalba realizó, en 1902, el techo luminoso de la viuda de Baixeras, en el conjunto decorado por Juan Busquets, y en 1905 los vitrales del Círculo del Liceo, decorado por Alejandro de Riquer.

El proyecto de éstos lo hizo Olegario Junyent.

Siguiendo el influjo de la época, sus temas sólo podían ser wagnerianos. En 1905 no había otra ópera viva que la de Wagner. *Wotan* aparecía con apariencias de ser terrible en uno de ellos, de agitación cósmica; en otro, la freudiana emoción de *Brunhilda dormida* entre las llamas; en otro, *Las Murallas de la Selva,* con la figura heroica de Sigfrido; en otro, *El entierro del héroe,* y en otro, por último, *Las hijas del Rin,* en un estilo desconcertante que recuerda a Puvis de Chavannes.

La casa Rigalt se convirtió en la casa Rigalt, Granell y C.ª, ahora casa Granell, y de la casa Bordalba nació la de Buixeres y Codorniu.

GRANELL. — Vitral de la galería de la casa Garriga Nogués, en la calle de la Diputación, 250

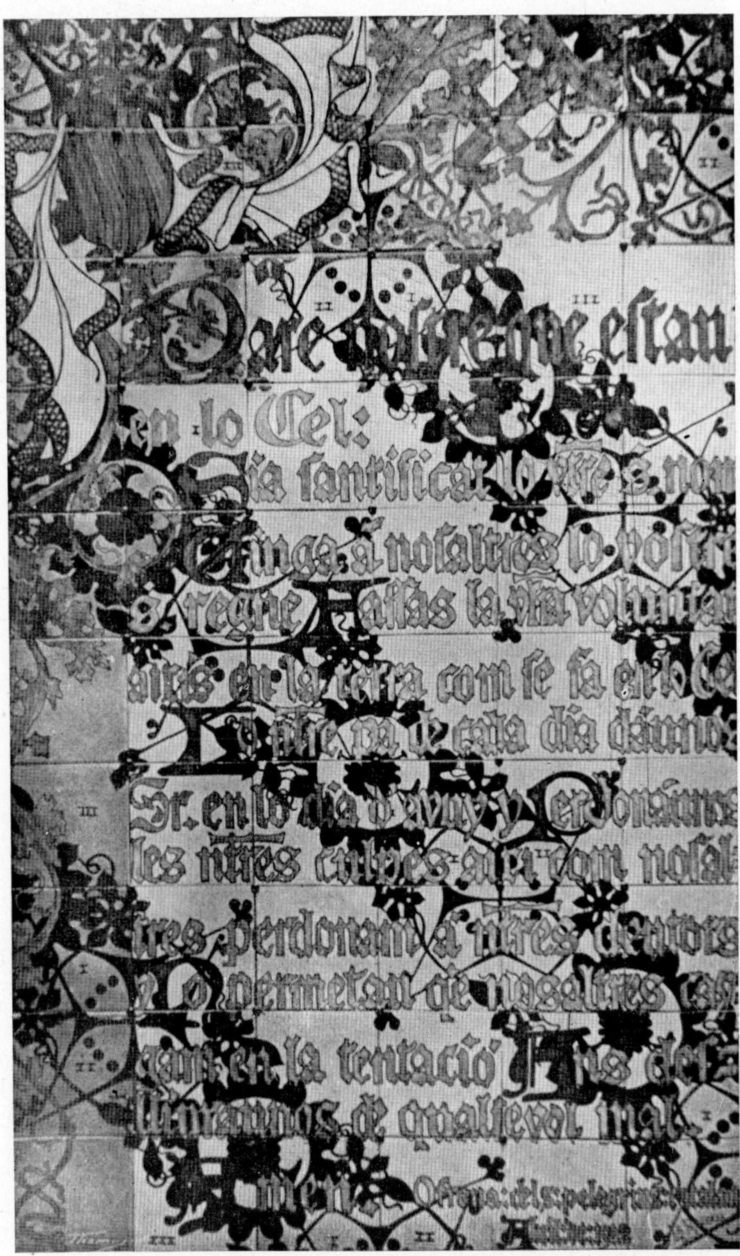

FONT Y GUMÁ: Azulejos con el Padrenuestro en catalán para Tierra Santa. 1905

Juan Vilella logró con sus vidrios renombre europeo. Fué llamado para cubrir las entradas del Metro de París, de Héctor Guimard, y un gran salón del casino de Montecarlo. J. Espinagosa cultivó el vitral floralista grabado. Otros vidrieros artísticos fueron José Pigrau y Cayetano Pons.

Una modalidad decorativa de divulgación fueron los *papiers glacier* para adherir a los cristales, fabricados por C. Aprile, a imitación de la vidriería policroma.

Los azulejos. — El revestimiento cerámico de azulejos fué esencial desde que Gaudí construyó la casa Vicens. Hubo azulejos no sólo en edificios de estilo moderno, como la Academia de Ciencias, de Vilaseca, donde dibujan coronas de cuatrilóbulos goticistas alrededor de las torres, sino en construcciones de estilos antiguos, como el Asilo Toribio Durán, del maestro de obras José Pellicer Fañé [368], nacido en Barcelona en 1835 y muerto en 1921, obra de estilo románico en la que se sucedían los frisos realistas de hojas de plátano, y en la casa de este constructor, en la calle de Córcega, número 333, donde son de azulejos no sólo los frisos del entablamento del consultorio anejo, sino que incluso figuran tales elementos cerámicos empotrados en la

Cartel anunciador de la Vidriería de A. Rigalt

chimenea de madera del comedor, en los arrimaderos y en los muebles. En esta misma casa, un *hall* con arrimadero de azulejos que imitan los alicatados de la Alhambra, atestigua el origen orientalizante del gusto por la policromía cerámica.

Doménech y Montaner llegó a cubrir casi por entero con azulejos una fachada. En un principio contentóse con hacer con ellos, por cierto que colocados a 45°, el friso de la casa Montaner, de la calle de Mallorca, número 278 (1893), en el que empleó los reflejos metálicos recién descubiertos para las carnaciones de las figuras que trabajan en todas las operaciones del arte de imprimir ; pero más tarde, en la casa Thomas (1899), toda la fachada se cubrió con las águilas tenantes de los azulejos sólo interrumpidos por semiesféricos botones de mayólica con reflejos.

Gallissá impuso el azulejo azul y amarillo, de abolengo gótico, que adoptaron Puig y Cadafalch y Romeu, y los vidriados verdes o amarillos en relieve que debían ser adoptados por Rubió, Granell y toda la rama floral y que prolongarían su vida a través de las obras del amigo íntimo de Gallissá, Font y Gumá, y de los seguidores tardíos de Gaudí, como José María Pericas, que usa ya los vidriados con vetas en el chalet de estilo muy moderno, a lo Behrens, que construyó para Jacinto Comella en la calle Nena Casas (Tres Torres) en 1913, y Rafael Masó, que debía fundar en Quart, cerca de Gerona, una manufactura de esta clase de cerámica. Obra maestra de Font y Gumá fueron los azulejos con el texto catalán del Padrenuestro destinados a la basílica del Monte de los Olivos de Jerusalén. Fueron costeados por Joaquín Cabot y se realizaron en La Roqueta (Palma de Mallorca), donde el monarca de Inglaterra Eduardo VII los admiró y copió su texto.

Alrededor de 1900 los azulejos salían en gran parte de la casa Pujol y Baucis, que trabajaba con dibujos de Gallissá y conocía bien la técnica del reflejo metálico, que usó para los chapiteles de las torres de la casa de Pía Batlló de Bach, en la esquina de Rambla de Cataluña-Cortes, obra de Vilaseca.

Los continuadores de Pujol y Baucis, Hijos de J. Pujol, hicieron los azulejos principales, de la casa Amatller dentro del gusto de Gallissá. Para la misma casa trabajaron también Torres, Mauri y Compañía.

Los hermanos Oliva produjeron asimismo azulejos modernistas, como los que imitaba en cartónpiedra Hermenegildo Miralles.

Los pavimentos. — La referencia a los trabajos de Evelio Doria nos ha introducido en un tipo nuevo de pavimentos. En los párrafos referentes a la musivaria hemos aludido a otros, pero falta referirse al sistema tradicional de pavimentación adoptado en Cataluña, que es el de baldosas hidráulicas de 20 × 20 cm.

En esta clase de trabajos, generalmente abandonados a la incuria artística de los procedimientos industriales, se manifestó como creadora, a fines del siglo XIX, la casa Guilleuma Bardés, si bien antes de terminar el siglo la casa Escofet, Tejera y C.ª, que después debía de ser E. Escofet y C.ª, pudo presentar un catálogo con dibujos de conjunto de pavimentos trazados por Doménech y Montaner, Alejandro de Riquer, Antonio Gallissá y Arturo Mélida.

Fué la casa Escofet la llamada a colaborar, en 1900, en aquella especie de apoteosis de las artes decorativas que fué la casa Amatller, de Puig y Cadafalch.

Para la casa Milá (1905), Gaudí suministró al establecimiento Escofet el dibujo para un mosaico hidráulico en relieve. Encima de un esquema geométrico de dos redes superpuestas de hexágonos, que determinan las mismas combinaciones de rombos que un cubo proyectado en la dirección de una diagonal, situó juegos alternos de hélices, triángulos de vértices torsos, en un sentido giratorio, y espirales, motivos todos ellos de un dinamismo que destruye la rigidez de la monótona ordenación geométrica.

El interés que se puso en los enladrillados llevó a convocar concursos de dibujos para este arte. El más importante fué el que se convocó en 1904, en el que ganó el primer premio Francisco Labarta con un diseño en el que se estilizaban flores dentro de esquemas geométricos circulares, y se adoptaban los macizos recortados de hojas puestos en boga por los austríacos. El accésit se concedió a Luis Ginovart, por un diseño con girasoles y latiguillos.

Por las mismas fechas debió proyectar Gaudí el importantísimo embaldosado de hexágonos en bajorrelieve fabricado para la *Pedrera* y que fué empleado después por la casa Escofet en otras construcciones y todavía, en los años treinta, fué colocado en los vestíbulos del cine Maryland, en la Plaza de Urquinaona.

GASPAR HOMAR: Cortinaje. 1900

Entre los proyectistas de mosaicos hidráulicos para la casa Escofet, Tejera y C.ª, figuraban Doménech

Gaspar Homar : Estores

y Montaner, Antonio Gallissá, Puig y Cadafalch, Font y Gumá, Mario López, Carlos Pellicer, Pascó, E. Moya, Jerónimo F. Granell, Antonio Rigalt, Martín Albiñana, J. Vilaseca, J. Fabré Oliver y Tomás Moragas.

Alejandro de Riquer : *Senyera* de la *Unió Catalanista.* 1891

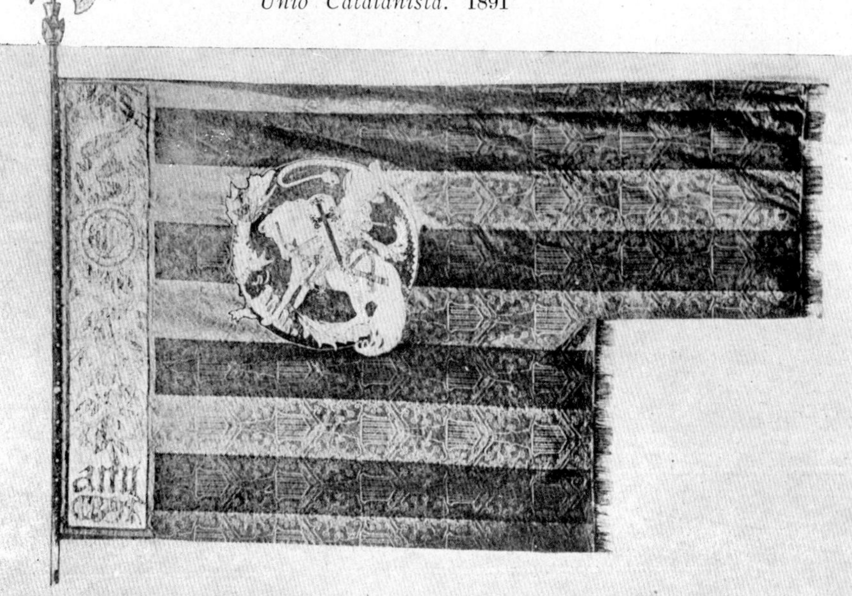

Los tejidos. — El mueble oriental fué cultivado por Homar, que decoró para Marco y Cardona un comedor de estilo persa, para el cual inauguró una de sus actividades subsidiarias : la pintura y la estampación de tejidos. Le fabricaron exprofeso, en la casa Güell, unas espléndidas panas blancas, que estampó con procedimientos de su invención. Después de ello, a menudo decoró con estampados o con pintura reseguida con un ribete bordado en oro, tapicerías, cortinajes, fondos de cabecera o de retablo, y particularmente las transparentes o *stores,* entonces tan en boga. El mismo se fabricaba los tintes, que han resistido perfectamente al tiempo, basados en el uso de sólo tres colorantes : el añil, el cúrcuma y la cochinilla, que le daban los tres colores elementales. El más importante de los conjuntos decorados con estas telas fué el de la casa Burés, en la Ronda de San Pedro (1902), en el que se utilizaron dibujos de su amigo Olegario Junyent.

Con sus telas pintadas divulgó Homar la temática de los tallos ondulantes que ascienden como fuego en un aire parado, de los ramitos al tresbolillo, de los frisos de lirios azules, cimbreantes, que han hecho posible que el modernismo fuera llamado por algunos «el arte lilial».

Los estampadores industriales de telas e impresores de papel para empapelar los muros le imitaron hasta la saciedad.

En sus tapices y *stores* utilizó, alrededor del año 1900, el tema asimétrico, el ramo de flores con tallos sinuosos en *latiguillo,* o simplemente torcidos según una familia geométrica de curvas, como una versión rígida de las decoraciones florales japonesas. Generalmente, un vivo claro separaba el tono del tema vegetal del color del fondo, intenso, rojizo, verde, azul... En conjunto, se recordaban las encuadernaciones inglesas de Talwin Morris.

PUIG Y CADAFALCH : Trono para la *Reina de la Festa* de los Juegos Florales

ANTONIO GALLISSÁ : *Senyera* del *Orfeó Català*

Muy diferentes son los de las épocas posteriores en las que se empieza con la simplicidad del tema naturalista y se termina con las grandes realizaciones geometrizadas sobre fondo claro, en las que ramas de naranjo, de laurel y de rosal silvestre se

ANTONIO GALLISSÁ: Estandarte para los Juegos Florales

recortan según esquemas rectilíneos, y los tallos se reducen a líneas, primero ondulantes, más tarde rectas.

Tuvieron mucha importancia, en esta época, los estandartes de sociedades. La *senyera* del *Orfeó Català,* de Gallissá (1892), la de la *Unió Catalanista,* de Riquer (1891), que se describen al hablar de estos artistas, fueran las más importantes, pero hubo otras muchas sobre los mismos temas. Los coros de Clavé poseen todavía hoy una colección inmensa de estandartes bordados de esta clase.

Para una obra así trabajó Gaudí, y el joven estudiante que debía ser el arquitecto Rafael Masó se dió a conocer, en 1903, por el estandarte de los somatenes de Gerona, presidido por la Virgen de Montserrat, que realizó M. Gusi.

El arquitecto Amigó hizo la *senyera,* con bello epígrafe, de *Gent Nova,* de Badalona, en 1906; el decorador Ricardo Capmany, la bandera de la coronación de la Virgen de Canet de Mar, que las autoridades no permitieron exhibir, en el mismo año.

Entre los tapices hemos citado ya los de Gallissá para los Juegos Florales y los de Urgell para el Torino, extremando la nota decorativista o pictórica, respectiva-

MARIANO CASTELLS: Encaje con iris

GAUDÍ: Puertas del Palacio Güell. 1888

mente. Pablo M. Bertrán tuvo también su éxito en esta especialidad con los tapices en falso románico otónico, llenos de reminiscencias wagnerianas, que preparó en el año 1905 para el entonces recién restaurado monasterio de San Martín, en la montaña del Canigó.

En marzo de 1907 el gusto por los estandartes cristalizó en los concursos de *senyeres,* que empezaron en un *aplec* en el que ganó la de *Gent Nova,* de Sabadell. Los antiguos brocados y terciopelos, resurrectos gracias a los proyectos de Gallissá y Puig y Cadafalch, hallaron en la sedería Malvehí un especialista.

En 1903, Mateo Culell Aznar ganó el primer premio en el Concurso de Arte Textil Modernista, organizado por «Materiales y Monumentos de Arte Español», en el que tuvo accésit Jaime Llongueras, y mención Miguel Massot.

En el arte del encaje y el bordado, Mariano Castells Simó, de Arenys, representó lo más típico del arte floral modernista.

Los hierros. — Quien despertó la atención sobre el arte del hierro forjado fué Luis Labarta, dibujante nacido en Barcelona en 1852, discípulo de Eusebio Planas, profesor de la Escuela Superior de Artes y Oficios, que publicó una colección de doscientos dibujos de hierros artísticos antiguos.

Este interés fué el punto de partida del de Santiago Rusiñol, que publicó también dibujos de hierros, desde que las obras de la reforma interior de la Barcelona antigua, al poner en peligro de destrucción tantos rincones vetustos de la ciudad, hicieron cobrar nostálgico afecto por los detalles de los bellos oficios pretéritos que iban a perderse. Así concurrió a un certamen convocado por el Fomento del Trabajo Nacional con un álbum de dibujos de hierros, cuando contaba veinte años de edad [369].

Poco después, por iniciativa de Doménech y Montaner, y al cuidado de Gallissá, empezó a trabajar, en el *Castell dels Tres Dragons,* un taller de forja, punto de partida de la resurrección de un arte del hierro que antaño había tenido gran esplendor en

PUIG Y CADAFALCH : Rejas del Pasaje de San José, realizadas por Ballarín. 1896

PUIG Y CADAFALCH y BALLARÍN : Farol de la calle de Escudillers. 1903

Cataluña y sobre el cual contribuyó a llamar la atención la colección de viejos hierros que formó Rusiñol y que se guardaba en el taller de la calle de Muntaner, número 38, llamado, desde 1891, *Cau Ferrat,* antecedente del de Sitges.

En el taller del *Castell dels Tres Dragons* empezó Tiestos a realizar sus estilizaciones florales en hierro.

Gallissá creó tipos de baranda de hierro nuevos, contando con los recursos de la forja y de los laminados industriales, especialmente el pequeño pasamano o floreo. Lo mismo hizo Jerónimo F. Granell, quien sacó gran partido del hierro redondo.

Pronto un cerrajero, Manuel Ballarín, pudo anunciar su industria como una «fábrica de flores decorativas».

Tenía sus talleres en Bruch-Córcega y su tienda en el número 28 de la calle del Carmen, desde fines de siglo. En 1896, según diseño de Gallissá, realizó la barandilla de la casa de Martí Codolá, que fué su primera obra importante artísticamente. En 1900 tomó parte en los trabajos de la casa Amatller, cuyas rejas y cuyos balcones floridos, provistos de los típicos puentes de apoyo de rico remate, caros a Puig y Cadafalch, representaron un *tour de force* de la cerrajería, quizá no superado posteriormente.

Su asociación con Puig y Cadafalch le hizo cultivar el mismo tipo de flora en plancha adherida a las estructuras tradicionales del hierro recto o retorcido, en multitud de proyectos como la casa Terradas o la Baronía de Quadras, hasta llegar a las formas simples que requieren policromía clara, en verde y oro, de la casa Trinxet o el chalet de Pedro Company (1911). Aparte esta actividad y para el propio Puig y Cadafalch, realizó construcciones exclusivamente metálicas. Ballarín trabajó también a la orden de otros arquitectos y decoradores. Fué él quien hizo la lámpara gótica al estilo de Alejandro de Riquer, para el Liceo, en 1901, y realizó difíciles rejas de panteón según dibujos de Pujol y Brull, de Albareda, etc., y cierto tipo de trípode para vasos decorativos en forma de latiguillo, dibujado por M. Vilanova, que

Rubió y Granell. — Vitral para un oratorio

fué copiado en numerosos zaguanes y jardines.

Inspirándose en la decoración luminosa de Gallissá para la calle de Fernando (1902), pero con mayor sentido práctico, Puig y Cadafalch proyectó, en 1903, la iluminación de la calle Escudillers, que realizó en hierro Ballarín. Los faroles consistían en globos coronados, suspendidos por cadenas que otras coronas interrumpían, rodeados de medallones cuatrilobulados de cristalería policroma, pendientes y oscilantes, y provistos de elementos de hierro colgantes.

Flinch fué el cerrajero de Pascó en la casa Casas Carbó; Carlos Torrebadell, el de Sagnier en la de Juncadella; José Basons realizó obras de las que se habló mucho, como la reja neogótica del panteón Collaso (1900), de José Majó, y adaptaciones al *latiguillo* de las fórmulas góticas del candelabro, por el mismo arquitecto (1903).

Pedro Sancristófol trabajó para Vilaseca, Perpiñá hizo los difíciles balcones escarolados, de un fantástico neo-rococó, de la casa Batlló (1903) y las complicadas defensas de ascensor, en finísimo pasamano, de estilo caligráfico, que proyectara Vicente Artigas. También decoró él, según dibujos del arquitecto Bernardo Pejoem, la chimenea del castillo de Monsolís, en San Hilario de Sacalm.

Modesto Casademunt, Enrique Moiá, Emilio Artó, Víctor Masriera, ganaron premios en los concursos de hierros modernistas organizados por «Materiales y Monumentos de Arte Español».

Andorrá, Juan Mas Bagá y J. Toda completaron el equipo cerrajero del arte floral y del *latiguillo*, que el propio Homar practicó en sus talleres.

ALPAREDA, arquitecto, y BALLARÍN: Cruz para un panteón

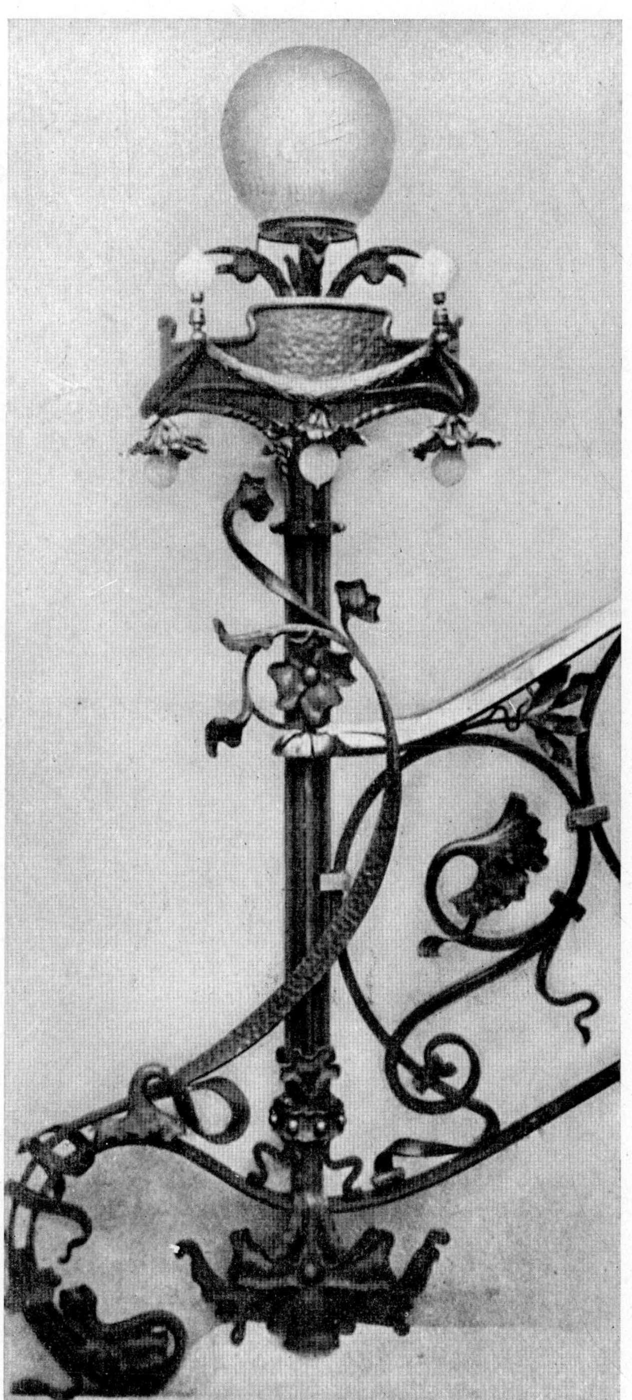

ENRIQUE SAGNIER y CARLOS TORREBADELL: Arranque de escalera del palacio Juncadella

Metalistería. — La contribución, incluso ostentatoria, de la metalistería era indispensable en las construcciones modernistas. En todos los casos sus héroes fueron los broncistas asociados Masriera y Campins.

Campins había marchado a Italia, donde aprendió el procedimientos de la *cera perdida* que debía dar importancia a su trabajo, y lo hemos visto ensayando

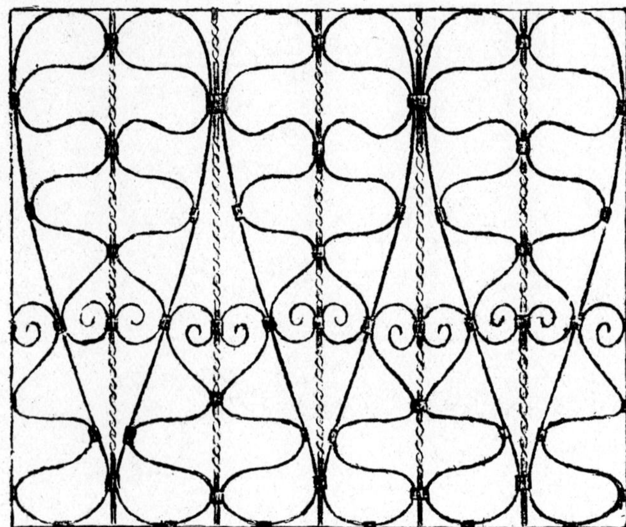

JERÓNIMO F. GRANELL: Rejas en la calle Ancha

su realización en Barcelona siguiendo los consejos de Doménech y Montaner. La primera obra llevada a cabo según la nueva técnica fueron las puertas destinadas al palacio de Comillas, proyectado por Juan Martorell.

Hicieron rejas y faroles, barandillas y bisagras, pero su especialidad fueron las pequeñas obras de toréutica, para las que contrataron a los mejores escultores del momento. Para ellos trabajaron Blay, Llimona, Reynés, Fuxá, Vallmitjana, General, Arnau, Montserrat, Atché, José Campeny, Clarassó, Carbonell, Escaler, Parera, Coll, Pradell, Borrás, Tasso, Pagés, Mani y Torras.

Si Campins era el director técnico, Víctor Masriera era el artístico. Fué él quien ideó la creación de los llamados *bronces de salón*.

Esta casa, que en un principio tenía sus talleres en la calle de la Diputación, número 459 y Paseo de San Juan, número 185, había introducido sus productos en ambientes suficientemente elevados para sentir la necesidad de establecerse en la calle de Fernando, centro entonces del comercio de categoría, donde ocuparon el número 51. Sus nuevos talleres se alojaron en el número 460 de la calle de Provenza.

Ganaron medallas numerosas en las exposiciones de Bellas Artes e Industrias Artísticas de Barcelona, de 1891, 1892, 1894, 1896, 1898, y en las de Madrid de 1897 y 1899. En la de Salamanca de 1896 fueron coronados por la Reina Regente, y en 1900 remataron estos honores con la obtención del Gran Premio de Honor y dos medallas de oro para sus colaboradores en la Exposición Universal de París de 1900.

Ellos eran quienes fundían las lápidas para los premios del Ayuntamiento a los edificios notables, y se encargaban de todo trabajo con cierta pretensión escultórica. En la puerta de su establecimiento, la *Fundición Artística Masriera y Campins, S. A.*, anunciada con curvilíneos caracteres, un vaso en forma de corazón, acariciado por las volutas del humo que brota del mosaico, tiene como asas las dos esbeltas figuras de mujer de *Industria y Ars*, ésta última en actitud de dar órdenes a la primera, las dos con ancha falda llameante y difusa.

JOSÉ PASCÓ: Reja de la casa Casas Carbó, ejecutada por Flinch

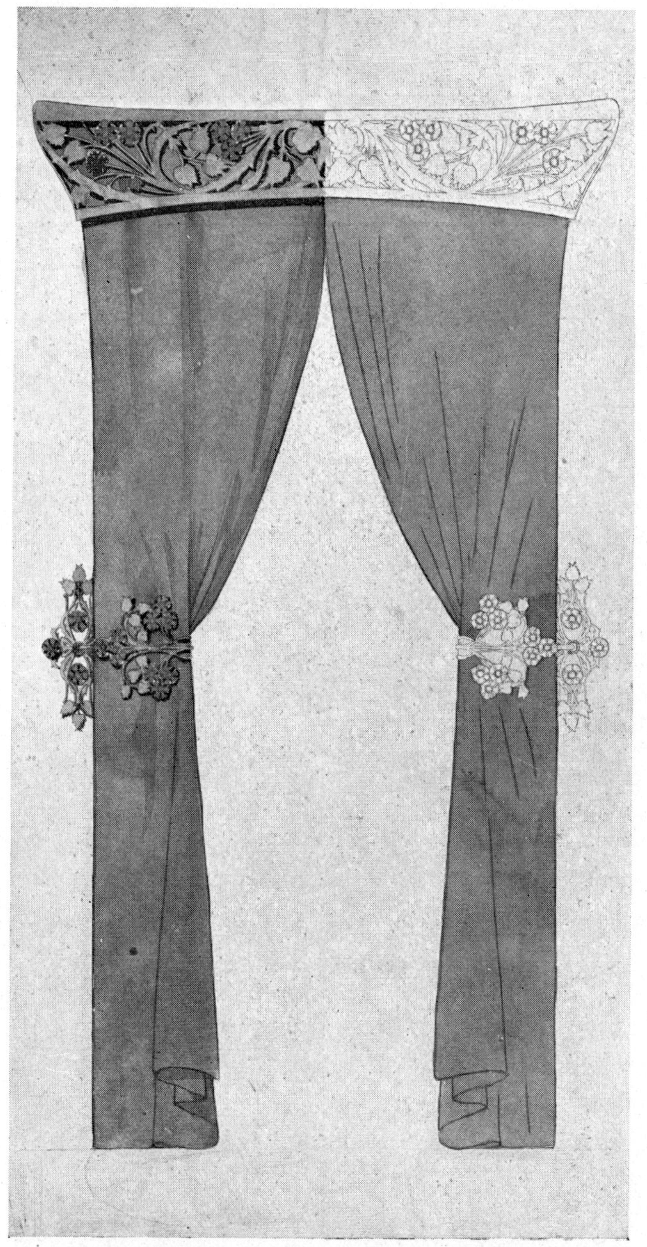

HOMAR: Galerías y agarraderas de metal para cortinajes

Los objetos salidos de los talleres de Masriera y Campins son a menudo de un gran interés artístico. Hay elegantes botellas de panza redonda y alto cuello fino, pobladas de nenúfares en relieve o rodeadas por el latiguillo de una nerviosa cola de lagarto; bandejas levemente modeladas con el bajorrelieve de unas hojas de plátano, platos de forma caprichosa, con la difuminada insinuación de unos cardos en relieve, jarros con asa de un tronco de hiedra que los enrosca y anima, etc.

En 1900 se dió gran importancia a la lápida sepulcral para el cardenal Payá, en el claustro de la catedral, ornada con el gran tema del decorado neogoticista: el cardo de hojas retorcidas. En el mismo momento, y dentro del mismo estilo, se trabajaron los bronces de la casa Amatller.

La casa Costa y Ponces, establecida en el Pasaje de la Enseñanza, con tienda en la calle de Santo Domingo del Call, tuvo como proyectista para sus lámparas al propio Gallissá, para el cual realizó también trabajos aplicados a la arquitectura, especialmente placas para chimenea, con repujados de líneas mezcladas, entre góticas y de *latiguillo* lineal, en un tratado difuminado en el que sólo cuentan las partes más salientes. La originalidad de estas placas superó el gusto de las lámparas, realmente pesadas, de un neogoticismo recargado, en las que se daba excesivo papel al vidrio de color.

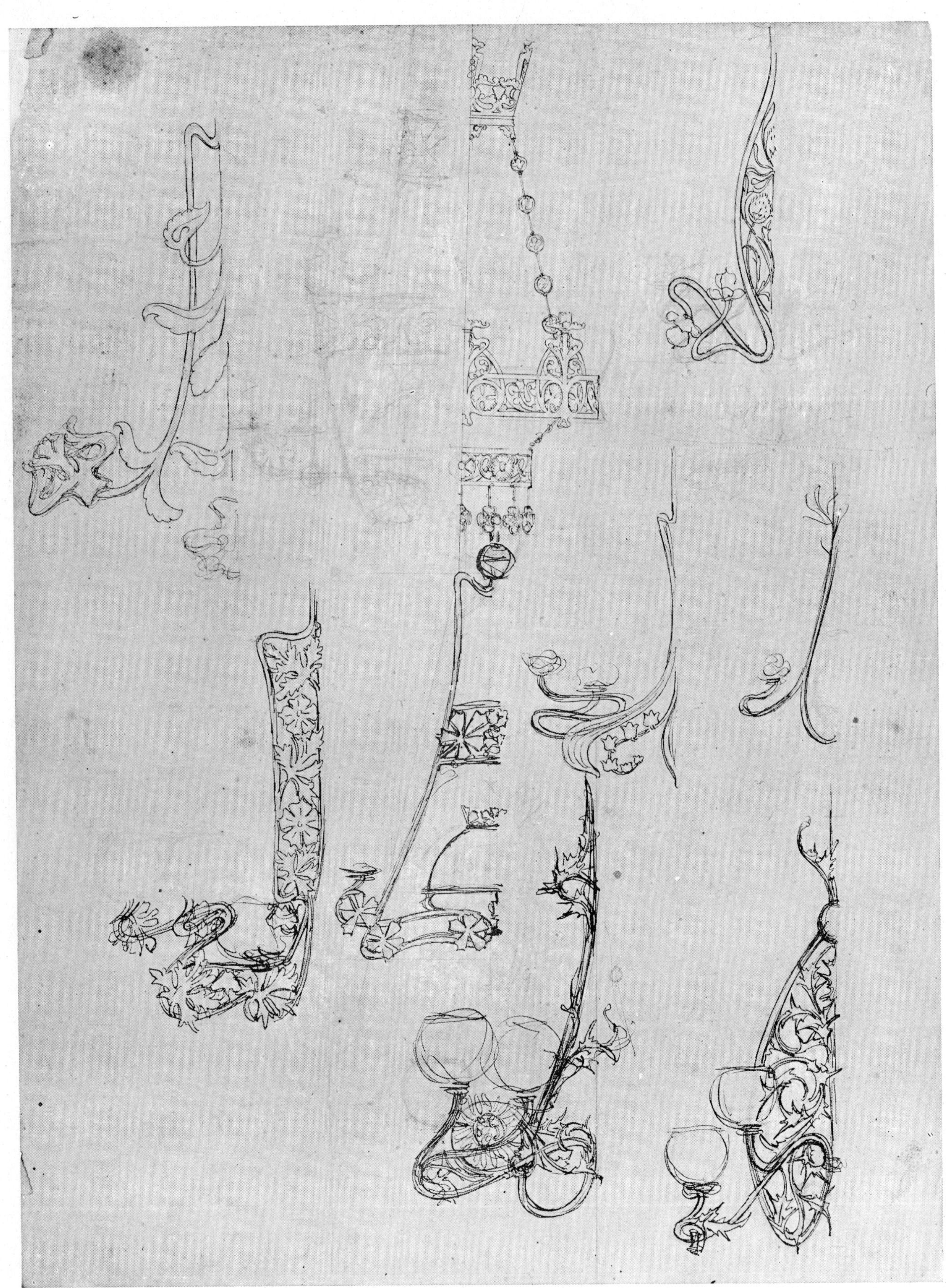

Gaspar Homar: Estudios para lámparas de latón

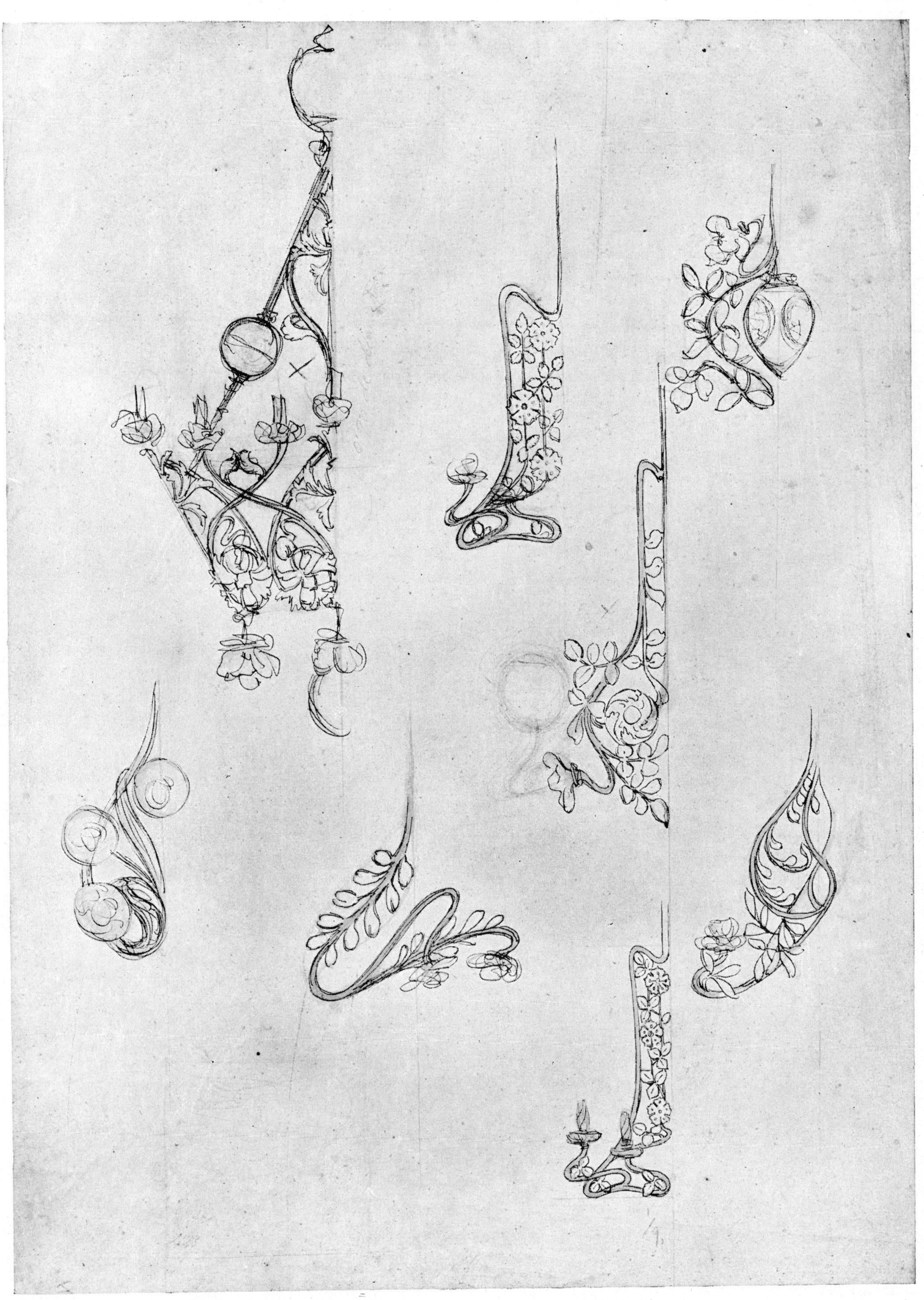

GASPAR HOMAR: Estudios para lámparas de latón

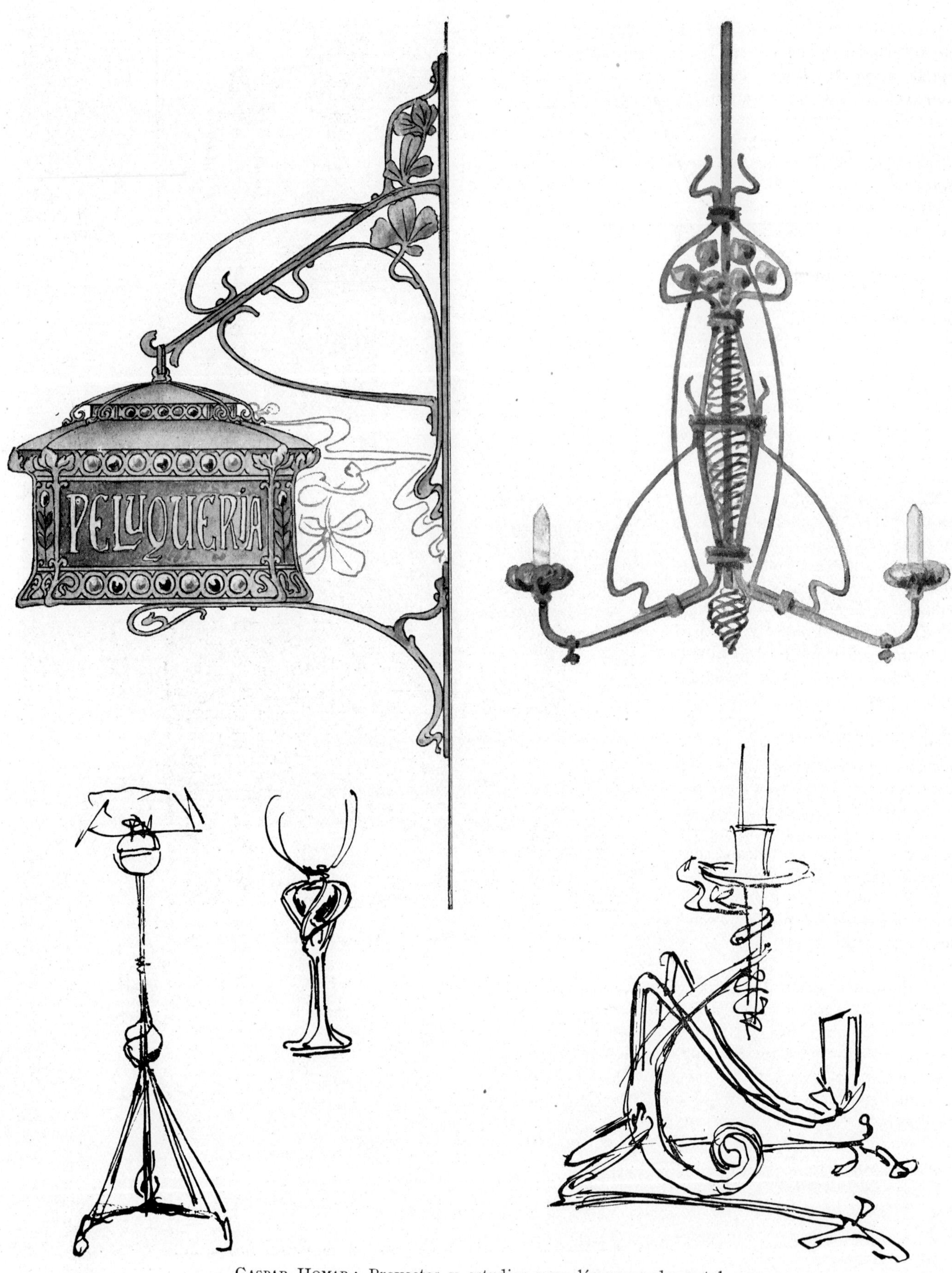

Gaspar Homar: Proyectos y estudios para lámparas de metal

No eran muy diferentes las que encargaba Buenaventura Bassegoda a Emilio Judas, como la lámpara colosal que constituye el motivo central del comedor de la casa Berenguer, en la calle de la Diputación, número 246.

Miret y Ascens y Antonio Tapies fabricaban lámparas dentro de una misma tradición, que contrasta con la simplicidad, la simetría, la elegancia curvilínea de los objetos de metal, lámparas y perchas de Gaspar Homar, atrevidas y sencillas estilizaciones de un solo tema floral, sin ningún elemento de origen mecánico ni arquitectónico, desde 1900, y sin la simetría que aun guardaba Dampt.

Menos preocupados por la elegancia y más por el realismo naturalista, Bertrán y Torras y G. Florensa, establecidos en el número 26 de la calle de Santa Ana, realizaron en 1904 una lámpara importantísima, japonizante, en forma de sarmiento, con ramas torturadas y secas, otras pobladas por algunos pámpanos aislados, y de la cual pendían, en forma de racimos de uvas, los globos iluminados, modelados según la idea impuesta por Dampt. Un pájaro descansaba en una de las ramas. Era una pieza de una asimetría radical, en la que se buscaba más la verdad que lo «bonito».

F. Espina realizó lámparas de línea *latiguillo,* según proyectos del arquitecto y crítico Pujol y Brull.

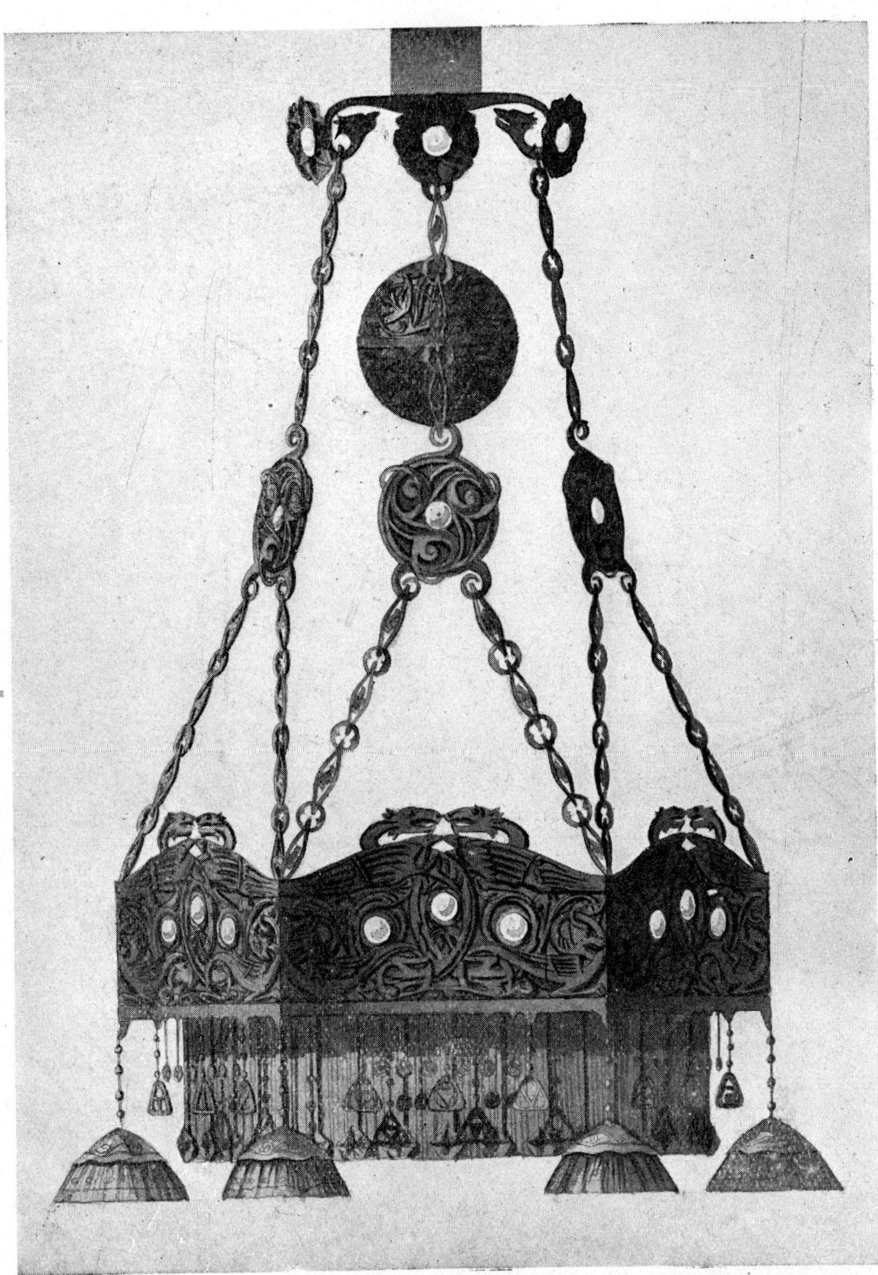

Gaspar Homar : Lámpara para la casa Burés

A. Santamaría asimiló a sus realizaciones de metalistería el repertorio del arte lilial. Sus guardafuegos para chimenea con un friso de iris pertenecen de lleno al estilo. En una sensacional vitrina de bronce para salón, que expuso en 1901, recuerda los muebles metálicos que el húngaro Buchwald Sándor había expuesto el año anterior en París. En esta vitrina, como en los muebles y las construcciones elásticas de Héctor Guimard, aparece el tema del esqueleto exterior, en forma de una barra elíptica que parece sostener la vitrina por sus ondulantes orejas.

Una especialidad típica de la metalistería de la época fueron los marcos de metal repujado. La Vda. e Hijos de Juan Serrano, en el número 42 de la calle Baja de San Pedro, los realizaban con todo el repertorio floral de Grasset, simétricos o asimétricos, en la caprichosa forma de las cornucopias de la época rococó, abundando en las umbelíferas introducidas en el repertorio decorativo por Emile Gallé en 1895 y prodigadas después por el metalista P. A. Dumas en la casa Barbedienne, la más importante metalistería de París, inventora del *frotté d'or.*

Hoyos conquistó más éxitos con sus marcos de líneas plácidas, a menudo encerrados por un perfecto rectángulo, de cuya anchurosa superficie martilleada resaltaban suaves relieves florales u ondulaciones abstractas dentro del estilo de Gaudí, de una gran sugestión plástica, algunos de ellos modelados por el propio escultor José Llimona.

Fueron más tardíos los trabajos de Corberó, cincelador que obtuvo una medalla de primera clase y otra de tercera en la VI Exposición de Industrias Artísticas de Barcelona.

Gaspar Homar extendió el arte metalista por una región nueva. Huyó de lo utilitario, pero no, como Masriera y Campins, para darse al *bibelot*, que es un arte de segunda clase, feudatario de la escultura. Homar creó un arte independiente de los paneles metálicos con bajorrelieves dibujados por Pey, en los que introdujo labores de ataujía e incrustaciones de cristal, de vidrios opalinos y madreperla, para ambientar visiones de poesía caballeresca, prerrafaelita.

Intervinieron en el campo metalista proyectistas circunstanciales, como el arquitecto Fernando Romeu, autor de la arqueta destinada al sepulcro de Colón para Santo Domingo, de falso neomedievalismo; pero los que imprimieron en su trabajo novedades de interés fueran los artífices manuales, como Emilio Artó, que ganó una mención en los concursos de «Materiales y Monumentos», por unos aldabones, y Enrique Moiá, que en los mismos obtuvo un accésit por una reja.

Una novedad técnica, enraizada por los alrededores del 1888, fué la adopción de la ataujía, por iniciativa de Manuel Beristain, fundador del primer taller catalán dedicado a esta especialidad. En un principio se dedicó a joyas, dijes, cofres y objetos puramente decorativos, pero más tarde extendió la aplicación de su técnica a una gran variedad de objetos.

La imitación metalista de la orfebrería y la joyería tuvo en el momento modernista una desgraciada importancia. Comprendiendo mal las premisas del movimiento democratizador de los artesanos del renacer británico, se quisieron substituir las artes suntuarias por las industrias artísticas. Sanpere y Miquel justificaba el cambio al protestar de la legitimidad de un arte que se fija antes que nada en el valor suntuario (de *sumptus*, gastar), o sea en un valor económico.

El ideal equivocado era valerse de los recursos físicoquímicos y mecánicos aportados por el progreso industrial para conseguir obras artísticas que imitasen a buen precio los trabajos suntuarios, sin descubrir que los nuevos medios estaban destinados a encontrar su valor estético precisamente en la creación de formas nuevas, plenamente hijas del trabajo a máquina, tan válidas artísticamente como las formas antiguas, hijas del trabajo a mano.

Por este error pudo darse el hecho de que incluso críticos refinados encontraran pasmoso el empeño de los fundidores Masriera (Víctor Masriera) para remedar las obras de orfebres y joyeros. Se encontró digna de elogio la fidelísima reproducción por medios electrolíticos y de mecánica industrial, con uso de latón y falsos brillantes americanos, de los conjuntos preparados con todos los recursos de su añeja técnica manual por el orfebre Santafé y el joyero Tamburini.

Sanpere y Miquel, a pesar de su posición favorable a las «industrias artísticas», influída por una especie de utopismo económicosocial, se dió cuenta del abuso que estas imitaciones significaban, y propuso compararlo con la loca admiración que despertaron en Barcelona las obras del fabricante de flores artificiales Lazzoli.

LUIS MASRIERA: Juego de café

ANTONIO SERRA. — Jarrón de porcelana a gran fuego, decorado por MARÍA RUSIÑOL

ANTONIO SERRA: Porcelanas

Cerámicas y vidrios. — El más importante ceramista catalán de los primeros años del siglo XX fué sin duda alguna Antonio Serra y Fiter, nacido en Barcelona el 27 de febrero de 1869 y muerto en su casa de Cornellá el 29 de abril de 1932.

Era un escultor poco más joven que Mani y Llimona; un pintor poco más joven que Rusiñol y Casas.

Como ceramista trabajó incansablemente desde 1897, no sólo en su propio taller, que terminó en un fracaso económico por haberse adelantado a su tiempo, sino también como director de otros establecimientos ceramistas del país y del extranjero, trabajo que le valió varios diplomas y medallas de oro en Barcelona, Madrid, Londres y París, y el Gran Premio de Londres en 1907.

Su gran empresa, fracasada económicamente, fué la creación de un taller de elaboración de porcelanas en el barrio del Pueblo Nuevo, en el que vivía. En él creaba bizcochos a la manera de Sèvres, especialmente placas; *bibelots* barnizados a pleno bulto y jarros decorados con esmaltes al gran fuego, piezas con reflejos metálicos, etc.

Quizá quienes mejores modelos hicieron para bizcochos fueron el paciente Juan Carreras y el refinado Ismael Smith. Este cuidó también de modelar garbosas figurillas para porcelana luciente, barnizada, dando la nota expresionista y estilizada al lado del realismo sintético de Carreras. El propio Serra modeló algunas obras, como el grupo de la *Gitana y los churumbeles,* y piezas enternecedoras que nos hacen vivir el drama del hombre de grandes ideas vencido por las condiciones de desarrollo de su arte, como aquel cenicero que nadie podrá comprender sin serle explicado que representa una *Vaca Cega* maragalliana marchando solitaria por el campo. Enrique Casanovas, Gustave Viollet y Pablo Gargallo, en los comienzos de su carrera, trabajaron modelando figurillas para el taller.

En cuanto a los vasos policromados, los más puramente modernistas son obra de José Pey. En ellos se dibujan al gran fuego, bajo barniz, con los contornos difuminados levemente, y en tonos pálidos, los líricos fantasmas de bosques grises y las procesiones de unas panateneas simbolistas, prerrafaelitas, de damas pálidas entre árboles y coronas florales recortadas al gusto de Viena.

Con la desvaída poesía de estos jarros contrasta el abigarrado pintoresquismo de colores alegres y vivos con que irrumpió Xavier Nogués en 1908, técnicamente inferiores, cocidos a bajas temperaturas, sin cubierta de barniz encima de los esmaltes de color. Gente moderna ciudadana, tipos suburbiales, apenas pintorescos, de una sana menestralía, rústicos modernizados y gentes de colonia veraniega, viva pintura de sus contemporáneos, se

ANTONIO SERRA: Relieve de porcelana

mueven y viven ante los paisajes. El más antiguo, que quiere buscar todavía una geórgica poesía, es el de las muchachas que cogen naranjas, ante un dilatado paisaje de arabesco japonizante, minuciosa efigie de la más humilde tierra del Maresma o del Vallés, exactamente nuestra, tratada con la sencilla minuciosidad y la ambiciosa visión de pájaro de un paisaje de Pidelasserra.

Al lado de estas importantes piezas figurales cultivó la porcelana floral naturalista, la más cercana al espíritu del modernismo.

Fracasado en tales experiencias, consiguió por último fundar la manufactura cerámica que todavía funciona, a cargo de sus hijos, en Cornellá del Llobregat.

ANTONIO SERRA: Porcelanas decoradas por José Pey

En el campo de los objetos de vidrio el artífice más importante fué Emilio Sala Taxonera, nacido en Arenys de Mar en 1870 y establecido en Barcelona, y que más tarde se dirigió a París, donde debía permanecer durante casi toda su vida.

Sus estilizados cuadrúpedos, sus grandes peces con vetas de laticinio y color, sus jarros y copas, sus centros de formas alabeadas casi gaudinianas, tuvieron muchos imitadores en Europa.

Su obra fué continuada por sus hijos Joaquín Sala y Manau, nacido en Barcelona en 1900 y muerto en París en 1928, y Juan, nacido en Arenys en 1895.

La obra de ceramista de Serra no tuvo parangón. En la V Exposición Internacional de Bellas Artes e Industrias Artísticas de Barcelona, del año 1907, participó con 94 piezas de porcelana planas, en relieve, vasijas y bibelots, en bizcocho, barniz y policromía, y, además, con piezas de gres, sin que puedan compararse con tal esfuerzo las tímidas búsquedas del alfarero de vidriado, solsonés, José Pensí y Capdevila, o la obra de Ana Pons Mas, que combinaba flores de loza policromada con paneles de nogal, ni la labor ya no propiamente ceramista de las esculturas de cerámica vidriada de Venancio Vallmitjana o los azulejos proyectados por A. de Riquer o Darío Vilás.

Estos últimos trabajos tienen un significado muy interesante, pues poseen, en común, el carácter de adaptación de la escultura y de la arquitectura a la policromía, concepto novísimo y de franca oposición al neoclasicismo de los románticos.

La encuadernación. — Al lado de las innovaciones en el arte del libro, consistentes en un nuevo concepto de la decoración, la búsqueda de formatos nuevos, de papeles raros apropiados para el espíritu del texto, de fórmulas tipográficas imprevistas, se desarrolló el arte de la encuadernación en direcciones inéditas. Los papeles de guardas buscaron soluciones decorativas *modern style*, siguiendo, a menudo, los pasos de Dobler, de Mme. Henches y Mlle. de Félice, y los cueros hallaron nuevas formas expresivas, junto a una gran plasticidad.

Las encuadernaciones en cuero abolieron los papeles, las telas industriales y los estampados mecánicos de hierros industrializados en favor del trabajo manual. Siguiendo los huellas de los talleres ingleses de William Morris y Walter Crane, de Talwin Morris, Miss Jessie King, Miss Birkenruth y H. Vanderuelde, y, más fielmente, de los franceses René Kieffer, Marius Michel, Mare, de Waroquier, Auguste y Victor Lepère, Mlle. Leroy-Desrivières, Lignereux, Ruban, Granville, y los alemanes Niederhöfer, Horn y Müller, se implantó un tipo de encuadernación sin contacto con la clásica en el que unas veces predomina el ornamento vegetal y otras se realizan verdaderos bajorrelieves, suaves, enriquecidos con pátinas coloreadas y a veces con incrustaciones de piedras, cristal o madreperla.

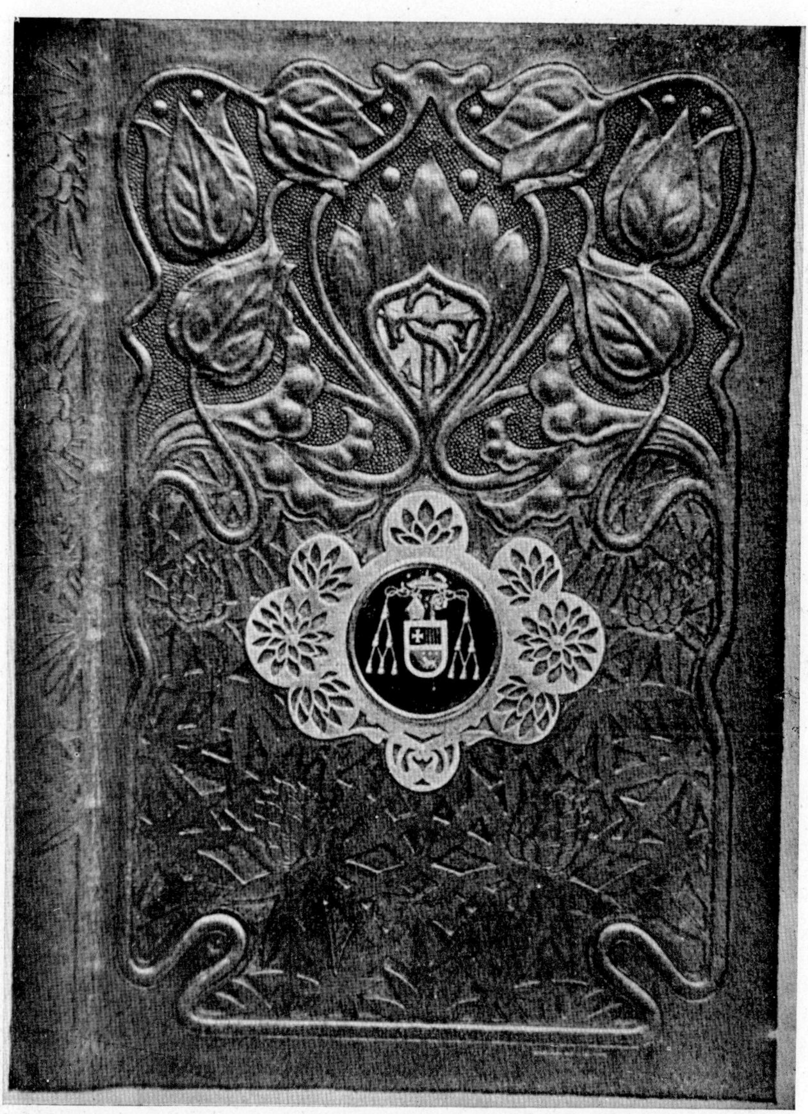

M. DURÁN, proyectista : Cuero realizado por José Roca. Encuadernación de Subirá. Album de firmas que el clero de su diócesis regaló al obispo de Gerona Tomás Sivilla

Los artífices catalanes se formaron en las escuelas francesas de la *Union Centrale des Arts Decoratifs*, la *Ecole Guérin*, la *Société Nationale du Cuir d'Art Français* o la *Ecole de Reims* [370]. Los más importantes fueron Pascó, ya citado como decorador, Triadó, que realizó sus trabajos principalmente en técnicas tipográficas, como en las cubiertas de *Joventut*, que oscilan entre lo neogótico y lo japonizante, y el más importante entre los artistas del cuero, José Roca y Alemany, que sacó partido de los temas florales en importantes estilizaciones, el tradicional asunto neogótico del cardo flexible y los nuevos recursos de la estilización del rostro femenino.

Carlos Llobet fué otro proyectista de encuadernaciones modernistas dentro de su actividad de decorador, que ejerció también dibujando joyas para Luis Masriera.

Para el *Institut Català de les Arts del Llibre* trabajaron en la encuadernación M. Durán como proyectista ; José Roca como repujador de cueros, y Subirá como encuadernador. Durán introdujo el gusto vienés por el decorado floral simétrico, en 1905.

Saliendo ya del campo estricto de las encuadernaciones para examinar el conjunto del trabajo artístico del cuero, es interesante señalar el renacimiento del arte de los guadamecíes.

La técnica de los cueros dorados se había perdido, como la de la cerámica dorada, pero las más exquisitas industrias moriscas encontraron un ambiente favorable a su renacimiento en el instante de la Exposición Universal de 1888, cuando arraigó en Cataluña el deseo de que este certamen fuera para el desarrollo de las artes decorativas del país lo que habían sido para Inglaterra y para Francia las grandes Exposiciones Universales de Londres y de París.

El trabajo de los guadamecíes, técnica hasta entonces en desuso pero que, practicada por los árabes en siglos pretéritos, tanto auge había tenido en el sur de nuestra península, fué creado por una casa industrial, a iniciativa de Miguel Fargas y Vilaseca. Las aplicaciones principales del producto eran el tapizado de muebles y el revestimiento de muros. Como es natural, en 1888 se empezó con los dibujos que hacía el hijo del fabricante, en estilo pompeyano, en árabe y en el pomposo Renacimiento entre *altdeutsch* y Luis XIII, caro a la época, pero, dejando de lado despectivamente estas formas artísticas consideradas anticuadas, pronto se obedecieron las órdenes de los que entonces se llamaban «los más atrevidos dibujantes».

Francisco Jorba Curtils, artífice que tenía su taller en la recoleta calle del Paradís, practicaba el decorado de los cueros con grabados o con pintura a la acuarela, y José María Pons, de la calle de las Freixuras, estampaba en color las pieles ; pero la baronesa Speranza Tiesenhausen, de Florencia, introdujo, en 1896, con sus trabajos de estilo medievalesco, el nuevo tratado del cuero por medio de la técnica del pirograbado, que entonces todavía no se llamaba así, sino «labrado por medio de la punta de platino candente».

El pirograbado, iniciado en esta fecha para los trabajos de cuero, pasó más tarde a la madera, principalmente para imitar de un modo más económico los trabajos de marquetería. En 1907 Juan Vidal Ventosa monumentalizó el pirograbado con su gran tabla de colores *Vallcarca en nit de lluna*.

Con los grabados al hueco que practicaba José Roca y Alemany y las técnicas de la acuarela, la estampación, el pirograbado y el guadamecí, el trabajo de la piel curtida llegó a una complejidad desconocida pocos años antes.

Ello originó un movimiento ascencional de uno de los oficios de arte más interesantes, que había de culminar, especialmente, en un renacimiento de la encuadernación artística, poco menos que olvidada en nuestra ciudad durante el siglo décimonono.

José Roca y Alemany : Cueros para encuadernación

LUIS MASRIERA: Gemelos

Las joyas. — Hasta 1900 no existió la joyería como arte vivo en Cataluña. Unos dibujos tradicionales, de repertorio de taller, iban repitiéndose sin cesar, a lo largo de los años, hasta que la revolución se produjo de una manera súbita, como eco de la Exposición Universal de París, provocada por la iniciativa de Luis Masriera y Rosés.

Este artífice es hijo del pintor y orfebre José Masriera y Manovens, quien, junto con su hermano Francisco, también pintor, tan celebrado en su tiempo, continuaba una de las más antiguas joyerías de Barcelona.

El origen de esta casa debe buscarse en el año 1825 cuando, procedente de San Andrés de Llavaneras, donde había nacido, se trasladó a Barcelona, para aprender el oficio, José Masriera y Vidal, nacido en 1810. Entró este muchacho en el taller de J. Fradera y en 1839 presentó el dibujo que se guarda en el Libro de Pasantías [371] para pasar a Maestro Joyero.

Fundó entonces la casa de su nombre, que trabajaba por encargo y al por mayor con destino a negociantes joyeros, en un caserón de la calle de Vigatans, donde vivía. Más tarde, empezó a vender a particulares [372].

Los hijos de José Masriera y Vidal, José y Francisco, fueron los constructores del famoso taller en forma de templo corintio que levantó Vilaseca en el número 72 de la calle de Bailén. Francisco, socio desde 1872 de la empresa, que había adoptado el nuevo nombre de *Masriera e hijos,* fué a aprender a Ginebra una técnica perdida, la del esmalte, que aplicó principalmente a la miniatura. En su viaje de es-

LUIS MASRIERA: Brazalete

Luis Masriera: Dijes y pendeloque

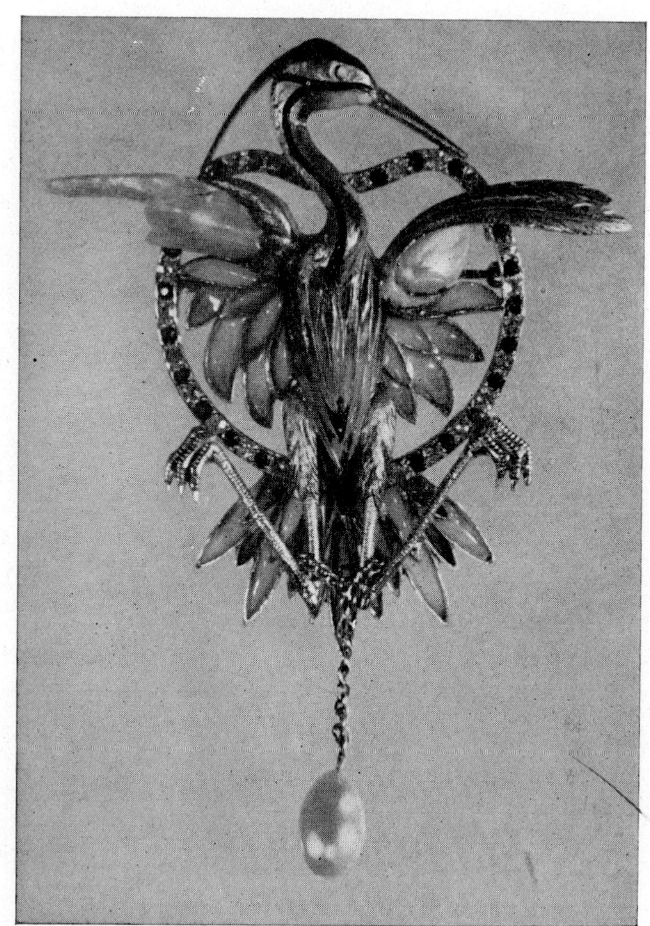

LUIS MASRIERA: Pendeloques con esmalte translúcido (realizaciones y enmoldados en escayola)

LUIS MASRIERA: Esmalte opaco de Limoges

El neopompeyano de los años ochenta campea en los trabajos cercanos a la Exposición Universal, algunos con figuras modeladas por Fuxá, junto a un nuevo interés por la Naturaleza que tiene su albor en el gran jarrón que figuró en la Exposición, con una mujer desnuda y unos *putti* enredados entre flores y ramas, motivos tratados no como relieves, sino de una manera plenamente corpórea, como trabajos de floristería artificial.

Luis Masriera, que desde muy joven sentía inclinación hacia la pintura, cuando murió Pelegrí, el esmaltador, quiso aprender este oficio, y no sin dificultades por parte de su familia, consiguió, a los diecisiete años de edad, dirigirse a Gine-

LUIS MASRIERA: Broche flexible de oro, con esmalte translúcido y rubíes

tudios se hizo acompañar de un trabajador del taller llamado Pelegrí, que llegó a dominar esta técnica y se convirtió en el esmaltador de la casa, que se llamó, a la muerte de su fundador, *Viuda de Masriera e hijos* y, desde 1886, a la muerte de la viuda, *Masriera hermanos,* nombre que continuó cuando murió Francisco y José se asoció con sus hijos José y Luis.

José Masriera Vidal había pasado a maestro con unos pendientes todavía de gusto barroquista. El más puro neoclasicismo, retardado también, presidía importantes trabajos muy posteriores, como la bella escribanía de plata con una estatua de la Justicia, regalada en 1870 a una alta personalidad política, y el barco de plata ofrecido al marqués de Comillas. En 1874 el gusto mudéjar en boga se infiltraba en las espadas con empuñadura de oro, esmalte y piedras preciosas proyectadas por Jaime Serra, regaladas por el Ayuntamiento de Bilbao al general Serrano, al general Concha y al general Castillo.

En 1875 la placa de oro ofrecida por el Ayuntamiento barcelonés a Arsenio Martínez Campos, con esmalte y letras de brillantes, proyectada por José Masriera, revela un gusto románico mudejarizante a lo Elías Rogent.

bra para estudiarlo. Allí permaneció durante dos años, conquistando el dominio de la técnica de Limoges. El *tour de main* que debía permitirle el logro de los esmaltes transparentes colocados en películas sin fondo, para rellenar calados, le costó grandes esfuerzos. En su taller buscó varias soluciones ingeniosas, sin resultado, como la de poner como fondo de los alvéolos una delgada plancha de cobre, que después corroía con ácido, o un papel resistente para ser quemado después. Por fin halló el simple *truco* manual de esta bella solución técnica que había de permitirle

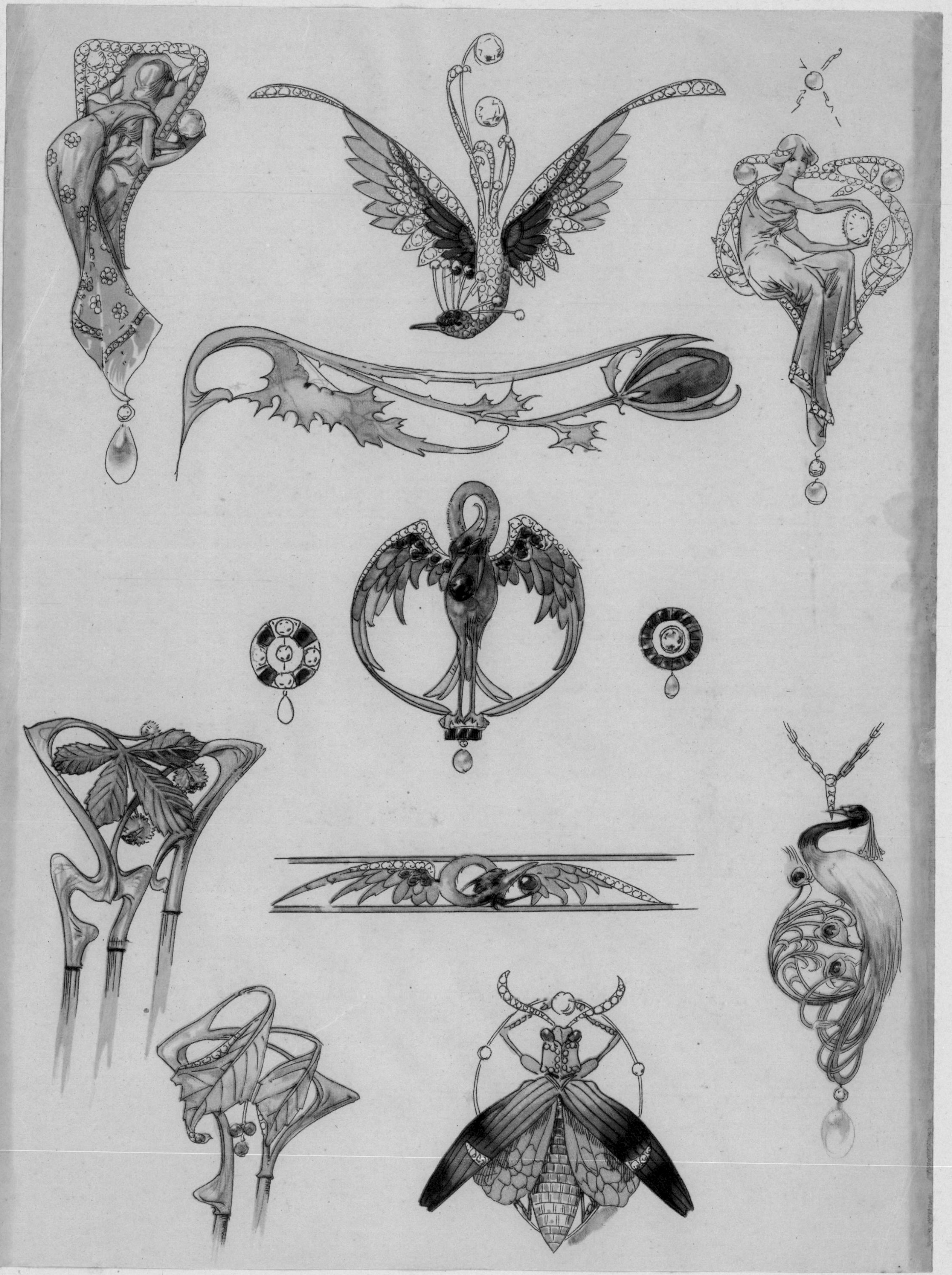

imitar los hallazgos de René Lalique e introducir, al sur de los Pirineos, las joyas palpitantes del nuevo estilo.

En sus más viejos esmaltes, como los del jarrón ofrecido a M. Prevet, presidente de la Exposición Universal de París de 1889, por los expositores españoles, siguió las vías clasicistas de inspiración en los camafeos antiguos, lo mismo que en la arqueta de plata y oro proyectada por José y apoyada en leones rugientes de Eusebio Arnau, en la que los conservadores de Barcelona ofrecieron a Manuel Planas y Casals, en 1890, el pergamino que le reconocía como a su jefe.

Luis Masriera, no obstante, reveló sus inclinaciones hacia el arte moderno cuando, en 1895, proyectó el ánfora ofrecida por la ciudad de Logroño a Práxedes Mateo Sagasta. Sus motivos florales en relieve se emparentan con los del neogoticismo a lo Doménech y Gallissá, y otros, grabados, se emparentan con el decorativismo japonés. Los esmaltes que la adornan ya no son alegorías clásicas, sino positivistas perspectivas de la ciudad. Llamea más todavía la flora de los elegantes pies de la geoteca destinada (1899) a guardar tierra de las perdidas colonias españolas de Ultramar, que presiden y soportan graciosos negritos de Eusebio Arnau.

Cuenta Luis Masriera que cuando, en 1900, decidió cambiar de rumbo bruscamente, todas las joyerías de Barcelona hacían lo mismo. Las mismas formas, los mismos dibujos rutinarios, se exhibían en el inevitable escaparate de terciopelo rojo con aderezos repletos de joyas.

De retorno de París, donde Lalique le había descubierto todo un mundo nuevo, tomó la decisión atrevidísima, en un momento de crisis económica de su establecimiento, de fundir todas las piezas existentes y transformarlas al nuevo gusto. Aquellos que conocieron este gesto y su decisión de adoptar un tipo de joyas desconocido del público barcelonés, lo tuvieron por loco.

Todo el verano de 1901 trabajó en sus búsquedas del esmalte translúcido, que se vieron coronadas por el éxito, y en la realización de sus nuevas joyas, que expuso en el escaparate de la calle de Fernando el día de Santo Tomás del año 1901, en un escaparate de maderas claras presidido por una estatua de bronce y adornado con vitrales policromos.

Luis Masriera: Enmoldados de dos pendeloques

El escaparate fué sensacional. La multitud se congregó en tal número, para admirarlo, que fué preciso enviar un destacamento de la guardia municipal para que pudiera continuar el tránsito por la calle.

Al cabo de un mes todo se había vendido menos dos únicas piezas, que no se han vendido ya jamás.

La libélula de alas con nervios unidos por esmalte translúcido fué el tema central, sensacionalísimo, pero se apreciaron también los finísimos trabajos de escultura metálica, minúsculos, minuciosos, precisos, del cincelador único que fué Narciso Perafita, llamado *en Cisó*, persona muy miope que se acercaba tanto a

LUIS MASRIERA: Anverso y reverso de un pendeloque con esmaltes translúcidos. Los circulitos y los orificios de los extremos de las alas corresponden a la colocación de brillantes

elementos en alveolado translúcido o en perla deforme; el tipo nuevo de pectoral circular o trapezoidal calado, con figuras de gusto prerrafaelita, en actitudes sentimentales; placas con figuras de una precisión anatómica perfecta en las que no falta nunca, por pequeñas que sean, una vivísima expresión melancólica o suavemente sonriente en los rostros; anillos con atlantes sosteniendo el chatón, broches con bustos de enigmáticos personajes de saga nórdica con diadema; joyas con animales de forma entre asiria y escandinava, en tensión violenta y elegante a la vez, con aves de policromas alas, parejas enamoradas, figuras danzantes, etcétera, todo ello ante fondos delgados de ritmos lineales formados por fítica escuálida, flora acuática muy estilizada que se acerca a la simetría alguna vez sin querer llegar a adoptarla, y elegantes aves japonizantes, de cuello ondulante y alas puntiagudas caprichosamente abiertas.

La copa de himeneo con hojas de oro recortadas con turquesas que proyectó Alejandro de Riquer en 1904 es una de las piezas monumentales. El báculo ofrecido al obispo de Gerona se fabricó en 1905, en oro y plata dorada, proyectado por Luis Masriera y con marfiles de Bernadás. Una Purísima de aureola translúcida, entre dos ángeles arrodillados con alas de policromía de esmalte de la misma calidad, bajo el vuelo del Santo Espíritu, se alberga en el ojo del cayado que los símbolos del Tetramorfo, brotando del tronco, adornan. La vegetación espinosa, de cardo semigótico, se enrosca según curvas espirales muy estiradas, caras a la época del *latiguillo,* desde el edículo en que se albergan los relieves de marfil.

su labor que a veces debía manejar el martillo por detrás de la nuca.

Hombre que fué capaz de cincelar un abecedario cuyas letras habrían cabido en una cabeza de aguja rota, no tuvo rival en Europa. Cuando Luis Masriera fué a Forsheim para reclutar algún cincelador entre los 14.000 plateros de la ciudad, al enseñar los trabajos de Perafita todos le dijeron que allí se ofrecería cualquier cosa para tenerlo a él en Alemania.

El repertorio de las joyas modernistas de Masriera contiene formas vegetales o de insecto caladas, con

En el bastón de mando en oro, esmalte y pedrería ofrecido al alcalde de Barcelona José Monegal y Nogués, en 1906, unas placas con bajorrelieves de figuras alegóricas muy planas, de difuminado modernista, alguna vista de espaldas, detalle muy de la época, alternan con monstruos entrelazados escandinavos y cariátides, también de espaldas, que vuelven el rostro sonriendo y sostienen con las manos la cabeza terminal de la empuñadura.

La diadema ofrecida a la reina Victoria por los monárquicos catalanes en 1906, en el día de su boda, con brillantes, perlas y esmaltes translúcidos, es

NARCISO PERAFITA: Dije cincelado con fondo de esmalte alveolado. El original mide 34 milímetros

LUIS MASRIERA: Pendeloques con esmalte translúcido y pedrería (enmoldados)

modernista por la libertad de su composición sin eco de estilos históricos y por el empleo del nuevo material vítrico. Esta diadema fué presentada dentro de un cofre que es quizá la más ambiciosa realización de la joyería modernista.

Cuatro hermas formaban sus esquinas, que tenían como estípites unos tallos terminados, en su parte baja, con una suerte de hoja con uñas de pata de león. Sendos velos en forma de hojas cubrían sus cabezas, modeladas por E. Bernadás.

Las dos caras menores estaban centradas por sendas asas en forma de un par de flores unidas a un panel calado de espinoso recuerdo goticista. En las caras mayores otras aplicaciones, de pura silueta modernista, a guisa de estirados triángulos curvilíneos, albergaban finos relieves que se destacaban del fondo calado o de esmalte alveolado, como el San Jorge ecuestre del propio Bernadás, y los pares de delfines que se convierten en ramos de hojas.

En la parte superior de la tapa el escudo esmaltado estaba flanqueado por dos ángeles de cabeza de marfil con soles en el pecho, los cabellos a la romana ceñidos por diadema, y altas alas retorcidas de esmalte policromo, personajes muy modernistas que coexistían con frisos de *putti* portadores de guirnaldas concebidos no con el convencionalismo renacentista, sino como vivaces escenas de niños jugando.

También colaboró Bernadás con sus marfiles en el báculo de oro y plata, con pedrería y esmaltes lemosinos y transparentes que se ofreció al obispo de Tuy con motivo de su pastoral protestando del matrimonio civil, en 1907, proyecto de Luis Masriera, con un Buen Pastor, un San Jorge y un bello ángel brotando de la materia que modeló Eusebio Arnau, este último con grandes alas de esmalte translúcido.

Las joyas de Masriera, que tanta sorpresa causaron a su aparición, pronto fueron imitadas por casi todos los joyeros barceloneses y más tarde fueron modelos para innúmeros artífices españoles y sudamericanos. En gran parte se difundieron gracias a la revista quincenal que con el nombre de *Estilo* publicó Luis Masriera durante el año 1906, dedicada a todas las artes decorativas, en la que Gaspar Homar tuvo una tribuna para la difusión de su concepto del mueble.

Luis Masriera quiso ser un apóstol de la artesanía. Desde la Academia de Ciencias y Artes de Barcelona ha ido dando a conocer, en repetidas comunicaciones, la vida y la obra de una serie de trabajadores modestos, de cinceladores, esmaltadores, hombres de oficio sumidos en el anonimato, oscurecidos por el nombre de las casas industriales que disponían de ellos.

Sus ideas fundamentales reposan en la de la be-

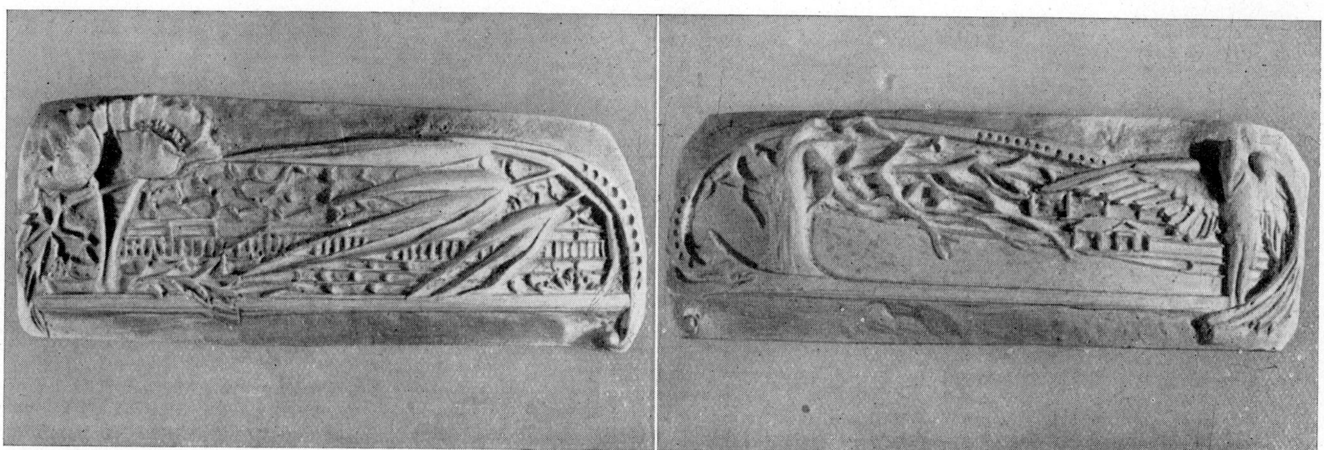

LUIS MASRIERA : Peinetas

lleza del trabajo manual y la fealdad del trabajo en serie [373].

Llama a la producción en serie *fealdad repetida* y combate la idea de una estética nueva basada en la producción uniforme. Busca su inspiración en la naturaleza y en el arte flamenco como en ningún otro, aquél que hizo el arca de Santa Úrsula, juzgada como «la pieza más notable del arte suntuario».

Es curiosa su intención social contra la producción industrial. «Es imposible, utópico — afirma —, creer posible una sociedad sin un ideal de bondad y de belleza y de amor, y este ideal ha de llenarlo el trabajo. Pero cuando es feo, monótono o aburrido, cuando es contrario a nuestro temperamento, pierde su acción curativa y deja el alma del productor a merced de sueños caóticos, alimentados por la envidia, el odio y los anhelos de riqueza y de vagancia.»

De manera que, al revés de Morris y los ruskinianos, Masriera ve en el retorno al artesanado una manera de ocupar las mentes del trabajador para impedirle pensar en nada más que en su trabajo, una fórmula para dominarlo mentalmente. Su empeño no tiene nada del progresismo de Ruskin, sino que pasa ya de conservador para añorar el retorno a lo primitivo. La ciudad y la industria le aparecen como las causas de todos los males: «¡Cuántas almas existen hoy enfermas de monotonía! En estos grandes centros donde las gentes se empeñan en vivir amontonadas en exiguas viviendas, llenando los talleres donde ya no queda sitio. Y, en cambio, he visto páramos desiertos... tierras incultas y montañas que esperan la mano del hombre para dar sus tesoros ocultos.»

Pedro Mascaró, establecido en el número 9 de la calle de la Tapinería, fué, junto con los Masriera, un característico representante de la orfebrería modernista. Obra suya fué el San Jorge neogoticista dibujado por Riquer que la *Unió Catalanista* regaló al *Orfeó Català* y el brazalete para la *senyera*, re-

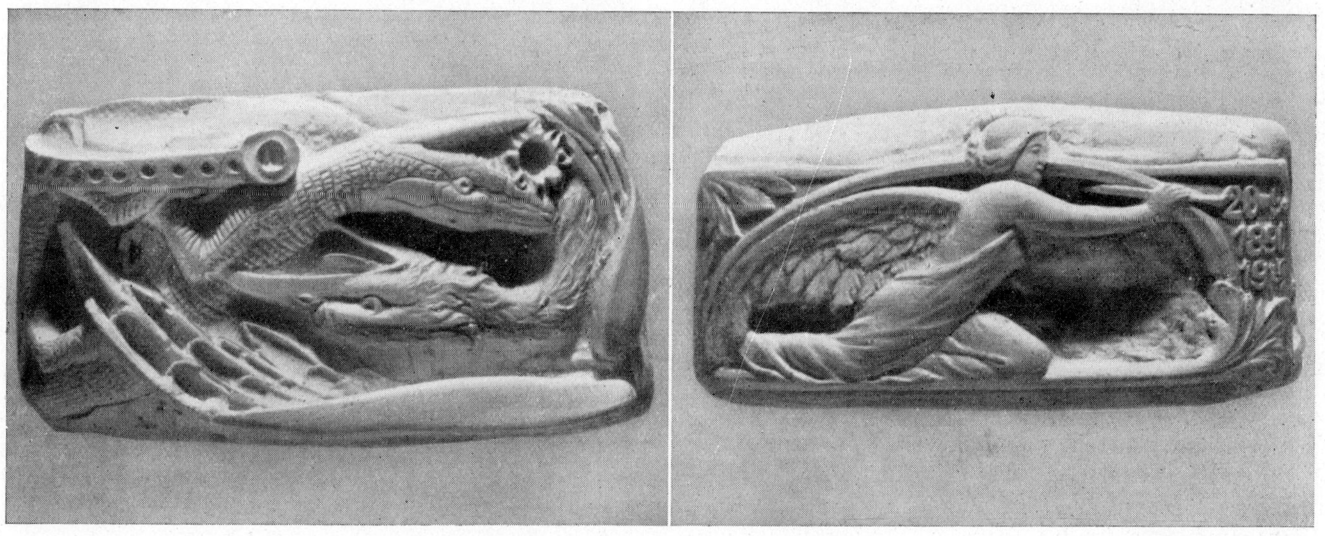

LUIS MASRIERA : Anillo (ampliado)

LUIS MASRIERA: Broche con esmalte translúcido y pedrería

Víctor Brossa, Pablo Ayxelá y Bachs, Mesquida, Francisco Roig, Antonio Oriol, raras veces salieron del ambiente semiindustrial artesano en que vegetaba la joyería de mediados del siglo XIX para tomar pretensiones de artistas. El único estímulo para preciarse de tales fueron las exposiciones de Industrias Artísticas.

Las exposiciones de Industrias Artísticas. — Estas exposiciones, que tanta importancia tuvieron para el desarrollo de todos los bellos oficios, fueron concebidas como consecuencia del éxito que se creyó cosechar con la Universal de 1888. El 7 de enero de 1890 el Ayuntamiento creó una Comisión para destinar a tales exposiciones los edificios del Parque de la Ciudadela, con José Gassó, alcalde, los concejales Pons, Lluch, Fuster, Moltó, Catalán, Rich, Estrems y

cuerdo de la fiesta del 22 de marzo de 1900, con los escudos de Cataluña, Valencia y Mallorca en esmalte.

Los hijos de Francisco de A. Carreras se encargaron, en 1906, de una obra que fué muy popular: la corona de la Virgen de Canet.

Manolo, Smith, Renart, muchos escultores del modernismo, trabajaron para la joyería, pero el más importante entre ellos fué sin duda José Llimona, quien modeló exquisitas piezas como las que pertenecen a Luis Guarro.

Una de ellas es un *pendentif* en el que un lazo adornado con brillantes forma a modo de un trapecio en el que se mecen dos figuras en bajorrelieve, hombre y mujer, angulosos, él esquemáticamente vestido de un modo que recuerda al *Forjador;* ella, en cambio, primorosamente ataviada con traje floreado de largas faldas.

Otra es un broche en forma de lecho en el que una mujer juega con su pequeñuelo; otra una medalla con una enorme serpiente que rodea el busto de una muchacha ingenua ahogándola entre sus escamas lustrosas.

La obra de joyero de Masriera fué casi la labor de un solitario. Arturo Aragonés y Xelma, de la calle de Trafalgar; Evaristo Roca y Jornet, de la calle de Magdalenas; el medallista Francisco Sala; el platero Juan Rosés y Pons; el esmaltista Enrique Calado, tienen poca importancia. En cambio, Pedro Mascaró tiene el mérito de haber sido el intérprete de dibujos de Alejandro de Riquer, y de haberse sabido encontrar un lenguaje propio, que si da una corporeidad casi gaudiniana a la interpretación del dibujo reseco de Riquer en el medallón de la *Unió Catalanista,* conduce a un primitivismo muy gracioso en piezas como el collar de la *senyera* del *Orfeó Català.*

LUIS MASRIERA: Pendeloque con esmalte translúcido

Prat, y tomando por secretario al que lo fué de la de 1888, Carlos Pirozzini. El Círculo Artístico hizo el proyecto del reglamento, que estudió la Comisión. Se decidió celebrar estas exposiciones bienalmente, y alternativamente dedicadas a las Bellas Artes y a las Industrias Artísticas, proyecto que se aprobó por el Municipio el 26 de junio de 1890. En la comisión organizadora, presidida por el alcalde Juan Coll y Pujol, había el presidente de la Academia Oficial de Bellas Artes, marqués de Setmenat; el director de la Escuela de Arquitectura, Francisco de P. del Villar; el de la de Bellas Artes, Antonio Caba; el presidente de la Asociación de Arquitectos de Cataluña, Modesto Fossas Pi; el de la Academia de Ciencias y Artes, Rafael Puig y Valls; el del Círculo Artístico, José Luis Pellicer; el de la Asociación de Maestros de Obras, José Torner; el de la Artístico-Arqueológica, José Puiggarí; el de la Sección de Bellas Artes del Ateneo Barcelonés, Agustín Ferrer, y con Pirozzini por secretario. La comisión ejecutiva estaba formada por Félix Rich, Caba, Torner, Pellicer y Pirozzini. Augusto Font y Pedro Falqués adaptaron el Palacio de Bellas Artes y la primera exposición internacional de Bellas Artes se inauguró el 23 de abril de 1892.

Desde 1891, una nueva comisión municipal de Bibliotecas, Museos y Exposiciones se encargó de organizar los certámenes, presidida por Modesto Fossas, con los concejales Roca y Roca, Bastinos y Passarell y los técnicos Coll y Pujol, Soler y Rovirosa, Miquel y Badía, Doménech y Montaner, Sanpere y Miquel, Félix Rich, Mariano Fuster, José Masriera, los directores y presidentes de escuelas, academias y asociaciones de arquitectos y maestros de obras, el director de la Escuela de Ingenieros Industriales, el de la Provincial de Artes y Oficios, los presidentes del Fomento del Trabajo Nacional, del Centro Industrial de Cataluña, del Ateneo Obrero y de la Sociedad de Amigos del País. Los verdaderos motores eran el secretario Carlos Pirozzini, el jefe de los servicios técnicos José Luis Pellicer y los miembros de la comisión gestora, en la que figuraban José Sert y Macario Planella. La titulada *Primera Exposición de Industrias Artísticas* se inauguró el 8 de octubre de 1892. El catálogo llevaba una cubierta de José Luis Pellicer.

La de 1894 se dedicó a Bellas Artes.

La de 1896 debía ser de Industrias Artísticas, pero se consideró que la de 1892 no había estado a un alto nivel desde el punto de vista del Arte y se decidió unir las dos en una *Exposición General de Bellas Artes e Industrias de Carácter Esencialmente Artístico*, que organizó una comisión presidida por el alcalde Federico Travé, con los concejales Trías y Gallard, los vocales Villar y Carmona, Soler Rovirosa, Puig y Saladrigas, Andrés Aleu, Miquel y Badía, el secretario Pirozzini y el técnico José Luis Pellicer. Un cartel de Alejandro de Riquer, escogido en concurso, la anunció, y un dibujo del mismo Riquer adornó el catálogo de la exposición, que se inauguró el 23 de abril de 1896. En ella hubo 474 expositores de Industrias Artísticas.

En 1897 hubo el deseo de vincular más las exposiciones al Municipio. Pasaron a depender de la organización burocrática, con exclusión de los representantes de las asociaciones artísticas. En la comisión había Soler y Rovirosa, Andrés Aleu, Doménech y Montaner, Miquel y Badía, José Masriera, Pirozzini, Pellicer y el jefe de los servicios económicos Eduardo Buixaderes. Con cartel de Francisco Mirabent, se inauguró el 23 de abril de 1898, con el título de *IV Exposición de Bellas Artes e Industrias de Carácter Esencialmente Artístico*. En realidad era la cuarta de Bellas Artes, tercera de Industrias Artísticas y quinta exposición municipal.

El resultado de la guerra de 1898 con los Estados Unidos marcó un final en esta serie de exposiciones. El Círculo Artístico tuvo la iniciativa de una *Exposición Nacional de Arte* para 1900, que se abrió en el local de Cortes, 315, y que, a última hora, recibió casi el carácter de oficial, y el Ayuntamiento se limitó a ceder el Palacio de Bellas Artes, en 1901, para la que Apeles Mestres, Rusiñol, Pascó, Torrescassana y Rodríguez-Codolá organizaron a la memoria de José Luis Pellicer, recién fallecido.

El triunfo catalanista y republicano en las elecciones de 1901 cambió el ambiente. José Pella y Forgas y Puig y Cadafalch se encargaron de remover el tema de las exposiciones, de las que debía encargarse una *Junta Municipal de Museos y Bellas Artes* propuesta por Cambó, Pella, Puig y Cadafalch, José María Mas y Narciso Buixó. Esta junta, presidida por el alcalde Juan Amat, estaba formada por Pella y Forgas, Puig y Cadafalch, Tiberio Avila, Antonio J. Bastinos, Buenaventura Pollés, Román Ribera, José Llimona, José Masriera, Raimundo Casellas, F. Galofre Oller y Carlos Pirozzini.

Una junta integrada por el deán de la Catedral, los presidentes de la de Museos, de la Artístico-Arqueológica, el Círculo Artístico, la Asociación de Arquitectos, el *Cercle de Sant Lluc*, la Sociedad Literaria y Artística, la Sección de Bellas Artes del Ateneo Barcelonés, el marqués de Castellbell, Tomás Moragas, Doménech y Montaner, José Reynés, A. de Riquer, Emilio Cabot, Martín Muntadas, José Vilaseca, Macario Golferichs, J. Ferrer-Vidal, José Martí y de Cardeñas, Manuel Fuxá, José Estruch, José Pascó, Luis Quer, Miguel Utrillo y M. Rodríguez-Codolá, convirtió la Exposición de Bellas Artes e Industrias Artísticas en una retrospectiva de arte catalán antiguo. El cartel fué de Ramón Casas. El estudio de Sanpere y Miquel sobre *Los cuatrocentistas catalanes* fué premiado por la Junta de la Exposición, inaugurada el 25 de septiembre de 1902.

Puig y Cadafalch propuso que la de 1904 fuese dedicada al Arte Decorativo, pero al final se acordó aplazar el certamen y nombrar una ponencia con Puig y Cadafalch, Fuxá, Font y Gumá, Tamburini y Mas y Fontdevila, de la que se excluyó a José Pijoán, quien, hasta entonces y como vocal suplente de la Junta de Museos, había tenido intervención en aquélla.

El dictamen condujo a la celebración de la *V Exposición Internacional de Bellas Artes e Industrias Artísticas* de 1907, con cartel de Juan Llimona.

Este importantísimo certamen, inaugurado el 27 de abril, coincidió con el apogeo del modernismo. A él concurrieron España, Francia, Bélgica, Alemania, Italia, Inglaterra, Portugal y Holanda.

El Ayuntamiento no pudo dar continuidad a este certamen. En 1909 los sucesos dificultaron la celebración de la exposición siguiente, que se substituyó con la de retratos y dibujos de 1910. La de 1911, a pesar de ser sólo de arquitectura, pintura y escultura, otorgó unos premios de artes decorativas que fueron concedidos a Hermenegildo Olsina, José Triadó, Francisco Cañellas, Manuel Fontanals, Ramón Rigol, Octavio Catalá y Juan Pañella. Organizada por el ayuntamiento radical, esta Exposición terminó con un descubierto de 95.000 pesetas, hecho que imposibilitó celebrar la de 1913.

La Guerra Europea dilató el aplazamiento. La Exposición de Arte Francés de 1917, en la que Barcelona pudo admirar obras de Manet, Renoir, Forain, Degas, Carrière, Toulouse-Lautrec, Puvis, Rodin, etc., vino a substituirla en cierto modo.

Cuando, en 1918, se organizaron las *Exposicions d'Art,* su espíritu ya era otro. Había pasado el *noucentisme,* y nadie se acordaba del 1900. En 1918, 1919, 1920, 1921, 1922 y 1923 se celebraron en Bellas Artes, en la Ciudadela y en el Palacio de la Industria. En 1923, la *Exposició Internacional del Moble i la Decoració d'Interiors* era ya el símbolo de unos tiempos radicalmente distintos.

PEDRO MASCARÓ, joyero: Medallón de la *Unió Catalanista,* con la imagen de San Jorge, proyectado por Alejandro de Riquer

Modesto Urgell: *La barca*

LAS FUENTES DEL MODERNISMO PICTÓRICO

Panorama general de la pintura de fines y principios de siglo. — La pintura fué la menos modernista de las artes.

A un realismo de principios — con métodos a menudo románticos, paralelo a lo que representaba Courbet en Francia, mantenido por Martí Alsina y sus discípulos y reforzado por el realismo del *tableautin* holandés y el pintoresquismo italiano que tuvo su *vedette* en Fortuny — con su correspondiente paisajismo, que encarnó Vayreda, sucedió el más sabio realismo de taller con Simón Gómez a la cabeza y Galofre y Torrescassana por compañía.

Suma de realismo y pintoresquismo fué el arte anecdótico de Miralles y Román Ribera, de Cusachs y Mas y Fontdevila, cuyas maneras entre nebulosas y brillantes tenían a la vez algo de Boudin, de Fantin-Latour y de los Impresionistas. En paisaje, el paralelo a estos artistas fué el arte de Roig y Soler, de Meifrén y de Jaime Morera.

Modesto Urgell fué un caso aparte en el panorama pictórico catalán, sin una conexión con la línea general evolutiva de la pintura que partió del naturalismo para pasar por lo decorativo y sentimental hasta el retorno a lo antiguo.

Pasado el alarde realista, insatisfechos los contempladores de pintura del anecdotismo, trabajadas las mentes por ciertas formas de poesía irrealista, el simbolismo pictórico entró en la palestra con decorativistas del género de Pascó y Alejandro de Riquer, con soñadores del tipo de Tamburini y Brull, con melancólicos como Sebastián Junyent y Enrique Serra, contemporáneos de los que se consideraban tan naturalistas como una novela de Zola: Juan Llimona, Baixeras, Graner y Felíu de Lemus, y el que, sin saberlo, era el más naturalista de todos: el extraordinario Francisco Gimeno.

Teñida ya por poderosas influencias francesas, se operó la síntesis modernista de naturalismo y simbolismo en la obra de Rusiñol, de Casas, de Miguel Utrillo, de Barrau, de Galwey, de Vancells, de Antonio Utrillo.

Siguiéndoles, la doble legión de los jóvenes modernistas agrupa algún simbolista nietzscheano como Gual y Xiró, o decorativista como Bonnin y Pey, al lado de formalistas como Pitxot, Nonell, Anglada, Sert, Gosé, e impetuosos expresivos como los teñidos de espontáneo impresionismo Ricardo Urgell y Mir, o los sabiamente estudiosos del impresionismo, como Canals y Alejandro de Cabanyes.

A esta generación, en gran parte épica, sucede la de los calculadores de la forma como Opisso, Galí, Picasso e Ivo Pascual.

MODESTO URGELL: *Crepúsculo*

Urgell, el Boecklin catalán. — La importancia de Modesto Urgell no ha sido valorada suficientemente. Por lo mismo que es un artista incómodo de clasificar, difícil de engarzar en la sarta de los hechos que constituyen el espinazo de la evolución pictórica catalana, generalmente ha dejado de ser interpretado.

Urgell tiene, a nuestro entender, una gran importancia. Fué un hombre de aptitudes variadas, que en cierto modo continuó una tradición muy barcelonesa en sus cómicos dibujos para *auques* del tipo de la de *Bernat Xinxola,* tan apreciadas en su tiempo, y que sacrificó a la moda del pintoresquismo detallista con que el postfortunyismo enlaza con el ruralismo naturalista finisecular, pero sus dibujos y sus *tableautins* no habrían hecho de él el importante artista que es si no hubiera existido su vasta serie de grandes pinturas que le ha merecido el epíteto de Boecklin catalán.

Urgell empezó su carrera pictórica luchando en el terreno de un realismo bastante tempranero, contemporáneo del esfuerzo de Courbet y Millet, que no encontraba eco ni comprensión a su alrededor. Durante años sus pinturas fueron rehusadas en las exposiciones. Durante siete años no ganó ni una sola peseta con sus obras. El cuadro de historia y el *tableautin* anecdótico acaparaban la atención, y Urgell no pudo encontrar alguna acogida hasta que empezó a ganar algún terreno el tipo de paisajismo de Vayreda, paralelo al de Theodore Rousseau, y nuestro pintor se acercó a la manera de la Escuela de Fontainebleau, particularmente a través de Daubigny.

De temperamento fundamentalmente romántico, lo que Urgell buscaba en la tendencia de Daubigny era, sobre todo, el contenido dramático de su paisajismo, que consiste en destacar el valor emocional de paisajes que no tienen significación espectacular ni pintoresca sino, solamente, el valor de consonancia con determinado estado de ánimo.

Por este camino, se encontraba Urgell con la atmósfera de otro pintor emotivo, Millet, paralelamente al cual concibió una interpretación más humanizada del paisajismo moral. En este sentido, pasó más allá que el célebre autor del *Angelus,* al permitirse prescindir de los figurantes. Los «Angelus» de Urgell no necesitan místicos personajes orando: la oración está en la vibración del aire. En tal sentido se acerca a la mejor faceta de Boecklin, no a la del pintor de mitologías que a veces presagia nuestro Brull, sino al de la célebre *Isla de los Muertos.*

Lo que fué Boecklin para Chirico, el punto de partida de la pintura metafísica, lo fué Urgell para los futuros surrealistas catalanes, para Salvador Dalí, que remeda las pinturas de Urgell, con sus playas solitarias, sus cipreses, sus grandes perspectivas, sus barcas solitarias, sus luces crepusculares, y para el que fué su discípulo, Joan Miró, el joven recogido a quien los profesores de la escuela de Llotja desaconsejaban la pintura, y en quien Urgell supo, el único, descubrir las enormes posibilidades.

Urgell realizó, en un terreno mucho más profun-

MODESTO URGELL: *El tren*

do, mucho más sutil, lo que un Moreau o un Odilon Redon intentaron encontrar por la plasmación de mundos irreales.

En realidad, su pintura sólo se acerca desde un punto de vista moral a la de Moreau, de quien no tiene el decorativismo preciosista, y a la de Odilon Redon, de quien no tiene el estilismo sintético. A mitad de la complicación del uno y de la simplicidad del otro, ni decadente como el pintor de *Salomé* ni arcaico como el de la *Muchacha que se peina al claro de luna,* Urgell quiso poder llegar a ser un simbolista sin dejar de mirar el mundo con unos ojos impregnados del positivismo de su raza.

En realidad, las pinturas que más se acercan a las de Urgell, en la Europa de su tiempo, son ciertas pinturas de Segantini, particularmente aquellas en que el gran pintor de los Alpes trataba temas religiosos, o ciertas pinturas de Puvis de Chavannes, como el célebre *Pauvre pêcheur.*

Una misma extraña compatibilidad de lo simple y de lo misterioso da valor a sus obras, al asociar algo tan difícilmente obtenible como es lo sencillo no banal y lo obscuro no alambicado.

La convergencia de lo real y lo fantástico, en la obra de Urgell se verifica de una manera tan unitaria que no puede atribuirse a una técnica ni a una voluntad que se pueda llamar argumental. En realidad parece haber sido lograda por un hecho de intuición directa, por la prolongación de un estado de ánimo parecido a los extraordinarios momentos de lucidez con que, momentos antes del sueño, pueden suscitarse visiones de la vida real que durante el día han estado ocultas bajo la niebla del olvido. Sus visiones, a menudo, son visiones impresionistas. *El tren,* por ejemplo, nos sitúa ante el tema fundamental de la pintura del Impresionismo, que dió la obra maestra de *La Gare de Saint-Lazare,* pero el tren de Urgell suscita, a pesar de ello, una sugestión moral que está completamente fuera de la órbita de la obra de Manet y de Monet. No se crea que esta sugestión moral radique en el tema. Ante ciertos cementerios o ciertas ermitas solitarias, podría creerse en ello, pero son numerosos los paisajes elementales sin contenido que recuerde, ni por lo más leve, anécdota alguna. Tales obras nos obligan a admitir que la poesía de Urgell se verifica en un mundo especial de equivalencias, de símbolos, en el sentido verdadero de esta palabra, pues su simbolismo no está en el estilo, como en un Riquer, sino en estas ocultas correspondencias biunívocas. En otra época más audaz, se habría expresado, seguramente, en un mundo de una naturaleza pareja a la del mundo de Patinir o quizá, en el extremo opuesto, a la del mundo de Delvaux.

Urgell, como después hará Dalí, encontró la manera de exprimir de la misma realidad de este mundo cercano, pero que tan a menudo nos permanece extranjero, el gran caudal de flúido misterioso con que podemos embriagarnos hasta pasar todos los límites de la lógica para rozarnos con la angustia del incomprensible más allá.

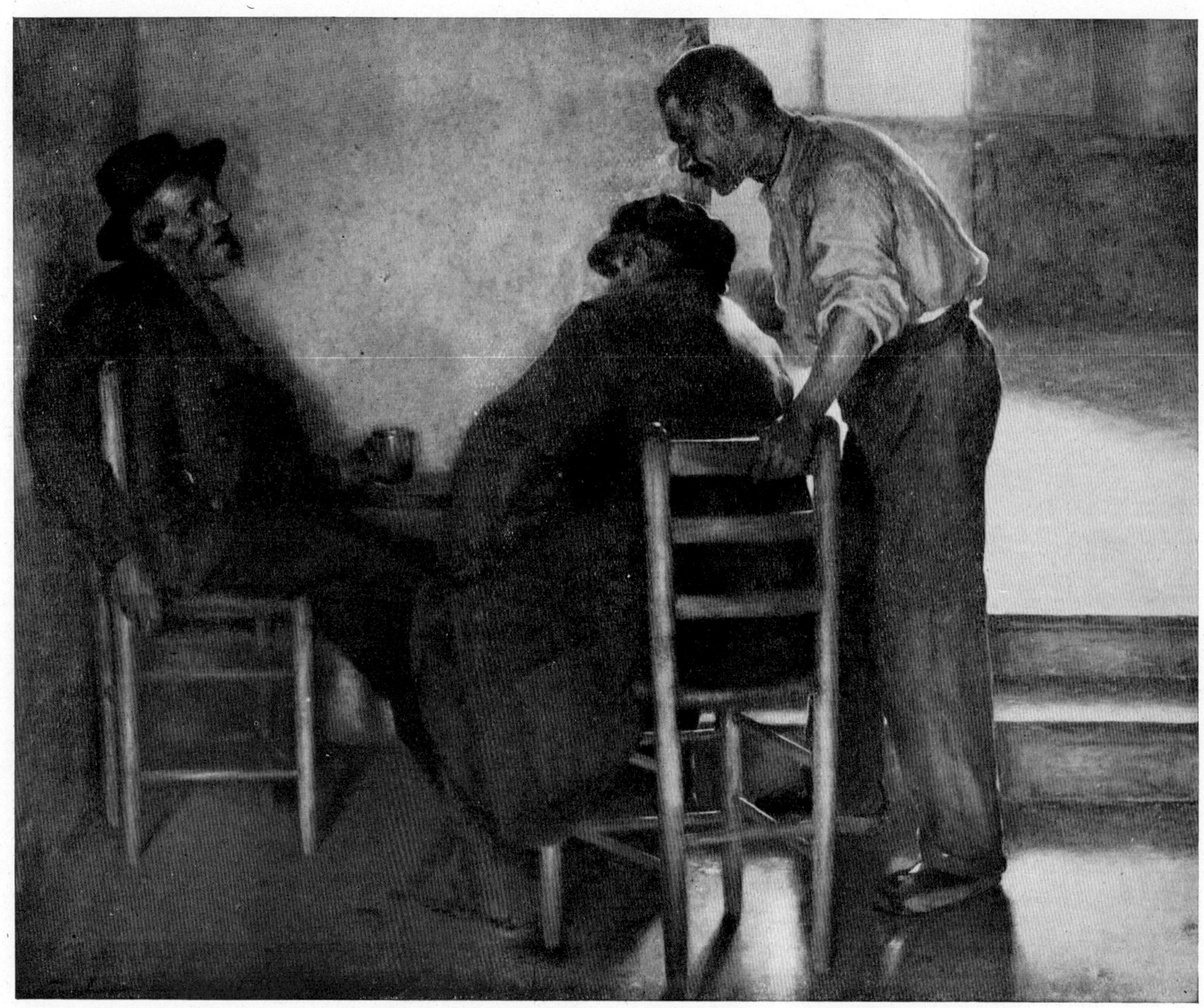

Luis Graner : *La taberna*

LA PINTURA NATURALISTA

Las fuentes de la anécdota. — Martí Alsina, nacido en 1826, fué el fundador de la pintura catalana moderna, el primero que, después del ocaso de las escuelas medievales y tras los esporádicos fulgores de personalidades aisladas seguidas de corto número de discípulos, como Viladomat, los Tramulles, el Viguetá y los nazarenos, preparó el camino de un trabajo continuado, un progresivo acopio de experiencias y un juego natural de influjos y reacciones.

Realista a la vez por instinto, por espíritu de época y por influjo del arte de Courbet, tuvo por discípulos a pintores y dibujantes como Modesto Urgell, José Luis Pellicer, Francisco Torrescassana, Jaime Pahissa, José Armet y los mucho más jóvenes que ellos Simón Gómez y Francisco Galofre Oller, los cuales, consecuentes con el credo realista, estaban llamados a evolucionar hacia las formas expresivas propias del naturalismo, excepto Modesto Urgell, para quien la emotividad iba a ser el principal personaje de sus cuadros.

El realismo académico que Antonio Caba, nacido en 1838, practicaba entre 1866 y 1870 venía a ser un fenómeno paralelo que, después de las vacilaciones de una etapa neogriega y de un estilo suavemente adulador, se convierte al anecdotismo al llegar

DIONISIO BAIXERAS : *Después de la trilla*

a 1878, busca con violencia un mayor realismo, desde 1882, y se vuelca en un estilo fotográfico desde 1887 a 1900 [374].

También lo fué la labor del fundador de la pintura paisajista olotense, Joaquín Vayreda, nacido en 1843, que aclimató a la vez los hallazgos de la escuela de Barbizon y de Corot, particularmente desde que, en 1871, visitó París y pudo conocer de cerca la pintura francesa.

Otra forma de realismo fué la de los pintores influídos por la llamada «pintura de historia», que tenía una capital en Roma y una sucursal en Madrid, como José Masriera, nacido en 1841, y su hermano Francisco, nacido en 1842 [375], discípulos de José Serra Porson, cultivador del anecdotismo italiano a la moda, que del pretendido realismo arqueologista de los años setenta pasaron a un anecdotismo de lo contemporáneo — a base de las pequeñas pinceladas de un Fortuny suavizadísimo — en los años ochenta cuando, desde su monumental taller como un templo corintio, sito en la calle de Bailén, presidían la pintura aristocrática.

No obstante las direcciones realistas enunciadas, la que estaba llamada a ejercer más influencia fué la que representó Mariano Fortuny [376]. Nacido en Reus en 1838, Fortuny abandonó la pintura histórica de asunto y factura románticos cuando en Roma, donde residió desde 1858, le fué dado conocer la reacción anecdotista contra la artificiosidad de académicos y románticos. Prodigiosamente dotado, pintor de pies a cabeza, comprendió lo vano de las pretensiones de la «pintura de historia», de significación tan poco pictórica, y como reacción se acogió al seno de la corriente de los que buscaban pergaminos de nobleza para el realismo en los pequeños *tableautins* de género de los pequeños maestros del siglo XVII en los Países Bajos.

La inspiración se la dió Meissonier, y Fortuny, al seguirla, la superó, enriqueciéndola, particularmente desde su viaje a Marruecos, en 1861, con una gran fuerza lumínica y cromática.

Muerto en 1874, en plena juventud, Fortuny había obtenido una gran fama universal que garantizó su profundo influjo.

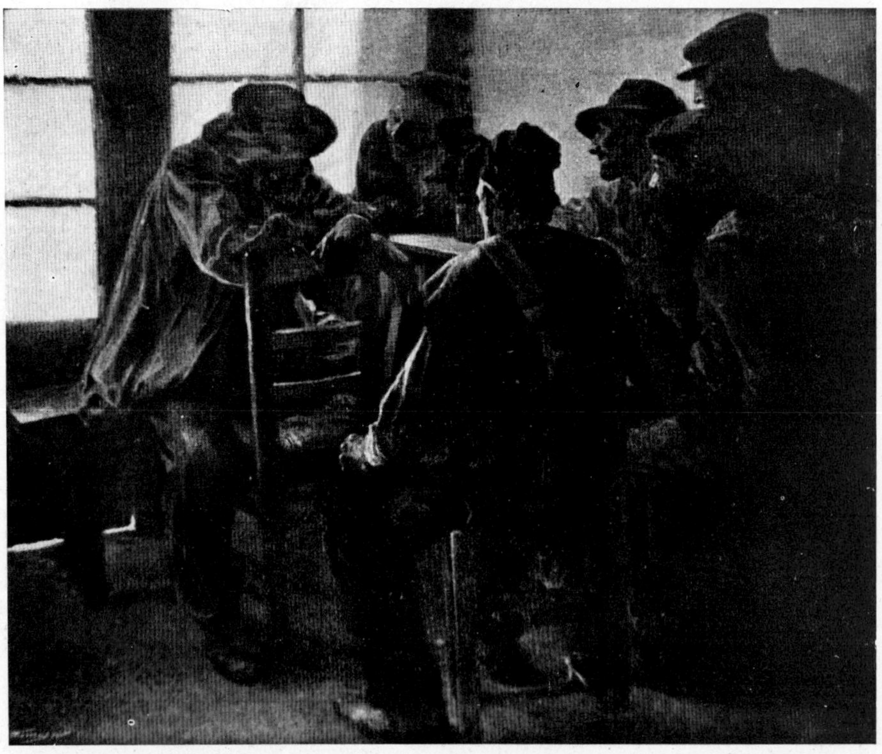

LUIS GRANER : *Taberna*

Algo de este tipo de pintura brillante captó en París Francisco Miralles y Galaup [379], nacido en Valencia de madre catalana, en el año 1848, y educado en Mataró e instalado en la capital francesa desde 1866, quien adaptó el pintoresquismo de sus antecesores a la pintura suave de las anécdotas de la vida contemporánea de la alta sociedad y al retrato, con brillanteces rococó y rasgos cercanos al impresionismo.

Algo semejante hizo Román Ribera [380], llamado el *Magister elegantiorum,* nacido en 1849 y muerto en 1935, que pasó también por París y rompió con la capitalidad romana del arte. En sus obras quiso aunar la anécdota contemporánea con el espíritu de los *tableautins* del siglo XVII nórdico y con el halo sentimental a lo Carrière, síntesis que no consiguió y que fraguó la fragilidad de una pintura entregada a la artificiosa receta de taller. Si aparece excelente en la viva visión de la *Salida de baile* del museo barcelonés, es amanerado en sus escenas de taberna seiscentista y sus interiores señoriales de la misma época, como desteñidos Franz Hals. No obstante, su pintura fué muy bien considerada. Alfredo Opisso [381] decía de su clase de pintura : «Otros géneros hay más elevados que el que cultiva el señor Ribera, pero ¿a qué querer ser un mediano Puvis de Chavannes o un Burne-Jones de menor cuantía o un Lenbach de tercera clase cuando, sin moverse de casa, se tiene el número uno?» Y añadía [382] : «No es, según la palabra corriente, *modernista,* pero es eminentemente moderno», en una frase en que *modernidad* se refería a *moda.*

Los anecdotistas. — Si bien en su misma dirección, fué más hacia las fuentes Simón Gómez [377], nacido en 1845, con su estudio — desde 1864 hasta la muerte, ocurrida en 1880 — de las antiguas escuelas realistas holandesa y española ; pero fueron el anecdotismo y la técnica de Fortuny los llamados a triunfar.

Ellos influyeron incluso en discípulos de Martí Alsina como Baldomero Galofre, nacido en Reus en 1849 y muerto en Barcelona en 1902 [378], que trató temas pintoresquistas españoles e italianos a la manera de Fortuny.

El ruralismo local de *Els traginers,* expuesto en Barcelona en 1866, deriva todavía del arte de Martí Alsina, pero el eco de Fortuny se deja sentir en las obras italianas, posteriores a la bolsa de viaje que ganó en 1874, el año de la muerte de su paisano, y las de tema andaluz que se suceden a partir de 1887.

Hacia 1900 aplicó al paisajismo este concepto de la pintura, de un modo semejante al de los artistas del grupo de Sitges, a que nos referiremos, con su *Costa de Levante.*

Un pintor francés había realizado visiones de paisaje a base de pequeñas pinceladas muy luminosas, y precisamente de marinas, cuyo realismo visual dejaba como románticas las marinas a la manera de Martí Alsina. Era Boudin, cuya traza ágil y visualista es uno de los precedentes más importantes del impresionismo.

También fué pintor de anécdota a la moda, no lejano de Miralles, José Cusachs, el pintor de escenas ecuestres, nacido en Montpeller en 1850 y muerto en Barcelona en 1908. Había sido militar — teniente de artillería en 1871, capitán en 1879 — y se había retirado en 1882. De este hecho deriva la temática de la mayoría de sus obras y se dió a conocer con el álbum de *La vida militar en España,* de F. Barado. Se hizo un pintor famoso cuando expuso en Madrid, en 1887, sus lienzos *En el campo de maniobras, Un vivac, La primera cura,* que fueron adquiridos por la Reina Regente. En 1891 unas *Maniobras de división* le valieron una medalla de oro en Berlín... Reyes y militares buscan sus obras y se le encargan retratos oficiales, lo mismo que escenas de batallas contemporáneas, hasta que, al final de su vida, le atraen con preferencia las representaciones de los deportes hípicos.

Como historiador contemporáneo su arte tiene enlace con el de Francisco Torrescassana, nacido en 1845 y muerto en 1918, que abandonó los efectistas cuadros de historia pretérita como el de *Doña Sancha y sus compañeras de caridad,* por los de la actualidad más próxima, como el *Paso del primer buque español por el Canal de Suez,* y el *Embarque de voluntarios catalanes en el puerto de Barcelona.*

Entre los dibujantes, el lápiz y la pluma de José Luis Pellicer, nacido en 1842 y muerto en 1901, repórter gráfico que fué de la guerra carlista y de la de Crimea para periódicos del país y extranjeros, fueron una escuela de realismo parco y fiel, no seguida demasiado por el gusto pintoresquista de los dibujantes de costumbres posteriores, como Mariano Foix, nacido en 1850 y muerto en 1914, asiduo colaborador de *La Ilustración Artística* y *L'Esquella de la Torratxa,* ilustrador de novelas, que derivó hacia los temas emotivos del naturalismo en dibujos como *La hermana de la Caridad y el joven idiota,* y que fué juzgado con excesivo favor por los que lo consideraban [383] como el paralelo catalán de Forain y Steinlen.

DIONISIO BAIXERAS : Retrato de su esposa, María Pilar de Casanovas (colección Viuda de Baixeras)

El más enjundioso entre los anecdotistas fué Arcadio Mas y Fontdevila, seguidor del tipo de anécdota mansa creado por el compañero de Fortuny en Roma Ramón Tusquets, nacido en 1837. Mas y Fontdevila, nacido en Barcelona el 12 de noviembre de 1851, pasó de las aulas de la Lonja al cielo de la Urbe gracias a una pensión ganada en 1874. Sus sentimentales visiones de las lagunas pontinas, sus cuadros de anécdota tratados con pequeñas pinceladas, correspondieron de lleno a un género impersonal que debía arrinconar cuando, de retorno a la tierra natal, se enfrentó con la naturaleza cargada de luz, al borde de la playa de Sitges.

El grupo de Sitges. — Un pintor local, realista espontáneo que se enfrentó con las calles, los patios y las playas de Sitges sin prejuicios académicos, y logró captar una intensidad de luz no acostumbrada, el detallista Joaquín de Miró, nacido en 1849 y muerto en 1914, puede considerarse como el veterano de la pintura luminista, a la que Fortuny había llegado, efímeramente, en el último verano de su vida, cuando pintaba en la playa de Portici, corriendo el año 1874.

Junto a él establecióse Juan Roig y Soler [384], nacido en Barcelona en 1852 y muerto en la misma ciudad en 1904 [385]. Pintor de Palma de Mallorca, de Sitges, Vilanova, Tossa, Blanes, Cadaqués, Andalucía... en una manera abocetada a lo Boudin, no

JUAN LLIMONA: *El patio triste,* 1904

El más joven de los pintores de Sitges fué Elíseo Meifrén [387], nacido en Barcelona la víspera de Navidad de 1859 y muerto en la misma ciudad en 1940, que dejó las enseñanzas de Caba en la Lonja para pintar en Sitges, población a la que debía atraer, en 1891, a Santiago Rusiñol, que, con Casas, Utrillo y Clarassó, debía figurar en la segunda generación de pintores de la «blanca Subur».

Meifrén estaba llamado a acoger en su arte, de tendencia impresionista, muchos de los hallazgos del movimiento francés de este nombre, que dieron carácter a sus numerosas telas posteriores, pintadas principalmente en Cadaqués, no sin haber pasado, a fines de siglo, por una fase de temas crepusculares, claros de luna y efectos de tristeza y soledad que le emparentan con la pintura idealista y que marcaron su arte con cierto peso que le debía impedir llegar nunca a la pura alegría de un Monet y le encerró en una visión con pátina a lo Boudin. Como idealista combatió el modernismo, que él veía encarnado en los pintores de lo vulgar. Según Opisso [388], era «refractario a la vida ordinaria inspiradora de las novísimas sugestiones de ciertos modernistas».

podía considerarse adscrito ni al realismo ni al impresionismo. Discípulo de Modesto Urgell y conocedor de París y de Roma, con gran cultura literaria, fué el primero de los pintores catalanes que trabajó a pleno sol. Desde 1878 se consagró a unas marinas que fueron muy estimadas y figuraron, en número importante, en las colecciones reales de Baviera y de Bélgica.

Cuando Mas y Fontdevila regresó de Italia, Roig y Soler le convenció de que debía pintar con él en Sitges. Mas era hombre que tenía sumo cuidado en «ponerse al corriente» [386] y aceptó esta conversión el plenairismo local, que comprendió que le convenía. Así dió más consistencia a lo que, no sin artificiosidad, había intentado cuando pintaba Venecia o la Alhambra de Granada.

Además de sus visiones del litoral, se dejó impresionar por lo pintoresco de la vida campestre, que fijó en paisajes idílicos con tema pastoral, y de la vida urbana, como el *Venite adoremus* (1896), escena de ceremonia en el interior de la catedral de Barcelona, y el *Corpus,* escena de exterior.

JUAN LLIMONA: *Dar de comer a quien tiene hambre.* Escena sobre la vida de Santa Isabel. Comedor de la casa Esteban Recolons, en la calle de Rosellón. 1905

JUAN LLIMONA: Decoración del comedor de la casa Recolons

Jaime Morera. — Caso excepcional entre los paisajistas catalanes de fines de siglo fué el de Jaime Morera y Galicia, nacido en Lérida en 1854 y muerto en 1927, pues se educó en Madrid, donde tuvo como maestro al renovador del paisaje español, el belga nacionalizado Carlos Haes. A los 19 años ganó la pensión para Roma, y se dirigió después a Holanda, adonde volvió luego con su maestro Haes, con quien recorrió asimismo los paraísos del mundo lírico finisecular, que eran Normandía y Bretaña. De la primera estancia en los Países Bajos es típico el *Paisaje de Vrelland;* de la segunda, las *Orillas del Walh* (1878), y de Normandía las playas pintadas en 1881.

Establecido más tarde en Madrid se convirtió en el pintor del Guadarrama, ducho en los efectos de nieve, tan hostiles a las paletas meridionales. Su pintura fué de abolengo realista, no sin contacto con el mundo del impresionismo e incluso con un gusto por la mancha, algo *nabi.*

Los naturalistas. — En los años ochenta tomó cuerpo el espíritu del arte naturalista, consecuencia y reacción, a la vez, del arte anecdótico provocado por Fortuny una veintena de años antes.

Para alguien — y en este alguien quizá sólo podemos contar a Gimeno — fué la hora de un perfeccionamiento del realismo basado en el estudio de los museos. Para los más, fué un cambio de anécdota, una generalización, la adopción de una actitud típica frente a problemas humanos, todo ello expresado con una técnica que pretende sumar materia y espíritu al buscar la exactitud del dibujo y del color, junto con un halo de vaguedad que se estimaba como atmósfera vital por excelencia y símbolo excitador del sentimiento.

Francisco Gimeno [389], la excepción, nació en Tortosa el 4 de febrero de 1858. Entusiasmado por su amigo el pintor Mariano Gendre, su padre le apoyó en la vocación artística y lo colocó en el taller de pintura decorativa de Manuel Marqués, en la calle

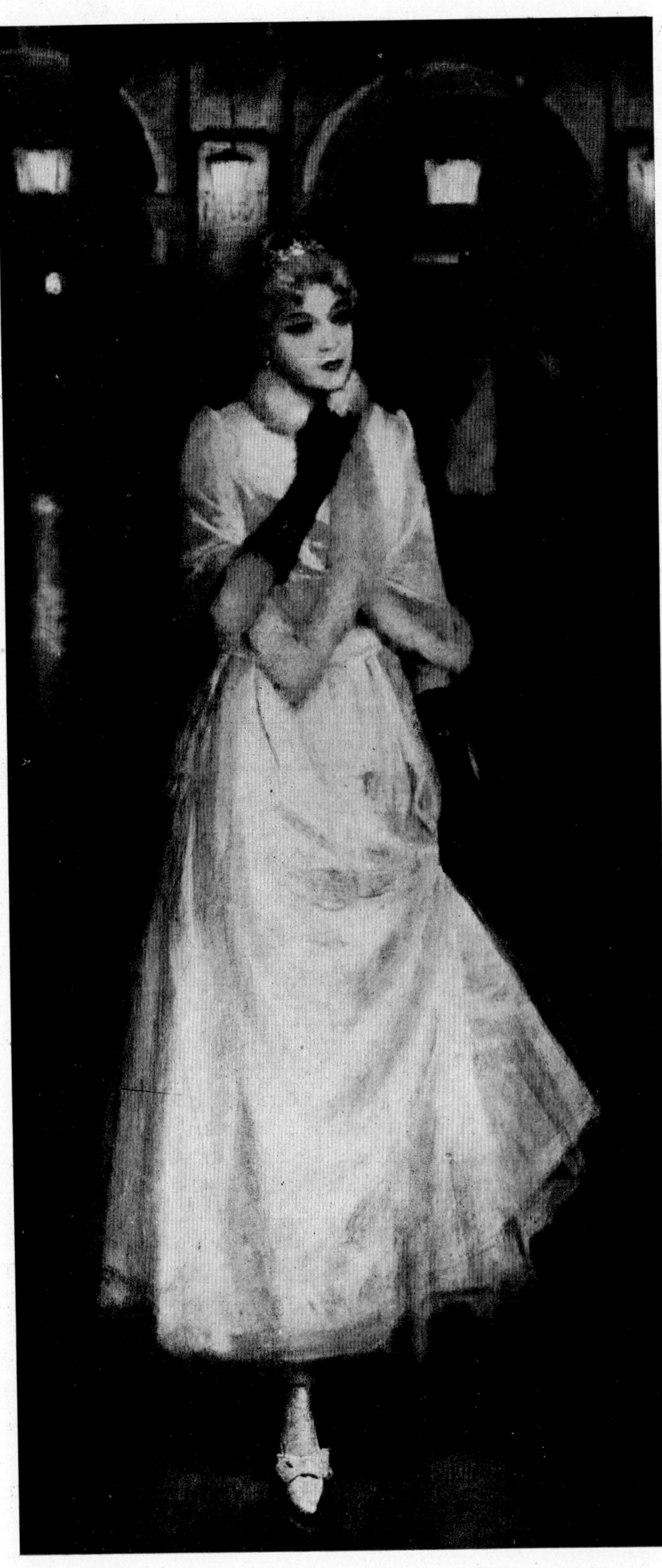

DIONISIO BAIXERAS: *La salida del Liceo.* Colección Santiago Juliá. Barcelona

del Replá de su ciudad natal. Con este artesano decoró una iglesia leridana. Una buena formación cultural lo preparó para su aprendizaje en el Prado junto a los grandes realistas del siglo XVII, cuya lección acompañó con las enseñanzas de Carlos Haes, quien le consideró como el mejor de sus discípulos. Allí abandonó su primitiva manera a lo Vayreda por un estilo flúido, de paleta limpia, pincelada movida, larga y certera, que empleó para excelentes y exactas notas de un impresionismo clásico, hechas en los alrededores de Barcelona. Humilde y revolucionario, encerrado en el círculo de un oficio manual, no dió a conocer su arte. Expuso por primera vez, con sorpresa del público, en la Sala Dalmau, en 1915, por iniciativa de Ignacio Mallol y Román Jori, pero el silencio volvió a rodearle hasta que este pintor velazqueño, el más exacto captador de luces y colores según la impresión visual de cuantos han aparecido en Cataluña, murió el 22 de noviembre de 1927.

En una categoría muy inferior fué también un naturalista despreocupado de las significaciones del contenido el paisajista Tolosa, nacido en 1861 y muerto en 1939.

Otra cosa fueron los que pueden situarse dentro de lo que Narciso Oller conceptuaba como el naturalismo pictórico: Juan Llimona, D. Baixeras, Luis Graner, Barrau, Felíu de Lemus y Galofre Oller.

Los tres primeros son los únicos realmente importantes. Llimona significa la pintura predicando la renovación de la Humanidad por el Cristianismo; Dionisio Baixeras, la renovación por el retorno a las formas de vida pura de una existencia sencilla, que cree encontrar entre pescadores y pastores; Graner, la renovación protestataria, ante el espectáculo de la miseria, del hundimiento humano en el esfuerzo, el dolor y el vicio.

Juan Llimona y Bruguera, nacido en Barcelona el 20 de junio de 1860, era el hermano mayor del escultor José. Su padre accedió a que le acompañara a Roma cuando José ganó el Premio Fortuny. En Italia se dió al cultivo de sus inclinaciones artísticas bajo la dirección de Enrique Serra, que era un año mayor que él, pero que hacía ya años que se dedicaba a la pintura.

Tuvo que regresar a su casa, enfermo, después de un período de vida alegre y despreocupada. Durante su enfermedad la compañía del médico José Blanch y Benet hizo nacer en él un deseo de vida religiosa que ya no le abandonó. Con el *Crist venç,* pintado en 1891, representación de un moribundo confiándose a un sacerdote en una habitación que preside el retrato de Garibaldi, empezó su pintura de apostolado. La oscuridad, la presencia del aire expresada por una suave neblina, recordaron a Carrière, tenido como maestro del arte sentimental y complemento de la captación de lo impalpable que buscaban los incomprendidos impresionistas [390].

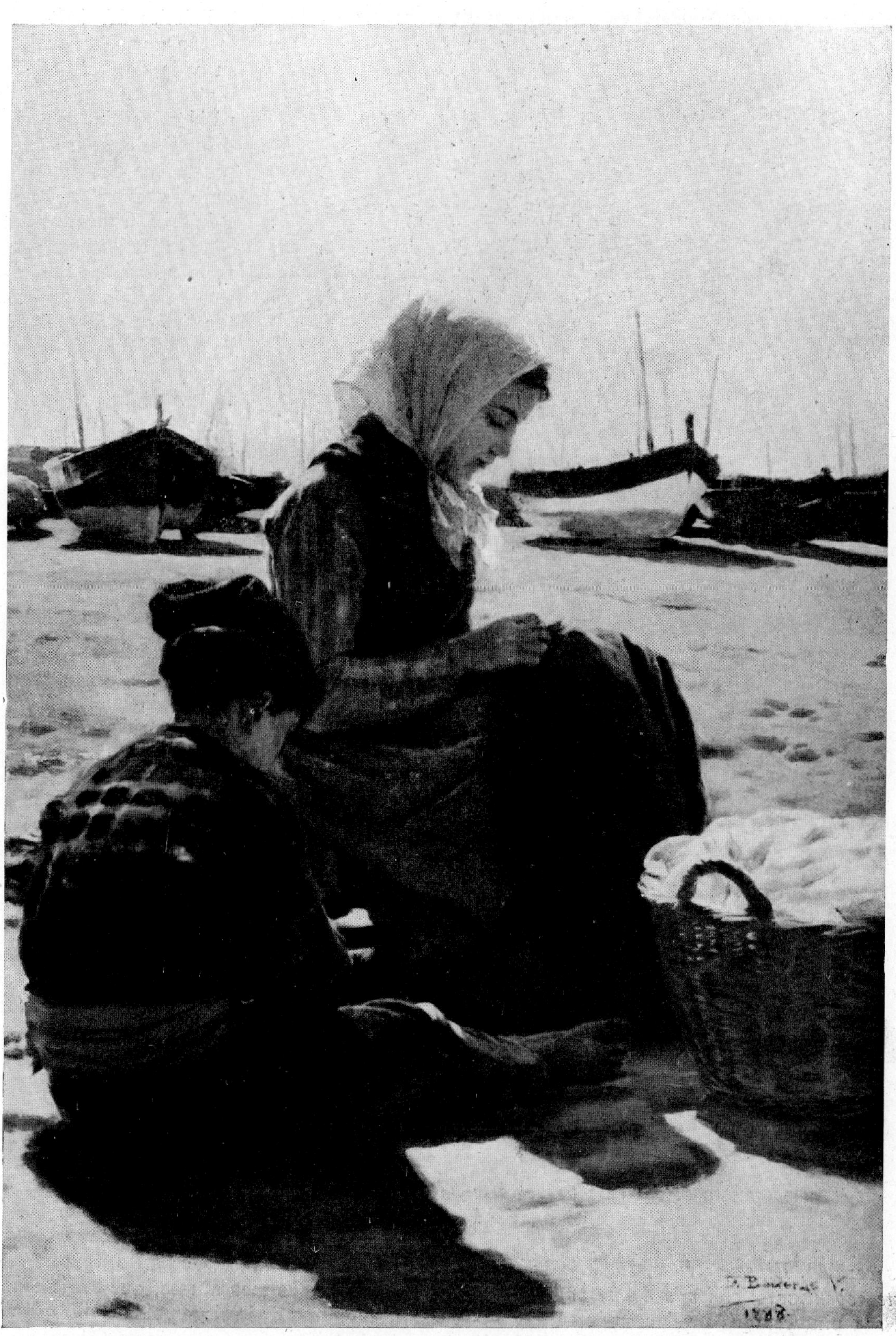

Dionisio Baixeras: *Pescadores*. Óleo. Colección de Santiago Juliá. Barcelona

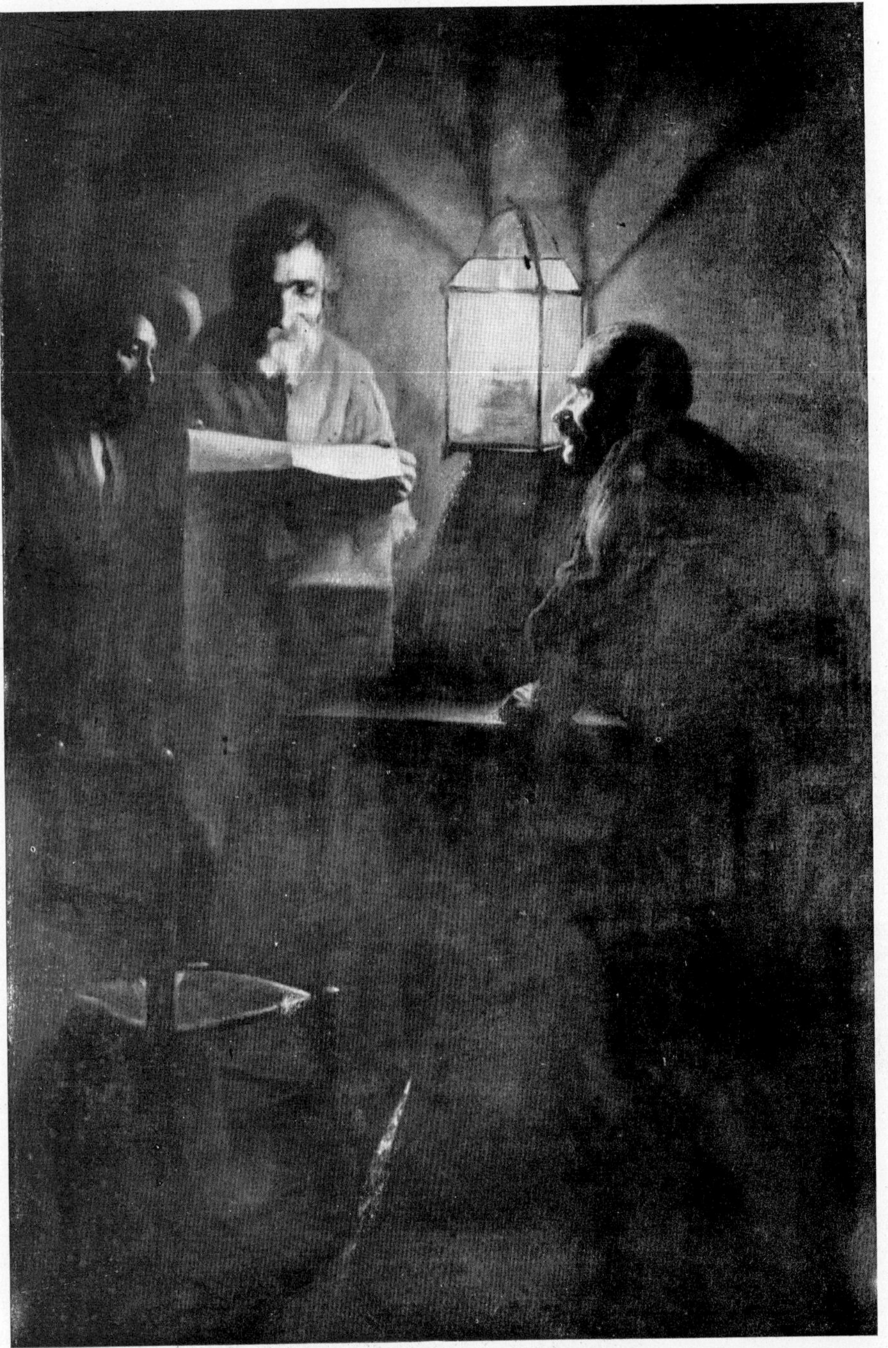

Luis Graner : *Lectura interesante*

Plástico dibujante al carbón y al lápiz parís, hacia el final de su vida dejó el relieve por una pintura muy plana, de colores pálidos, en la que el primitivo difuminado se sustituía por la palidez de los tonos encerrados en contornos, a la manera de Puvis de Chavannes.

Juan Llimona representa un momento de oscilación muy curioso. Partido de unos deseos naturalistas, el contenido religioso de su pintura le lleva hacia un nuevo estilo. Se presenta en él, una vez más, el influjo del tema como fuente estilística, y por ello se ve impelido hacia el desvaído simbolismo de Puvis de Chavannes, para pasar después a desear una riqueza cromática y lumínica con las que luchará con el mismo ímpetu un poco torpe con que luchó Maurice Denis. Este es el significado de sus pinturas místicas para el comedor de la casa Recolons.

Murió el 22 de septiembre de 1926. Dejó un libro evangelizador titulado *El do de Déu*. En 1893 había sido uno de los fundadores del *Cercle Artístic de Sant Lluc*.

Los ilusionados escritores del naturalismo vieron en su arte, y todavía más en el de Dionisio Baixeras — tan semejante —, «un verdadero reflejo de su país y de su tiempo» [392], según la fórmula de Taine. Dionisio Baixeras y Verdaguer había nacido en Barcelona el 22 de junio de 1862. Murió en Barcelona el 8 de septiembre de 1943. Durante su larga vida permaneció fiel a los principios de su arte suave, más dulcificado todavía que el de Llimona y, sobre todo, mucho más alejado del dolor. Con optimismo de criatura gozando del bienestar ciudadano, vió como idílicas y bondadosas las figuras de sus pescadores y de sus montañeses, que ponía como ejemplos a los hombres de la corrompida civilización industrial.

Aristócrata, discreto, solitario, revistió esta visión de un mundo imaginado mejor de lo que es del halo blanquecino inspirado en Carrière, que comunica vibración a los contornos, pero vacía los lienzos de valor cromático.

Estaba en el polo opuesto al del *arte por el arte* y concebía su pintura como un trabajo de finalidad moral [391].

Dios es caridad, El señor cura, La hija pródiga, La muerte repentina, Volviendo del trabajo, Marta y María, son pinturas que revelan su intención moralizadora, que se complugo en completar con la pintura religiosa mural, en la que dejó los cálidos y pálidos a la vez conjuntos de la cúpula del camaril de Montserrat y la capilla de El Escorial, de Vich.

Más vivo nos aparece, por ello, cuando, libre de este afeite, su arte se manifiesta en carboncillos como los dibujos de la serie de las calles de Barcelona destruídas por la reforma interior [393].

Entre sus pinturas murales contaron las de la capilla del Seminario de Barcelona, destruídas, y las muy posteriores al modernismo, destinadas a la Diputación y al Ayuntamiento de la ciudad, estas últimas sin colocar.

La crítica vió, si no colores puros ni volúmenes, los matices de sus obras, especialmente los difíciles tonos del mar, las praderas, las montañas, en las diferentes horas del día, que él podía captar gracias a vivir, como Segantini, en cabañas de pastor, en íntimo contacto con la Naturaleza.

También preocupó la atmósfera a Luis Graner, pero su sabor no fué dulce como el de Llimona y Baixeras, sino amargo. Su atmósfera no era la de los jardines de convento, las casas apacibles, las praderas pirenaicas ni las playas en el ocaso, sino la espesa atmósfera de las tabernas.

He aquí otra forma de lucha contra el espíritu de la civilización industrial, la lucha que reivindica lo bajo.

Nacido en Barcelona en 1863, formado en la Lonja, establecido en París desde 1886, otra vez en Barcelona desde 1891, durante largos años en los Estados Unidos y muerto en 1929, Graner, técnicamente, sintió la sugestión de la luz artificial coloreada, que tan bien cuadraba con su predilección por los interiores y que se convirtió en un tópico de su pintura.

Entre los pequeños pintores que, por un momento, representaron la faceta naturalista, está Laureano Barrau, nacido en Caldas de Estrach en 1864, que a los 18 años de edad exponía en Barcelona y en Madrid. Pasó después por Roma, pintó en Olot, se estableció en París, donde estudió con Gerôme, y marchó a la Argentina en 1904. Barrau abandonó su primitiva «pintura de historia» por una variedad emparentada con la pintura de Baixeras: el costumbrismo popular luminista, especialidad en la que fué imitando progresivamente a Sorolla hasta salir del círculo que nos ocupa.

Francisco Galofre Oller, nacido en Valls en 1865, de entonaciones equidistantes de la neblina de Baixeras y el luminismo a lo Sorolla, dió una versión academicista del cuadro de costumbres, cuya faceta más realista está en el literario, tan famoso, *Bòria avall*. A Graner se acerca, en cambio, con sus luces policromas, en la monumental *Coronación de la Virgen de la Merced*. Manuel Felíu de Lemus, nacido en Barcelona en 1865 y muerto en París en 1922, trató temas de la familia de los de Graner, como *Desheredados,* pero introdujo una marcada nota sentimental en otros, como *Convalescència* o *L'escó del barri,* representación de una mendiga joven y «casi bonita» [394] entre mendigas viejas. Lo que le separó de los otros pintores del grupo fué su marcado academicismo de procedimientos, inspirado en el arte de retratistas de moda como Bonnat, Carolus Duran y Sargent.

M. FELIU DE LEMUS: *La modista de sombreros*

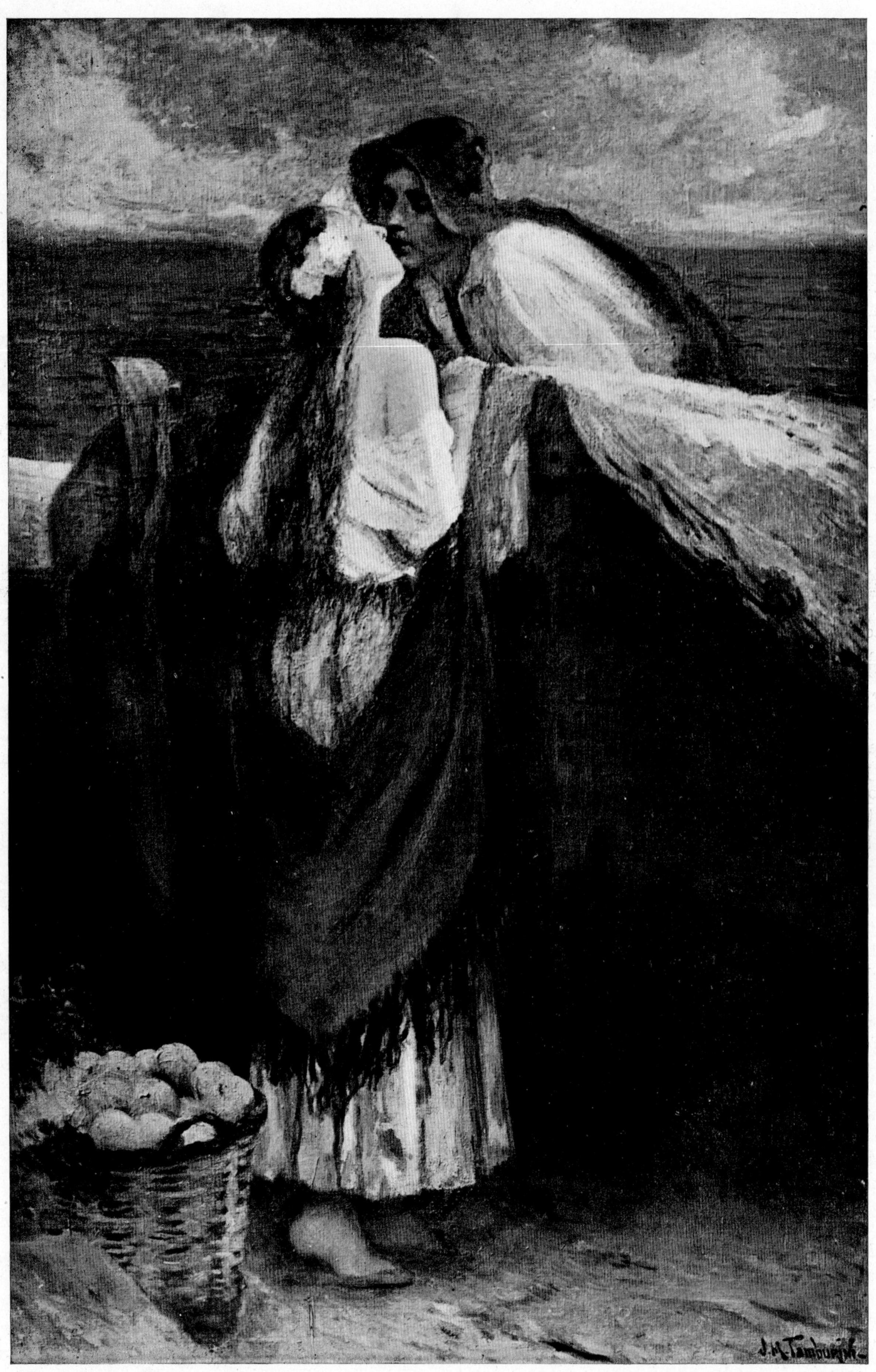

JOSÉ M.ª TAMBURINI: *Idilio.* Óleo

XIRÓ : Viñeta de la *Atlántida* de Verdaguer, 1905

LA PINTURA IDEALISTA

La decoración espiritualista. — Con la invasión francesa empezaron unos tiempos muy nuevos para el arte catalán. La pintura perdió sus aplicaciones tradicionales al culto religioso y a la decoración de residencias señoriales, y apareció el romántico cuadro de caballete, que vivió bifurcando su concepción en dos direcciones distintas : hacia la monumentalidad de enormes lienzos que pretendían ser, en la era burguesa, un remedo del desaparecido arte señorial, y hacia el interés concentrado en pequeñas notas, con todas las características de una «curiosidad pintoresca». Los solemnes hechos históricos se expresaban en la primera clase de pintura, que poca vida podía tener en un país que vivía lejos de las prebendas estatales, que era lo único que podía subvenir a tan absurdo lujo. En los cuadritos reinaba la anécdota, que Fortuny consiguió empujar hacia una superior categoría.

Algo semejante pasó en la escultura : allí hubo arte monumental soberbio y anécdota en *bibelot*.

La *Batalla de Tetuán,* de Fortuny, significa la victoria del género chico, la conquista de la categoría por la anécdota. Lo mismo ocurrió en escultura, donde el *Ángel caído,* de Bellver, es el símbolo de una paralela subversión, justificada por la vacuidad del pretendido gran arte de la «pintura de historia» y de la «escultura monumental».

La pintura anecdótica, que es realmente la pintura de caballete del siglo XIX, incluyendo el paisaje, tenía sus fuentes, como decíamos, en el arte de los Países Bajos, y continuó bebiendo en ellas, a intermitencias, durante todo el siglo. De tales fuentes surgió el realismo a que debían afiliarse Manet, Whistler y Fantin Latour, etapa preparatoria de las búsquedas impresionistas.

Hoy, deformados por el peso de las consideraciones posteriores, puramente esteticistas, sobre la esencia del sistema impresionista, a menudo tendemos a olvidar que los cuadros de un Monet, de un Renoir, de un Sisley, son, ante todo, la representación de una anécdota, que anécdota es el hecho humano o la impresión momentánea de un aspecto de la Naturaleza que ellos quisieron captar y transmitir al espectador.

Nuestros seguidores de los impresionistas, como Casas y Rusiñol, a menudo imitaron más, en efecto, su concepción anecdótica, vivaz, de la pintura, que el sistema técnico en que hoy nos parece consistir el Impresionismo.

Contra este arte puramente burgués de la anécdota realista, desarrollado desde el siglo XVI en una Holanda de pequeños comerciantes y artesanos que debía su existencia a la lucha contra la Iglesia, el Imperio y la aristocracia, reaccionó el espiritualismo finisecular. Los mismos burgueses se asustaron cuando vieron sus últimas consecuencias en la pintura naturalista, a menudo descarnada en su fijación del espectáculo de la miseria y del vicio, grávida de poderosas excitaciones a la subversión.

Pasó la anécdota puramente espectacular de los románticos. Con el naturalismo, la anécdota hería ya, y el hedonismo burgués quiso apartar los ojos de ella para regresar al mundo de los sueños.

Así nació la necesidad de una pintura espiritualista en una sociedad que no vivía realmente el espiritualismo, no para satisfacer inquietudes religiosas o líricas auténticas, sino para enmascarar bajo su ropaje la vida real, acusadora, y hacer posible todavía la evasión.

Evasiva, la nueva pintura espiritualista gustó de lo pretérito; cierto comentador de Ruskin [395] pudo afirmar que «tal vez el ideal de belleza de los artistas decoradores de nuestros días no es otra cosa que un recuerdo de las realidades bellas de ayer».

El prurito de autenticidad que el modernismo heredó del momento naturalista se manifestó en el abandono de las falsificaciones ochocentistas y el retorno a los bellos oficios y también en considerar el cuadro de caballete como una manifestación gratuita, de categoría inferior a la verdadera función de la pintura, que es el decorado mural.

De este modo renació la pintura decorativa.

¿Cuáles fueron sus fuentes?

Casellas [396] las cita y califica. Fueron «el numen idílico de Puvis de Chavannes, que flota constantemente en espacios de serenidad inmarcesible», en «composiciones henchidas de seráfica beatitud»; «el genio abstracto y lúgubre de Watts», que «se plugo en pintar los terrores apocalípticos, la descomposición de la muerte y la vanidad de vanidades de la vida terrenal»; Albert Besnard, en quien, a pesar de ser juzgado como «uno de los pintores más profanos, más renacientes en la actual decoración», se encontraba «arte místico» en «las ascéticas visiones de los desheredados, de los humildes, de los enfermos, consolados por la caridad»; el espiritual Burne-Jones, que «cantó en simbólicos poemas» y en el que es «tan persistente el sentimiento artístico de las edades cristianas» que «hasta en sus perífrasis del mito griego infundió a veces el sentido caballeresco del ciclo medieval», con «refinado anacronismo»; Arnold Boecklin, de «solemne espíritu», considerado como el «iniciador de la pintura simbólica en la moderna Alemania», y sus continuadores Alexander Schneider, Max Klinger y Franz Stuck y los antiguos maestros revividos en todos estos pintores modernos, como Sandro Botticelli, que se perpetúa, «aun en sus doncellas más británicas», en las figuras de Burne-Jones, por su «distinción soñadora, el rítmico movimiento y la estructura graciosa»; Orcagna, de cuyo entonces atribuído camposanto pisano se veía la continuación en Watts; los flamencos primitivos, cuyo «arte sutil y complicado de preciosidad minuciosa» reaparecía en los prerrafaelitas; y la constelación germánica del maestro Wilhelm, Lochner, Francke, Volgemuth, Cranach y Durero, seguidos por los simbolistas.

Ahora bien; si los decoradores catalanes por lo común no llegaron a gran altura en sus obras, tuvieron la virtud de saber enriquecer el simbolismo y el prerrafaelismo con todos los recursos técnicos del naturalismo y del impresionismo. Fué algo paralelo a lo que ocurrió a mediados del siglo XIX cuando la escuela nazarenista catalana, de los Milá y Fontanals, Lorenzale, Espalter, Clavé, etc., perdió sus características prístinas al acoger en su seno la tendencia realista racial, espontánea, hasta el punto de que Casellas, al buscar precedentes para el simbolismo modernista, no hubiera podido citar — como le había sido posible hacer, refiriéndose a sus obras de juventud — a tales artistas catalanes.

En efecto, se acogieron los recursos nuevos ideados para la captación de los espectáculos de la naturaleza, los cuales no se veían con mirada objetiva, sino con una «significación emotiva e ideal». Se quiso «aspirar a la ornamentalidad formal, transfigurar las visiones naturales en armonías de líneas y color, servirse de la realidad viviente no como de pauta para la imitación servil, sino de punto de partida, de apoyo, casi de pretexto, para las más significativas representaciones», lo cual «era tanto como penetrar en el dominio de lo psíquico, querer satisfacer el espíritu por lo menos en igual medida que la sensación».

Contra la tesis griega, que Casellas llama ciclo figurativo de los *estados de cuerpo,* que se concretó en la escultura, se reivindicó la tesis cristiana de los *estados de alma,* concretados en la pintura, «como el arte que ofrece más recursos para traducir el sentimiento».

En el arte medieval se encontraban las venas de las dos grandes facetas, la épica y la lírica, hacia las cuales debía desarrollarse la pintura mural, ya que en él se veía el «manantial inagotable de expresiones elocuentes y de ensueños misteriosos».

Casellas define la pintura decorativa modernista:

Ramón Casas. — Estudio

«Sí, escenarios espléndidos y luminosos del paisaje novísimo, por un lado, y depuradas formas humanas, y pintorescas indumentarias, por otro, inspiradas en la pintura antigua, han constituído, para gran parte de modernos decoradores, el ideal gráfico de su arte, ora preñado de ideas y profundas intenciones, ora propenso al sentimiento o la sensación, y siempre dotado de magnificencia decorativa.»

La pintura mural está representada, en el momento modernista, por la tendencia prerrafaelita de Alejandro de Riquer, Renart y Triadó, el simbolismo realista de Dionisio Baixeras y Juan Llimona, la tendencia nebulosa y soñadora de Luis Masriera, Adrián Gual y Utrillo, la épica wagneriana y nietzscheana de Xiró y Alejo Clapés, las evocaciones medievalistas de Masdeu y José Pey, el sensualismo abarrocado del primer José María Sert y de Massot, y las esporádicas aplicaciones al arte mural por parte de pintores de caballete o ilustradores como Urgell, Vancells, Ferrater, Rius, Boada, Brull, etc.

Masdeu — Admiradores de los prerrafaelitas británicos, los finiseculares no supieron dar la importancia que tenía como precedente al prerrafaelita barcelonés Eduardo Masdeu, nacido en 1837 y muerto en 1902, que estudió en la Lonja y en París con Gleyre. Masdeu es de los pintores que, como más tarde Pey, han pasado inadvertidos de sus contemporáneos por haberse consagrado al arte de la decoración, en el que generalmente se interpone un arquitecto o un decorador entre el propietario y el artífice. Solamente este hecho explica que no se haya hecho justicia a quien sintió con veinte años de anticipación lo que debía apasionar desde el momento de Alejandro de Riquer. En la lejana fecha de 1846 había pintado en París una *Procesión de Corpus en Cataluña,* enlace entre lo romántico y la pintura simbolista de imaginación, espiritualista, que debía campear en la decoración del palacio de Comillas, encargada a través de Soler Rovirosa, a quien ayudó a menudo, y en la capilla Prat del monasterio de Ripoll.

Sus retablos, de vertical estilización y sintetismo curvilíneo, recuerdan el esquema de los dibujos de William Blake.

Alejo Clapés. — Si Masdeu se acercó al carácter del prerrafaelismo británico, el simbolismo germánico tuvo un paralelo en el también precoz Alejo Clapés, nacido en San Ginés de Vilassar en 1850 y muerto en Barcelona en 1920.

Aunque discípulo, en París, de Carrière, poco le quedó de la suavidad intimista de este maestro. Fogoso colorista, en la *Traslación de los restos de Santa Eulalia desde la iglesia de Santa María del Mar a la catedral de Barcelona,* que conserva el museo barcelonés, dió una obra de movimiento llameante, abocetada y nerviosa, ricamente irisada, que recuerda a Lucas, que revela sus dotes pictóricas mejor que los grandes frescos. Discípulo, en Reus, del fresquista Hernández, después de pasar por la enseñanza académica y a pesar de continuar tratando el retrato, del que es muestra la efigie de Bocabella, el fundador del Templo Expiatorio de la Sagrada Familia, fué fundamentalmente un pintor de muros, que encontró su modo de expresión en las composiciones abarrocadas de grandes masas irisadas y figuras de arrebatado movimiento.

A. DE RIQUER: Cartel

En esta clase de pintura halló una correspondencia en Gaudí, con quien colaboró en trabajos decorativos. Fruto de esta colaboración fueron frescos épicos como el del muro lateral del palacio Güell, en la calle Nueva de la Rambla, pintado en 1888 en una técnica defectuosa que le ha valido la desaparición, representando a *Hércules buscando las Hespérides,* tema a la manera de los de la *Atlántida* de Verdaguer.

También colaboró con Gaudí en pequeños trabajos como el pendón que los reusenses de Barcelona dedicaron al santuario de la Misericordia de Reus, en 1900, en el que campean los temas del *latiguillo* junto a desvaídas reminiscencias medievales.

El influjo del "Jugend". — En su poesía titulada *Lilial* [397], Zanné dice, refiriéndose a una bella muchacha :

Té la finor germànica i rosada
d'una verge de Mucha.

Mucha era un gran dibujante que dominaba en las páginas del célebre *Jugend* [398], que empezó a publicarse en Munich en 1898 y que fué el más poderoso medio de difusión de las formas decorativas del modernismo. La contención y el arcaísmo medio gótico medio renacentista de la influencia inglesa fueron desplazados por el estilo atrevido, de la curva y de la mancha del japonesismo que imponía el *Jugend*.

No es que el movimiento muniqués rompiera con los británicos, no obstante. En sus páginas se reprodujeron bellos y típicos dibujos de Walter Crane, con muchachas de túnica leve, botticellesca, entre almendros floridos y lirios amarillos, al borde de sinuoso riachuelo, y de Aubrey Beardsley, que publicó allí sus *Cuatro Puntos Cardinales* a la manera de Burne-Jones, y desde Londres enviaba sus dibujos Shannen, en estilo vaporoso y negro, melancólico.

La fuente del estilo de muchos de los artistas catalanes debe buscarse en sus páginas. Robert Engels, de Düsseldorf, empleaba el tipo de dibujo, de finas trazas paralelas, que debía adoptar José Pey ; Wilke, la negra mancha recortada que imitarán nuestros cultivadores del dibujo frito ; Eichrodt, las composiciones verticales, a la manera japonesa, que Riquer y Homar aclimatarán ; E. M. Lilien, las hadas serpenteantes de estilo cincelado, que imitará Bonnin ; F. Christophe, el latiguillo y las manchas reseguidas, japonizantes ; F. Stuck, la valorización de la silueta del sombrero como elemento de mancha expresionista, que adoptarán Pitxot, Picasso, Opisso y Gosé ; Toorop, la caricatura de proporción columnaria, que se adoptará en «*Joventut*» ; Franz Stuck, las alegorías épicas que seguirá Xiró ; Dodge, el makimono con muchachas sentimentales con un hombro desnudo, tan caro a los decoradores ; J. R. Witzel, las figuras femeninas en las que se pasa insensiblemente del desnudo del torso a los pliegues de las faldas, recurso irreal, ambiguo, que adoptaron alguna vez José Llimona en escultura y frecuentemente, en pintura, Luis Masriera y Juan Brull ; Julie Woefthorn, las cabezas pensativas como las de Brull ; Münzer, dibujos del mismo tipo que los de Ramón Casas, con los fondos anaranjados y morados que tanto se empleaban en *Pèl & Ploma;* Paul Rieth, que enviaba desde París unas *diseuses* idénticas a las primeras de Picasso ; Julius Diez y Max Feldbauer con sus sátiros y centauros a la manera de las primeras decoraciones de Sert ; Heine y Pfeiffer, negros ; y Erich Kuthan, cultivador de un realismo pálido a lo Dionisio Baixeras.

Tanto como los dibujos, influyó en el gusto de su época el estilo de las viñetas. En el *Jugend* se desarrolló el arte floral japonizante, se sacó partido, sistemáticamente, del latiguillo, se inventó el recurso de las ilustraciones impresas encima de una mancha de color, como las de la *Ciudad Sumergida*, de Wille, recurso que *Pèl & Ploma* y *Forma* divulgarán en Cataluña, y aparecieron las formas definitivas de la decoración floral geometrizada y simétrica, de tallos ondulantes y ramas recortadas, que tanta fortuna debían tener en el arte decorativo.

Alejandro de Riquer. — Es natural que el retorno a las artes decorativas medievales, que el viraje del arte, saliendo de los derroteros visuales hacia el espiritualismo, encontrara eco en el alma de un noble refinado y tradicionalista, hijo de los marqueses de Benavente, como Alejandro de Riquer, nacido en Calaf en 1856 y muerto en Palma de Mallorca en 1920, a quien nos hemos referido como decorador.

Juan Brull [399] sitúa a Riquer en la familia del arte nórdico. «Algunos grandes artistas ingleses — afirma — empezaron a hacer valer y destacar la decoración hasta llegar a un arte propio que no se confunde con ningún otro. Siguieron los alemanes y los daneses y todo el Norte en peso. Nosotros, por suerte, tenemos un artista que se inspira en aquellas tradiciones : Riquer.»

Una de las notas dominantes de su arte fué su gusto certeramente al día. Riquer poseía unas antenas estilísticas muy finas que le permitieron, por ejemplo — a él, nacido en 1856 —, asimilar el estilo de Aubrey Beardsley, el delicado dibujante postprerrafaelita británico, nacido en 1874.

Beardsley había sido un niño precoz en la música. A los cinco años de edad dirigía conciertos y a los diez era actor teatral. Adoraba el arte japonés y el de Burne-Jones. A los quince años entró en la escuela de Bellas Artes y en 1892, sólo seis años antes de morir, a los 18 de edad, se reveló con sus ilustraciones de los *Bons Mots* publicados por Dent & Co. El primer número de la revista *The Studio,* con un articulo sobre él de Pennell, le dió la celebridad [400].

Siguió a Morris y trabajó para los talleres de Morton. Encarnó a Merlin, Viviana, los caballeros de la Tabla Redonda, Lancelot, Tristán, el hada Morgana ; ilustró la *Salomé,* de Wilde, la *Venusberg* wagneriana, monumento erótico que no vió publicado, y reunió en los 13 volúmenes de su *Libro amarillo* lo más tendenciosamente simbolista del arte y de la literatura de su tiempo. En 1896 emprendió la dirección de la revista *The Savoy* [401], donde divulgó su poesía y sus prosas de un sentido punzante. Murió en 1899, tuberculoso, en la Costa Azul. Riquer, en las páginas de *Joventut* [402], le dedicó un entusiasta estudio.

La estampa japonesa, el grafismo gótico, la elegancia de los ceramistas griegos, se sumaban en un arte deformativo, buscador de la elegancia y del misterio, en el que las manchas, en fuertes contrastes, cobraban un valor esencial de arabesco, abstrayéndose del tema. Un espiritualismo extremado se mezclaba, en él, con una perversa sensualidad. Por este estilo abandonó su primera manera, a lo Mas y Fontdevila, que puede verse en dibujos publicados en la *Illustració Catalana,* en 1880, enviados desde Roma, como las obras que se expusieron en casa Vidal.

En 1900 Riquer dominaba la calle con sus carteles, que la casa Thomas grababa, como los de las hilaturas Fabra y los mosaicos Escofet, y en pleno verano abría una exposición en la sala Parés, presidida por una gran marquetería ejecutada por Gaspar Homar, con un conjunto de azulejos con tema figural, decorados por Ramón Canals, y unos vidrios grabados al ácido por la casa Rigalt, que, junto con sus paneles al óleo con alegorías de la Farmacia, estaban destinados a decorar el establecimiento farmacéutico del doctor Grau Inglada en la calle Nueva de la Rambla.

Hemos citado sus carteles. Ellos le dieron una fama internacional y fueron reproducidos más de una vez en *Les maîtres de l'affiche* y en *The Studio.*

Como cartelista, hizo para el *Salón Pedal* un atrevido *makimono* con la vista frontal rigurosa de una mujer en bicicleta. Obtuvo el segundo premio en el concurso del *Anís del Mono* que ganó Casas con su *Gitana,* hizo los carteles del *Cuan jo era noy,* de *Crisantemes,* de los *Pianos Estela,* etc.

Como inspirador plástico de *Luz* hizo reproducir en sus páginas ex-libris e ilustraciones de Bellery Desfontaines, Eleanor F. Brickdall, Magdogall Schwab, Meteyard, Hans Cristiansen, Theo van Rynnelbergue, Tarling, Cheret, etc., con lo que delataba sus gustos y sus inspiraciones, preferentemente — ni que decir tiene — británicas, y su inclinación por cierta temática, la de los *Songs of Love and Death.*

Obra maestra del bordado fué la bandera regalada por las mujeres de Cataluña a la «Unió Catalanista». La dibujó Riquer, quien, en un primer proyecto, proyectó una faja, junto al asta, con la imagen de la princesa que San Jorge liberó, atada a un madroño; faja que fué sustituída por una de follaje. En el centro, un medallón representa a San Jorge matando al dragón. Este monstruo, retorcido, forma con su cola el marco.

Los tejidos adamascados eran de la casa Mal-

ALEJANDRO DE RIQUER: *Ex-libris*

ALEJANDRO DE RIQUER : Anuncio

vehy ; los bordados, de Serafina y Francisca Fabré. El remate del asta, en forma de alabarda calada con silueta de tallos espinosos entrelazados, con esmaltes representando las flores simbólicas del lema de los Juegos Florales : Fe, Patria y Amor.

La no realizada figura de la princesa cautiva, en un makimono, entre margaritas, era una británica interpretación en la que los pliegues sensuales de la escultura helénica se mezclaban con las angulosidades góticas.

El tipo de cubierta de libros corriente en el arte de Riquer era el que se dividía en tres bandas horizontales, la central de ellas con un tema figural que, a la manera inglesa, solía tener fondo negro, y las otras con temas florales pálidos.

En sus portadas de revista y viñetas, como las de *Luz*, jugaba con uno o dos tonos, verde bronce, violáceo o anaranjado y azul plomo con preferencia. A menudo, el dibujo se presentaba en negativo, otras veces alternando los motivos positivos y negativos, otras con juegos de trazos fuertes resiguiendo ciertas formas, en color o en blanco, y trazos finos en el resto, ora siguiendo la inspiración goticista, ora la floral, ora la japonesa.

Sus temas eran : el busto de mujer, con un brazo adelantado, tan típico del momento, las mujeres en paseo sonambúlico con faldas acampanadas, las mujeres desnudas en posición extática... la que toca el violín a la salida del sol y se ve de espaldas, la que avanza entre crisantemos, la que se esconde, desnuda, entre tallos floridos.

Desde su posición simbolista, Riquer comentaba la adaptación del arte de Steinlen y Forain por el grupo de *Sant Lluc*. Creía que Opisso y Galí serían grandes artistas [403], pero lamentaba que no estudiasen a Holbein, Van Eyck, Leonardo y Memling en lugar de buscar la inspiración en revistas ilustradas francesas con hedor de prostíbulo. Con lo cual, además, citaba sus propios modelos.

Estas declaraciones ayudan a colocar en su sitio a figuras significadas del bando negro del modernismo, a la vez que a la figura central de su faceta angélica.

Pascó. — El primero en acoger el tipo de decoración floral que constituía la base del que pudo llamarse «estilo Jugend» fué quizá el discípulo de Riquer José Pascó (1855-1910), a quien nos hemos referido como decorador. Como Riquer fué un cartelista, que sacrificó al tema lilial en el anuncio de la Fiesta de la Merced del año 1902.

Tamburini. — Hijo del movimiento artístico británico, lo mismo que Riquer, fué José María Tamburini, nacido en Barcelona en 1856 y muerto en 1932. Educado en la Lonja y discípulo, en París, de Bonnat, pasó luego a Roma, lo que en aquella época representaba un gran peso en favor de la inclinación irrealista.

En sus primeras obras tocó los temas históricos a la italiana, en *El conde de Urgel prisionero de los partidarios de Fernando de Aragón*, etc., pero en su evolución acogió formas hedonistas y tendió a dar una visión de la femineidad a la vez mística y perversa, picante y suave, fiel siempre a un canon de belleza pronunciada, hasta el punto de pasar por ser un «pintor de caras bonitas» [404]. Con suavidad y toques pequeños consiguió a veces el halo a lo Renoir de su *Serenidad* y pudo dar atmósfera de ensueño a obras religiosas de título prerrafaelita, como *Rosa Mística* o la *Virgen de Mayo*.

Influído por el ambiente finisecular no le bastó la evocación de mundos amables de artificio, y quiso hacer posible el ser juzgado como artista capaz de saber «conmover lo mismo que otro cualquiera», como dijo Alfredo Opisso al contemplar la triste elegía titulaba *Automne*.

Obtuvo medallas, fué vocal de la Junta de Museos y profesor de la Academia de Bellas Artes, fué retratista, introducido en la buena sociedad, para mujeres y niños, y no penetró en los secretos de la pintura más allá de la temática, del dibujo académico y de la pincelada vaga y apastelada.

Rara vez fué recio como cuando llegó a recordar a Boecklin en *La hija pródiga*, que le valió el premio en el concurso Llusá, en 1904 ; y rara vez estilista como en el tríptico de la *Rondalla Celestial*.

Enrique Serra. — Tres años más joven que Riquer y Tamburini, Enrique Serra, nacido en Barcelona en 1859 y muerto en Roma en 1918, fué de

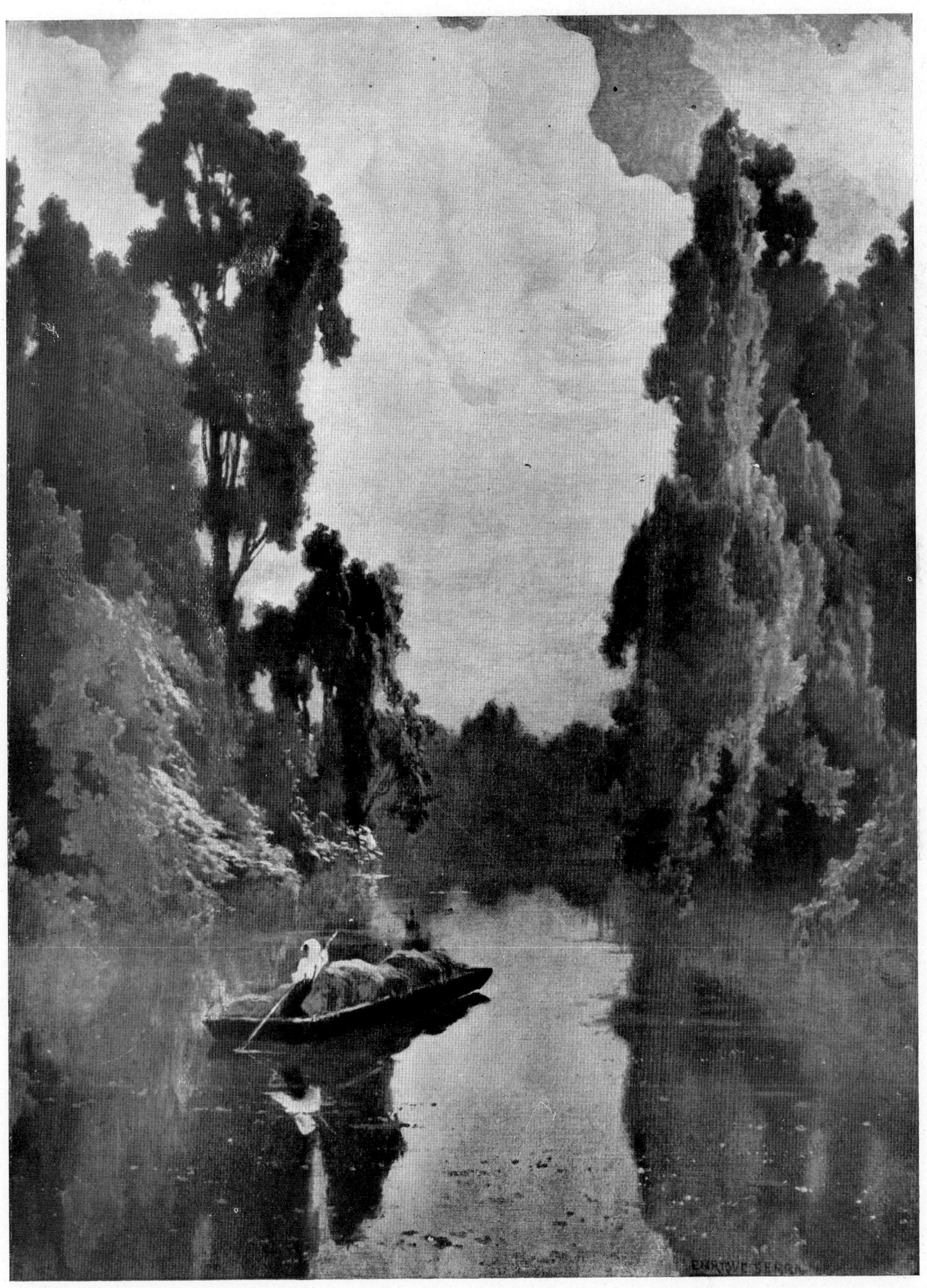

ENRIQUE SERRA: *Paisaje; pantano.* Óleo

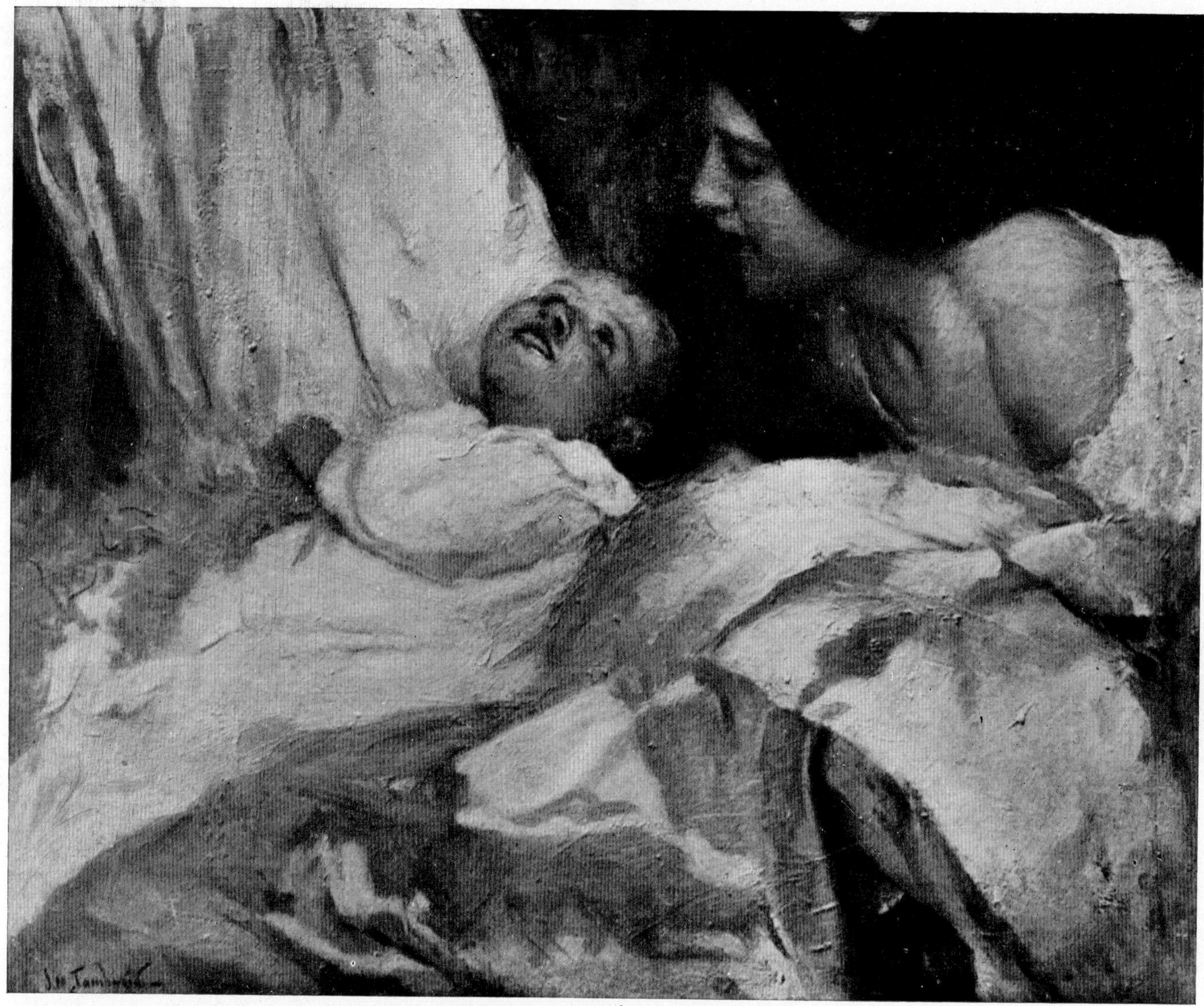

JOSÉ M.ª TAMBURINI : *Maternidad.*

los últimos pintores que en Roma se formaron. Quiso ganar la bolsa de viaje para Italia, en 1876, con una *Alegoría de la Paz,* que, si no le ganó el premio, pudo vender a un acaudalado inglés por la suma, entonces fantástica, de diez mil pesetas. Una pensión de los plateros Torruella le permitió, por fin, dirigirse a Roma, donde se convirtió en un pintor de melancólicas visiones de la campiña romana y soñador visionario de escenas rococó revividas. Típicas de su minuciosa factura prerrafaelita fueron las otoñales lagunas pontinas iluminadas por la luz del ocaso, con ruinas, viejos altares musgosos y románticas graderías invadidas por enredaderas y hojas caídas, de un sentimentalismo exacerbado.

Si su *Odalisca muerta* es una obra sentimental con métodos realistas cristalinos, como la *Ofelia muerta,* de Millais, su obra religiosa — como el cartón para el mosaico representando a la Virgen que el pontífice León XIII regaló al recién restaurado Monasterio de Ripoll, en cuyo altar mayor figura — fué una obra arcaizante, con rasgos de arte enfermizo mezclados con ecos bizantinos a lo Crivelli.

Juan Brull. — La sugestión de las aguas estancadas, que daba su fácil poesía llorona a los lienzos de Enrique Serra, aparecía transformada en un hijo del espíritu nórdico como Juan Brull — nacido en Barcelona en 1868 y muerto en 1912 —, el pintor de las hadas.

Discípulo del realista Simón Gómez, pero reñido después con sus principios, continuó su formación en Madrid, donde tuvo como maestro a Ramón Padró. De allí, pensionado por el fabricante Antonio Garriga, pasó a Roma, donde empezó con los consabidos ensayos de pintura histórica, pasando por la anécdota costumbrista, para terminar en unas composiciones que, tanto cuando pretenden ser retratos como cuando tienen solamente finalidades líricas, se caracterizan por el común denominador de la vaguedad irrealista. El *Ensueño,* que le valió una primera medalla en 1896, y las *Ninfas,* que figuran en el Museo de Arte Moderno de Madrid, resumen en sus títulos el contenido de toda su obra. El primero de estos lienzos, hoy colgado en el Museo de Arte Moderno de Barcelona, nos muestra la consabida doncella de lívida túnica difuminada, de dibujo vago no atento a proporción ni a contorno, contemplando un estanque misterioso sobre cuyas nebulosidades verdeazuladas se entrevé una luna espectral. No faltan los lirios modernistas en esta clase de lienzos, que Brull repitió hasta la saciedad, siempre pálidos y evasivos.

Las *Ninfas* aparecen desnudas al borde de un río, no sin acoger un centelleo de agua a lo Monet ni cierta rama inclinada encima del agua, a lo Corot, como es propio de un arte intelectual y erudito. Como paisajista, procedía a la síntesis extrema del *Rincón triste* (1904). Como decorador, insistió en el arabesco simétrico de sus *besos.* Pintó niños sonrientes y muchachas de acartonado rostro de sonámbulas. Además de pintor Brull fué crítico y como tal arremetió contra la pintura negra, que tomaba a Nonell por jefe, y no con la elegancia comprensiva con que lo hacía Riquer, sino con un sarcástico desprecio que detona con la aparente suavidad de sus desvanecidos óleos.

JUAN BRULL : *Dibujo.* Colección Ramón Serra

Sebastián Junyent. — Crítico en las páginas de *Joventut,* como Brull, Sebastián Junyent y Sans lo era mucho más sensible. Era, también, mucho más dibujante y bastante más pintor.

Nacido en Barcelona el 27 de septiembre de 1865, al salir de la Escuela de la Lonja se dirigió a París, donde debía vivir mucho y compenetrarse con el simbolismo literario. Visitó Italia e Inglaterra y adquirió una gran cultura. Establecido otra vez en Barcelona, fué amigo de artistas mucho más jóvenes que él, como Hermen Anglada y Picasso, con quien tuvo un taller común y en quien influyó sin duda en favor de los temas enfermizos.

Después de haber sido el máximo intelectual en estética, murió demente el 12 de febrero de 1915.

Su acceso a la notoriedad, como pintor, lo obtuvo cuando expuso en el Salón Parés (1899) sus obras *Una prometença* y *Clorosi,* que ganaron inmediatamente los sufragios de la crítica modernista. Se las encontraba [405] llenas de verdad por la justa luz que, débil y temblorosa, se esparce revistiendo de misterio las figuras y los objetos que las rodean, y en ellas se apreciaba *son primer pas dins l'art que fa sentir, l'art de debò,* en lo que, además, tenemos

JUAN BRULL: *Armonía.* Museo de Barcelona

historicista del arte, en el que veía, de un modo esencial, un fluir a través del tiempo, encarnado en modas sucesivas [406]. El arte moderno era para él una fermentación y una revolución comparables con los principios del Renacimiento. «Hoy, como entonces — escribía —, cada artista busca su personalidad, cada uno levanta ante sí su ideal, bien elevado, bien noble, bien grande, y hace esfuerzos titánicos para conseguirlo.»

«La vida, brutal y fecunda a veces, a veces estéril y destructora de la Naturaleza, sus innumerables matices y aspectos, el equilibrio y desequilibrio de las facultades humanas, las visiones macabras de almas entristecidas, los sentimientos doloridos de almas no comprendidas, los refinamientos más delicados, las sublimes concepciones interiores, el rebuscamiento de lo más íntimo que puede brotar del espíritu del hombre, el oteamiento de horizontes desconocidos, la aspiración ardiente hacia una perfección soñada, entrevista en horas visionarias entre nieblas de exquisita poesía, rodeada de luz, de color, de esplendores que deslumbran: esto y más aún es lo que late dentro del admirable movimiento artístico que actualmente se apodera de todos los espíritus y va convirtiéndolos uno a uno.»

«El siglo XIX ha muerto con el consuelo de ver apuntar en el horizonte del infinito la esplendorosa aurora de un gran arte, de un arte elevado, fuerte, cumplido, potente a la vez que delicado, tierno y espiritual. Bienvenido seas, siglo XX, si nos lo traes.»

Observemos que llama al arte de su tiempo *moderno* y no *modernista*. Ello es deliberado, como explica en una nota de un artículo [407] al decir: «Sustituímos la palabra *modernista* porque aquí, donde todo se rebaja, la han prostituído, bautizando con este nombre plagios indignos de arte decorativo extranjero que ofenden, en su mayor parte, la vista y el buen gusto.»

una excelente difinición de lo que, en 1900, se entendía por arte.

Al lado de Brull, enraizado en el academicismo, Sebastián Junyent era el crítico del modernismo blanco, en *Joventut,* que concebía el siglo XIX como el siglo de Wagner y de Rodin. Tenía una visión

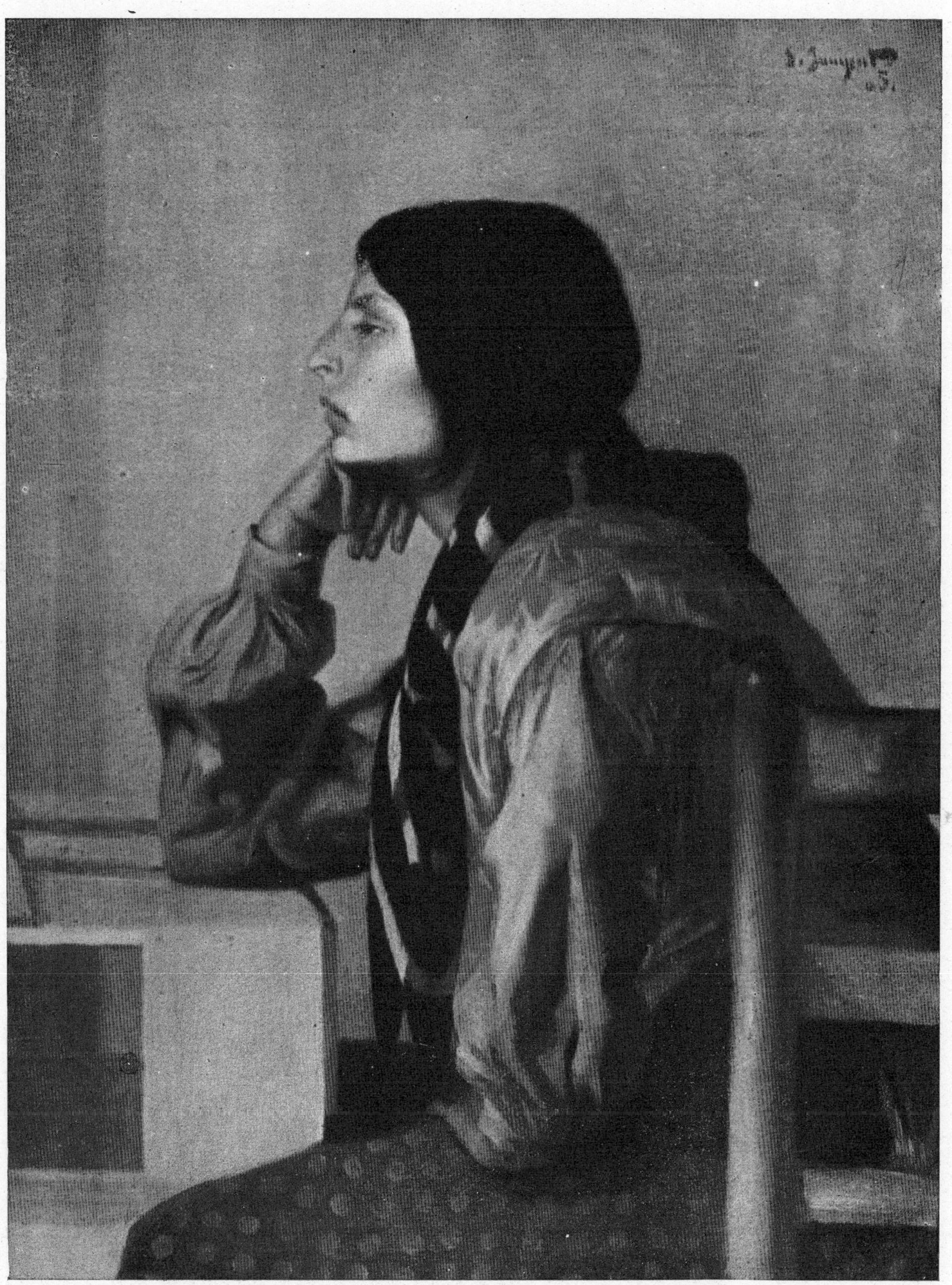

Sebastián Junyent: *Gitana*. Colección Plandiura. Barcelona

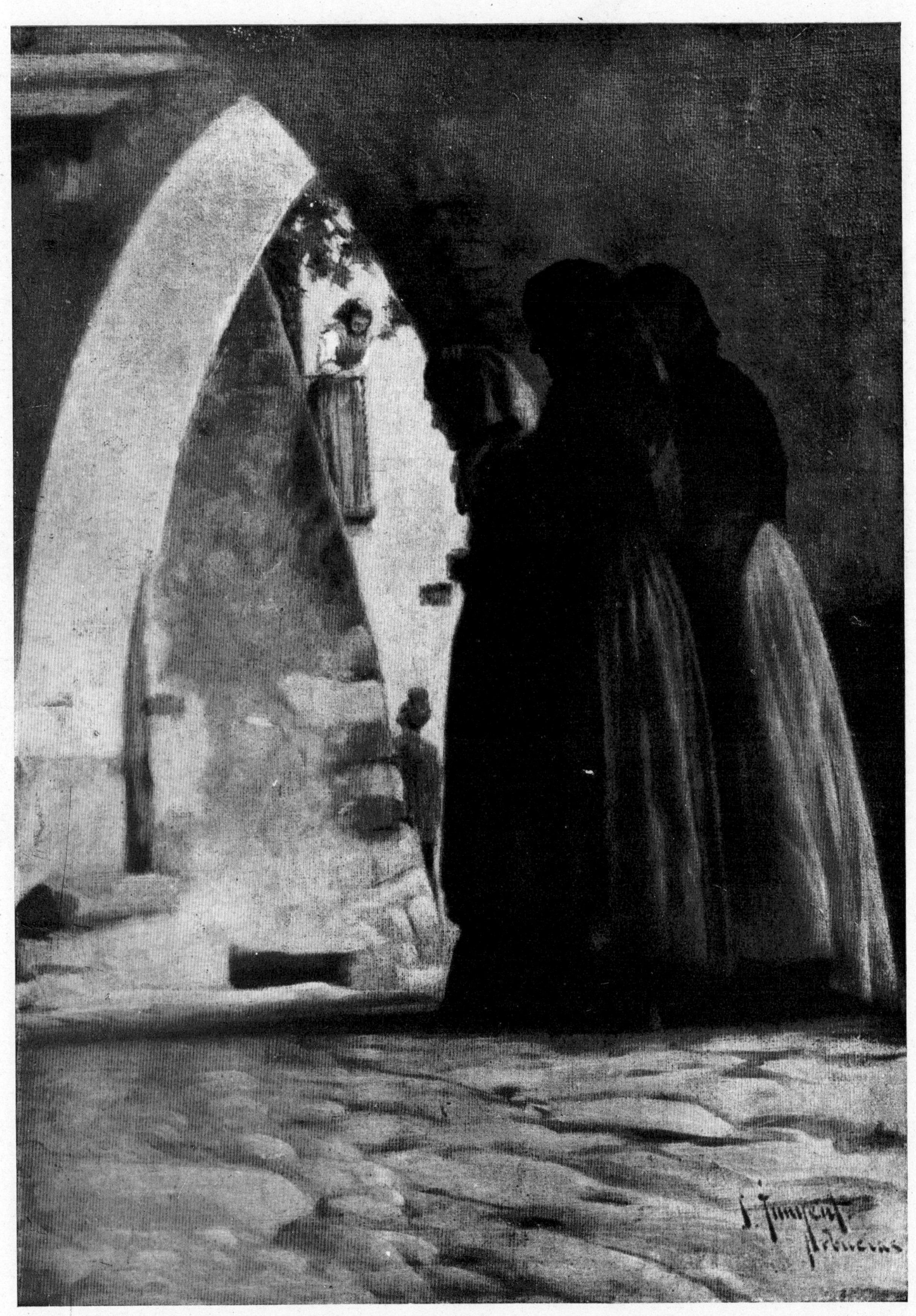

Sebastián Junyent: *Arbucias.* Óleo. Colección Santiago Juliá. Barcelona

Su visión futura era progresista. «La idea de la evolución eterna del arte hacia una perfección — escribía —, la imposibilidad de resucitar ningún arte pasado, la necesidad de tener arte propio, constituyen la razón de ser y la defensa lógica del arte moderno.»

«La comprensión de la armonía de los conjuntos, la guerra a la rutina y al industrialismo, la creación de un estilo, la aplicación del arte a todo, el restablecimiento de la hermandad entre las artes puras y aplicadas, la relación íntima entre el fin y el objeto, la adaptación de la obra al medio, al clima, al pueblo, al individuo, constituyen su mayor gloria.»

«No olvidemos, los que intentamos hacer arte para Cataluña, que el arte es tanto mayor cuanto más penetra en la esencia de las cosas, cuanto más se adentra en el alma de la Naturaleza, y que el genio de un pueblo, de una generación, es tanto más alto cuanto más lejos llega en la comprensión de este gran ideal de suprema hermosura.»

Juan Brull decía que la más perfecta escuela de pintura era la inglesa. Para Junyent, Turner, Rossetti, Holman Hunt y Millais pintaron de tal modo que la pintura «no había llegado jamás a tal altura» [408].

SEBASTIÁN JUNYENT: *Serena.* 1905

Como dibujante, Junyent era a veces maravilloso. Su viñeta para unos sonetos de Riera y Riqué [409], puro grafismo sin contornos, de una originalidad desconcertante, es una obra maestra del dibujo.

Junyent vino a relevar a Casellas en la crítica. Fué él quien más contribuyó a romper los moldes en que se ejercía la influencia del autor de *Els sots feréstecs*. Sus críticas en el *Diario de Barcelona* fueron severamente juzgadas.

Junyent no dejó de criticar, asimismo, a Pujol y Brull, a quien atribuyó, como a Casellas, el procedimiento cómodo y falso de basar los elogios o las condenaciones a base de comparar las obras de los artistas contemporáneos con las de los maestros del pasado, en cuyo terreno Casellas quería impresionar escogiendo nombres raros de artistas escasamente conocidos como Enghelbrechtsz o Hoogstraaten.

Junyent es el máximo exponente de la oleada primera en favor de lo excepcional y del estilo que revolucionó todo el arte en los años ochenta.

En 1891 Yxart [410] se lamentaba de que en 1870 el público no apreciaba el realismo de Bastien Lepage, Israels y Menzel, que él consideraba como la cima, en arte, y prefería el de Stevens, Millais, Alma Tadema e incluso Pradilla. Y su indignación se colmaba al darse cuenta de que, más lejos todavía del realismo, el año 1890 pertenecía a una época de *paroxismo y japonesismo.*

SANTIAGO RUSIÑOL : *La carretera*

LA GENERACIÓN CENTRAL

Miguel Utrillo. — De una edad equidistante entre la de Riquer y la de Nonell, entre la de Miralles y la de Picasso, Miguel Utrillo y Rusiñol hicieron cristalizar las ideas dispersas del modernismo en un contenido organizado. Ellos constituyen el momento central, cargan sobre sus hombros, con satisfacción, el epíteto de *modernistas*, crean un culto de las fiestas de Sitges, y, con la ayuda de Ramón Casas, difunden el espíritu de su síntesis desde las páginas de *Pèl & Ploma*.

Nacido en Barcelona en 1863 y muerto en Sitges en 1934, Miguel Utrillo y Morlius era un hombre de extensísima cultura, ingeniero, escritor y pintor, que había viajado mucho por Europa y América, y posiblemente la persona más conocedora del mundo contemporáneo que había en Cataluña.

Utrillo, cuyo apellido se ha hecho universalmente famoso gracias a su caballeresco reconocimiento del hijo de Suzanne Valadon, el célebre Maurice Utrillo, tardó en darse a conocer en el campo de la cultura.

En 1898 aparecía como jefe, con el seudónimo de A. L. de Barán, de los «hombres de mañana» que hacían la revista *Luz,* afirmación del que se llamaba a sí mismo «arte joven». Allí pueden leerse sus artículos editoriales, de agitación artística ; puede gustarse su refinado gusto decorativo, amigo de lo insólito y lo exótico, y pueden verse obras plásticas salidas de sus manos como el cartel de la representación de *Ifigenia,* de Goethe, traducida por Maragall, en el Laberinto de Horta [411], en el cual una temática mediterránea, cabeza griega bajo baladres y costa brava, se estiliza como una estampa japonesa. Allí se hizo uno de los primeros panegiristas de Nonell [412], cuya exposición de los *Quatre Gats* comenta comparándolo con un alquimista, y reproduciendo escenas de calle y café-concierto de París.

Acogía los temas flamencos de Canals al lado de las alegorías liliales de Guardiola y los cantos todavía vitales de José Pijoan : *¡Oh, fuente! ¡Oh, llama de la Vida!... ¡Oh, única diosa!,* al lado de los místicos arrobos del tradicionalista Riquer; allí ensalza entusiásticamente a Puvis de Chavannes, a Moreau y a Burne-Jones, y acoge calurosamente la *España Negra,* de Verhaeren y Darío de Regoyos.

A *Luz* sucedió la revista de los *Quatre Gats* [413], en la que colaboraron los ilustradores Casas, Mir, Pitxot, Nonell, Rusiñol, Gosé, Ricardo Opisso y Carlos Vázquez, y donde escribían, entre otros, el humorista Reventós y el simbolista Roviralta, que exclamaba en éxtasis:

Tot eren lliris blancs!

A los *Quatre Gats* sucedió el *Pèl & Ploma,* dirigido por Utrillo en colaboración con Casas, donde aquél elogiaba precozmente a Bonnard y Vouillard [414], valorizaba a Daumier como «un pintor de los grandes», elogiaba a Toulouse-Lautrec [415] y a Kate Greenaway [416], y afirmaba que bajaba el prestigio de Murillo y Fortuny y subía sin cesar el del Greco y Botticelli [417], junto a los cuales no podía dejar de citarse a Velázquez.

SANTIAGO RUSIÑOL: *Casa de préstamos de la Cité de París.* 1890. Cau Ferrat. Sitges

A *Pèl & Ploma* sucedió *Forma,* también descrita, punto final de su papel como modernista. Más tarde su colaboración en el diccionario de Thieme-Becker y en la Enciclopedia Espasa le dará todavía una intervención en el estudio del arte. Como decorador, el palacio de Maricel, en Sitges, construído para el millonario americano Deering aprovechando materiales antiguos mezclados con motivos modernos de sabor arcaico, lo sitúa en la línea de Gallissá, desprovista de valor técnico y artesano, y es una preparación de la tarea fielmente arqueológica que llevará a cabo al dirigir el *Pueblo Español* de la Exposición Internacional de Barcelona de 1929.

SANTIAGO RUSIÑOL: *Patio. Montmartre*

SANTIAGO RUSIÑOL : *Patio de Montmartre.* Cau Ferrat. Sitges

El influjo de Carrière y Whistler. — Carrière, después de haber influído en Llimona y en Baixeras, tuvo una influencia definitiva sobre Rusiñol y Casas, lo mismo que sobre Junyent y, a través de éste, en Picasso.

A pesar de su pretendido filoclasicismo. Ors todavía le dedicaba ditirambos decadentistas cuando, en 1906, Carrière moría. Y afirmaba [418] que en la piedad y la humildad, la intimidad y el recogimiento se inventó «su ascética pintura en que, dentro de la atmósfera de misterio y de brumas, dentro de una maravillosa síntesis monocroma, la penumbra y la luz libran todos sus combates, en la infinita gama de las medias tintas, de los grises perla, los nacarados, los rosas enfermos y los amarillos en agonía. Así se creó la serie gloriosa de las *Maternités,* la serie gloriosa de los retratos... «Madres doloridas que estrecháis, en la gran sombra parda, el cuerpo miserable de vuestros hijos ; rostros del hombre moderno en los que la espiritualidad ha puesto su deformante estigma : ¿qué dulzura tiene, para vosotros, la muerte?»

Casellas había escrito [419] que «el terror al enigma de la vida va sublimando el aspecto de sus personajes hasta determinarse en tiernas solicitudes, en heroicas abnegaciones». Habla del espectro del «mañana inseguro», de la «maternidad amorosa y angustiada», del «abrazo de protección y el enviciamiento de la caricia», en unos comentarios exclusivamente referidos al contenido de su obra.

Fué este contenido, todavía vivo en las maternidades juveniles de Picasso, junto con el estilo neblinoso, lo que se importó. En el terreno de la técnica pictórica, más influjo tuvo Whistler.

El influjo de Carrière llegó mezclado con el de Whistler. El americano James Mc. Neill Whistler se había trasladado a París en 1855. Por el contrario que sus compañeros de generación, los impresionistas, no buscó los efectos momentáneos, sino que, bajo el influjo de Velázquez y Manet, se creó una manera de cuidadosa percepción y sutileza en la expresión de las diferencias de tono y la eliminación de todos los detalles innecesarios, al revés de lo que hacían los prerrafaelitas, sacrificando el tono en aras del detallismo. Cuando, en 1863, se instaló en Inglaterra, representó allí la lucha contra la pintura narrativa y sentimental de Wilkie y Landseer, y en favor del «arte por el arte», cuyo espíritu hizo titular *Arreglo en negro y gris* al famoso retrato de su madre. Las estampas japonesas, descubiertas en París en 1856, con su simplificación y

SANTIAGO RUSIÑOL : *Paisaje de Montmartre*. Museo de Arte Moderno. Barcelona

su sentido del arabesco le sostuvieron en su dirección esteticista, en la que halló un apoyo en Oscar Wilde y en los escritores del *Yellow Book*.

Whistler influyó, más que por su pintura, por su actitud de *enfant terrible* acreditada en *El bello arte de hacerse enemigos* [420]. En su independencia de pintoresco bohemio, chocó a la vez con el hombre de la calle y con las gentes de la generación anterior, como Ruskin, dictador artístico que llegó a procesarlo por libelo.

Sus seguidores en pintura, los artistas de la escuela de Glasgow, acentuaron la parte japonizante, decorativista, de su obra, y su discípulo Sickert se acercó a Degas para producir un arte de arabesco típicamente postimpresionista e inmovilista.

Casellas [421] encontró, parafraseando lo dicho por Amiel, según el cual «un paisaje es un estado de alma», que para Whistler «un paisaje es un estado de imaginación». Vió «concentraciones de paisaje ideal» en sus obras y lo enlazó con Wagner al juzgar que las contraposiciones de valores y superficies de sus telas tenían el significado wagneriano de dar a la armonía la antigua importancia de la melodía. Vió en ellas lo sensorial en lugar de lo conceptual, lo que le parecía paralelo a la poesía de Verlaine, y con el teatro de Maeterlinck le pareció encontrar un paralelo en su sustitución de la acción por la impresión. Dice Benet [422] que Rusiñol y Casas «importaron ante todo los grises y la técnica de Whistler, y esto fué, sin duda, lo mejor que recogieron de la Escuela de París ; es decir, que de aquélla llevaron a cabo una incorporación anglosajona. No deja de ser curioso que la pintura catalana recogiera esta influencia inglesa, como nuestra filosofía había recogido anteriormente la influencia de la Escuela Escocesa».

Casellas, a pesar de sus limitadas miras contenidistas, sintió la significación del influjo de Whistler como una forma de «esteticismo afinado», que veía en la obra expuesta por Rusiñol en la Exposición general de 1894 [423].

A la muerte de Whistler, *Pèl & Ploma* le dedicó

SANTIAGO RUSIÑOL: *La viuda*

una importante necrología en un artículo de Utrillo [424]. Hasta en 1909 y 1910, en la página artística de *La Veu,* Casellas y Joaquín Folch y Torres se apoyaban a menudo, para sus críticas, en la autoridad de Whistler.

Rusiñol. — A pesar de las publicaciones de Utrillo, el principal portavoz de las ideas de éste fué Santiago Rusiñol, personaje de irradiante simpatía, ducho en artes y letras, que supo asimilar las ideas de su intelectual compañero.

Nació Santiago Rusiñol y Prats [425] en la barcelonesa calle de la Princesa, el 25 de febrero de 1861, en el seno de una familia de fabricantes textiles de Manlleu. Huérfano desde muy niño, vivía con su abuelo Jaime y asistía a las clases de una escuela rutinaria de la calle de la Barra de Ferro.

La conocida historia del *Senyor Esteve,* pequeño burgués que se resiste a aceptar que su hijo pueda ser artista, se refiere a la pequeña lucha que tuvo que sostener con su familia para poderse dedicar a la pintura, que empezó a conocer en la academia del amigo de Fortuny, Tomás Moragas, acuarelista y restaurador, y pasó después por la escuela de la Lonja, para salir convertido en un pintor sentimental de soledades vulgares, de rincones de Montjuich, jardines de Vallcarca y patios húmedos de la Barcelona menestral.

Su visita a Poblet y Tarragona con Eduardo Toda, antiguo secretario de Víctor Balaguer, le encendió una pasión por lo medieval, que ya no debía apagarse en su ánimo de futuro coleccionista. Como dice Utrillo, «de Poblet sacó Rusiñol grandes elementos que influyeron en ideas más o menos formuladas», entre ellas el descubrimiento de unas constantes raciales.

Hija de esta vuelta a lo antiguo fué su labor de coleccionista de antigüedades, que empezó a mani-

Santiago Rusiñol: *Montserrat.* Óleo

SANTIAGO RUSIÑOL: *El Angelus. Santa Cecilia de Montserrat.* Cau Ferrat. Sitges

festarse cuando en 1880 expuso algunas obras realistas y en 1882 dió a conocer sus dibujos de hierros viejos. En 1883 expuso en el *Ateneo.* El año anterior ya había publicado dibujos en *L'Avenç.* En 1889 hizo su primera exposición con Casas y Clarassó en la Sala Parés. La Exposición Universal de 1888, al favorecer el trabajo de los escultores, proporcionó a su amigo Clarassó, con quien tenía un estudio desde 1881, la base económica para un viaje a París. Clarassó le convenció de que le acompañara y fué así como Rusiñol se trasladó a la capital del arte de su época.

En su primitivo estilo, el paisajismo de un realismo minucioso, en cierto contacto con la Escuela de Olot, alternaba con el naturalismo impersonal que arrancaba de Arthur Gallard, el crítico de la *Illustració Catalana,* en 1880 [426], la opinión según la cual debían «tributarse justos elogios» a un *Fausto* de Rusiñol, con excelentes cráneo, libros y accesorios.

Hay que tener en cuenta el momento que se vivía para comprender esto.

Era el momento de entusiasmo por *La Campana de Huesca,* de Casado; el momento en que Enrique Serra, desde Roma, escribía que los cuadros de Román Ribera, representando escenas del pueblo bajo de París, eran «fotografías de las páginas de

Santiago Rusiñol: *Miguel Utrillo.* Museo de Arte Moderno de Barcelona

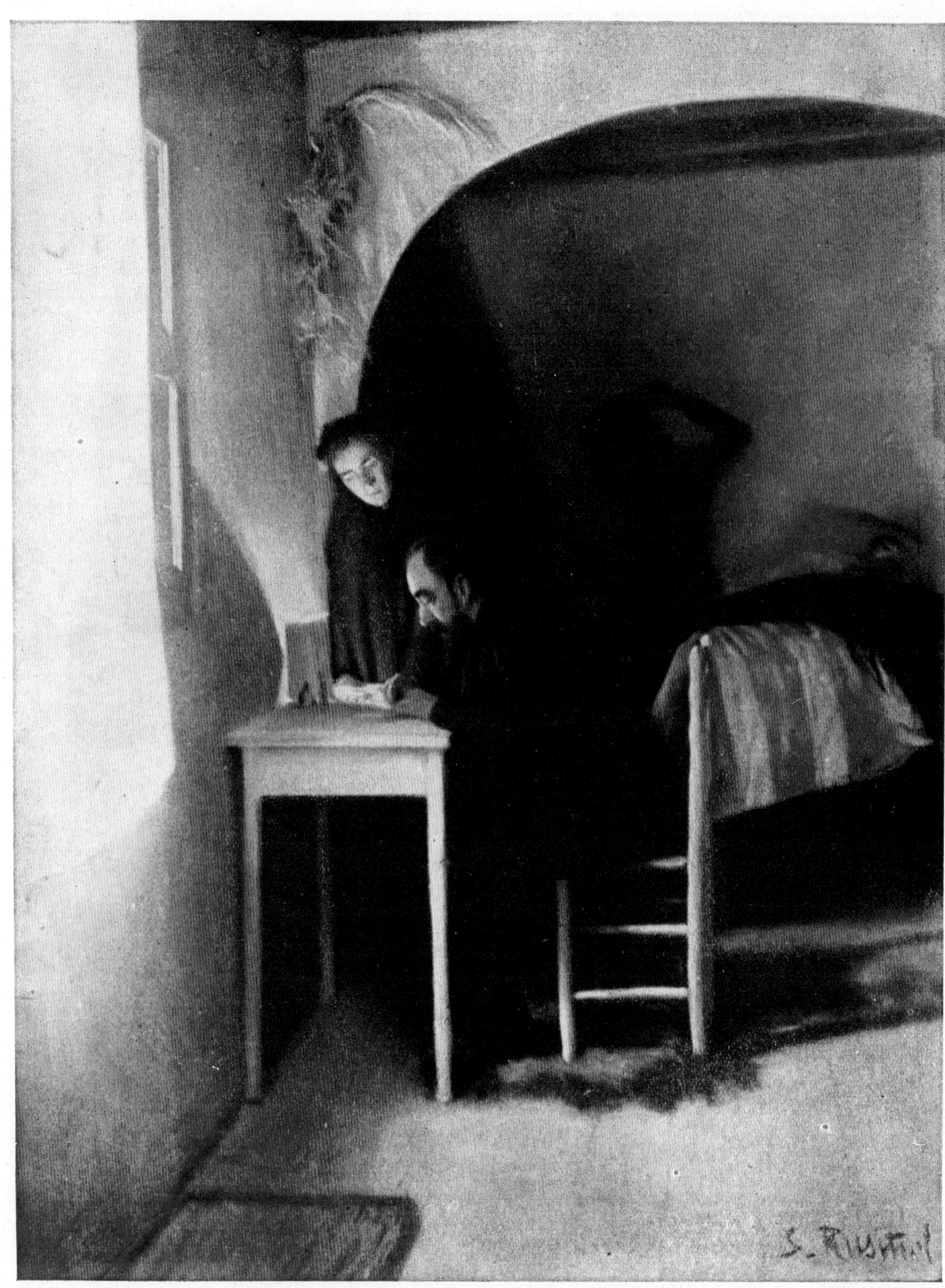

Santiago Rusiñol: *La última receta.* Cau Ferrat. Sitges

SANTIAGO RUSIÑOL: *Lectura romántica.* Museo de Arte Moderno. Barcelona

Zola en las que el realismo llega muchas veces a traspasar los límites del buen gusto» [427].

El primer estilo, realista minucioso, de Rusiñol, se transformó al contacto con lo que en París se le apareció como pintura de la sugestión o «sugestivismo», como decía Alfredo Opisso. Este primer viaje fué corto. «Marché — escribía — a París dispuesto a hacer algo de bohemia antes de que se acabara mi juventud y hubiera de sentar la cabeza como marido juicioso y serio». En 1889, de regreso, casó con Luisa Denís.

Partió por segunda vez y se estableció en Montmartre, en el 14 de la *rue d'Orient,* donde tuvo por compañeros a Utrillo, al pintor y grabador Canudes, a Daniel Urrabieta Vierge y al escultor Clarassó. Más tarde, con Casas y Utrillo, se alojó en el propio *Moulin de la Galette,* junto al famoso baile inmortalizado por Renoir, y por último en una señorial residencia del *Quai Bourbon,* en la isla de San Luis, donde habitó primero con Zuloaga, Jordá y Utrillo, y más tarde con Mani y Alberto Llanas.

Asistía a las clases nocturnas de una academia de la avenida de Clichy, la *Académie de la Palette,* en cuya plantilla de profesores figuraban Carrière y Puvis, aunque quienes trabajaban eran pintores de segunda fila.

En París fué amigo de Willette, Forain, Aristide Bruant, el del *Chat Noir,* Zuloaga, el pintor Oller, Ricardo Planells, Meifrén... Este último fué quien, a su regreso, le llevó a Sitges, donde compró la casa del *Cau Ferrat,* que debía decorar, en un estilo neogótico, Francisco Rogent, hijo de Elías (1892).

En los años 1890 y 1891, en París, había escrito la serie de artículos que, publicados en *La Vanguardia,* de Barcelona, bajo el título común de *Desde el Molino,* dieron a conocer el ambiente artístico de París y familiarizaron al público barcelonés con el impresionismo, hasta el punto de que pudo escribirse [428] que «a su influencia se debe principalmente el movimiento de renovación artística realizado en Cataluña».

En 1891 exhibió, en la Sala Parés de Barcelona, sazonados frutos de su nuevo arte, con *El laboratorio del Moulin de la Galette,* en el que introdujo los elementos de atmósfera recién aprendidos; *El patio de las Escaldas,* en el que su igualmente nuevo luminismo se apoyaba en un tono calabaza que horrorizó a sus contemporáneos y que fué el punto de partida del arte de la *Colla del Safrà,* y el *Cementerio de Hix,* que Casellas [429] llamó «bucólico místico».

Era la época en que Mas y Fontdevila y Baixeras acaparaban la atención, y estas telas no tuvieron de-

SANTIAGO RUSIÑOL : *La señorita Nantas.* París, 1895. Cau Ferrat, Sitges

Rusiñol, al mismo tiempo que pintaba su aparatosa *Morfina* en 1901, muchacha lívida soñando en el lecho, describía la sugestión de la droga sobre el espíritu de la época [431]. A pesar de condenarla, era alabada al describirla líricamente como «bálsamo suicida, néctar del bien y del mal, letargo de la vida con ansias de no vivir... espíritu amado como la sombra del reposo... que apaga la sed del corazón y lo maldice, consolándolo ; que adormece las fibras del corazón y despierta las del alma... hermosa Morfina, Sirena de voz melosa, Hada del amor al sueño, Veladora de la paz y dulce visión... Cortesana de la muerte, Guardadora del tormento, Fuente de la Sed... que con dorados dedos de Marquesa (siempre los dedos, en la literatura modernista) y doradas uñas de harpía, estrangulabas quedamente a los extraños suicidas de la casa del silencio».

En 1894, en la Sala Parés, Vayreda y Laureano Barrau aparecían apagados ; Llimona, con su preocupación proselitista, parecía fuera de una época progresivamente esteticista ; Clapés, con lo que Casellas llamaba «dramatismo patético y fogoso», permanecía aislado ; Vancells todavía no era juzgado más que como vayredista. En cambio, junto a los sensacionales *Primers freds* del escultor Blay, un desnudo, de Casas, y una herrería, de Graner, junto a las obras de Regoyos y Rusiñol, constituían el «luminismo» de los noveles, llamado así por Casellas [432], al que se sumaban los más jóvenes, como Mir con su *Sol y Sombra* y Nonell con su *Cap al tard,* en que el crítico citado veía «una de las notas de paisaje más personales de la exposición».

En los paisajes de Rusiñol y su grupo se saludó la aparición de un «espíritu de ensueño y misterio» en vez del viejo «ruralismo descriptivo».

Después del paisaje de Olot (1870) y el de Sitges (1880), en 1891 se había notado una renovación consistente en dar a las escenas rústicas tradicionales un aire más sintético, con más *no sé qué* [433],

masiada resonancia. Mayor fué la impresión que causó, el año siguiente, la pintura titulada *Una lectora,* hoy catalogada en el Museo de Arte Moderno de Barcelona como *Una lectura romántica,* pintura de composición whistleriana, resuelta en negro y grises, que captó, como la *Muchacha al piano* y *La última receta,* una adhesión sentimental gracias a su contenido. Opisso le llamó «el pintor de almas» por su imagen de una joven «devorada por la pasión y minada por la enfermedad» [430], introducción al arte de lo enfermizo. Obras simultáneas con la exhibición, en Madrid, de *La madre,* de Whistler.

una gris neblina que da carácter íntimo, silencioso y melancólico, y, por otra parte, una luz resplandeciente ; en 1894 se acentuó el misticismo bucólico y se introdujo, principalmente por obra de Rusiñol y su amigo Casas, bajo el recuerdo de Carrière y Whistler, el tema urbano y el interior, con tendencia a un arabesco que fué considerado como «decorativo místico».

Esta tendencia alumbró, en el año 1896, el decorativismo simbolista, «por el camino del ideal», que hizo convertir en prerrafaelita al Rusiñol de *La Poesía* y *La Pintura,* alegorías entre medievalescas y florentinas que debían decorar el *Cau Ferrat.* En paisaje urbano, la *Notre-Dame,* esmaltada en turquesas y esmeraldas, fué tomada por no menos simbolista. Si Casellas [434] saludaba en estas telas un arte simbólico-decorativo, Opisso [435] sacaba a relucir Rossetti, Holman Hunt, Burne-Jones y Puvis de Chavannes.

¿Cómo llegó al simbolismo prerrafaelita partiendo del realismo? Es preciso recordar que los modernistas catalanes captaron del impresionismo, de Carrière y Whistler a la vez, «el aire coloreado, vibrante, interpuesto, dentro del cual los seres y las cosas viven inmersos como los peces en el mar» de que hablaba Taine, citado por Casellas [436]. Esta atmósfera les llevó a preferir la evasión sentimental a la concreción objetiva y dar con ello el primer paso hacia el arte de ensueño. Además, el viaje a Italia, junto con Zuloaga, facilitó a Rusiñol el conocimento directo de los «primitivos» florentinos, inspiradores del esteticismo legendario británico.

En el nuevo irrealismo esteticista halló Rusiñol una correspondencia con el Greco. Posiblemente fué Utrillo quien le descubrió el gran cretense, pero el hecho es que él compró, en París, dos telas del gran

SANTIAGO RUSIÑOL : *Retrato de su esposa, Luisa Denís de Rusiñol.* Colección María Rusiñol de Planás. Barcelona

SANTIAGO RUSIÑOL: *Mallorca.* Colección Barbey. Barcelona

Theotokopouli y las hizo llevar procesionalmente al *Cau Ferrat* de Sitges el 14 de noviembre de 1894, en cuya comitiva eran abanderados Labarta, el dibujante de los hierros, y Romeu, el futuro *cabaretier* de los *Quatre Gats.*

Por vía simbolista llegó a los jardines, no sin pasar por los místicos caminos del *Éxtasis* y del *Novicio,* llamados «paroxistas» por Opisso, y los carteles de un enfermizo simbolismo de *L'Alegria que passa* y *L'Intrusa,* de Maeterlinck.

Fué posiblemente la pintura, al claro de luna, de un surtidor de los jardines de la Alhambra, el punto de partida de la serie de los jardines de España.

Los jardines de Rusiñol, esterilizados por la insistencia, son difícilmente asequibles para la sensibilidad contemporánea. De lo que realmente significaban nos dará una idea el poema dramático que su autor escribió y que, como una ceremonia litúrgica del culto a la belleza melancólica, fué leído ante las mujeres más *chic* de Barcelona y los más conocidos artistas, literatos y aficionados a las artes, en la Sala Parés, por Adrián Gual, con ilustraciones musicales escritas por Gay [437], titulado *El Jardí Abandonat.*

Después de los jardines de 1898 siguieron los paisajes de Mallorca y los calvarios de Valencia y Montserrat en los años 1900 a 1903.

Desde 1900 era ya reconocido. Después de haber sido criticado violentamente, en 1900 el gusto había evolucionado. Ya se aceptaba a Rusiñol y a Casas, y a la sazón Hermen Anglada les había sucedido como blanco de los sarcasmos mayores. En 1906 la exposición en las Galerías Georges, de París, que le valió el grado de caballero de la Legión de Honor, marca el comienzo de sus triunfos oficiales, seguidos, en 1908, de una medalla concedida por el tema en que debía fijarse, hasta llegar al

SANTIAGO RUSIÑOL: *Crepúsculo. Sóller.* Museo de Arte Moderno. Barcelona

amaneramiento: los jardines de Aranjuez, pintando los cuales le sorprendió la muerte el 14 de junio de 1931.

Rusiñol, como tantos personajes cruciales del arte, de la literatura, del pensamiento, incluso de la política, presenta la curiosa duplicidad de quienes creen representar un papel en la evolución de los hechos de su tiempo, y en realidad representan otro; de los que tienen fe en una dirección y no pueden despegarse de otra, y de los que desde una acera defienden los intereses de la opuesta. El mundo está lleno de idealistas que se proclaman materialistas, de conservadores con léxico de revolucionarios, de académicos con lenguaje de renovadores. Rusiñol tenía un gran sentido crítico, mayor que su fuerza creadora, y por ello fué un tan gran humorista y fué quien pudo trazar las líneas de una evolución posterior del arte a la que debía quedar ajeno, después de haber sido apóstol de un impresionismo que nunca logró comprender.

Su fluctuación entre el tipo de realismo españolizante de Fantin-Latour y el eco de un prerrafaelismo a lo Holman Hunt, indica hasta qué punto actuó como un receptáculo de corrientes encontradas, en las que vió un común denominador de vitalidad capaz de hacerle abandonar los conceptos tradicionales de la pintura, romper los moldes y buscar un nuevo contenido. Esto lo consiguió plenamente, cargando el acento sentimental incluso en pequeños temas de la vida cotidiana, pero se le escapó la orientación que habría podido conducirle a plasmar un estilo adecuado para su aspiración, una técnica en consonancia o a lo menos en oposición contrapuntística respecto a la significación lírica, subjetiva, de sus poemas sobre el lienzo. Presintió el discurso, pero no supo hallar el lenguaje.

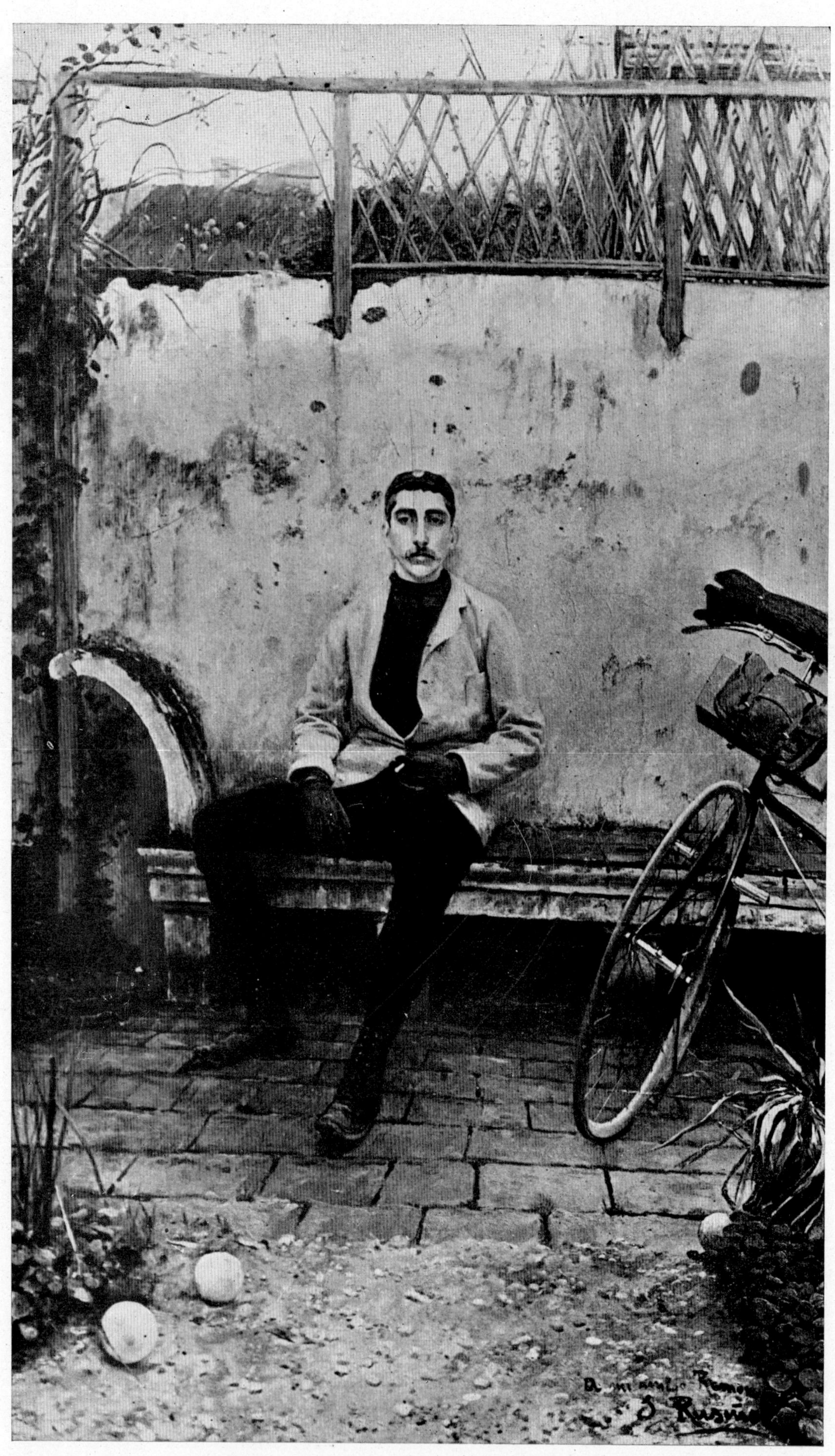

Santiago Rusiñol: *El pintor Ramón Casas*

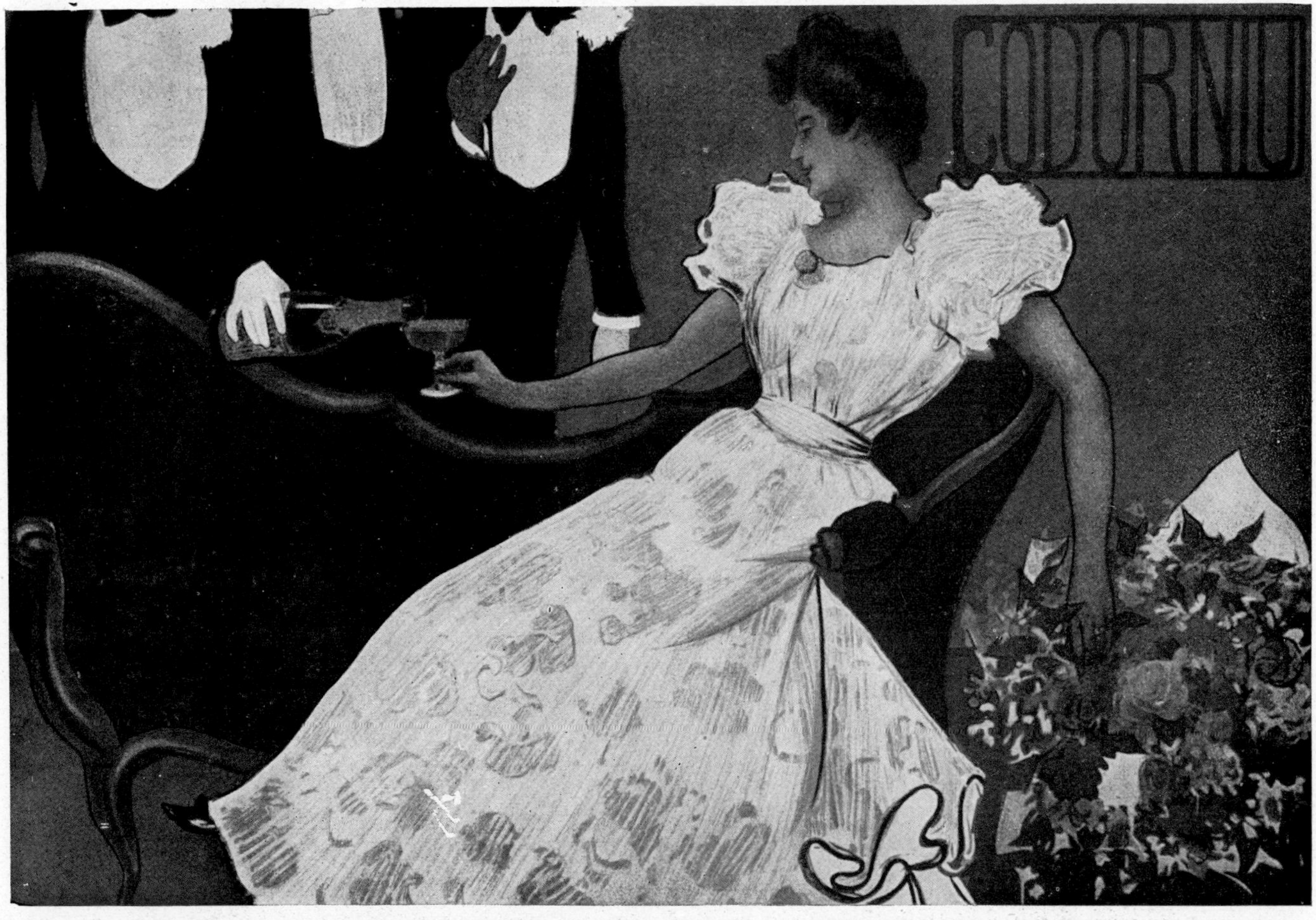

RAMÓN CASAS: Cartel

Ramón Casas. — Compañero inseparable de Rusiñol y Utrillo y el más dotado de su grupo fué Ramón Casas Carbó [438], nacido en Barcelona el 5 de enero de 1866.

Empezó a formarse en su ciudad natal, en el taller de Juan Vicens, decorador y retratista. No pasó por la escuela oficial, y, en 1883, su tío, el médico Francisco Carbó, instalado en París, le facilitó su instalación en la capital francesa, cuando sólo contaba dieciséis años de edad. Allí asistió a la academia del retratista de tradición flamenca Carolus Duran, académico de excelente escuela, en cuyo taller pintó un autorretrato en traje de torero que le valió la entrada al Salón de la Sociedad de Artistas Franceses.

Pasó después cuatro meses en Madrid, durante los cuales su formación académica encontró un poderoso refuerzo en el estudio de los grandes maestros del siglo XVII. En 1889 expuso por primera vez en Barcelona, no en 1890 como se ha dicho.

En 1890 y 1891 estuvo con Rusiñol en París instalado en el *Moulin de la Galette,* cuyo ambiente debía retratar en algunas de sus obras más sazonadas. En 1891 se dió a conocer con las primeras obras que llamaron la atención del público: el *Interieur* melancólico, en el que sacaba partido de los blancos y grises que tanta importancia debían tener en su pintura; un melancólico *Orando* y el famoso *Plein Air,* visión del patio del *Moulin de la Galette,* tratado con pincelada de un impresionismo muy fugado, en el que ni el bocetismo de los retratistas en boga ni la pincelada alusiva de Velázquez están ausentes, obra cargada de atmósfera, tan importante por su técnica como por su íntima poesía, que figura en el Museo de Arte Moderno de Barcelona.

Si antes de ir a París ya era celebrado por Yxart por «la inmersión en el ambiente» que lograba en sus obras del 1889 [439], esta conquista pictórica no la realizó plenamente hasta dos años más tarde, después de pasar por el influjo de Manet que revela su autorretrato de 1893, posterior al de Vidiella (1892).

En 1894, convertido en un naturalista a ultranza, abordaba el atrevido tema del *Garrote vil,* escena de ajusticiamiento en el patio de la cárcel, basada en los acontecimientos relativos a los procesos contra los terroristas del momento [440].

Dos años después realizaba una obra maestra en

Ramón Casas: Dibujo

otra faceta del naturalismo: la elevación de la escena colectiva del pueblo bajo a categoría artística, en el gran *Ball de tarda,* que fué pintado en 1896, obra contemporánea de sus estudios sobre el blanco, mujeres ante fondo blanco, vestidas de blanco o sentadas en blancos sillones.

El blanco endulza la atmósfera, a la manera de Baixeras, en otra pieza naturalista de gran empuje, la *Salida de la procesión de Santa María del Mar* (1898), que conserva el Museo barcelonés, obra contemporánea de los tipos de *chula,* parisienses y manolas, como la mujer andaluza del cartel del *Anís del Mono.*

Se han supuesto anteriores a 1899 porque en la revista *Pèl & Ploma,* de la que Casas fué propietario, publicada desde esta fecha hasta finales de 1903, no se habla de cuándo se hicieron, las pinturas que decoran el *Círculo del Liceo* de Barcelona [441], en número de doce. En ellas se evocan, relacionándolos con la música, ambientes dispersos, desde las fuentes de los alrededores de Olot al *Moulin de la Galette,* que en un espléndido lienzo utiliza en parte el tema de *La Madeleine* de la Colección Sala, y que se relaciona con otro, del mismo tipo, impresionante por la luz de su techo en fuerte perspectiva, que se conserva en el *Cau Ferrat;* el *Teatro Novedades,* el *Edén Concert,* el *Liceo,* verbenas populares, ambientes de feria y coros monjiles.

De factura rápida, con virtuosismo acentuado, Casas resolvió estos paneles cuidando a la vez del arabesco, la pincelada y el color. El arabesco whistleriano, sólo académico en lienzos como el *Coro de monjas,* juega con distintos planos separados, lo mismo que hacía en *Plein Air.* Así ocurre en *Les caramelles;* en las *Sardanas en la fuente de San Roque, de Olot;* en el *Salón de Descanso;* en el *Moulin;* en el palco del *Teatro Novedades;* en *El Palco;* en *Café Concert;* en el *Liceo,* y en la *Verbena.* Esta última, por el corte arbitrario de la escena y por su asimetría violenta, llega ya a presentar las características no del equilibrado Whistler, sino de un Degas, lo mismo que *El automóvil* [442].

La pincelada flúida se inspira en Manet, pero acentúa el ligero empuje velazqueño llegando a una luminosidad a lo Franz Hals. El color juega entre los polos manifiestos del verdoso y el rojo acarminado, entre los cuales otorga su lugar a los blancos, tan queridos por él.

Cuesta trabajo admitir que estos lienzos de color intenso y pastoso fuesen pintados entre dos piezas blanquecinas como son el *Garrote vil* y la *Procesión de Santa María.* Por sus temas, y por la moda, parece que deben ser situados ya en el siglo XX, pasado el año 1904, es decir, posteriores a la publicación de la primera época de *Forma,* porque la importancia de la composición en dos planos que acusan revela un concepto pictórico que cobró cuerpo, en su obra, con el lienzo titulado *Barcelona 1902.*

Ramón Casas: Dibujo

Ramón Casas: Figura femenina. Museo de Arte Moderno. Barcelona

Ramón Casas: *Plein air.* Fragmento. Museo de Arte Moderno. Barcelona

Infatigable retratista e ilustrador, enriqueció su sistema académico ligeramente abocetado con rasgos estilísticos a lo Toulouse-Lautrec, visibles particularmente en sus figuras femeninas de intención puramente decorativa y sus carteles.

Como dibujante, la gran serie que conserva el Museo de Barcelona con la efigie de todos los personajes del mundo cultural catalán del 1900 es de una gran importancia documental, pero mayor la tienen artísticamente los dibujos arbitrarios con que ornó las revistas de los *Quatre Gats* [443], *Pèl & Ploma* [444] y *Forma* [445].

Muy estimado por la especialidad de los retratos, fué llamado a Madrid para retratar al rey Alfonso XIII, a quien no gustó, por cierto, el retrato, y a las cortes de Munich y Berlín, pero los encargos del medio mundano no hicieron acallar nunca su embate realista, que se manifestó en una doble serie: la intimista, de obras como *La mandra, Abans del bany* (1901) o *La primera comunió,* que expuso en su taller (1904) junto con obras de Blay, y la callejera, cuya manifestación más típica y compleja fué *Una revolta,* inspirada posiblemente en la *Carga,* pintada por Ricardo Opisso antes y que la *Illustració Catalana* reprodujo en febrero del mismo año [446], lienzo compuesto fotográficamente a lo Degas, realizado con grises a lo Manet y con una fuga de ejecución muy propia.

La factura de arabesco plano y contorneado con

RAMÓN CASAS: Dibujo

RAMÓN CASAS: DIBUJO

RAMÓN CASAS: Cartel de los «Quatre gats»

ENRIQUE GALWEY: *Paisaje*. Museo de Arte Moderno. Barcelona

línea sinuosa, inspirada en los carteles de Toulouse-Lautrec, se comunicó a los suyos, como los de *Pèl & Ploma, Cigarrillos París, Garage Central, Un sanatorio,* la revista *Hispania,* los *IV Gats,* el *Papel Boer,* etc., y a paneles decorativos como los que en el *cabaret* de los *Quatre Gats* simbolizaban el final y el principio de siglo. El primero, con Romeu y Casas en un tándem, iba acompañado de un dístico que rezaba:

Per anar amb bicicleta
no es pot dur l'esquena dreta

y el otro representaba un automóvil en marcha, con un perro de raza en el estribo.

De los retratos al óleo se destaca el famoso de *Erik Satie.* Al carboncillo dejó más de ochocientos, más de la cuarta parte de los cuales pertenecen al Museo de Barcelona.

Con el tiempo fué frenando la marcha de su extraordinaria producción. Paisajes de un luminismo blanquecino fueron sucediéndose, con amor por los reflejos y las transparencias, especialmente sobre el tema de su residencia, en el monasterio románico de Sant Benet de Bages, hasta su muerte, acaecida el 1 de marzo de 1932.

La significación global del arte de Ramón Casas es la de un hombre educado a la vez por el estilismo de la línea y de la mancha, alimentado por el culto a la estampa japonesa aprendido en París, y al mismo tiempo por los recursos hábiles de un buen academicismo empapado de lecciones aprendidas en el Museo del Prado. De la síntesis de un realismo provisto de la dosis de impresionismo permitida en el siglo XVII, y de la aportación estilista, no podía nacer un arte profundo, pero sí la prestancia y donosura de un arte aristocrático y elegante.

Enrique Galwey. — Ya hemos visto que si sus contemporáneos veían en Baixeras, Llimona y Graner el naturalismo, en Rusiñol y Casas veían una atmósfera sentimental, unos estados de alma.

En el campo del paisaje, el camino que va de los naturalistas a Rusiñol y Casas es el que va del pintoresquismo de Sitges a Galwey.

ENRIQUE GALWEY : *Paisajes*

ENRIQUE GALWEY: *Paisaje*

Enrique Galwey, a pesar de tener sus raíces en la escuela de Olot, ahogada por el prestigio de Vayreda, anterior a los de Sitges, representó la etapa posterior, posiblemente gracias al enlace subterráneo que unió romanticismo y simbolismo. Vayreda, que interpretó de una manera lírica, a lo Corot, los ecos de Daubigny, preparó el terreno para que Galwey se deshiciera del naturalismo paisajista y buscara una interpretación más próxima a la mentalidad panteistizante de un Maragall.

Nacido en Barcelona el 4 de abril de 1864, estudió en la Lonja y después en Olot, junto a Vayreda, a partir de 1885. Desde 1890 expuso en Barcelona, desde 1895 en Madrid, desde 1896 en Berlín, en 1904 en Düsseldorf y más tarde en París, Londres, Buenos Aires, Venecia, etc.

La pintura transparente, a lo Vayreda, le dominó hasta 1891. Después, el influjo de los blancos de Casas y Rusiñol, más que de Baixeras y Llimona, le indujo a la opacidad de la pintura, que debía constituir la base de su estilo de masas cerradas, compactas. Bonington y Constable le sugirieron un nuevo campo para la luz y la sombra en los efectos fugaces de nubosidad que provoca manchas en tierra y cielo. En el Vallés y la Garriga encontró los temas para sus pequeños estudios del natural, en los que asimiló la técnica impresionista, de los que derivaban las telas agrandadas, de fluidísima pincelada a lo Franz Hals, de un abocetamiento genial paralelo al que buscaba Casas en su terreno, pero menos efectista y más acariciador. Como Casas, pero con más ciencia del color, sin necesidad de neblinas, supo perseguir el problema de la representación de la atmósfera, en la que nadie le igualó, aunque sus pinturas se resienten de ser notas ampliadas. Los contraluces le facilitaron esta búsqueda.

En los años veinte, perdida su dirección inicial, el luminismo, exaltado hasta los límites de lo *fauve* en la contemplación de Mallorca, dió sentido a las pinturas inmediatas a su muerte, ocurrida el 10 de febrero de 1931, de una alegría vital que ha disfrazado profundamente la obra de quien, a fines

JOAQUÍN VANCELLS: *Paisajes desolados*

JOAQUÍN VANCELLS : *Paisaje*

de siglo, era un pintor sentimental de ocasos y de auroras [447], que justificaba la invitación de Opisso [448] a que «inunde el sol uno de sus futuros paisajes».

Joaquín Vancells y el año 1896. — Más exteriormente simbolista que Galwey fué, en el paisajismo, Joaquín Vancells y Vieta, nacido en Barcelona en 1864, artista que se formó en Tarrasa y fué fundador del *Círculo Artístico* de esta ciudad, del que formaron parte los hermanos Vives, Badrinas, Trullás y los hermanos Llongueras. En 1891 se dió a conocer, con éxito, por los paisajes vallesanos exhibidos en el Salón Parés y en la Exposición de Bellas Artes de Barcelona, en la cual, en 1896, obtuvo una primera medalla por su nocturna *Riera de la Barata,* llamada por Casellas «salvaje y espectral» «catástrofe geológica».

Este triunfo representó el de toda una tendencia : la concreción de las formas pictóricas modernistas que encarnaban los ideales predicados por Rusiñol y Utrillo, pero que ni éstos ni Casas supieron llevar a la práctica.

El salón Parés de 1896 marcó el triunfo del idealismo. Al lado de las alegorías prerrafaelitas de Rusiñol, Tamburini exponía sus *Armonías en el bosque,* con una muchacha tocando el violín bajo una encina ; Brull, el *Mayo,* con vaporosas ninfas tirando flores al agua ; Triadó, la *Muerte,* con una vieja coronada de siemprevivas que conduce a un hombre decrépito hacia el Más Allá, y Gual, la *Música,* con una doncella alegórica tocando un arpa de luz, dejando un rastro de flores luminosas.

A su lado los pintores naturalistas, de la vida real, eran Mas y Fontdevila, con el *Venite Adoremus;* Llimona, con su *Tornant del tros;* Baixeras,

JOAQUÍN VANCELLS : *Montserrat*

con la *Primavera;* Barrau, con la olotina *Tierra;* Casas, con el *Ball de tarda;* Graner, con *La Brisca.* Pero en el mismo campo del naturalismo Casellas señalaba la presencia de algo «vagaroso y exquisito, remoto y quimérico», de «un misterio o una extrañeza» que daban aliento a obras nebulosas como el *Interior de iglesia,* de Félix Mestres ; el *Interior,* vaporoso, de Planells ; la *Ninette,* de Felíu de Lemus ; las figuras espectrales de Clapés ; los interiores fosforescentes de Ricardo Urgell ; los sombríos de Pitxot y de Ferrater ; el *Taller,* de Cusí, y los paisajes tenebrosos, como *Después de la Tempestad,* de Galwey, la «salvaje y espectral» catástrofe geológica de la *Riera de la Barata,* de Vancells, la *Notre-Dame,* de Rusiñol, y el *Atardecer,* de Amigó.

Es importante señalar que esta misma exposición representó el manifiesto colectivo de la *Colla del Safrà* con el luminismo de Nonell, el Pitxot del *Campo de hortalizas,* el Riera de las doradas *Arboledas,* Canals, Sardá, Sunyer y Sans.

Joaquín Vancells halla la justificación fundamental de su arte en su lirismo, entendido como cultivo de la fluidez frente a la consistencia, del tiempo frente a la geometría, por cuanto prefiere captar las horas del día a los perfiles de las montañas ; del aire, del agua, de las nubes, de todo lo que es cambiante, frente a las rocas, los árboles, las casas, todo lo que permanece. Pintura situada en el polo opuesto a todo formalismo plástico.

La impresión general que en su época causó el arte de Vancells es la que se refleja en la opinión que expresaba Alejandro de Riquer desde «Joventut» en 1900, al clasificarlo, junto con Berga, como uno de los «poetas de la naturaleza».»

NONELL : *Paisaje*. 1895. Colección Juan Valentí

LA GENERACIÓN JOVEN

Negros y blancos. — Dos alas tuvo la generación que sucedió a Rusiñol y Casas : el ala negra y el ala blanca. De éstos derivó directamente la primera, pese a la reacción de sus promotores en favor de una objetividad bien entendida. La segunda bebió en las fuentes del grupo idealista que había encabezado, en su día, Alejandro de Riquer.

Plásticamente, la primera tiene por objeto el cuadro mismo. La segunda, lo representado. La primera busca un efecto estético. Un efecto sentimental la otra. Una se inspira en lo vivo, la otra en lo imaginado. Una construye inteligentemente. La otra deja las formas en estado de caos.

Nonell, Pitxot, Mir, Canals, Gosé, están en la primera. Triadó, Gual, Bonnin, Xiró, Pey, en la segunda. Anglada y Sert inician una síntesis arbitraria con su decorativismo.

Los más jóvenes — Opisso, Galí, Sunyer, Casagemas, Picasso — se apoyan en el ala negra para despegarse de ella, sin dejar de odiar fundamentalmente el ala opuesta, para penetrar también en el campo de las formas arbitrarias, en la huída que tomará su forma definitiva en el cubismo, broche que cierra a la vez naturalismo e idealismo.

Nonell. — Comentando la Exposición general de 1896 en Barcelona, Casellas juzgaba lacónicamente, con un calificativo determinante, cada uno de los jóvenes pintores. Caracterizaba a Nonell por el *vaporoso* paisaje de San Martín ; a Mir por el *esplendoroso* huerto del Rector ; a Pitxot por el *japonizante* campo de hortalizas ; a Canals por el patio *a pleno sol*.

Eran todos ellos de la *Colla del Safrà*, cuya

Isidro Nonell : *Gitana.* 1906. Óleo. Colección Fernando Benet. Barcelona

ISIDRO NONELL: *Amparo.* 1909. Óleo. Colección Graupera. Barcelona

ISIDRO NONELL: *Gitana*. 1904. Óleo. Colección Fernando Benet. Barcelona

Isidro Nonell: *Estudio*. 1904. Óleo. Colección Casimiro Vicens. Barcelona

NONELL: *Arenys de Mar,* 1891. Colección Enrique Serra. Barcelona

NONELL: *Paisaje.* 1892. Colección José Sala. Barcelona

NONELL: *Suburbio*, 1894. Colección Juan Valentí

más pintor que Meissonier —, no por ello dejaron de ser, en cierto modo, más seguidores que creadores. Tenían, pues, razón quienes decían [449] que la obra de Nonell fué «como un puente que hizo pasar de la obra confusa, indeterminada, de la pintura en Cataluña, a la obra, ya concreta, precisa, de la pintura catalana».

Isidro Nonell y Monturiol [450] nació en Barcelona en el *carrer Més Baix de Sant Pere,* en casa de un fabricante de pastas para sopa, el 30 de noviembre de 1873. Era, por lo tanto, del mismo barrio que Rusiñol, hijo de unos fabricantes textiles, y que Joaquín Mir, hijo de unos comerciantes de bisutería, muchacho, este último, nacido el mismo año que él y de quien fué compañero, en su infancia, en el desaparecido Colegio de San Miguel, de la Ronda de San Pedro.

Su padre quiso hacerle estudiar el bachillerato, pero el chico recibió, al empezarlo, excesivo acopio de malas notas, y lo abandonó. Después empezó a pensar seriamente en la pintura. Plana [451], Merli [452] y Goicoechea [453] hablan de un apoyo familiar a su vocación. José Pla [454] y Rafael Benet [455] se inclinan a creer que, como Rusiñol y como Mir, tuvo que vencer las resistencias familiares que forman el meollo de la famosa *Auca del senyor Esteve.*

En 1885 entró como alumno, para aprender dibujo, en la academia de José Mirabent, sita en la plazoleta que hace la calle de Montcada junto al Born. Allí aprendería, copiando yesos vaciados de esculturas antiguas, las disciplinas del dibujo académico que tan a la perfección dominaba el gran técnico que fué este pintor de bodegones y floreros.

Pareceríale, no obstante, anticuado el reducto cuando se trasladó a la academia de Martínez Altés, fortunyano pintor de *tableautins* de sabor flamenco, cuyo estilo de pequeñas pinceladas se descubre en cierto paisaje pintado por Nonell en Arenys de Mar, corriendo el 1891.

Quizá en esta fecha ya había pasado a la academia de Luis Graner, donde conoció por vez primera los pinceles. Graner tuvo una influencia decisiva en su obra. Pintor superficial y amanerado pronto, no

unión se hacía patente, a la vista de los profanos, por el empleo generoso de un luminoso amarillo introducido en nuestra pintura por Rusiñol.

Si Pitxot era quien contaba más años, la parquedad de su obra sitúa a Nonell en el decanato.

Hoy se hace difícil juzgar con equidad la obra de Isidro Nonell. Fruto el más sazonado de la generación que tomó en serio el *romper moldes* de Rusiñol, Nonell fué tomado en seguida como bandera. Signo de contradicción, fué el estandarte de los renovadores y el coco de los *pompiers,* y si unos exageraron en los elogios los otros exageraron en los menosprecios.

Lo auténtico es que, aparte su valor intrínseco, fué el primero que no obedeció a corrientes externas. Pintores importantes, al pertenecer hasta la fecha a escuelas de origen exterior — como Martí Alsina al realismo galo, e incluso los que sobrepasaron a los modelos extranjeros, como Fortuny, cien leguas

NONELL : *Paisaje*. 1896. Colección M. Martí. Barcelona

por ello dejó de imprimirle potentes huellas, no solamente en la pasión por el color en sus entonaciones sombrías, con luces verdosas y rojizas, sino asimismo en la temática baja, negra, de lo misérrimo y lo hundido.

Del taller de Graner pasó a la escuela de la Lonja, posiblemente en 1893. Allí encontró al que debía ser su compañero más afín, Ricardo Canals, y a su viejo amigo Mir. Caba, encastillado en su pulcro academicismo, creyó que no serviría para pintor, y sólo rectificó cuando el muchacho, en una sesión de tema libre, pintó un anciano sentado en un banco del Parque de la Ciudadela, rodeado de otoñales hojas caídas, a cuya pintura dió el expresivo título de *Melancolía*.

Eran exactamente los años en que Nietzsche e Ibsen se introducían en la cultura catalana, y con ello tomaba cuerpo el sistema modernista de ver el mundo.

De 1893 a 1895 formó parte de la llamada *Colla de Sant Martí*, con Canals, Julio Vallmitjana, Pitxot, Mir y Gual, llamada así porque escogía con preferencia las afueras de la ciudad por el lado de esta barriada para sus búsquedas de paisaje suburbial para pintar.

En 1895 expuso con la Academia Artística libre en la Sala Parés, con éxito de crítica. La primera que hemos encontrado [456] apareció en el *Correo Catalán* del 24 de mayo de 1893, y en ella se juzgan los cuatro o cinco estudios de Nonell como lo mejor de la exposición.

En *La Vanguardia*, desde el año 1894, y a partir de 8 de septiembre, aparecen a menudo dibujos de Nonell, de la serie *Tipos populares* y de las llamadas *Escenas de las afueras*.

El año siguiente fué elogiado desde *La Publicidad* [457], donde se juzgaba que «las dos notas más

NONELL : Dibujo de la serie de Bohí. 1896

Baixeras, algo que pudo ser calificado [458] de «exquisitez que dedicamos a los paladares más refinados».

En 1896, con Canals, se dedicó a dibujar en las barracas de las afueras de Hospitalet con Mir, Pitxot, Canals, Casagemas y Gual, los del grupo llamados *Colla del Safrà.*

Durante el verano estuvo en Caldas de Bohí, adonde fué con Canals con la esperanza de trabajar ambos en el balneario como empleados. Allí se encontró con el tema de los cretinos, que le sirvió para su exposición del mismo año 1896 en el zaguán de *La Vanguardia* y le permitió ilustrar un artículo sobre el tema, publicado en *Barcelona Cómica* [459].

Al año siguiente estaba en París, donde exponía sus *gouaches* fritas sobre el tema de los cretinos en el *Barc de Bouteville* de Doesbourg. A la vuelta expuso en los *Quatre Gats,* en diciembre de 1898, para retornar a París, donde, en 1899, formaba parte del grupo de Sunyer, Osó, Brossa y Cortada, instalado en Montmartre, y donde expuso en el entresuelo de las Galerías Vollard, exposición de la que habló con amargo desprecio su enemigo pictórico Brull.

A su regreso adoptó el tema de los gitanos, que no debía abandonar ya. Eran sus modelos la vieja *Abuela* y la joven *Consuelo,* que un día murieron trágicamente en el Somorrostro, bajo las ruinas de su barraca; la *viuda,* y una mujer blanca, *la chata* o *Julia.* Muchas de sus pinturas llevan escrito en el dorso, sobre la propia tela, nombres propios de mujer, que no se sabe si son los de modelos auténticas o si se trata simplemente de títulos dados a las pinturas.

nuevas, dos tentativas que han conocido el éxito, nos las dan Nonell y Pitxot», refiriéndose a tres estudios de Montjuich y un cuadro titulado *Boira-i-sol de tarda,* del primero, y al *Tornant del treball,* del segundo.

El título de *Boira-i-sol* ya nos dice de que se trataba : del realismo pálido y vago a la manera de

Incomprendido por el público, elogiado por la crítica, que, a pesar de ello, le reprochaba la fealdad y poca ambición de sus temas, no conoció el éxito hasta 1910, cuando colgó 100 pinturas en el *Fayans Català* y pudo recoger la cantidad, entonces importante, de mil duros, lo que dió pie para escribir, con grandes titulares, en los periódicos: *En Nonell triomfa* [460]. Desgraciadamente, la muerte no debía tardar en poner fin a su carrera, en Barcelona, el 21 de febrero del año 1911.

Decíamos que en sus pinturas primeras se descubre la pequeña pincelada brillante y nerviosa fortunyana. Esto, aprendido quizás en Martínez Altés, obedecía al influjo, que el tema de su *Playa de Arenys* revela, de la escuela de Sitges, donde trabajaban Roig y Soler, Mas y Fontdevila y Meifrén.

A su factura brillante sucedió el realismo del azafranado paisajismo que asoma en *La figuera* (1895), pintura de construcción maciza que recuerda las obras de Millet y que revela el influjo de la estilización dibujística, con marcado sintetismo, que acusan los croquis publicados en la revista *Quatre Gats* y en *La Vanguardia* el año anterior. La plasticidad de este paisajismo tiene mucho de común con la de Galwey, no por el resultado obtenido, pero sí por el punto de partida.

El naturalismo suavizado de Rusiñol asoma claramente en el *Pati assoleiat* y el *Paisatge suburbial,* en los que Casellas vió una «luz intensa» que no sabemos descubrir ahora, posiblemente juzgada así por comparación con el arte académico y realista circundante. El tema del patio soleado, tratado ya por Fortuny, recibió su forma sentimental con Rusiñol, de quien deriva la atmósfera difuminada, a lo Carrière, de estos cuadros.

NONELL: Dibujo de la serie de Bohí. 1896

En 1897, con la serie de los cretinos, da Nonell un gran salto. El anguloso estilo lineal, de arabesco plano, que campeaba en los dibujos de *La Vanguardia* en 1894, hijo de las traducciones de Toulouse-Lautrec que hacía Casas, le dió la base para hallar el sistema decorativo, como de laca o marquetería, de las *gouaches* de los cretinos, fuertemente japonizantes.

Casas no se daba cuenta, al imitar a Lautrec, de la significación moral de las obras de éste, de su esfuerzo para poner de relieve la chispa eterna de espíritu que brilla en el fondo de toda humanidad, incluso la más caída. Él debía abandonar esta moda por el academicismo a lo Brangwin de los años de *Forma,* pero en el ánimo de Nonell, como en el de Picasso, había sembrado ya la semilla del irrealismo protestatario. Los procedimientos llevan en sí mismos los contenidos, y la simple copia de procedimientos por Casas tuvo la virtud de transmitir contenidos a Nonell y a Picasso.

En posición de lucha contra el espíritu de la civilización industrial, que éste era el meollo del arte de Degas, su temperamento se encontró, a ciegas, con una forma paralela a la de Gauguin, otro

NONELL: Estudio de gitana. 1901. Colección doctor Galí

disconforme que, tanto por su temática como por su estilo irrealista, rompió, en doble frente, contra aquel espíritu.

Gauguinianos fueron los cretinos que le valieron las críticas elogiosas de París, a pesar de lo cual Frantz Jourdain supo descubrir, en los trazos de Nonell [461], «esta vigorosa raza catalana que, celosa de su áspera personalidad, vive en París sin perder ni una partícula de sus defectos ni de sus cualidades».

En el año 1898, cuando regresó, su arte fué calificado, desde el *Diario de Barcelona,* posiblemente por Pujol y Brull [462], como de «tendencia exagerada». Se descubría en él, efectivamente, el expresionismo que campea en los grupos de pobres que poseen las colecciones de José Sala y de Santiago Juliá, tan cerca de Gutiérrez Solana, con sus ocres, sus amarillos, sus fuertes contornos oscuros.

Fueron estas pinturas, en las que línea y color se resolvían independientemente como en una xilografía japonesa—expresionistas e irrealistas a la vez —, las que le valieron ser clasificado [463] como perteneciente a la familia artística de Goya, Gavarni, Forain, Steinlen, Rops y Lautrec. Nonell había recibido, en efecto, una orientación definitiva en el sentido que antes buscaba a tientas, cuando trabó conocimiento en París con el arte de Daumier y de Millet, alcaloides de su posición a la vez crítica y reivindicadora.

Como Millet, encontró, en el cultivo de la materia como una pasta, solución a la vez técnica y moral, el modo de expresarse que le convenía, una especie de escultura basada no en la masa, sino en el color, que justificó las palabras de quienes hablaron de su *coup de pouce sculpteur* [464].

¿Cómo se atrevió Nonell a dar un salto atrás hacia la época del realismo, con sus coloraciones oscuras incluso, en un momento de prestigio para el impresionismo? La sinceridad, *leitmotiv* de la época, le autorizó para seguir plenamente el dictado de una posición personal, como correspondía a un hombre de la época vitalista de bergsonianos y nietzscheanos, que tenía como compañeros, en París, al nihilista de acción Jaime Brossa y al ibsenista de *L'Avenç* Alejandro Cortada.

Hizo esto, pero sin abandonar lo aprendido en los maestros de arabesco que fueron Toulouse-Lautrec y Whistler, los inspiradores de Casas. Así, japonizaron sus figuras de perfil del año 1901, como la mujer de la colección Vicens y la de pincelada sinuosa y pastosa de la colección Valentí, con difíciles escorzos de perfil, daumieriana, y la whistleriana *Gitana del abanico* de la colección Sala.

En esta dirección intentó la coloración lisa, en

Isidro Nonell: *Gitana*. 1908. Óleo. Colección José Sala. Barcelona

NONELL: *Gitana.* 1908. Óleo. Museo de Arte Moderno. Barcelona. (Procedente de la Colección Plandiura)

el gran lienzo titulado *Amparo* (1904) del Museo de Arte Moderno de Barcelona, para intentar cerrar las masas en compactas convexidades que dieran carácter a las figuras plásticas del año 1905, como las gitanas de perfil, de egipcia prestancia, y la que, significativamente, Benet propone llamar *Forma,* que se guarda en la colección José Sala.

Las manos hundidas en la masa caótica y azulada, nocturna, de la gran *Viuda,* de la colección Juliá (1906), el rostro escondido de las opacas mujeres de la montaña, revelan una orientación del arte de Nonell, en este momento, evasiva del mundo exterior, cerrada en una tendencia hacia lo recogido y limitado en sí, hacia la sorda y ciega masa compacta de la vida, lejos de toda claridad racional. Estilísticamente ello representaba el mismo fenómeno de la época azul de Picasso, descenso a los infiernos, en el cual, si hubo manos y pies, no fué sin aplicarlos cuidadosamente a bloques de materia en los que se funden. Picasso fué influído sin duda alguna por la dirección en la que buceaba Nonell, pues en 1898 todavía era el gótico del *Menú* de los *Quatre Gats,* y no daba entrada a las formas cerradas sobre sí mismas y a las facciones atraídas, como estalactitas, hasta 1902, con los macizos pobres, posteriores en cuatro años a los de Nonell que se les parecen más.

Este fenómeno plástico quedaba en segundo término. Los críticos no lo parecían de la estética, sino de la ética. Escribían, por ejemplo:

«No se dirá de él que sacrifique a los gustos pecaminosos del vulgacho, que embellezca el vicio, sino que lo desuella a latigazos, pues producen más repulsión sus *cocottes* que sus harpías. Lo cual

Isidro Nonell. — Figura reclinada. Museo de Arte Moderno. Barcelona

NONELL: *Lola*, 1910. Colección Rocamora. Barcelona

quiere decir que Nonell es un moralista, quizá inconsciente, pero cuya predicación con la imagen es o podría ser mil veces más eficaz que el sermón más contundente [465].»

Cocottes y harpías veían los críticos sacudidos por la sorpresa donde en realidad no solían encontrarse más que las formas de humanidad vegetativa, resignadas a un destino de existencia casi puramente física, envueltas por el manto visible de su miseria y por el manto invisible de un destino implacable.

1906 fué la época rosa para los dos. Picasso la encontró en Holanda; Nonell, sin moverse de la Barcelona natal. Fué redimido por la forma de la temática. Pobres, enfermos, desheredados, vagabundos, prostitutas... borráronse de su arte; esfumáronse, a la vez, las tétricas coloraciones, y auras irisadas dejaron diluir la técnica en forma de cesterías, bastoncillos, palotes y ganchos entrelazados o en espina de pez, que pasaron por el plateado de la muchacha de espaldas que guarda el Museo barcelonés, para terminar, en 1908, en las delicias de los azulados y rosas de la *Reclinada* y los tonos de tórtola rosados y pardos de *Julia*, la chata, que preside la sala del Museo.

Cesó la «sub-humanidad» a que aludía Alfredo Opisso [466], cesó la pintura de «estados de alma» de que había hablado su panegirista Carlos Junyer-Vidal [467], y se entraba en el mundo de la alegría mediterránea que, por las mismas fechas, se predicaba en el *Glosari*.

En esta posición ganaba Nonell, a los ojos de la mayoría, el prestigio de un redimido, de alguien que había regresado de los infiernos, salvado por misteriosa *Nekia*.

NONELL: *Figura.* 1907. Colección Juan Valentí

Así se burlaba de los que le llamaban, con razón, modernista y creía que el modernismo era la tendencia falsa de los imitadores de la acera de enfrente. Aceptaba que Casas y Rusiñol fuesen grandes artistas, aunque condenaba como imitadores de lo francés sus primeros patios llenos de luz y sus posteriores cuadros negros a lo Whistler, que Casellas ensalzaba; pero a Nonell le llamaba *el pobre Nonell,* le consideraba como un copista del *Gil Blas* y un equivocado cegado por los entusiasmos de Jordá.

Brull cuenta [468] que visitó en París una exposición de Nonell en una galería olvidada, en un entresuelo. Los dibujos del artista figuraban en un cuarto de dos metros y medio al que se llegaba a través de habitaciones desmanteladas, una de ellas con dos camas sin hacer.

«Allí estaban, como si jugasen a hacer exposición, algunos de aquellos dibujos que pasan por modernistas. Unos parecían imitaciones de papel de estraza, otros ostentaban unas salpicaduras al estilo de las que hacen los pintores de pared de alcoba, como dibujos picados por las moscas. Se veía que la primera cualidad o condición de aquellos dibujos era que pareciesen viejos; más que dibujos parecían muestras de papeles de pasados siglos.» Con ironía comentaba: «Es una desgracia tener demasiado talento, pero esto no puede evitarse. Se nace como se nace: unos calabaza, otros calabacín.» Este tipo de opiniones tendió a la retirada cuando fué abriéndose camino la comprensión de Nonell. Poco más tarde, en 1903, Pujol y Brull, refiriéndose a la exposición inaugurada el 17 de enero [469], comprende el genio del joven artista y le apoya en su lucha contra el público acostumbrado a los *cromos* bonitos, pero cree que en el placer de la lucha Nonell llega a extremar la nota proponiéndose deliberadamente la representación de lo repugnante sólo para escandalizar.

Así pudo acallarse la acerba crítica de que le hizo objeto el que fué el reverso de la medalla del Nonell pintor de oscuras gitanas: el Brull pintor de brumosas ninfas prerrafaelitas al borde de lagos de ensueño.

Brull, defensor de algunos de los que hoy pasan por modernistas, y crítico en una revista modernista, sentía el valor despreciativo de la palabra y buscaba aplicarla sólo al ala negra, salvando de la quema a los idealizadores.

Su aspecto de pintor de fealdades hizo pasar inadvertida su calidad de pintor a secas. Los críticos, en su mayoría, se sorprendieron ante el fenómeno y pudieron decir :

«De igual manera que Goya, es Nonell un enigma en cuanto a los antecedentes de su aparición. Porque ni siquiera se puede conjeturar que lo deba al temperamento ni al medio ambiente ; el pintor de lo horriblemente sórdido, ese Dante del infierno de la fealdad, es un joven de veinticinco años, lleno de salud y de alegría, de perfil apolíneo, nada atrabiliario ni misántropo, y absolutamente refractario a la indumentaria de la bohemia [470].»

Pero como todos los comentarios se referían a la temática, todo el mundo calló ante las telas del año 1908, que dieron paso al pintor puro, aparentemente realista, de las figuras cálidas del 1909 y los bodegones del 1911.

De las primeras guarda el Museo barcelonés algunos pequeños bustos, en los que el rojo campea en una atmósfera de media tinta, sin la nocturnidad antigua ni la reciente irisación. De los segundos, el famoso bodegón del arenque, del mismo museo, nos revela un estado de la pintura en el que el artista, definitivamente liberado de la obsesión temática a que le condujeran las primerizas influencias técnicas, y liberado también del explosivo entusiasmo por la luz irisada de su retorno de los infiernos, encontró su centro en la labor de extraer simplemente riquezas cromáticas del espectáculo de los objetos, función que, equivocadamente, pudo confundirse con la de un académico, y que en realidad no contradice su posición fundamental de artista dedicado no a la representación, sino a la constitución de superficies preciosamente pigmentadas.

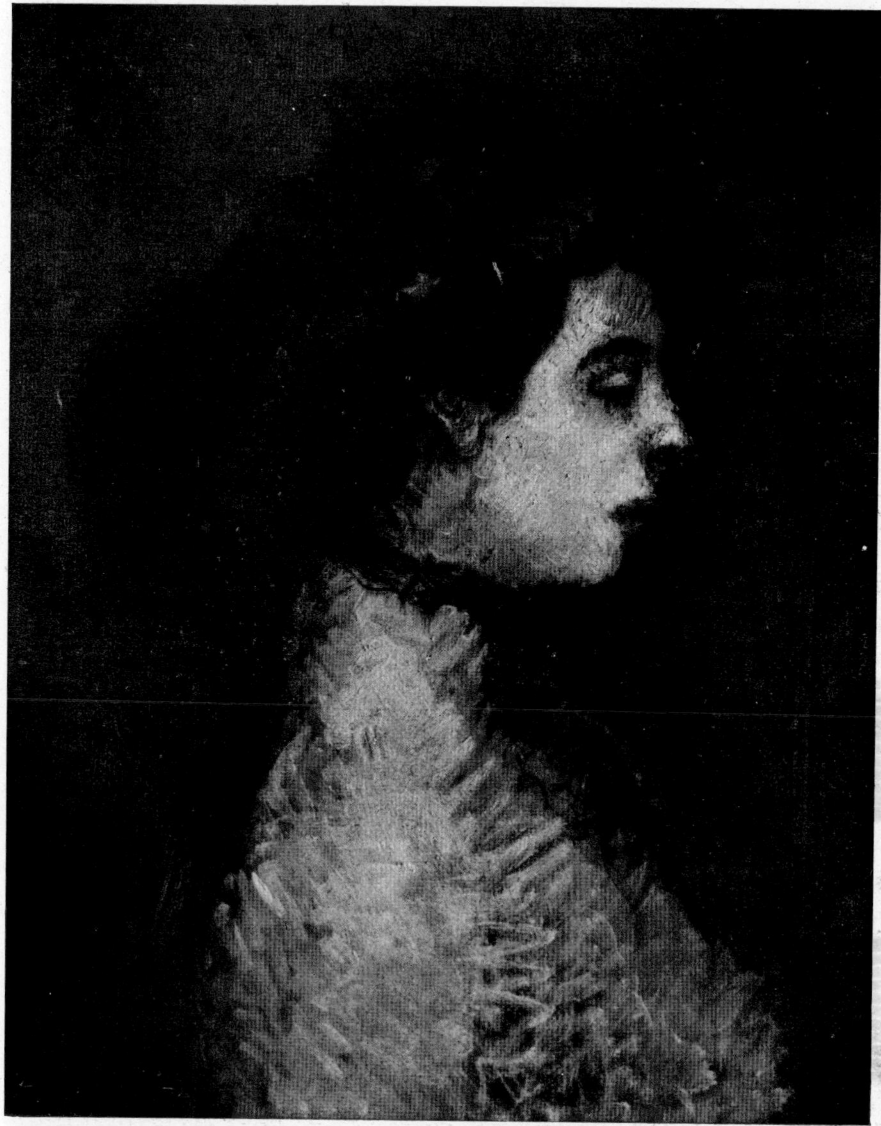

NONELL : *Gitana*. Colección Juan Valentí

Que éste es el sentido de su obra final lo revelan sus dibujos, que, si empezaron con angulosidades y arabesco gauguiniano y pasaron por una larga fase, influída por Daumier, en la que las manchas de color, de tonos desvaídos, verdosos, terrosos, amarillentos, azulgrisáceos, se disponían con independencia del vermiculado trazo lineal, robusto, complejo y ramificado en sus sinuosidades, terminaron en una estilización esquemática derivada a la vez del japonesismo y del neopopularismo orientado, como el arte de Galí y de Aragay, hacia la dirección de la estampería barata del siglo XVIII. En esta etapa final de sus dibujos, el trazo se hace sintético, único, realzado por zigzags que cumplen la misión del ingenuo sombreado de trazas de las xilografías populares, y los elementos de color liso se encierran en curvas convexas, no lejos del tipo de estilización que adoptó Xavier Nogués.

En conjunto, y particularmente a causa de los bodegones finales, su obra fué tomada por la de un realista. Hubo quienes, a pesar de afirmar que «la pintura de Nonell era un mundo moral», creyeron que su anhelo era «alcanzar la justa verdad de las cosas objetivas» [471] y se vieron obligados a confesar algo mucho más real, pero que les pasó inadvertido : su papel de preciosista, de edificador, «por la nueva materia que es la pasta coloreada», de «un mundo nuevo, lleno de suntuosas realidades

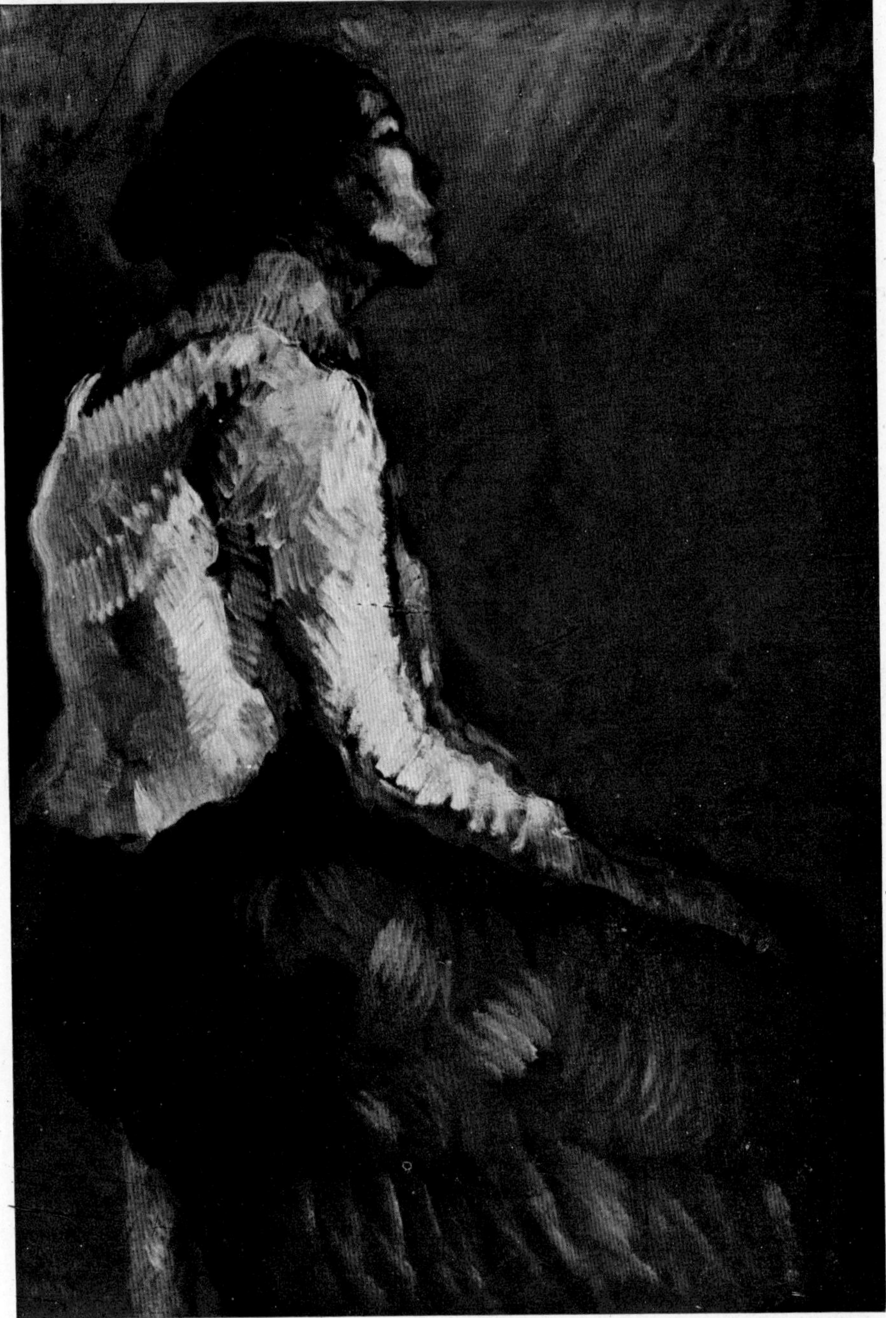

NONELL: *Gitana*. Colección José Mompou

de color». Este creacionismo, que es el meollo gaudiniano de su arte, es el que supo captar Vayreda, el joven, al darse cuenta [472] de que «Nonell llega a obtener un verdadero organismo vivo tanto en la forma como en el color».

Por eso Casellas pudo escribir, hablando de su obra [473]: «Y todavía, después, viene la calidad... ¡Oh, la calidad! Tiene una verdadera adoración por la calidad que da la pasta, la materia, cuando está bellamente puesta», y referirse a «fragmentos verdaderamente preciosos» en los que el crítico encontraba a faltar, sin darse cuenta de que estaban reñidos con el preciosismo, la línea y el claroscuro. La labor del preciosista, paralela a la de Mir, la vió Ramón Reventós cuando se percató de que eran «sus ojos descubridores de plumas de pavo real en el más humilde de los ropajes» [474].

Su obra tiene una duplicidad que Ors, y después Benet, han calificado de maniquea. Para Ors «había dos Isidro Nonell..., uno se acercó al oficio del escultor, el otro a la gracia del caricaturista; uno podría recordarnos a Cézanne, el otro recordaba a Goya [475]». Del segundo, el destructivo, queda la etapa contenidista. «Creyó en el Mal y en la Divinidad del Mal. Fué la hora de sus negros dibujos, de sus cretinos: cada acuarela ahumada, cada *gouache* frita, valió entonces, en la producción de su espíritu, por una pequeña misa negra... Muy de Cataluña y muy de su tiempo; de Cataluña la blasfema, la que en aquellos mismos días, y en una obra de Ramón Casellas precisamente — en *Els sots feréstecs* —, producía otra muestra de inspiración maniquea en arte, de concepción dual y bélica del mundo».

Del primero, el arbitrario, el escultor, quedó el gran captador de la Belleza, que despojó al ideal clásico de todo lo accesorio para ir a lo esencial por el método de los románticos, que buscan el carácter, operación que descubrió como nadie el filósofo Pujols [476]:

«Encendido el fuego — decía — e inspirado por las llamas, el cocinero asa el gallo, que sale del horno como oro y, desvanecido el clasicismo y tirado al estercolero el plumaje de sus elementos constitutivos, el difunto Nonell lo coció y asó con el fuego de la inspiración, como un manjar sin espina ni hueso, para los que quieren hincar el diente en la esencia de la Belleza, sin tener que roer los huesos de la construcción clásica que sostienen la obra de arte.» Y el filósofo de Martorell resumía así su pensamiento:

«Este es el plato del día que Nonell sirvió a los catalanes, momentos antes de morir.»

Se habla del «caso Nonell» y a ningún otro de los pintores de su época y su ambiente se le aplica esta expresión. Evidentemente se trata de un fenómeno que llama la atención por lo difícil de catalogar. Los tratadistas suelen quedar satisfechos cuando han conseguido clasificar a un artista en unos anaqueles establecidos, y quedan despistados cuando aparece un bloque sólido de pintura como el de Nonell, presentando resueltamente su faz, pero con un rostro cuya expresión repele a toda definición demasiado cristalizada. Lo más curioso del caso Nonell es el hecho de que se lo apropien los críticos de tendencias más dispares, que tienden a deformar su sentido y a convertirlo en algo propio. Los realistas hacen de él un apóstol, los formalistas un profeta.

NONELL: *Figura.* 1908. Colección Jaime Fonolleda

En el mismo instante en que él servía un ideal, explícito en sus palabras, que le aproxima al de los abstractos, había quien, como Alfredo Opisso, rompía lanzas en su favor clasificándolo como un «pintor ultra-terrible» y, queriéndole ayudar, clasificándolo precozmente, en 1899, once años antes de su éxito, como «personalísimo y celebradísimo».

Desde un principio se vió que su aparición era algo insólito, y, naturalmente, el propio Opisso estuvo acertado al parangonarla, en tal sentido, con la aparición de Goya, sin maestro ni precedentes. Este crítico incluso se atrevió a decir algo que tiene mucha profundidad al afirmar que el arte de Nonell no puede explicarse por el ambiente ni tampoco puede explicarse, y esto es lo realmente enorme, por su temperamento. En efecto, recordemos la extrañeza del crítico, ya aludida antes, por el hecho de que este

NONELL: Autorretrato

NONELL: *Gitana.* 1909. Colección Luis Rocamora. Barcelona

NONELL: *Bodegón.* 1910. Museo de Arte Moderno. Barcelona

joven sano y alegre, bien parecido, sin desapego aparente por las bellas cosas de la vida, pareciese todo lo contrario de lo que habría parecido lógico que fuese un «Dante del infierno de la fealdad», un «pintor de lo horriblemente sórdido», de «las viejas pordioseras de los atrios de las iglesias, las lastimosas hileras de mendigos socorridos por la caridad... todas las variedades de la degeneración humana: idiotas, inválidos, alcohólicos, lisiados, ciegos, sacados sobre la cartulina como ejemplares de una forma humana inferior.»

Aquí vemos el error del crítico, al dejarse impresionar por el aspecto repelente de los temas, sin advertir que en la contemplación de la miseria cabe la gran alegría del amor, de la comunión espiritual con los caídos, de la adhesión, del sostén o, por lo menos, del deseo de ser testigo de las consecuencias de una injusticia humana.

NONELL: *Gloria*. 1910. Colección Casimiro Vicens

Antonio Serra. — Antonio Serra y Fiter, a quien nos hemos referido como ceramista y escultor, ofrece también interés por su pintura.

Con una técnica que recuerda los interiores del Rusiñol de París, y con preocupaciones temáticas y luminísticas heredadas de Graner, compuso en 1891 su *Accidente de trabajo* en los talleres de una industria metalúrgica de Pueblo Nuevo.

Estudios posteriores de calle, un paisaje gallego y notas al aire libre le sitúan en una dirección preocupada antes que nada por la luz y con puntos de contacto con Regoyos. Sin abandonar el naturalismo, este artista pertenece a la época modernista por lo calculado de la composición de sus obras a dos planos — según el conocido artificio del pintor Ramón Casas —; entre aquéllas destaca, por ejemplo, la discusión de los pescadores de Pueblo Nuevo con un guardia municipal junto a la casa Gironella, del año 1897. Esta última es una pintura que resulta sabrosamente natural aun a despecho del artificio que sustenta la distribución de sus masas.

Antonio Utrillo. — En manos del amaneramiento comercial, algunas fórmulas de la generación de Casas se han mantenido hasta momentos muy recientes. Tal ha sido el papel de Antonio Utrillo y Viadera, pintor nacido en Barcelona en 1867, el mismo año que Casas, y que estudió en París, junto a Courtois y Colin, pensionado por la Diputación de Barcelona. A su retorno montó el taller Utrillo-Rialp de decoración y publicidad, del cual han salido infinidad de paneles, invadidos de blanquecina neblina, para teatros, cafés, cines, etc. Comenzó

NONELL : *Gitana.* 1910. Colección José Sala.

de influencias, al dedicarlo a la paciente búsqueda sobre la propia experiencia ; su gama neblinosa, de las oscuridades oleaginosas.

Arte del bienestar, hedonista en sí mismo, refleja, por otra parte, el gusto de agradar.

Ricardo Canals y Llambí [477] nació en Barcelona el 11 de diciembre de 1876 [478]. Estudió en la Escuela de la Lonja.

Sus primeros temas fueron los mismos de Nonell: escenas de pobres habitantes de las barracas de las afueras de Barcelona, tratadas, en dibujos ligeramente acuarelados, de una manera nonelliana, con trazos gruesos de lápiz parís sin punta afilada, ondulantes, y manchas claras de color transparente.

La diferencia entre estas visiones de Canals y las de Nonell es la ausencia, en las de aquél, del gusto ácido por la acentuación de los estigmas que se manifiesta en las de éste, y la permuta de esta ostentación realista por un ideal compositivo.

Los colores son los mismos, pero más limpios y aéreos.

Los pobres, los cretinos, las turbias multitudes, se suceden en las visiones expuestas en *La Vanguardia,* en octubre de 1896, y en los temas que llevó a París en 1897 y 1898.

Los marchantes franceses, que en 1898 le brindaron la oportunidad de una modesta exposición particular, junto con Nonell, en la capital francesa, le sugirieron la explotación de la manera agradable de traducir aquella clase de españolada, hasta cierto punto atractiva, que son los cuadros de pintoresca gitanería y de andalucismo. Lo que Nonell no quiso hacer fué un camino para que Canals pudiera introducirse en el mercado internacional de pintura. En 1902 Durand-Ruel montó, en efecto, su exposición individual en Nueva York, en la cual el andalucismo campeaba, lo mismo que en la exposición de la Sociedad Nacional, en París, celebrada en 1907, a la que concurrió con *Un palco de toros* que llamó poderosamente la atención.

De Renoir adoptó Canals un divisionismo volá-

con obras simbólicosociales como *Lujo y miseria,* con la que se dió a conocer, y alegorías religiosas, para terminar en la vacuidad del *Consolat de Mar,* enorme lienzo decorativo del Salón de San Jorge de la Diputación, edificio del que había sido jefe de ceremonial en tiempos de Prat de la Riba.

Ricardo Canals. — Amigo íntimo de Nonell, Canals representa un concepto muy distinto de la pintura. Su fidelidad al ideal de la belleza le aleja de la monumentalización de lo feo ; su eclecticismo,

RICARDO CANALS : *La Revista.* Colección Barbey. Barcelona

til que debía comunicar atmósfera a su nuevo mundo de ambiente refinado, unas veces gracias a dulces femineidades, otras a la compostura del retrato distinguido.

Así el espíritu negro, la estilística a lo Daumier, la manera de aguafuerte de su primera pintura, cedieron el paso a las suavidades que le sugirió la técnica del pastel, empezada a practicar en las escenas andaluzas. Del pastelismo pasó a la pintura al óleo de su impresionismo tardío, al gusto por los colores de pasta opaca y la blanquecina nebulosidad, que lo alejan de las acarameladas tonalidades de Renoir.

La toilette, expuesta en 1907, hoy en el Museo de Arte Moderno de Barcelona, es una de las grandes pinturas de este período. De Manet sacó la idea de contrastar la desnudez blanca de una dama con la piel de una sirvienta negra y el color vivaz de un ramo de flores ; pero, lejos del espíritu de la *Olympia,* no hallâmos aquí un ritmo seco de formas concretas, sino una vaga evocación de calidades materiales.

Excelentes retratos que el mismo museo conserva, entre ellos los de su hijo enfermo, son testigos de esta etapa, que cede su paso a una evocación de la pintura británica. El *colorido flotante* de que hablaba Junoy da paso al recuerdo de la retratística inglesa, con sus personajes en posición de tres cuartos, con finas manos pendientes, ante un fondo de árboles vagos y celajes tempestuosos. Dibujística, y orientada hacia las entonaciones de azules y verdes, esta pintura tendió a adquirir ciertas fórmulas. Cuando, después de exponer en Bruselas en 1910, en 1911 el Museo de Gante adquiría una *Gitana* suya, aun no se había convertido en el casi académico retratista de los últimos años antes de su muerte, ocurrida en 1931.

Quizá ninguno de los artistas del modernismo catalán pudo mirar los toros desde la barrera como lo hizo Canals. Canals es el más desinteresado y des-

RICARDO CANALS : *El patio.* 1896. Colección Riera. Barcelona

apasionado. No se inclina hacia los blancos ni hacia los negros, ni hacia la temática de lo decrépito ni hacia la ilusión celeste. Desde el momento en que abandonó los temas negros comunes con Nonell, que nunca dejó de tratar de un modo más dulce y claro, se convirtió en el más hedonista de todos los pintores de su época y de su ambiente.

Si Casas nos da las figuras femeninas más elegantes, no deja de haber en ellas una cierta superficialidad de la «mujer a la moda» y un cierto orgullo de la clase elevada, mientras que las mujeres de Canals, antes de la época artificiosa de la excesiva influencia de la pintura británica del dieciocho, eran ante todo mujeres, partícipes de una femineidad que está por encima de las clases sociales, de la categoría intelectual e, incluso, de la belleza, y que toma su valor de la presencia de un elemento específico de vitalidad.

La mujer es el centro de su arte, que en esto tiene una afinidad más con el arte de Renoir. Ella nos da la clave del tipo de representación con que deben interpretarse, a través de la factura de Ricardo Canals, los elementos ambientales, sean interiores o sean muebles, objetos diversos, paisajes, las flores, o el cielo...

Los pintores que, como Renoir, como Boucher y Fragonard, han tomado a la mujer como centro de su arte, han orientado su obra hacia una dirección que les sitúa en el centro del panorama del arte, en el punto de equilibrio entre las tendencias

RICARDO CANALS : *La toilette.* Óleo. Museo de Arte Moderno. Barcelona

Ricardo Canals : *Retrato de los hijos del coleccionista Plandiura.* Col. Plandiura

más dispares. La mujer es el elemento de continuidad, el elemento estable de la vida, ligado a la suerte y al carácter colectivo, no individualizado, de la Especie. Por ello es un punto de reposo en la variada, dispersa y tan a menudo desequilibrada aventura viril; es el punto en que el hombre se convierte en Anteo, cobrando junto a ella, como el mitológico personaje en contacto con la tierra, una renovación total de las fuerzas. Los artistas de tipo simbólico, que obran obedeciendo a motivos éticos para conseguir resultados dialécticos, y los románticos, que utilizan la dialéctica para conseguir resultados morales, desconocen el equilibrio sazonado del hombre estético, que está en medio de sus dos polos, vinculado a la plenitud de los sentidos y al acorde entre ellos y la mente, sin balancearse a favor de los unos ni de la otra.

Este hombre dialéctico es el que concibe su arte dirigiéndose al elemento típico de la Especie, a la contextura más permanente y continua. Su arte es un arte de los sentidos. Es un arte que habla a ellos por medio de ellos, que se nutre de lo que por ellos entra y que elabora a través de ellos su discurso. La mujer, como forma y como psicología en armonía, es el tema básico de esta forma de expresión equilibrada. No la mujer heroica, la *koré* arcaica, ni la pervertida mujer enfermiza del romanticismo, sino la mujer sana, a mitad del camino entre el ascético atletismo y la relajación débil, enteramente embebida en el fluir suave de una vitalidad apacible.

Quizá el único artista catalán que puede parangonarse con Canals en el terreno de esta significación del elemento femenino como piedra angular, es el escultor Maillol, que le debe la gran revelación de una posibilidad de retorno sincero a la vida clásica sin necesidad de utilizar los manidos ejemplos antiguos ni de recrearse en el artificial refinamiento de todos los neoclasicismos.

Maillol y Canals, en esta posición, han sido los reveladores de la gran posibilidad mediterránea que ha dado vida al nuevo clasicismo formalista de entre las dos guerras, que ha tenido que ser presidido por Picasso, quien, sin ser un clásico por temperamento, sino atávicamente atado al carro del simbolismo sagrado, ha convertido el contenido ancestral de sus venas en una fuente de formas puras, aptas para cobrar validez sobre todo el conjunto de las sensibilidades, lo mismo las nutridas por el esteticismo central, puro, que las que vuelan en las grandes alas del extremismo, atraídas por el halo de los santos o el resplandor de un mundo sentimentalmente alambicado.

Al lado de Nonell y de Canals cabe situar el tipo de realismo negro del olvidado comentador del tema de las gitanas, Francisco Sardá, e incluso la obra de los principios del que después debía dejarse influir por Juan Llimona y terminar dando sabor franciscano y popular, en sus pinturas al fresco, a la lección de Puvis de Chavannes: Dario Vilás, del grupo del *Cercle Artístic de Sant Lluc*. Si, más tarde, ha sido un pintor de finura y de acabado, en 1900 podía decir Riquer de él, para retratar su violencia de factura, que dibujaba *à l'emportepièce*.

Darío Vilás representó de un modo uniforme, durante muchos años, hasta su muerte, acaecida en 1950, una supervivencia de ciertos hallazgos del modernismo, lo mismo que Anglada Camarasa y Sert. Es curioso que el decorativismo, que parece que debería ser lo más efímero, haya sido, con estos tres artistas, lo más duradero de la revolución artística del 1900. En realidad ha sido así porque el movimiento tenía en lo decorativo su ingrediente más auténticamente vivo.

RICARDO CANALS: *Figura de mujer*. Museo de Arte Moderno. Barcelona.

Vilás conservó siempre la candidez de un dibujo cuya blandura recuerda la de Maurice Denis, con el cual le unían tantas afinidades de espíritu e incluso de técnica, en su especie de modelado por trazas curvas concéntricas. A esta candidez de dibujo superpuso la idílica palidez de unas coloraciones desvaídas, honestamente impresas en el estuco, a primera intención, por la técnica de la aguada, y realizadas, también a causa del prurito de honradez que informó toda su obra, con pigmentos naturales, con exclusión de grasas y complicaciones químicas.

En la misma dirección puede citarse al Leopoldo Romanyac del *Nido de miseria* (1891).

Luisa Vidal. — A causa de su cultivo tardío de una versión propia del impresionismo, es oportuno aludir, junto a Canals, a la pintora Luisa Vidal, que giró alrededor de la órbita de los *Quatre Gats* y que murió en Barcelona en 1918. Luisa Vidal, que había tenido por maestro a Mas y Fontdevila, cultivó el paisaje, la pintura de flores y particularmente el retratismo. Estudió con amor los matices de la luz, que mantuvo, según la lección de Monet, en la más limpia claridad, sin dejar de permitir a sus pinceles la minucia acariciante de Renoir.

Luisa Vidal representó en el clima barcelonés de fin de siglo el papel de espejo femenino de la vibración de su época, que en el ambiente de París pudo representar Berthe Morissot, y una excepción a la ausencia de pintura femenina en un período en que el arte estaba vinculado a un concepto de bohemia incompatible con el carácter de las mujeres del país.

RAMÓN PITXOT: Pastel. Colección Antonio de Ferrater. Barcelona

Ramón Pitxot. — Pitxot o Pichot [479] fué compañero de Nonell y de Canals en la *Colla del Safrà*. Expresionista precoz del paisaje, su concepto de la pintura se basó en manchas de color espesas y compactas, cerradas, que valen por su arabesco, como piezas de un alicatado cerámico.

Ramón Pitxot y Gironés, hermano de la famosa cantante María, casada con Juan Gay, nació en Barcelona en 1873 y murió en París en 1925. Utrillo lo describía como «un chico de aspecto boer»», tal como nos lo dan a conocer numerosos dibujos de Casas, de Picasso y de Opisso.

Expuso en 1893 en els *Quatre Gats* sus temas pintorescos andaluces, y en 1896 dió a conocer interiores sombríos, en el que Casellas llama espíritu «vagaroso y exquisito, remoto o quimérico», de «misterio o extrañeza». Si la crítica pudo apreciarlo ya, el público en general reía ante sus cuadros, casi *fauves*, que expuso en París en 1897.

Pitxot ilustró los *Fulls de la vida* de Rusiñol [480] con una gran compenetración con la literatura de don Santiago, mayor que la que el propio autor podía conseguir como dibujante. En efecto, el cartel que Rusiñol editó para su libro, con la pensativa mujer sentada en un banco, entre lirios, frente a un parque, alude menos al espíritu de su escrito que las bárbaras ilustraciones negras de Pitxot, como aquella del cementerio en que dos fuegos fatuos toman la forma de unos amantes a punto de besarse. Era un tipo de dibujo muy inmaterializado, convertido, como el de Gauguin, a una esquematización plana que resalta en la versión del arte de Puvis de Chavannes que dibujó como portada a un número homenaje de la revista *Luz* [481].

En 1899 expuso en Madrid su *España vieja*, en un pintoresquismo de temas compatible con el atrevimiento estilístico que revela el esquema japonizante de los gitanos que reproducía la revista *Hispania*.

En la revista *Quatre Gats* publicaba croquis del

Ramón Pitxot: Ilustraciones a *Fulls de la vida,* de Rusiñol

Albaicín, en carbón y tinta rosada, y sus «hojas de la vida», con mitigada significación social, eco de la etapa que debía suceder al paisajismo expresionista de Cadaqués, cuando en 1900 pasó meses y meses en los desiertos de las calas del cabo de Creus pintando marinas transparentes, decorativas, como estampas japonesas.

El éxito conquistado en París le sirvió para acallar las risas del público, que pudo complacerse en el *Carrer de Santa Maria,* expuesto en 1901, en sus retratos pastosos, su *Sardana,* sus visiones de Cadaqués, sus multitudes, sus cafés-concierto, etc.

Sebastián Junyent lo recibía, desde las páginas de *Joventut* [482], junto a Casas, Mir y Rusiñol, como una de las cuatro grandes figuras de la pintura del momento, de las cuales lo consideraba como el más revolucionario.

La colección barcelonesa de Santiago Juliá conserva un muy arbitrario panorama de aldea de techos acentuadamente rojos, que se aproxima a ciertas elaboraciones de Darío de Regoyos, como la vista urbana que conserva el doctor Carlos Pijoán. Es deliciosamente purista el estudio de volúmenes y arabesco, fuertemente coloreado al pastel, del grupo de mujeres de Cadaqués que posee el arquitecto Antonio de Ferrater.

Es poco conocida la actividad de Pitxot como caricaturista. En este aspecto, son curiosos los dibujos de ambiente egipcio del *Tanqueu les portes,* de Pin y Soler, publicado en *Joventut* [483].

Pitxot es una de las personalidades más injustamente olvidadas del panorama modernista. En realidad, es uno de las más significativas. En *Joventut* (1901, p. 374), Sebastián Junyent, el más avisado de los críticos contemporáneos, nos da un panorama de cómo se veía en su época el conjunto de los renovadores de la pintura catalana. Para el público, Casas era el número uno. El segundo, Mir. Rusiñol se aceptaba por la tendencia que representaba. De Pitxot, se reían. Para él, en cambio, el escalafón desaparece y Pitxot, con Rusiñol, Mir y Casas, figura, entre los cuatro nombres señeros de la pintura catalana, con el número uno, pues es «el más revolucionario de todos», el que siempre

RAMÓN PITXOT: *Descanso en la playa.* Colección Fernando Benet

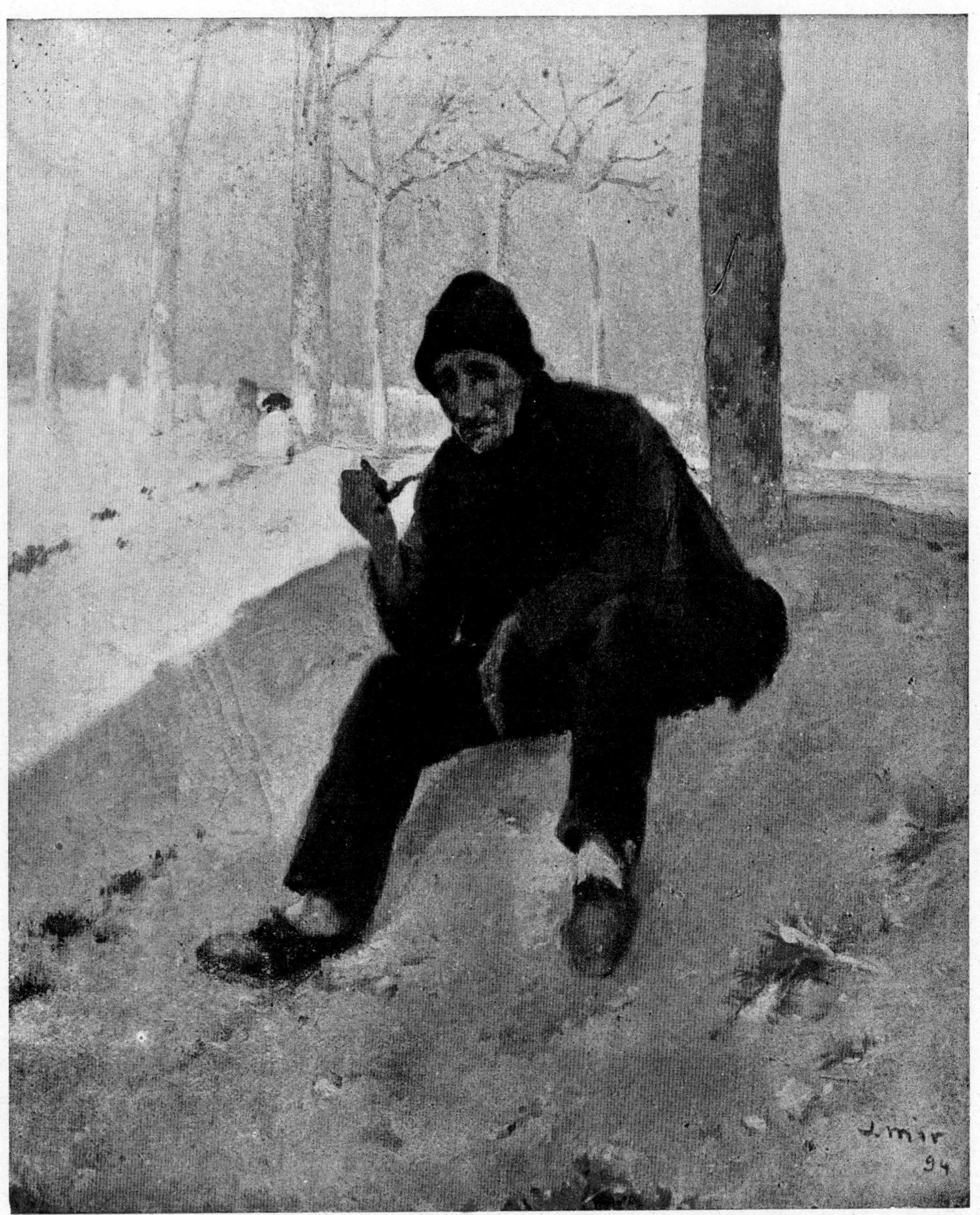

Joaquín Mir : *Sol y sombra.* Óleo. Museo de Arte Moderno. Barcelona

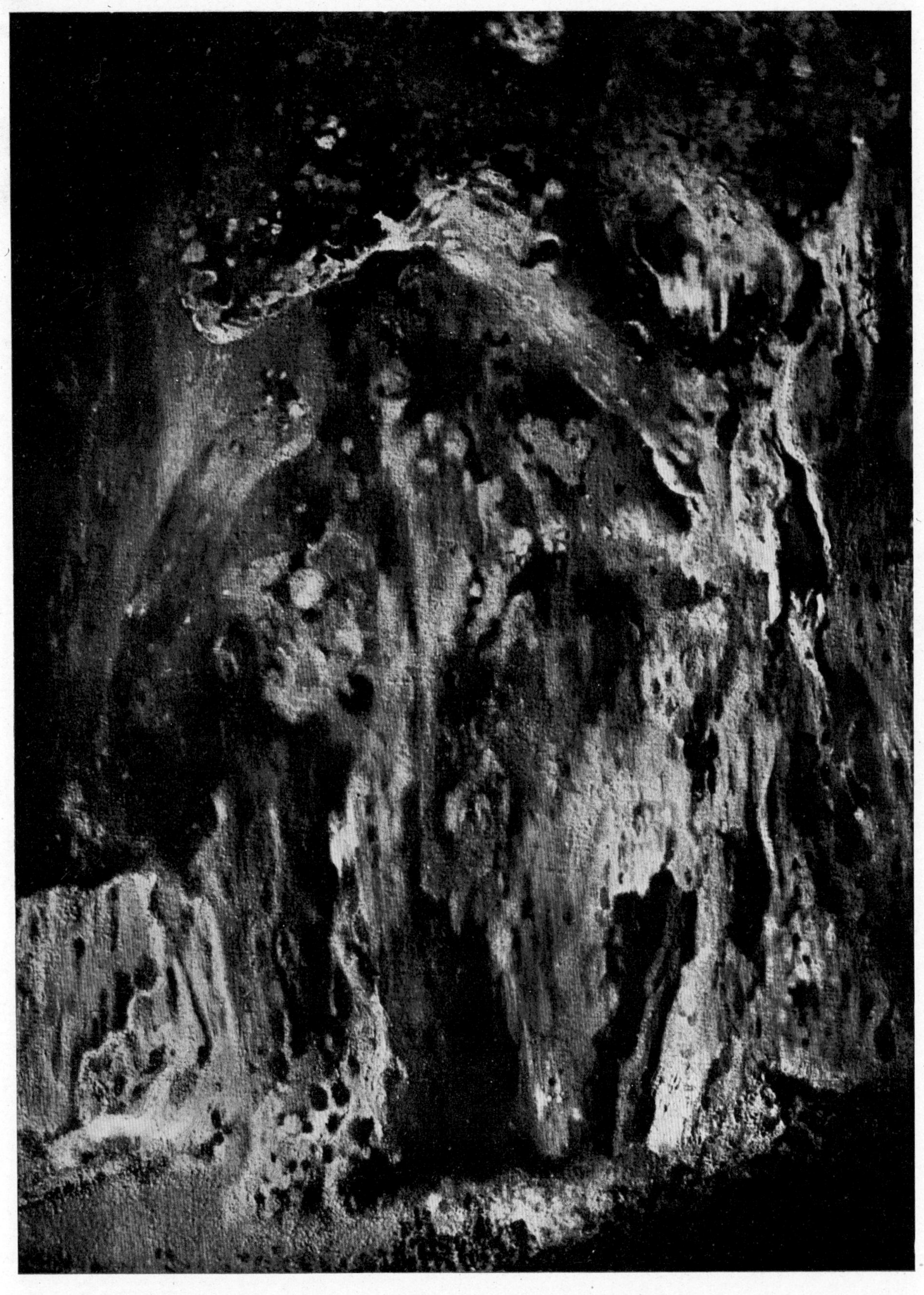

Joaquín Mir : *Cuevas de Artá.* Mallorca. 1902

JOAQUÍN MIR: *Puerto de Sa Calobra.* Mallorca. Óleo. Museo de Arte Moderno. Barcelona

Joaquín Mir: *Mallorca.* 1902. Óleo

JOAQUÍN MIR : *Torrente de Pareys.* 1902. — Decoración del comedor de la casa Terrades. 1905

JOAQUÍN MIR : *Mallorca.* Colección Juan Valentí. — *Mas Pujols.* Tarragona. Colección Barbey

JOAQUÍN MIR : *Mallorca.* 1902. Óleo. Colección Jaime Casanellas. Barcelona

JOAQUÍN MIR: *Els arbres llargs*. 1907. Óleo

RAMÓN PITXOT: *Pueblo*. Colección Santiago Juliá. Barcelona

sorprende, el único que nunca llega al «lamido», al «tocadillo», y que siempre se conserva franco. Dada la importancia que el valor de sinceridad tenía en el concepto modernista de la pintura, este comentario es el más elogioso posible, y además sería verídico si no echásemos de menos la figura de Nonell.

En sus principios, el espíritu sentimental a lo Carrière engendró, alrededor de 1896, los que Ramón Casellas llamaba interiores sombríos, en los que se mostraba «vagaroso y exquisito, remoto o quimérico», lleno de «misterio y extrañeza».

El misterio, expresado en un principio por medios derivados del realismo, debía llevarlo, después de visitar París, a temas neorrománticos, como *Las bóvedas del convento,* y prepararlo para adoptar el estilismo plenamente modernista de un arabesco de línea incisiva y manchas expresivas a lo Gauguin, que dió carácter a su colaboración en la revista *Luz;* en ésta, en 1897, dibujó la portada del número dedicado al homenaje a Puvis de Chavannes.

En este momento realizó las poéticas ilustraciones para los *Fulls de la Vida* de Rusiñol, que marcan uno de los momentos raros del modernismo catalán en que la preocupación anecdótica sentimental no destruyó la maravillosa composición plástica, casi abstracta. Con el mismo Rusiñol se fué a Andalucía, de donde regresó para exponer en los *Quatre Gats* y en Madrid sus notas de la serie *del Albaicín* y del tipo de la *España Vieja,* obedeciendo a la nueva temática de la España negra en que Zuloaga y Regoyos buscaban un interés sorprendente y vivo para el arte. El tratado de estos temas fué fiel a un estilismo que llega a la imitación de la estampa japonesa en los dibujos de gitanos que ilustraron, en 1899, la revista *Hispania.*

Colaboró en *Catalonia* con ilustraciones en la época en que, con Nonell y Canals, formó parte de la

Colla de Sant Martí y pasó del gitano andaluz al gitano suburbial barcelonés. Este hecho es significativo: consistió en despojar al tema plástico de sus atributos pintoresco-exóticos y reducirlo a su núcleo de primitivismo. He aquí por donde, además de los motivos plásticos, tomó Pitxot otros para acercarse a algo paralelo a lo que representa Gauguin.

Del mismo modo que Gauguin, después de ensayar el primitivismo de Bretaña, se fué al de Oceanía, Pitxot, después de ponerse en contacto con el primitivismo andaluz, quiso buscar algo todavía más radical en aquel pueblo de Cadaqués entonces tan aislado del resto del país, incrustado entre un gran desierto mineral y altos olivares, enemistado con el continente, insular, guardador de unas costumbres y de un dialecto propios. Cadaqués, con el misterio angustioso de su geología y de su tipo de humanidad, antes de hallar en Dalí un poeta de misterios alojados en el infinito de los horizontes, halló en Pitxot un poeta de las inmanencias que son a la vez inminencias.

En 1901 expuso el resultado de su estancia en Cadaqués dentro de la XVIII exposición extraordinaria de la Sala Parés, donde empezó a hacer borrar las sonrisas irónicas con el misterio de su gran visión arquitectónica de Cadaqués, de sus algaradas marineras, sus cipreses, su mar transparente, sus sardanas, todo ello en los que Miguel Utrillo cita como «gamas y valores mortecinos». En esta exposición, *La calle de Santa María,* al decir de Utrillo, gustó a todo el mundo.

De la misma época eran sus retratos, de un tipo de dibujo muy plástico, menos obedeciente que el de Casas al lápiz y más concebido de cara a la mancha pura, pictóricamente.

En la época de plenitud del modernismo, participó en todas las empresas del mundillo de Rusiñol. Fué asiduo de los *Quatre Gats,* para cuyo teatro de sombras chinescas dibujó las del espectáculo titulado *Nadala,* con texto de José María Jordá y música de su cuñado Juan Gay.

En conjunto, el arte de su época modernista es un arte calculado, en el que color y línea se ad-

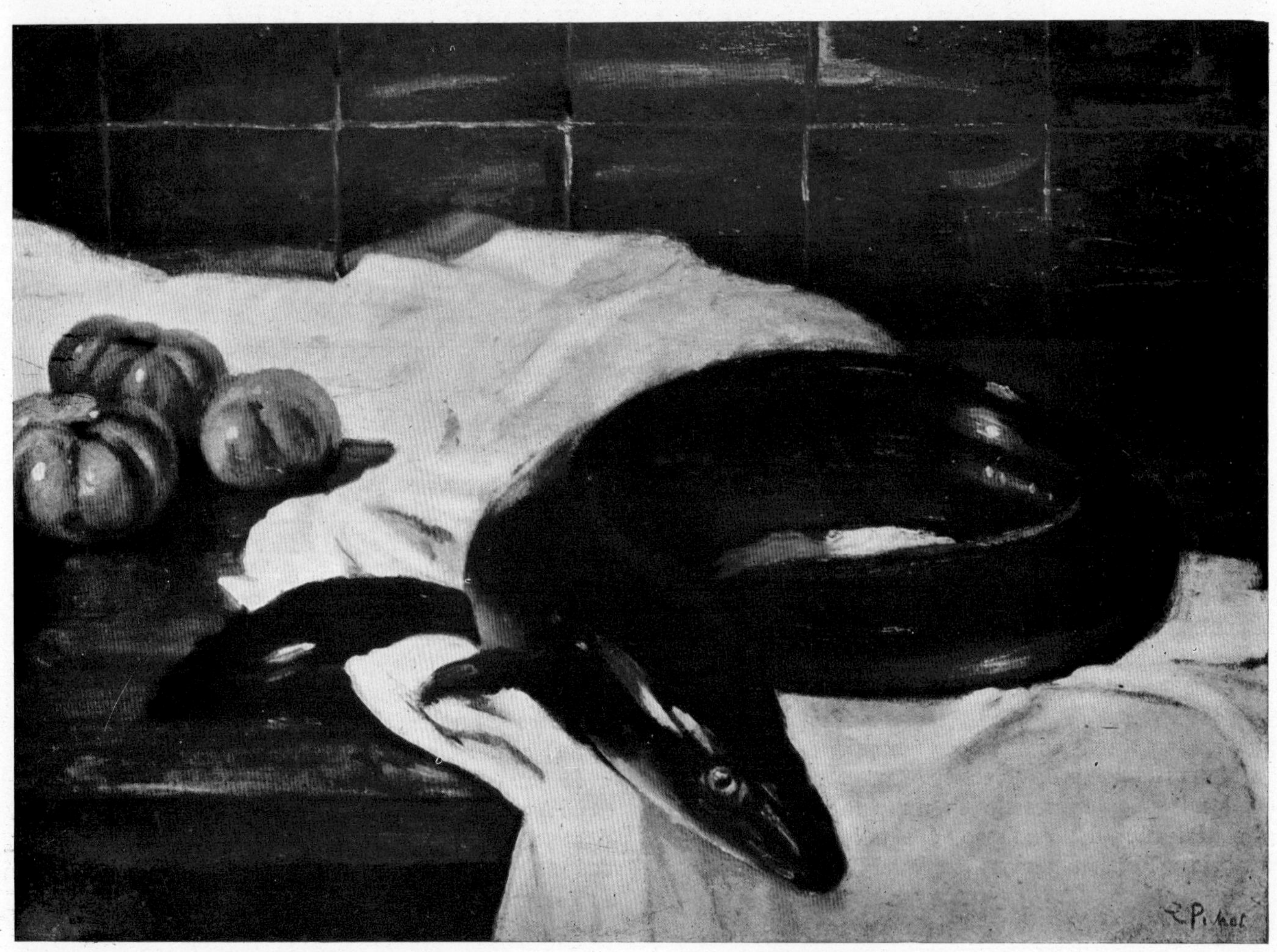

RAMÓN PITXOT: *Pescado.* Colección Fernando Benet

RAMÓN PITXOT: *Gitanos.* Colección Luis Serrahima

ministran «con la misma dosis de malicia y prudencia necesaria para la perpetración de un crimen» y es al mismo tiempo un arte concebido de cara a lo primitivo, no por lo que ello podría tener de plasmación de nuestra nostalgia de un mundo más puro y alegre, sino en búsqueda de la tristeza inmanente, como para la pintura de Millet, en una atmósfera humana que no ha podido llegar a la plenitud y se halla en una vía muerta del camino de la civilización.

Más tarde, alrededor de 1906, Pitxot sufrió la evolución en favor del luminismo y, como Nonell, se orientó hacia temas más desinteresadamente pictóricos, como el bodegón, para retornar, en los últimos tiempos de su vida, hacia la visión de lo típico rural, esta vez un poco a través del prisma de lo pintoresco, que no puede contar con la fuerza y la profundidad de las obras juveniles con que corrió el velo sobre el fecundo ambiente de Cadaqués de una manera más sagaz que a la manera boudiniana de Meifrén.

En conjunto, lo más importante que Pitxot representa todavía es haber sido por excelencia el tipo de pintor posterior a la rotura de moldes preconizada por Rusiñol, que supo volcar todo el primitivismo de su ímpetu y todo el cálculo de su entendimiento al servicio de una concepción extremadamente orgánica y unitaria de la pintura.

JOAQUÍN MIR: *El huerto.* 1896. Museo de Arte Moderno. Barcelona

Joaquín Mir. — En 1901, desde las páginas de *Pèl & Ploma* [484], se afirmaba que así como antes Ixart en el Ateneo y Casellas en *L'Avenç* y *La Vanguardia* representaban la oposición artística personalizada en Rusiñol, a principios de siglo podía hacerse cristalizar el espíritu renovador alrededor de la figura de Mir.

Joaquín Mir y Trinxet nació en Barcelona el 6 de enero de 1873, en casa de unos comerciantes de mercería y bisutería de la calle de las Basses de Sant Pere. De niño fué al colegio de San Miguel junto con Nonell, y de allí pasó a la escuela de la Lonja, donde pudo encontrar en Antonio Caba un maestro comprensivo, capaz de premiar su dibujo de «natural artístico», si no por lo bien dibujado, sí al menos por su concepto pictórico. Más tarde, como Nonell, pasó por el taller de Graner.

Una vista de Sant Medir, de tonos negros y dramáticos, de la época en que iba a pintar en este rincón del Collcerola con Nonell, Pitxot, Canals, Vallmitjana y Gual, lo dió a conocer y fué adquirida por el conde de Peñalver.

De la misma época era *La catedral de los pobres,* visión de un campamento miserable ante el fondo de las obras del templo gaudiniano de la Sagrada Familia. Reflejos de Goya iluminan sus dibujos publicados en los *Quatre Gats* en febrero de 1899.

Cambio fundamental se produjo, en su pintura, separando a Mir de la constelación negra para pasarlo al colorido, cuando le fué revelado el cromatismo del paisaje de Mallorca, adonde partió a los 27 años de edad, en 1900.

Si Sebastián Junyer-Vidal descubrió entonces, después de la revelación soñadora de Degouwe de Nuncques, la irisación plateada y lejana de los gran-

XAVIER GOSÉ: *La mandrosa*

des paisajes de la isla, Mir descubrió a la vez el inédito cromatismo del paisaje y sus inéditas dotes personales para el color.

Torrescassana, Osó y Rusiñol rivalizaron con él en la pintura de Mallorca, pero a ninguno como a él fué dado el papel de revelador de una nueva concepción del paisaje.

Cuando compareció con sus obras deslumbrantes, con la pedrería de un impresionismo que es preciso considerar como instintivo o a lo sumo hijo del ambiente, pues Mir no conocía a los impresionistas franceses, los críticos se le entregaron y Utrillo [485] interpretó su arte nuevo como una versión plástica de los colores encendidos que ya se encontraban en la poesía de la *Atlántida* de Verdaguer.

Calas encantadas, olivares, vistas de Palma y de la costa épica de Miramar llenaron la exposición de la Sala Parés, en la que los colores puros centelleaban, sin adoptar, no obstante, la dispersa manera de las manchas de Monet, sino sujetándose a cierta intención decorativista cuya forma más típica es la verticalización de las superficies coloreadas de un tono homogéneo.

El colorismo tímido que asomaba en el *Hort del Rector,* pintado en 1896 y expuesto en 1897, se había trocado en algo que hacía palidecer la sensación causada por aquella tela.

En 1902 los temas mallorquines cristalizaron en las vistas del Gran Hotel de Palma, fantasmagóricas; *La montaña roja,* la *Cueva de noche*, *La cala encantada,* vecinas de otras pinturas de Santiago Rusiñol. Poco posteriores son los grandes paneles de la decoración del comedor de su tío Avelino Trinxet, en la casa de la calle de Córcega que construyó Puig y Cadafalch, de una estilización que convierte casi en abstractas las manchas de color, a trozos difuminadas.

Del mismo modo que Segantini se aisló en una

cumbre de los Alpes, Mir se aisló, viviendo sin ningún cuidado material, en una casita de pescadores de la Calobra, en la costa de Deyá. Poca comida y algo de vino, mucho sol y obsesión pictórica, nublaron un día su cabeza y el pintor se despeñó en un torrente.

Cuando fué posible le trasladaron a la Península. Pasóse tres años de larga convalecencia en el Instituto Frenopático Pedro Mata, de Reus, de donde salió en 1906.

Els arbres llargs, de 1907, tema de jardín con fondo de celaje tempestuoso, representa el estilismo musivo, que debía ceder el paso al organizado decorativismo de las pinturas de Aleixar (1910), a las que siguió la serie de Montserrat, para pasar los límites del modernismo en las sucesivas series que enumera Pla [486]; Mollet, l'Alforja, Maspujol, Canyelles, Miravent, Vallirana, Tarragona, Gualba, Sant Quirze Safaja, Sant Pere de Ribes, Andorra, Vilanova, Torroella y l'Estartit.

Con el tiempo su pintura fué abandonando las estilizaciones simbolistas, e incluso el decorativismo, en favor de una fuga impresionista, de grandes pinceladas flúidas, genialmente estampadas, cuyas obras son cristalizaciones del ímpetu vital, instintivo, con que el artista se producía.

Hacia el final de su evolución era casi un realista, apto para el gusto de un público cada vez más dilatado, que en 1917 le ganó una primera medalla en Madrid, seguida de otra en Bruselas, y, en 1930, con un *Noviembre* de Vilanova, el premio máximo de la Nacional española.

Murió en Vilanova el 27 de abril de 1941.

No nos parece cierto el criterio que ve en él un «realista que aspira a la máxima agudeza», y nos encontramos en el polo opuesto del que cree que

XAVIER GOSÉ: *L'espera*

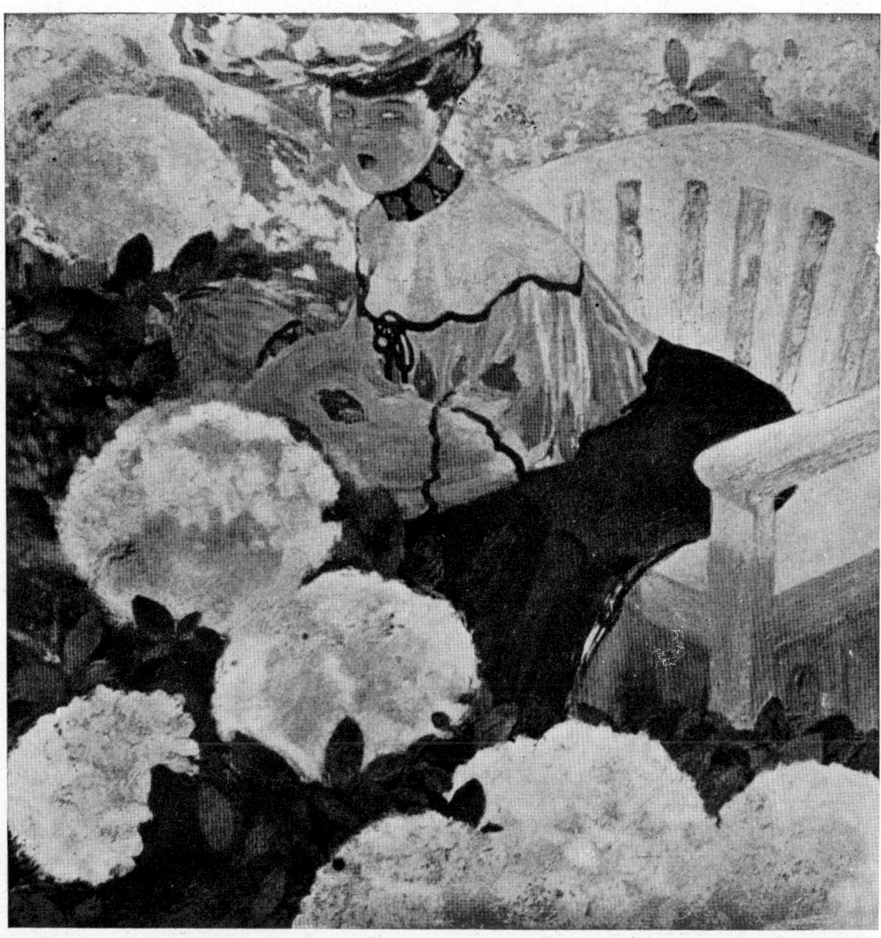

XAVIER GOSÉ: *Les hortènsies.* Colección Maristany

«no hay en la pintura de Mir traza alguna de orden mental o sentimental», que en ella «los árboles no son más que árboles», porque si en su etapa mallorquina y postmallorquina todo halla una deformación gráfica, expresada con mucha exactitud por el propio Mir, con intencionalidad manifiesta, en sus bocetos para vitral, el decorativismo le hace compensar después, con malicia, lunares y bandas serpenteantes, en las visiones de pueblos, con huertos floridos y humaredas azules. Un árbol deja de ser un árbol casi siempre, en su época modernista, para ser el pretexto de unos bellos lunares oblongos de rica musivaria.

A la hora de buscar puntos de contacto se han hallado en sus obras semejanzas con la teoría de los equivalentes de Gauguin, y Rafael Benet [487] señala algo que no es accidental en la comunidad de sus luminosos amarillos con los de aquel pintor y de Van Gogh.

Xavier Gosé. — El medievalismo post-romántico había impedido a los pintores que recibieron los ecos prerrafaelitas y del *Jugend* la comprensión del mensaje estético de la estampa japonesa. Más cerca estuvieron de lograrlo quienes, como Pitxot, trataron en color y arabesco sin resabios de estilística arqueológica los temas populares a la sazón en boga, o como Nonell, en cierto punto, adoptaron las manchas planas y el contorno cerrado y turgente; pero quien realmente ahondó en el verdadero problema de la organización del plano de una pintura, según los difíciles ritmos de la asimetría y el corte caprichoso que Degas había ya descubierto en los japoneses, fué Xavier Gosé.

Nacido en Lérida en 1876 y muerto aún joven, en 1913, estudió en la Escuela de la Lonja de Barcelona y después en el estudio de José Luis Pellicer, cuya influencia no pudo ser extraña al hecho de escoger un tipo de pintura dedicado a la evocación de los ambientes contemporáneos, rompiendo con el intento soñador y medievalista de los que, con Riquer a la cabeza, habían iniciado la corriente decorativista. Del mismo modo que, en literatura, el naturalismo se dió la mano con el modernismo negro, uniendo la etapa anterior con la posterior al simbolismo, en pintura el naturalista que fué Pellicer alimentó el carácter de este modernista japonizante y vivo que fué Gosé.

En el círculo de los *Quatre Gats* se dió a conocer con sus dibujos todavía paralelos a los de Casas, al lápiz parís, con toques de pastel y motivos de un naturalismo anecdótico a lo Baixeras, como las figuras leyendo en un tren o el pescador de *Tirant l'art,* que se reprodujeron en la revista del grupo [488].

En 1900 se dirigió a París, donde se adhirió a un concepto de la pintura derivado a la vez del cartelismo de Toulouse-Lautrec y de Paul Gauguin; luego expuso en la Sala Parés, en el otoño de 1903, su serie deliciosa de pinturas: *La mandrosa,* simplificada figura diagonal tendida en una *chaise-longue*; *L'attente,* con asimetría atrevida que Picasso imitó; su *Hereuet,* con vaporosidades a lo Carrière y contornos a lo Daumier; su *Mujer de las hortensias,* composición muy plana, en la que el traje, el albo banco y las flores juegan a un cándido arabesco; sus angulosas figuras sentadas, que reparten la superficie en cuadrangulares espacios a lo Bonnard, etc.

Como ilustrador, en sus composiciones los objetos aparecen simples y compactos, todo se reduce al

XAVIER GOSÉ: Ilustración para *La Rosella* de Joan Oller y Rabassa. 1903

XAVIER GOSÉ: *Allons, enfants de la patrie...*

plano, se utiliza la perspectiva caballera de los japoneses, atacada en ángulos pronunciados y en picado, y se juega con el contraste de las tintas transparentes, casi planas, y los contornos.

Lo encontramos así, por ejemplo, en las de *La Rosella,* de Oller y Rabassa, novela que publicó por entregas la *Illustració Catalana* [489], algunos de cuyos temas, como el billar, son japonizantes, mientras otros, como el niño que estudia, emparentados con el arte moderno de Holanda y los escandinavos, es el directo precedente de la simplicidad, del comedido lirismo de Torné Esquius.

En 1911, a raíz de su exposición de dibujos coloreados en la Sala Parés, conquistó un éxito ruidoso. Después fué el pintor del París frívolo hasta que la guerra de 1914 le llevó a su Lérida natal, donde murió en 1915 y cuyo museo conserva alguna de sus obras.

Xavier Gosé, en un momento dado, los comienzos de su carrera, siguió los mismos pasos que Pitxot, abandonando la vaporosidad misteriosa a lo Carrière en beneficio del primitivismo de los temas de la simple vida de los marineros, que le ocuparon en el ocaso del siglo, pero bruscamente se constituyó, al alba del nuevo centenar, el logrado sistema expresivo a que debía ser definitivamente fiel

XAVIER GOSÉ: *El coche.* Dibujo al lápiz plomo. Colección Vizconde de Güell. Barcelona

mientras se lo permitiera su idea, casi decorativista, del arabesco compositivo, más fácil de mantener en los pequeños cuadros de caballete que en las ilustraciones de novelas y en obras de complejidad compositiva.

En este último aspecto, hoy prácticamente desconocido, de la obra de Gosé, merece la pena detenerse en una pintura extraordinaria que vimos en la colección del arquitecto Puigjaner con la firma de Picasso, evidentemente superpuesta, y que hemos podido identificar gracias a una reproducción que del boceto original que dió origen al cuadro hemos encontrado en la página 299 del volumen de 1902 de *La Ilustración Artística,* donde acompañaba un texto de Pedro Coll, y que representa el *Bal Gavarni* en el *Moulin Rouge* de París.

Es una composición complejísima, con una abigarrada multitud, pintoresca, tratada con bastante minucia, pero sin perder un ápice de su fabuloso dinamismo, en la que Gosé se dió el gusto fortunyiano de hacer relucir cadenas de reloj y pendientes, y brillar suavemente las sedas.

La firma de Picasso resultaba realmente extranjera a esta tela de gran calidad, pero que indudablemente constituye una gran pieza de época y que nos revela algo importantísimo: que Gosé, como muchos de los que por autodisciplina se encerraban en la simplicidad de un plasticismo estilizado y purificado, podían continuar manteniendo despierta la sensibilidad total para el fenómeno pictórico sin perder facultades para enfrentarse con un tema de concepto y de complejidad dignos de una pieza de época barroca. Por otra parte, Gosé, que es un excelente dibujante y que encontró en la técnica de

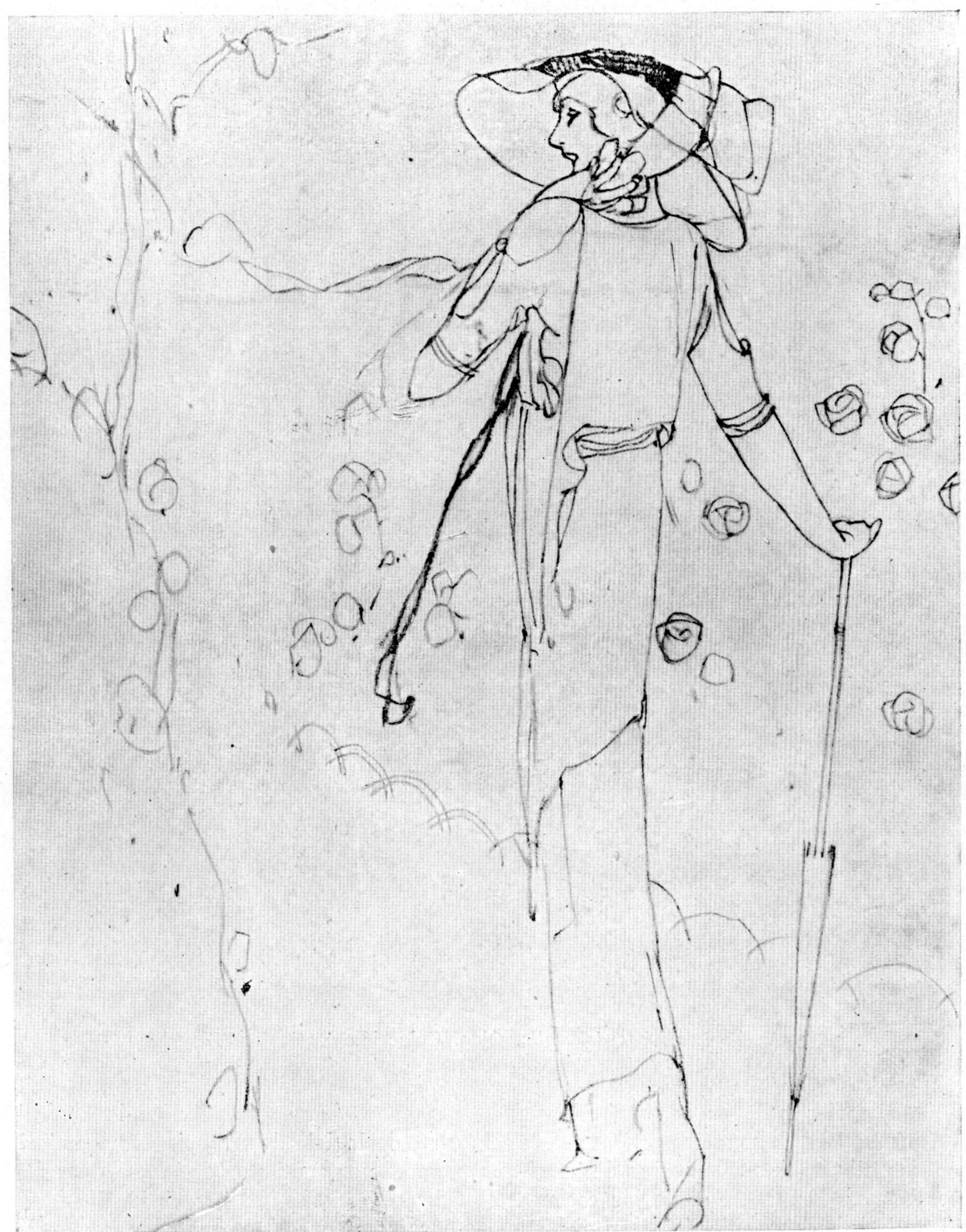

XAVIER GOSÉ: Dibujo a la mina de plomo. Col. Vizconde de Güell. Barcelona

la *gouache* su modo de expresión más completo, demostró en este *Bal Gavarni* sus dotes para la pintura al óleo. Si las virtudes de su dominio del lápiz y de la pluma pudieron hallar una ayuda interesante en los tiempos en que era discípulo de José Luis Pellicer, hay que atribuir al influjo directo de Ramón Casas su familiarización con la técnica del óleo.

Hacia el final de su carrera, desgraciadamente tan corta, Gosé marcó una evolución, que se traduce en sus ilustraciones de *Barcelona Cómica* y de *El Gato Negro* y en las que dispersó por revistas extranjeras, hacia una cierta pérdida de las cualidades puramente plásticas en beneficio de cierto prurito de elegancia, de pintar «a la moda» y con ligera intención irónica o maliciosa; con ello perdió la potente fuerza expresiva y la eficiencia del arabesco de que hacía gala en sus carbones combinados con lápiz rojo, del tipo de la *Mujer Joven*, las *Mujeres leyendo en el tren*, o los *Pescadores* que había publicado, en 1899, en los *Quatre Gats*.

Junto a la obra de Gosé cabe aludir a la de Juan

ISERN ALIÉ: *Las rocas del valle.* Óleo. Colección particular. Barcelona

Cardona, influído por el secesionismo austríaco, y a la de Laura Albéniz, hija del músico, que en 1904 sorprendió con sus dibujos y sus pinturas de armónico arabesco. Roberto Domingo, el de las escenas ecuestres, está en la misma familia artística, si bien acoge valores de claroscuro y el trazo ondulante y expresivo de Forain. A veces imita a los japoneses; en otras, como en el *Campesino caballero,* presagia el tipo de expresionismo de Rouault.

Isern Alié. — Pedro Isern Alié, nacido en Barcelona en 1870, puede ponerse al lado de Xiró por su tendencia a la organización del plano de la pintura según ritmos fáciles y de una armonía sedante, pero su base estilística fué completamente opuesta.

Alimentado, durante sus años de estancia en París, por el ambiente del impresionismo, logró como nadie captar el sentido de esta tendencia. Ningún pintor del sur de los Pirineos ha podido conquistar nunca el suave centelleo de la luz rubia, a lo Monet, de la Isla de Francia como pudo hacerlo Isern. Pero, no contento de esta dirección puramente visual, constreñido por el ideal estilizador del modernismo, encontró gusto en composiciones rígidas a lo Marées o a lo Hodler, que cristalizó según la técnica impresionista con resultados que recuerdan muy de cerca las arbitrarias y rítmicas construcciones del puntillismo de Seurat y de Signac.

Isern Alié, el Seurat catalán, tuvo su momento de más interés artístico en el instante en que, junto con Mariano Pidelasserra, aprovechó la lección del puntillismo francés, en cuyo ambiente asimiló mejor que su amigo el poder de los grandes ritmos arquitectónicos del paisaje y las figuras, a la manera de *La Grande Jatte,* pero más tarde, residente en Francia, se dejó llevar hacia el tipo de intimismo de gran pincelada genialoide. Murió en Barcelona en 1946.

NICOLÁS RAURICH: *Atardecer otoñal.* Óleo

Nicolás Raurich. — En otra forma se presentó la pequeña pincelada de origen impresionista al servicio del constructivismo en la obra de Nicolás Raurich, precursor del sentido cubista de la pintura-objeto con su tratado, casi escultórico, basado en la acumulación de pasta.

Nacido en Barcelona el 1877 [490], en el seno de una familia comerciante, dejó los negocios para aprender la pintura junto a Antonio Caba y Luis Rigalt, y pasar después al taller de Meifrén.

Amigo de Nonell, de Anglada Camarasa y de Mateo Balasch, se sintió un renovador y un colorista y procuró no contaminarse de rutinas cuando pudo ir a estudiar a Roma, entre 1895 y 1899, en el Círculo Artístico Internacional, donde se hizo amigo de su compatriota Enrique Serra, a quien debía ya admirar antes cuando, en 1893, o sea antes de ir a Roma, ya pintaba una *Virgen de la Laguna,* cercana a su temática y en cierto modo a este pintor.

Una vez en Italia, sus *Pantanos de Nemi* y *Ruinas de Ninfa* le pusieron, en 1897, de lleno en la temática sentimental del pintoresquismo romano. Este último lienzo, expuesto en el Salón de Madrid, fué adquirido por Cánovas del Castillo; el otro, por el Museo de Arte Moderno de la capital española.

Pero el regreso a su tierra natal debía obligar a Raurich a replantearse el problema de la pintura y, en efecto, cuando se encontró con el tema de la

NICOLÁS RAURICH: *Equinoccio de otoño.* Óleo

costa catalana se convirtió en un pintor no ya de medias luces vagas, sino de la intensidad llameante del sol. Así se manifestó bruscamente en 1899 con sus cuadros de la costa de Pineda.

Más tarde, establecido en Sant Pol, se entregó a un atrevido extremismo luminista que dió carácter de alucinación estridente a los contrastes violentos del rojo vivísimo con que el sol poniente inflama los acantilados y el azul intenso del mar que penetra entre ellos.

Pintor del sol, lo fué también de la noche. Al lado de la *Mar latina,* que conserva el Museo de Arte Moderno, imagen de Cadaqués tratada con una acumulación de pasta que la convierte casi en relieve, roja y azul hasta el paroxismo, el mismo museo guarda algunos de su nocturnos, entonados en azul, como *Solitud, La Noche, Visión nocturna, Castellterçol, Sant Pol de Mar,* que fueron pintados en el seno de la noche.

Al llegar la etapa clasicista, alrededor de 1910, la temática promovida por Torres García, los jardines de los suburbios barceloneses, con sus estanques, sus cipreses y sus naranjos, con el fondo de la ciudad radiante y el mar latino, redescubierto en su serenidad, le ocuparon, al lado del reposo exclusivamente pictórico de los bodegones, en los que, durante los últimos años de su vida, fué estudiando y revelando los colores implícitos en los objetos, dentro de una dirección no lejana a la que siguió el último Nonell. En paisaje, el sombrío monte cubierto de la colección Juliá nos habla de la permanencia de su intención expresionista romántica.

NICOLÁS RAURICH: *Luna llena.* Óleo

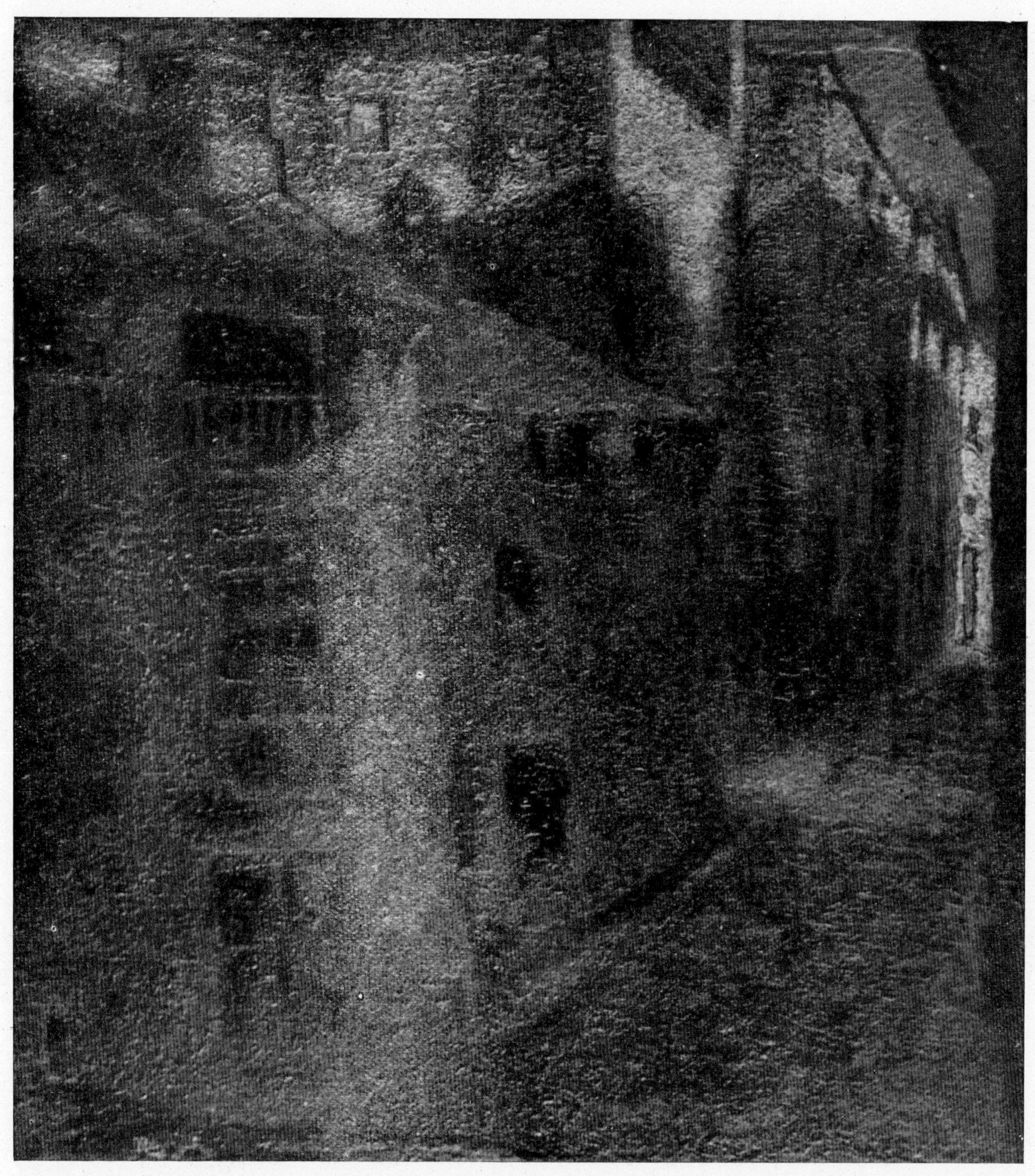

NICOLÁS RAURICH: *Visión nocturna. Castellterçol.* Óleo. Colección Vila. Barcelona

Adrián Gual. — Ilustración a la acuarela

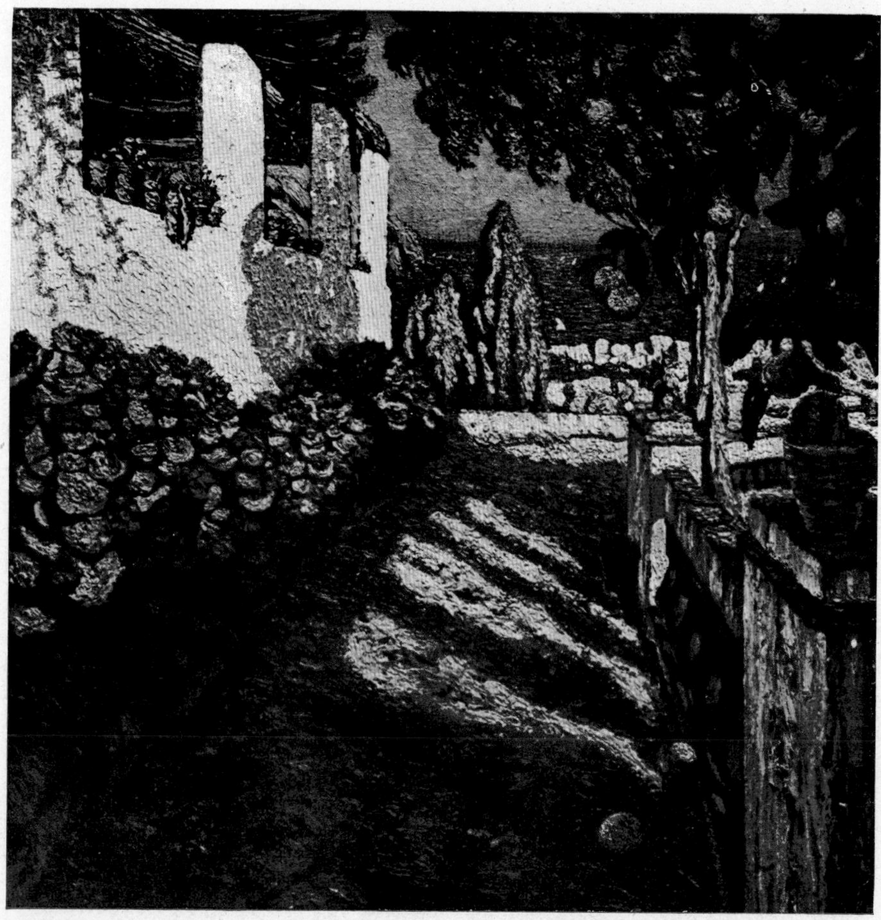

NICOLÁS RAURICH : *Visión mediterránea.* Óleo. Museo del Luxemburgo. París

En los últimos años de su vida su mente se perdió para el arte y para la vida misma. Murió en Barcelona el 16 de junio de 1945.

Si tuviéramos que buscar una correspondencia de actitud mental con el arte de Raurich, quizá la encontraríamos, en su grado más eficaz, en la de Rodin, cuyas formas viven del interior hacia el exterior, como las del pintor catalán.

Existen dos maneras de concebir la pintura : de dentro a fuera y de fuera a dentro. La primera, emparentada con la idea plástica etrusca, es la que procede por acumulación ; la segunda, emparentada con el modo griego, es la que procede por eliminación. En la una se añaden elementos para formar un complejo que produce el efecto total, en la otra se quitan hasta lograr un elemento puro. La consecuencia es la mayor semejanza del primer sistema con un organismo vivo, con sus células y sus órganos, y del segundo con un producto de destilación. El primero tiene la gracia recóndita de lo aparentemente amorfo, el segundo el valor evidente de lo manifiestamente ordenado. El primero representa el misterio irracional de la vida, el segundo la claridad meridiana de la razón, con la ventaja de la confianza en favor de lo claro, y la ventaja de la sugestión vaga y eventualmente ilimitada en favor de lo nebuloso.

Estas dos maneras de concebir la pintura corresponden a dos maneras de ser que afectan a todas las estructuras vivas. Se hallan en la Naturaleza, donde la diferencia de estilo que puede observarse entre el cuerpo de un artrópodo y el de un vertebrado corresponde precisamente a la acumulación del esfuerzo mecánico localizada en el centro de la masa o en su exterior. Los artrópodos, como las esculturas de Miguel Ángel o las pinturas de Vermeer de Delft, son seres que realizan su forma partiendo de la energía que se ejerce en la superficie. Los vertebrados, como las esculturas etruscas o las pinturas de Rubens, son seres de naturaleza opuesta. En el momento modernista, Sebastián Junyent puede representar la primera postura. Raurich representa, evidentemente, la segunda.

Por el partido tomado por Raurich, su pintura, incluso sin un gran valor en sí misma, tiene el interés de pertenecer a la tendencia que representa en su máxima tensión Antonio Gaudí, la tendencia a aceptar la idea de Pascal, según la cual el último papel de la Razón es comprender que existe un infinito que está más allá que ella.

HERMEN ANGLADA: *Almendros. Pollensa.* Óleo

La tercera etapa idealista. — El ala blanca, idealista, de la generación joven del modernismo no dejaba de reconocer a los maestros de la generación central, a pesar de constituir un grupo mucho más realista que los idealistas de la generación de Riquer. En Rusiñol se apreciaron las doctrinas, los impagables discursos de las *fiestas modernistas,* el orgullo en defender y ostentar el nombre de modernista, y la práctica de una pintura alguna vez simbólica y siempre sentimental; pero incluso de Casas, tan inclinado al objetivismo por un lado y al academicismo por otro, se reivindicaron los valores técnicos.

Los hombres de la vieja generación, el propio Riquer a la cabeza, a pesar de ser doce años más viejo que Casas, supieron ponerse noblemente en esta posición al darse cuenta de que era preciso asimilar el gran paso adelante que la pintura había dado con él.

En Casas veía [491] «un devoto de Degas; en él se adivina al hombre que ha comprendido maravillosamente el admirable cinismo de Forain, pero que lo ha comprendido y lo ha personalizado».

A los ojos de un modernista de la rama blanca, simbolista, como Riquer, Casas era sólo un pintor, no un artista. Riquer admiraba el salto técnico salvado entre unas plazas de toros puramente realistas y la compleja *procesión de Santa María,* pasando por la que juzga su obra maestra, el baile del *Moulin de la Galette,* sin resignarse a admitir que un pintor tan ducho no realizara, algún día, un «cuadro de asunto».

Pero si un influjo extranjero se quería asimilar, en este campo, no era el que de Francia traía Casas. De Francia sólo se amaba cordialmente a Puvis de Chavannes.

Puvis recibió en *Luz* [492] el homenaje de importantes autoridades del arte catalán. Aparte el ar-

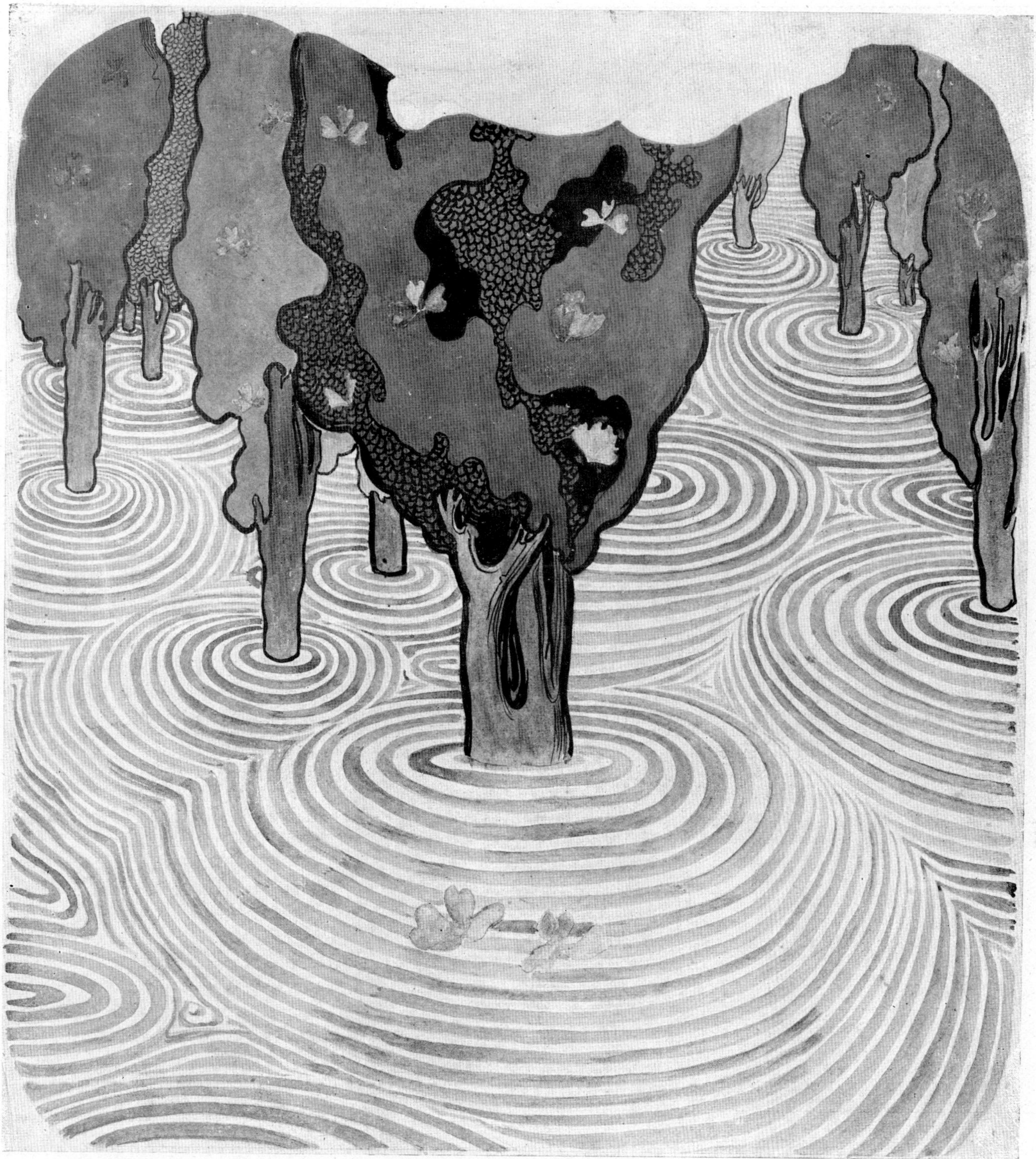

ADRIÁN GUAL: *Panel decorativo*

tículo de fondo que firmaba A. L. de Barán, defensa del intelectualismo pictórico, Rusiñol se adhiere a la opinión de Jules Simon, que sostenía que si Platón hubiese podido habría encargado a Puvis la decoración de un templo [493]. Casellas hablaba de la «música grandiosa y apacible» que se desprende de sus obras, de la inmaterialización de las cosas en sus manos, de la «tremenda serenidad» que emana y de las «venturas grandes y sin fin que presiente» [494]. Utrillo refería el encanto de haberle conocido acompañando a J. L. Pellicer [495], y José María Jordá expresaba la «impresión perdurable» que cau-

Luis Bonnin: Portada de *Pèl & Ploma*. 1902

Es natural que, atraídos por el irrealismo, Puvis fuera todavía insuficiente para los corazones de los entusiastas modernistas de la generación joven. Así, como los pintores de la primera generación, lo mismo que como los líricos y los decoradores, volvían sus ojos hacia las brumas nórdicas.

Es fácil establecer paralelismos entre el estilo personal de muchos de los dibujantes catalanes, creadores de estilo, con otros extranjeros cuya influencia es innegable. Así Riquer, tan fiel a los británicos prerrafaelitas, no deja de buscar el delineado de moda, como Triadó, en los dibujos reseguidos de Jeanniot y de Feure, Gual en los de Schwabe, Pey en Walter West, Xiró, Bonnin y Sebastián Junyent en las caligrafías japonizantes de León V. Solon y Olive Allen; el Bonnin primitivo, roto, en los dibujos de actualidad de Phil May, el Triadó tardío en el minucioso Julius Diez, *Apa* en Anning Bell, Eugenio d'Ors en el Bruno Paul del *Jugend* y *Simplicissimus,* Torné Esquius en el holandés Niewenkamp...

Las revistas reproducían obras del simbolismo germánico. En *Joventut* eran familiares los grabados de Boecklin y las pesadillas de Schneider, como el *Judas* y *El Hombre y el Monstruo* que ilustraba el artículo de *Peius* sobre la *Coronada ciudad tentacular.*

Joventut organizó, en la Sala Parés, una exposición de Heinrich Vogeler. La obra de este delicado artista era muy significativa. Para el ala blanca del modernismo era una bandera. Vogeler se presentaba opuesto a Fritz Mackensen.

sa la más honda de sus obras, *El pobre pescador* [496].

El culto a Puvis de Chavannes se manifestó en la colaboración prestada a la suscripción para un monumento al gran fresquista por parte de publicaciones barcelonesas [497], y entre todos los ensalzadores ganaba líricas alturas Casellas [498] cuando situaba su obra en los confines del sueño y la realidad, en un mundo inmaculado, fuera de las contingencias.

Este era, en la escuela de Brema, el representante de la rama psicológica, realista; Vogeler, el del sentimiento poético.

Con una factura de alambicado arabesco, de origen goticista tamizado por ecos japonizantes y una sentimentalidad prerrafaelita acentuada, Vogeler tuvo una gran influencia entre los catalanes y consiguió no sólo acuñar un gusto, sino, al mismo tiempo, introducir temas iconográficos. Favoreció la introducción del lirio azul, la rosa silvestre, la amapola, la margarita de los primeros términos con praderas con finos abedules y lejanías con redondeados tilos. Sus abedules, constantes en las marqueterías de Homar, venían a ser como seres vivientes, jóvenes lánguidos con la cabeza hundida en sueños y que, a pesar de encontrarse en la Primavera, ven pasar con indiferencia sus bendiciones. Las barcas alargadas, los pajes de aterciopelada indumentaria, las damas medievalescas de grandes ojos y faldas que caen en pliegues ondulantes, con vaporosa cabellera y manos delicadas a lo Rossetti, los fantásticos castillos, el ocaso, los pájaros.

Estos eran los mundos que soñaba la bohemia artística del ala blanca, idealista, del 1900, enamorada de las leyendas.

Luis Bonnin. — Mejor estilista, más creador que ellos, fué Luis Bonnin, que fué orfebre hasta que, enamorado de Benvenuto Cellini, quiso vivir su ambiente y se trasladó a Italia, para terminar fijándose en Niza, que, a los ojos soñadores de su sensibilidad, se le apareció como «aquellas lujosas ciudades de Bagdad y Basora, encantadas legiones de palacios y mármoles, metales y maderas preciosas». Nacido en 1872 en Barcelona, fué en Niza donde empezó a dibujar sus fantasías, que fueron más admiradas en Italia que en su propio país. Zanné las describe como «ideales dislocaciones, barrocas agrupaciones de mujeres, entrelazados de nudos, torsiones incomprensibles de músculos refinados».

En Barcelona se dió a conocer, antes de emprender su viaje a Alemania con intento de asimilar el arte de sus antiguos grabadores, con la ilustración de *Boires baixes,* de José María Roviralta, que sirvió asimismo de motivo a Enrique Granados para un poema sinfónico.

Sólo con líneas, sin manchas de negro, los dibujos de este libro, tirados a veces en negro encima de manchas de color liso, otras en ocre dorado, están dominados por las sinuosidades japonizantes de la estilización lineal de la niebla, que se enroscan con los sensualísimos cuerpos de mujer de cabellera desatada y caras extáticas o desorbitadas, con los arcaicos caballeros armados y enjoyados, con los campos de lirios, adormideras, rosas, chopos y cipreses, con los edificios góticos y los surtidores, todo ello retorcido y trémulo, recargado, de una manera preciosista, con detalles que revelan la mano del orfebre, que por estos primores olvidó su antigua manera, angulosa, rota y nerviosa.

Adrián Gual. — Personaje importantísimo en el ambiente cultural modernista fué Adrián Gual, quien ganó su importancia por dos hechos fundamentales : el polifacetismo que le introdujo y le dió

LUIS BONNIN : Ilustración para *Boires Baixes.* 1901

ADRIÁN GUAL: Decoración del local de la Asociación Wagneriana

Temas de *Parsifal* y *Tristán e Isolda*

ADRIÁN GUAL: Apuntes. (En el ángulo izquierdo bajo, retratos de Pitxot y Picasso.)

un papel en tantos campos distintos del arte y de la literatura, y el extremismo que le hizo defender tan denodadamente una posición estética determinada, desafiando la ironía, incluso cruel, de la gente de su tiempo.

Más joven que Ruyra y Maragall, que Rusiñol y Casas, Gual, nacido en Barcelona en 1872, era, con uno o dos años de diferencia, de la edad de Zanné y Alomar, de Mir, Anglada y Sert, bastante mayor que Bofill y Matas, Pijoán, Ors, Pujols y Carner.

Esta fijación cronológica es bastante elocuente para determinar el carácter de un hombre que ha pasado la etapa del lirismo pegado al mundo objetivo, que es contemporáneo de toda suerte de decorativistas ampulosos, y que precede a la generación de la perfección formal y del escrúpulo crítico.

Hasta los veintinueve años de edad, trabajó como litógrafo en el taller de su padre, que se había educado en París y que le comunicó un honesto espíritu artesano, algo que puede emparentar sus orígenes con los de Sert, quien se familiarizó con el dibujo a través de los diseños de sedería del siglo XVIII.

El *Nocturn, andante morat,* librito de proporciones verticalizadas con que se dió a conocer en 1881, contenía sus dibujos de un falso primitivismo medio medieval, medio japonés, que contenían ya los elementos de algunas de las formas estilísticas que no debía abandonar nunca, como el gusto por el oro, por los vivos reseguidos y las líneas paralelas o concéntricas rellenando los espacios con un verdadero «horror al vacío». Con este tipo de arte demostraba su fidelidad a la idea de que «todas las leyendas son hermosas y sólo con ellas y por ellas pueden los hombres llegar a la comprensión de los secretos humanos [499]». En consecuencia, creía que era preciso

LUIS MASRIERA : *Las mariposas.* 1904

cual parece remedar los efectos multitudinarios en las curiosas ilustraciones de la *Atlàntida* editada por *Joventut,* en las que adoptaba abarrocadas estructuras que hacen pensar en las concepciones de Sert. Un mismo aire británico, más cercano ya al ambiente prerrafaelita, da forma al *Ángel de la Vida* y al *Ángel de la Muerte* con que decoró el panteón tarraconense de la familia, y a las ilustraciones de la *Salomé* de Oscar Wilde, tiñiéndose de ecos wagnerianos en el *Cartel de las fiestas de la Merced de 1902,* en el que un verdadero racimo humano parece pender de las campanas de la catedral barcelonesa.

La dirección poética más que plástica que tales obras revelan se halla más acentuada todavía basarse en la poesía popular desarrollada con libre fantasía, como fuente de plástica, de música y de literatura. Las litografías del *Nocturn* no son sino un pequeño ensayo comparadas con la gran filigrana del cartel que grabó en litografía policroma en 1910 para la representación del *Canigó* de Verdaguer, adaptado por Carner, que tuvo lugar en Figueras, al aire libre, con el fondo de la misma montaña del Canigó, el 19 de junio de aquel año.

De su vida de litógrafo dió una imagen en su otra literaria *La fi de Tomàs Reynal* [500], que revela un temperamento amigo de los bellos oficios y de su dignidad, que se reflejó en sus numerosos trabajos de joyería, de platería, proyectos de vidrios y de una serie de tapices que, lo mismo que unas series de Sert, fueron pensados para ser exportados a América.

El gusto por las leyendas, a que hemos aludido, se manifestó en sus concepciones plásticas para la escenificación del *Contrapàs llarg,* de la leyenda de *Blancaflor,* del *Don Juan,* que concibió en una atmósfera arquitectónica plenamente gaudiniana ; de *Guillermo Tell,* etc.

El gaudinismo que se manifestaba en los diseños para el *Don Juan* dió forma a la fantástica visión del *Parsifal* montserratense con un templo del Santo Graal que tiene sus afinidades con el monumento troglodítico de la Cueva de Merga. En cuanto a los elementos de paisaje, mantiene las más marcadas analogías con Mir.

Este gusto por lo ctónico que se presenta en Gaudí y en lo troglodítico, relaciona sus inclinaciones con las de los dibujos de un William Blake, del

JOAQUÍN RENART : Ex-libris

en las obras relacionadas con el mundo musical, a partir del momento en que, imitando los títulos musicales de Whistler, tituló *Nocturn, andante morat* el ya citado libro, que encuadernó en el color de amaranto, el color modernista por excelencia.

En *La bressolada,* su concepción plástica, escenográfica, fué concebida en blancos, como una pintura de Casas, mientras *Les filoses* se presentaban en amarillo.

Como Rusiñol, creyó que la impresión lírica, sentimental, se acentuaba con el halo *flou* a lo Carrière, y por ello envolvió de una aureola tantas figuras de sus dibujos, como las de Gentil y Flordeneu del cartel del *Canigó;* pero no todo fué de la familia blanca, pues entre sus obras no faltan las de la familia negra, como el cuadro de *La culpable* de la colección Plandiura, del tipo del dibujo con que Picasso ilustró el cuento de Suriñach Senties titulado *La Boja.*

Como en Nonell o en Pitxot, como en el viejo Apeles Mestres, la estilización aprendida en la estampa japonesa estuvo en la base de muchas de sus obras, como las viñetas con que decoraba las páginas de *Hojas Selectas* y *Garba,* el cartel de la *Societat Catalana de Concerts,* por otra parte emparentado con Burne-Jones y Rossetti, la portada de la revista *Catalònia* y el cartel de las bicicletas *Cosmópolis,* con vivos negros, poderosos, de xilografía extremooriental primitivizada.

Con ello y con el influjo inevitable del goticismo realista de Apeles Mestres, y con una gran veneración por el estilo gráfico de Holbein, dió forma a sus imágenes de un mundo complejo de sentimientos de amor y esclavitud, caridad y lástima en el que las mujeres legendarias se comparan a sí mismas con «la flor del alba negra, el alhelí amarillo, el girasol y la hoja de ciprés» [501].

El influjo del clasicismo teórico de Ors hizo variar, alrededor de 1910, el carácter de su arte plástico, en el que introdujo visiones versallescas de abanico, imitaciones de la decoración eritrográfica de la cerámica griega, para terminar en el arqueologismo a lo Utrillo, a lo *Forma* de sus bocetos para las conferencias que sobre *El Genio de la Comedia* dió en el Teatro de la Princesa de Madrid y en el Principal de Barcelona ; en los temas de amor que escenificó en 1920, para terminar en el decorado expresivista corpóreo del *Xavier* del Padre Massana, para el Gran Teatro del Liceo.

En conjunto, Gual, como sus contemporáneos Zanné y Alomar, en literatura, fué un parnasiano, para quien el estilo era el espíritu. No comprendió el realismo de la civilización burguesa ni éste le comprendió a él, y se encontró con problemas insolubles como el de la asimilación de música, poesía y pintura, que dieron a su arte una dramática limitación.

Algunos croquis vivaces y sin pretensiones estilísticas, en cambio, como los apuntes de su estancia en París, nos dan idea de lo que habría podido rendir en la rama realista mordaz del arte, para la que estaba preparado y que no cultivó.

José Triadó. — El sucesor más directo de Riquer en la familia idealista y decorativista, fué el dibujante y pintor mural José Triadó, nacido en Barcelona en 1870, y muerto en 1929.

Sus obras pictóricas más importantes fueron las composiciones murales como el frontis del manico-

JOSÉ M.ª XIRÓ : *Tránsito* (inspirado en una poesía de Guimerà)

José Sert: Decoración de una sala de Maricel. Sitges

mio de Reus y la cripta sepulcral del castillo de Santa Florentina, aunque en el ocaso de su vida cedió a las imposiciones de un programa absurdo y a una técnica también impuesta, al pintar *Las Cortes de Monzón* para el desgraciado Salón de San Jorge de la Diputación barcelonesa.

Iniciado como ilustrador y autor de viñetas en revistas varias como *El Gato Negro,* pronto se convirtió en un hábil estilista que jugó sagazmente con los elementos aportados por el prerrafaelismo gráfico de William Morris y los mezcló con herencias folklóricas catalanas, con el estudio de los xilograbadores del siglo XVI y con la rica sugestión de la heráldica otoñal de la Edad Media, sin dejar de escuchar las voces del lejano Japón, hasta constituir un estilo caligráfico bien sazonado de manchas de negro macizo, que le convirtió en portadista de *Joventut* junto a Gual, Sebastián Junyent y Riquer, e hizo de él uno de los más importantes dibujantes de *ex-libris* del país, autor de más de tres centenares de ellos y de la cubierta de la *Revista Ibérica de Ex-libris.* En 1903 expuso en la Sala Parés lo más importante de sus creaciones en *ex-libris.* En 1902 había ganado una cátedra en la *Escuela de Bellas Artes y Oficios Artísticos* de Barcelona, en la que ejerció con eficacia las dotes pedagógicas de quien tiene un concepto tan claro de la composición decorativa, de los equilibrios de manchas y del dinamismo de las líneas.

Fué poco conocido como pintor, aunque obtuvo un primer premio en la Exposición de Bellas Artes de Barcelona, de 1906, con una pintura efectista y superficial titulada *La Muerte.*

Joaquín Renart. — Con Alejandro de Riquer y con José Triadó, Joaquín Renart completa la trilogía de los grandes ex-libristas catalanes del 1900. En realidad esta actividad, relacionada con la inclinación hacia el retorno a los bellos oficios del siglo XV o el XVI extendida por William Morris, se manifestó en otra actividad de este artista: en la resurrección de la vieja técnica de los retablos con fondo dorado vermiculado que había sido tan característica de la época más brillante de la antigua pintura catalana, con el deseo de entroncar la corriente del arte moderno con la vieja tradición y por otro lado con el de obtener para los interiores actuales un elemento de arte elegante y preciosista más acorde con la pura idea impresionista que el tipo de pintura de la mayoría de los pintores de la época, influídos por el realismo y el impresionismo. En esta especialidad hizo el *Retablo de la Virgen del Carmen,* para Fausto de Dalmases, en el año 1903.

Luis Masriera. — Hemos hablado de la labor de Luis Masriera en el campo de las artes decorativas, especialmente de la joyería, pero es preciso aludir también a su significación como pintor.

En este aspecto, Masriera significó la expresión difuminada de unos sueños que no logró concretar de un modo demasiado plástico y que quedaron como sugerencias en sus grandes composiciones.

Surgió del anecdotismo sentimental de fines de siglo en el que componía pinturas como *Una hermosa besando a su propia imagen en el espejo* (1891) para acoger la moda de los seres irreales cuando, en 1903, pintaba *Las brujas* como unas hadas flotantes cuya falda se difumina misteriosamente hacia el césped, rodeadas de «hierbas de los pecados», o cuando, en 1904, pintaba *Las mariposas,* mujeres que, como ciertas esculturas de Llimona, tienen el torso desnudo y las piernas ocultas bajo una falda misteriosa que aparece de un modo también misterioso e indeterminado.

En el *Sueño a orillas del Llobregat,* en *La Adoración de los ángeles y los humildes,* recordaba débilmente el espíritu de Puvis de Chavannes, extranjero a un pintor que encontró su modo preferido en la pintura posterior, dentro de un sentido teatralista de colores a lo Barrau o a lo Graner, tratada de un modo hedonista, con reflejos tiepolescos.

José María Xiró. — El decorativismo de Bonnin, de Gual, de Triadó, de Renart, estaba formado por

H. ANGLADA CAMARASA: *El aperitivo.* Colección Plandiura. Barcelona

los elementos prerrafaelitas de una ornamentación plana, de arabesco, que tenía como ideal el refinamiento sutil a lo Oscar Wilde, individualista y minoritario.

Frente a esta posición hubo la actitud épica de los pintores que concibieron su arte de un modo ampuloso, abarrocado, de masas, plástico, con un ideal efectista y una concepción social de su difusión y de su efecto. Tales fueron los tres épicos de la decoración: Xiró, Sert y Anglada.

José María Xiró y Taltabull, nacido en Barcelona el 21 de febrero de 1878, fué, como Clapés, un pintor nietzcheano, que concibió grandes composiciones murales con pretensiones de una especie de liturgia de su propia filosofía vitalista y embebida de la idea del superhombre.

En 1903 se apreciaban sólo por su ímpetu, sin parar mientes en la mezquindad de su contenido plástico, obras como el boceto de una monumental *Fantasía Nietzcheana* [502] en que no faltan los desnudos atléticos de un tipo que presagia el arte de los escultores nazis, mezclados con los fantasmas de luz propios de toda la pintura idealista desde la época de Runge, y en contraste con el monstruo aplastado por una piedra que recuerda el tipo de efectismo estilizado por Gustavo Doré en sus ilustraciones de la *Divina Comedia.*

Posiblemente fué esta analogía con Doré lo que sugirió a los editores de la *Illustració Catalana* la idea de encargarle la ilustración de *La Atlàntida* de Verdaguer, que llevó a cabo utilizando abarrocamientos plásticos en las grandes láminas de personajes, que contrastan con la buena calidad artística de las exquisitas viñetas, delineadas utilizando un grafismo de sinuosidades concéntricas de abolengo japonés en el que supera a Gual y al propio Sebastián Junyer de las viñetas de *Joventut.*

En 1901, una obra de Xiró llamó poderosamente

H. Anglada Camarasa : *Mallorca*. Colección Fernando Rivière

la atención : la composición titulada *La Muerte del Sol,* tema de ambiente épico en el que aparecen varios motivos caros a la iconografía wagneriana de la época, como la silueta montserratense, el vuelo de personajes que recuerda la cabalgata de las walkirias y la imagen prometeica del hombre, víctima heroica. Debió tomarse a esta obra como símbolo cuando el propio *Pèl & Ploma* invitaba a su exposición en la Sala Parés [503].

Los dibujos de Xiró evocaban no sólo a Nietzsche sino a la furia retumbante del arte de Walt Whitman, la

Música orgullosa de la tempestad,
ráfaga que tan libre salta y corre...

que respira el anhelo vital del

Avanza, oh alma mía, y deja al reposo que se vaya.

Formado, en su juventud, en la academia Trías, admirador de Modesto Urgell, llegó a través de él a la concepción propia de la pintura metafísica, que reforzó en París y, principalmente, durante su estancia en Munich. Expuso en Madrid, en París y en la *Kunstverein* de Munich.

Sus óleos respondieron al mismo espíritu de sus obras, concebidas para la pintura monumental, representando temas de *La Atlàntida,* interpretando el drama rural del *Tránsito* de Guimerá, o buscando la tensión heroica en *Hércules* o la *Guerra de la Independencia,* que adquirió la Sociedad Económica de Amigos del País. El Museo de Arte Moderno, de Barcelona, conserva obras suyas de evocación, tales como *Safo* o *Alas y Corazón,* que presagian el arte vacío de la *Batalla de Lepanto* del desgraciado Salón de San Jorge de la Diputación barcelonesa. José María Xiró debía morir, perdida la razón, en 1937.

H. ANGLADA CAMARASA : *La figuera*. Museo de Arte Moderno. Barcelona

José María Sert. — El más importante de los decoradores abarrocados y épicos catalanes fué José María Sert, nacido en una familia originaria de Moyá, consagrada a la industria textil y establecida en el típico barrio de San Pedro, el mismo de donde salieron Rusiñol y Nonell.

Vió la luz el 21 de diciembre de 1874. A los dieciocho años empezó a ir a la fábrica familiar, donde se interesaba más en dibujar que en preocuparse de la industria. Alternaba esta ocupación con la asistencia a las clases de la Lonja y a las lecciones particulares de Pedro Borrell, en cuya academia fué compañero de Adrián Gual, con quien debía guardar siempre muchos rasgos estilísticos comunes, particularmente la veneración por la pintura veneciana, con las perspectivas atrevidas a lo Veronés y los celajes fosforescentes a lo Tintoretto, la factura por trazos paralelos, con toques de luz blanca, y los vivos de luz o de sombra acusando los diferentes términos.

Ingresó en el *Cercle Artístic de Sant Lluc,* fundado en 1883 por una escisión de los artistas católicos, que se separaron del *Círculo Artístico,* pero tuvo que dejarse influir por el prestigio de los que, con unos años más que él, y aureolados por la atmósfera de París, representaban la modernidad inconformista : Rusiñol, Casas y Utrillo.

Cuando, en 1897, murió su padre, Sert concibió la idea de trasladarse a París y dedicarse plenamente al arte, lo cual realizó en 1899. En París, lejos de dejarse seducir por la bohemia entonces tan prestigiosa, enfocó desde el primer momento su carrera por el lado de una gran ambición. Alquiló un taller de gran categoria y prefirió no mezclarse con el mundo de los pintores de caballete. Desde un principio pensó en el arte monumental y buscó la amistad con Maurice Denis, con el cual le unirá alguna afinidad de factura.

Bing, el campeón del *Art Nouveau,* el más importante de los decoradores franceses equivalentes a nuestros modernistas, le encargó las pinturas murales que debían ornar el comedor de la vivienda de exhibición que montó en la Exposición Universal de 1900, cuya parte arquitectónica fué encargada a Louis Bonnier, influído por el secesionismo vienés y el arte de Munich, y cuyos muebles fueron obra de Eugène Gaillard. Para este trabajo, Sert, temperamento sanguíneo, escribíamos en otra parte [504], se sintió menos atraído por las languideces goticistas de la Gran Bretaña que por la exuberancia sensual con que la moda arraigada por la *Werkbund* gustaba de llenar los frisos en contraste con la aséptica nitidez de unas formas arquitectónicas cada vez más cercanas al futuro funcionalismo.

Con una técnica emparentada con la de Gual, realizó los frisos en grisalla de carbón oleaginoso y toques en blanco, sobre fondo azul.

Estos frisos representaban *El Cortejo de la Abun-*

RICARDO URGELL : *Mi taller.* Colección Juan Valentí

ca de San Francisco en Asís. Ayudándose con Luis Massot, La Chataigneraie, Huet y Le Vif, emprendió el trabajo de preparar unos paneles abarrocados, de gran movimiento de masas, que admiraron en París, donde trabajaba, a Larolle, Maurice Denis y Rusiñol. Escogió, para la realización definitiva, la técnica del óleo sobre tela, que iba a permitirle trabajar en el mismo taller de París, pero antes de pasar a ella debió someter sus bocetos a la opinión de Gaudí, Juan Llimona, Dionisio Baixeras, Mas y Fontdevila, Pascó, Riquer, Luis Graner y José Llimona. Los bocetos se exhibieron en 1905 en el taller de Ramón Casas. Al año siguiente pudieron verse en la Sala Parés los primeros lienzos, que despertaron entusiasmo tal que en *La Illustració Catalana* [506] se desenfundaron los nombres de Leonardo, del Veronés, de Tintoretto y de Miguel Ángel, y Ramón Casellas [507] admiraba la potencia de la luz crepuscular que parecía desprenderse de ellos. El público llegó a aplaudir en plena sala de exposiciones, y la prueba le valió el contrato definitivo.

dancia y formaban una serie de paneles en los que se veía el *Homenaje a Pomona,* que aparecía acompañada de bueyes opulentos y niños portadores de racimos de uvas y cráteras de vino, portadora de cornucopias ; niños y atletas portadores de grandes frutos, pavos reales, elefantes y centauros siguiendo a Pan y a Baco.

Esta obra, realizada en mes y medio, fué la primera creación importante de Sert, del cual sólo se conocía ya una pintura anterior, un *Amor* decadentista, de modo que Utrillo pudo decir [505] que Sert fué un artista que empezó a trabajar ya formado.

Otra obra de sus comienzos era un efectista *Wotan,* que le relaciona con el ambiente wagneriano de la época y con el carácter de las obras de Gual y de Xiró.

Ambicioso, en enero de 1900 pidió al doctor Torres y Bages, antiguo consiliario del *Cercle Artístic de Sant Lluc,* a la sazón obispo de Vich, que le encargara la decoración mural de alguna iglesia de su diócesis, a lo que el obispo le respondió proponiéndole el decorado de su catedral, después de aconsejarse con Alejandro de Riquer, quien le recomendó al propio Sert.

Entre 1900 y 1907 elaboró los bocetos que, a su decir, le fueron sugeridos visitando la basíli-

RICARDO URGELL : *Velada de boxeo*

En 1907 las telas y los bocetos se exhibieron en el Salón de Otoño de París, donde tuvieron un gran éxito social que debía repercutir en Barcelona, donde se le encargó, en 1908, la decoración de la sala de Pasos Perdidos del Palacio de Justicia, en cuyos hastiales representó al *Tiempo y las Parcas* y una *Alegoría de la Justicia* con los mismos cálidos tonos venecianos de las primeras pinturas de Vich, y dejando, como siempre, al descubierto la urdimbre dibujística que determinaba una especie de taracea de grandes manchas de color. Ecos del Bernini, de Tintoretto y de Miguel Ángel se hacen evidentes al observador y delatan sus aficiones.

En 1910, la decoración para el comedor del Marqués de Alella en Barcelona y de la sala de música de la Princesa de Polignac, en París, fueron el inicio de su brillante carrera de decorador de residencias aristocráticas mundiales. En estas pinturas, el armazón de columnas jónicas, las imitaciones de los clásicos, denotan una intención de gravedad propia de la oleada clasicista, que pronto, hacia 1913, debía abandonar en beneficio del arte teatral, al estilo de escenografía de revista, con que realizó tantos palacios, y de la nueva técnica de grisalla sobre oro que debía presidir las sucesivas decoraciones definitivas de la catedral de Vich, abandonados los primeros paneles. Hasta su muerte, ocurrida en 1945, fué fiel a su segunda manera.

RICARDO URGELL: *La función*

Miguel Massot. — Miguel Massot, que desde hace muchos años se ha consagrado a colaborar con José María Sert, de cuyos bocetos es el principal realizador en las obras más grandes, ha renunciado con ello a la prosecución independiente de una carrera pictórica que se inició dentro de un ambiente estilístico vecino del de Gual y del propio Sert, con cuyas pinturas murales del Palacio de Justicia de Barcelona tienen una gran analogía las que decoran el vestíbulo del Palacio de la Música Catalana representando *Las ciencias musicales avanzando hacia la inspiración,* 1908, con los mismos coloridos de fresa y de verde azulado, con atmósfera dorada, aprendidos en una especie de traducción de los tonos cálidos venecianos a una nebulosidad blanquecina que tiene mucho de la pintura al pastel. Como Sert, utilizó allí las anatomías reforzadas miguelangelescamente y en posiciones duras, de una cierta violencia interna, pero, menos barroco que él, distribuyó el ritmo de una manera estática, creando una severa relación de verticales y horizontales a lo Poussin, con la misma artificiosidad de Poussin, pero con menos garbo, en vez de los juegos de oblicuas caros al decorador de la catedral vicense.

La pintura del *Orfeó* le valió un homenaje, que tuvo cierta resonanca, en uno de los momentos en que el artista abandonó su habitual residencia de París, en octubre de 1910.

Hermen Anglada Camarasa. — Hermenegildo, llamado Hermen, Anglada Camarasa forma con Sert el ala más publicitaria del modernismo catalán. Como Sert, Anglada ha captado el favor de un público adinerado mundial y ha conseguido precios altísimos para sus obras, y, lo mismo que Sert, ha quedado siempre fiel a unos ideales juveniles muy poco modificados, de tal manera que sus obras actuales, lo mismo que muchas de las de Sert, podrían pasar por ser muy anteriores.

Nació Anglada [508] en Barcelona en 1872. Siguió los estudios de la Escuela de Bellas Artes y Oficios Artísticos y asistió al taller de Modesto Urgell. Es curioso pensar que Urgell, que fué el maestro de Xiró y que tuvo un papel en la formación de Joan Miró, contribuyera a formar el espíritu del decora-

Ricardo Urgell: Salón de descanso del Teatro Principal

JOAQUÍN TORRES GARCÍA: Paisaje. 1903. Museo de Arte Moderno. Barcelona

Ricardo Urgell. — Hijo de Modesto Urgell, Ricardo nació en Barcelona en 1874 y murió en 1924

Ricardo Urgell, como Anglada Camarasa, tomó como punto de partida el estudio de las irisaciones lumínicas de su padre para llegar a la más atrevida estridencia, algo semejante a lo que ocurrió en Francia, donde la consecuencia inevitable del impresionismo fué el fauvismo. Pero las etapas evolutivas francesas estaban más adelantadas que las de la pintura catalana, en la que Modesto Urgell tenía todavía mucho del clima interpretativo de Barbizón, por lo que la exacerbación colorista no podía ser como en Francia una salida de la luz que dispersa las formas hacia la concreción de un arabesco intensamente coloreado, sino que fué la salida de una luz aplicada sobre una interpretación minuciosamente aplicada de los objetos hacia la dispersión atmosférica, de manera que se puede hoy considerar la oposición que representa en Francia una pintura impresionista irisada seguida de una pintura formalista colorista, y en Cataluña una pintura formalista irisada, seguida de una pintura impresionista colorista.

Este impresionismo colorístico estuvo representado particularmente por Ricardo Urgell y no debe confundirse con el arte de Mir, quien fué, pese a la opinión corriente en la crítica tradicional, ante todo un formalista, incluso un decorativista, y, por lo tanto, opuesto al impresionismo esencial.

Ricardo Urgell, como Hermen Anglada, se sintió atraído por los temas que mejor podían adaptarse a su intención cromática y de captación impresionista de ambientes, y por ello se dirigió hacia el espectáculo teatral, el café, el boxeo, el circo, el ballet, la atmósfera cerrada, las luces artificiales y los indumentos ricos en colorido y brillantez.

En estos ambientes ya no buscó aquel significado moral implícito en la obra de Degas, que pretende hacer sentir el valor que reside en cualquier tipo de humanidad, ni el significado moral explícito, romántico, de las escenas análogas de un Rusiñol o del primer Picasso, enternecidos ante los clowns y los vagabundos, y el destino poéticamente dramático de la gente de teatro que deben hacer convivir sus dolores con la apariencia de una vida maravillosamente feliz. Para Urgell todo fué ya desinterés, todo se convirtió en un puro pretexto estético.

En la factura, su estilo fué genialoide, ni más ni

Joaquín Torres García: Decoración de la casa Badiella, en Tarrasa

menos que el de un Sert, tendiendo a dar sensación de garbo, de improvisación segura, con una aspiración evidente a recabar la atención hacia el croquis que es típica de la posición pública respecto al genio. Aquí estaba su mayor peligro, pues ello le vertía hacia la pendiente de los que colocan las pinceladas no para producir cierto efecto estético, sino para producir cierto efecto moral en el espectador.

Algunas de sus escenas de una vida artificial, que bordea lo carnavalesco, llegan a extraer de esta misma artificialidad un segundo valor estéti-

Joaquín Torres García: Bodegón

co, cargado de misterio, que puede situar algunas de sus obras en la línea de James Ensor.

Cuando, en 1900, participó en el Salón de la Sociedad Artística y Literaria, el comentario unánime fué el que subrayó como su cualidad más sobresaliente *la traça,* la habilidad [509].

Félix Mestres. — La habilidad garbosa de que hacía gala Ricardo Urgell como la más apreciada de sus cualidades, fué una aspiración manifiesta de una vasta constelación de pintores europeos y norteamericanos, comprendidos entre Sargent y Doumergue.

En esta dirección orientó su pintura Félix Mestres y Borrell, nacido en Barcelona en 1872 y muerto en 1933, que se inició en la escuela de Lonja y continuó su formación en París y en Madrid. Profesor desde 1893, obtuvo en 1901 su cátedra en la escuela de Bellas Artes de Barcelona.

En un principio, sintió Mestres la atracción de los temas suburbiales, que trató valiéndose de la misma luz amarillo de calabaza que entusiasmó al grupo de Nonell y Canals; trató la calle obrera, las modistillas, la consulta en casa del médico, la parada de coches, pero con el tiempo fué abandonando los temas callejeros emparentados con la pintura negra para adoptar un colorismo mundano, con figuras disfrazadas en interiores, en los que cobraban valor las luces artificiales, las transparencias y los reflejos. Se trataba de un hedonismo para la buena sociedad, que constituyó una de las salidas por las que exhaló su alma, de un modo más indigente, la fuerza del modernismo.

RICARDO OPISSO: Dibujo

Alejandro de Cabanyes. — Nacido en Vilanova y La Geltrú en 1877, Alejando de Cabanyes, lo mismo que Anglada, que Ricardo Urgell, pasó de la nebulosa pintura a lo Carrière empezada a cultivar en la Barcelona de Rusiñol, a una más rica irisación en las suaves telas impresionistas de su estancia en París y en Munich, donde, como Anglada y Ricardo Urgell, sintió el interés por los temas de interior, que trató de un modo aterciopelado hasta que despertaron su vocación colorística, en la que se dejó influir evidentemente por la plasticidad abarrocada del cromatismo de Sorolla.

Detrás de los pasos de Sorolla precisamente, Cabanyes ha producido la mayor parte de su obra, reflejo particularmente de los esplendores de la luz crepuscular sobre las playas, las barcas y los pescadores de Vilanova.

Juan Pinós. — Juan Pinós y Palá dejó oscilar su pintura entre ecos del naturalismo dulcificado de Llimona y Baixeras, pero debe relacionarse mejor con la pintura del tipo de un Félix Mestres por el grado de calidad de sus obras y por el problema que se plantea en ellas, que es el de resolver unos efectos de luz, unas irisaciones, unos efectos de sol y sombra en un interior, unos efectos de nieve, etc. Fué, además, un pintor de ideas [511].

Antonio Serra. — Antonio Serra y Fiter, estudiado ya como ceramista, encuentra aquí su lugar, por su doble significación de artista preocupado por el mundo del trabajo y de pintor de efectos de luz en los interiores, que realizó siempre con una ejemplar probidad, sin las fáciles desviaciones dulzonas, hedonistas, de un Pinós.

RICARDO OPISSO: Dibujo

EL FORMALISMO FINAL

Torres García. — Tiene una importancia muy grande en la evolución de la pintura catalana del siglo XX el papel desempeñado por el uruguayo Joaquín Torres García, nacido en Montevideo en 1875, pero que residió desde muy niño en Barcelona, en cuya escuela de Lonja se formó.

Su importancia radica principalmente en tres puntos: como definidor de una nueva estética clasicizante que debía terminar con todos los sueños y todas las inquietudes; como fundador de una escuela de decoración mural; y como normalizador, creador de un sistema pedagógico coherente, con sus principios, en el fondo de los cuales el ideal modernista de la autenticidad y la libertad se manifestaba en la aspiración al primitivismo.

De los numerosos influjos y de las varias direcciones que afectaban al arte de Torres García desde su primera etapa, el influjo y la dirección que debían ser más fecundos eran precisamente los que movían su fe en lo primitivo, en lo puro por incontaminación, que se pone en contacto con aquello que ha sido purificado por eliminación. Por ello, en su arte, la posición lírica del ingenuo fué del brazo de toda la picardía del hombre refinado que obra sacudiendo hojarascas muertas para llegar al tronco de las esencias.

RICARDO OPISSO: Una carga. 1904

se olvidará de él a medida que vaya formándose dentro de sí, otro; a medida que vaya sintiendo la armonía y su vista se aclare y se vaya serenando y se le vaya descubriendo, poco a poco, entre las apariencias, lo eterno de toda cosa y de todo acto y lo vea aparecer en sus obras.»

Este «lo eterno» daba ya a sus juveniles composiciones, *Vora el riu, Les veus de la nit, Crepuscle, La nit, La font de la joventut,* una serenidad, una impasibilidad a lo Puvis de Chavannes, con marcado amor por los rastros helénicos, todavía coexistentes con melancólicas y románticas nocturnidades.

Torres García, que en 1896 había empezado a darse a conocer con sus dibujos de *Barcelona Cómica* y en 1897 expuso en el zaguán de *La Vanguardia,* empezó a ser conocido como ilustrador y decorador de revistas del tipo de *Hispania, El Gato Negro* y *El Buen Combate* y de libros como *La Bofetada,* de Narciso Oller, la *Historia de un mú-*

Torres García llegó a la palestra estética adelantándose mucho a los tiempos. Ya en 1901 escribía [512] en defensa de una posición que tenía que ser la base del nuevo clasicismo que cerró el ciclo modernista. Para él era preciso ver las disputas como espectáculo estúpido, sin mezclarse con ellas, sin amar ni odiar a nadie, sin creer ni decir nada, «encerrado en sí mismo como el único hombre del mundo, no esperando nada de fuera ni queriendo imponer nada de lo suyo a los demás». Partiendo de esta posición típicamente modernista por lo que tiene de originalismo, de individualismo a ultranza, llegaba a la conclusión que debía hacerle torcer el camino. «Y entonces — añadía — apartado de tanta fealdad... se alejará de este mundo y hasta

RICARDO OPISSO: Ilustración para una novela de Juan Pons y Massaveu. 1904

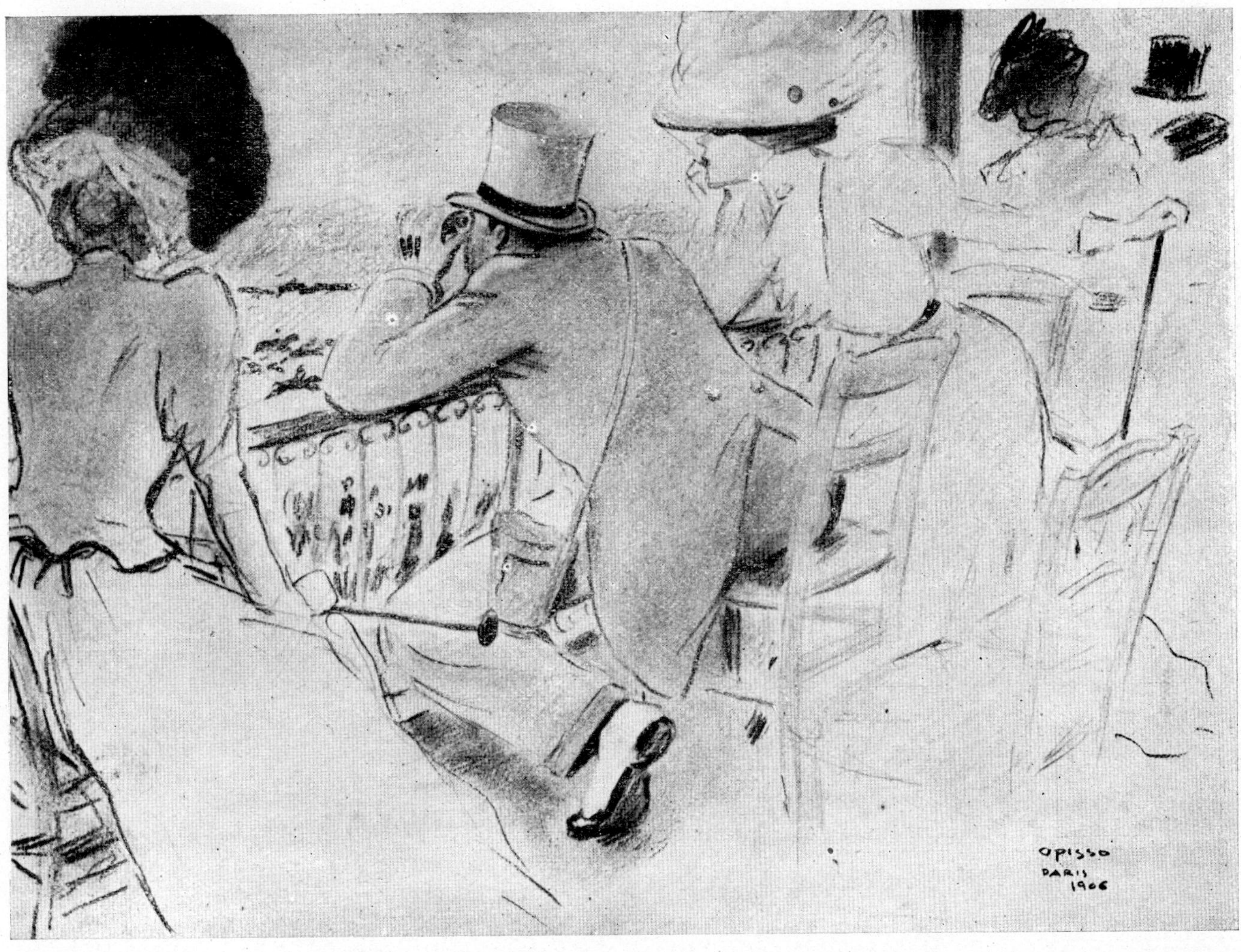

RICARDO OPISSO : *Longchamps*. 1906. Colección Vizconde de Güell

sico en París, de Wagner, o las *Risas y Lágrimas* de Bonafoux, imitando, como en sus dibujos publicados en la revista de *Els Quatre Gats,* el estilo de Steinlen, tan seguido en aquella época por los dibujantes barceloneses, hasta que evolucionó de una manera muy lógica comprendiendo que el principio de organización impuesto por Steinlen significaba acercarse a la estructura plástica de lo permanente y alejarse de lo impresionista, en un retorno a los principios del clasicismo que debía avanzar por sus pasos contados, utilizando primero la sugestión a la vez plastica y sentimental de Boecklin, para terminar en una versión acentuadamente mediterránea de los ritmos de Puvis de Chavannes, a los que supo comunicar un vigor nuevo, una virilidad embebida de arcaísmo griego y al mismo tiempo un ágil delineado de ceramista ático.

Estas ideas dieron su fundamento a las composiciones estáticas y equilibradas, las bellas armonías basadas en jardines plácidos de las torres neoclásicas de San Gervasio o en imaginarias utopías arcádicas, vertidas unas y otras a un solo clima de serenidad, que entusiasmaron a Miguel Utrillo e hicieron que se le dedicase un número de *Pèl & Ploma* y que Casas fijara su efigie en su serie de personalidades de la época.

Como pedagogo, su labor en la escuela de *Mont d'Or* [513] consistió en no dar ninguna «manera» al discípulo, convencido de que comunicar formas de expresión es privar al alumno de su impresión limpia y pura de lo real. Quiso ayudar a hacer ver la verdad, sin el papel intermediario de la artificiosidad de láminas y escayolas, y obligar a los futuros artistas a fijar rápidamente, en mancha o en silueta, su comprensión primigenia. Esta ilusión, en cierto modo contraria, por lo respetuosa con el instinto, al arbitrarismo predicado por Ors y que Torres García creía interpretar pictóricamente, fué la que hizo posible que, todavía en 1910, Joaquín Folch y Torres le clasificara como un «soñador artista».

Como decorador mural, sus pinturas de la parro-

RICARDO OPISSO : *La urbanización de la plaza de Cataluña.* 1903

quia barcelonesa de San Agustín y de la capilla de la Divina Pastora, de Sarriá, no llegaron al carácter de los grandes frescos, de un arcaísmo delicioso, versión mucho más humana, más etrusca, más de barro y menos de aguada que el neoclasicismo de Puvis, con que decoró el Salón de San Jorge de la Mancomunidad de Cataluña, avecinándose al ideal que más tarde realizará Massimo Campigli. En estos frescos, como en el boceto de *Las Musas acogiendo entre ellas a la filosofía,* inspirado por Ors, que figuraba en el despacho del *Institut d'Estudis Catalans* y que, exhibido en la Sala Parés, desencadenó una ola de entusiasmo colectivo, realizó la más pura imagen de un sueño arcádico que fué para él solamente un punto de reposo, antes de profundizar en la dirección estructural de los frescos del Ayuntamiento de Barcelona, encargados por Pedro Corominas y arrancados por un Ayuntamiento lerrouxista, que debía colmarse en las obras de taracea primitivistas de Tarrasa y, por último, en la asimilación del esquematismo de la América precolombina que ha dado su fisonomía a las últimas etapas del artista, trasplantado definitivamente al Uruguay [514].

Manuel Pinya. — En la dirección del esfuerzo de Torres García se halla otro pintor mucho menos conocido : Manuel Pinya Rubies, quien empezó su carrera con un estilismo prerrafaelita en el que se mezclaban elementos góticos tardíos con ecos florentinos, lo mismo que en las composiciones decorativas de Walter Crane.

Pinya evolucionó hacia el neoclasicismo primitivista lo mismo que Torres García y como él se

RICARDO OPISSO : *Saltimbanquis*

RICARDO OPISSO: *Reirato de Pedro Romeu.* Dibujo al carbón

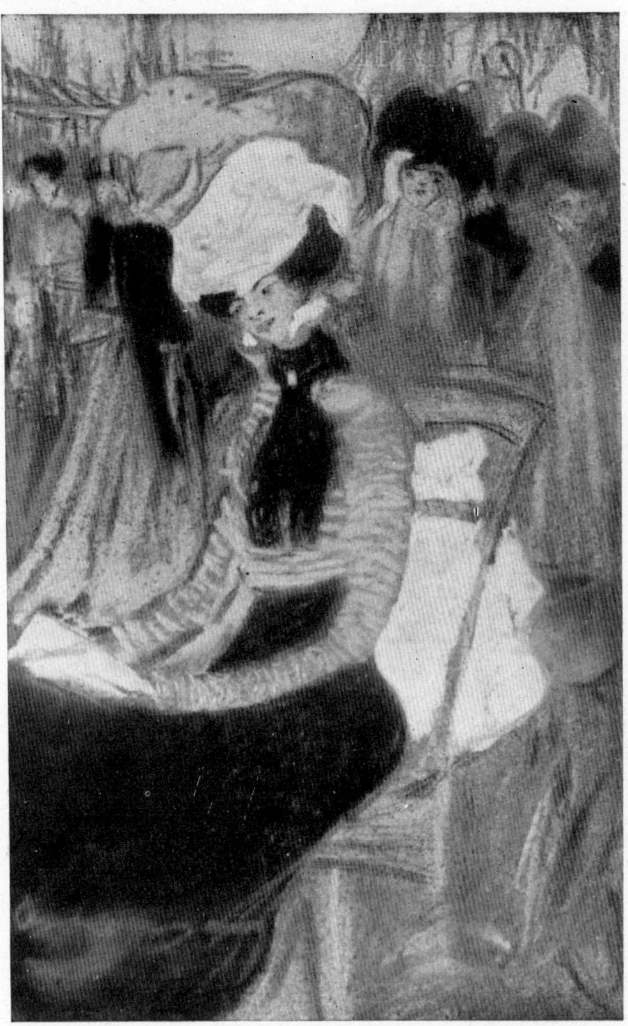

CASAGEMAS: Pastel. Colección Masoliver

hizo un intérprete de la lírica casera, del *carpe diem* latente en los sencillos jardines del barrio de San Gervasio.

Joaquín Sunyer. — De la edad de Torres García es Joaquín Sunyer, nacido en Sitges en 1875, que emigró muy joven a París, donde se dejó llevar por el postimpresionismo a lo Bonnard, que ambientó dentro de unas gamas grisáceas que se complacía en jugar con pequeñas manchas soleadas, y con una insensible irisación de los grupos de personajes, en sus visiones callejeras, de parques urbanos o de los jardines de Versalles. En la figura, utilizó una manera que tiene mucho de Forain y algo del arabesco de Lautrec, siempre dentro del influjo de la vagarosidad sentimental. Tal es el carácter de las deliciosas pinturas que conserva la colección Juliá.

A su retorno a Sitges reacionó contra la nebulosidad nórdica. Signorelli, estudiado en Italia, le ayudó a comprender una manera de contrarrestar la dispersión atmosférica anterior con el rigor estructuralista mediterráneo, dirección en la que se encontró con la gran revelación del esfuerzo del provenzal Cézanne. En su estancia en Ceret afianzó su nuevo estilo, en el que la claridad de un formalismo poderosamente estructurado, mediterráneo, se alió con un espíritu helénico subyacente que se manifiesta, como en la escultura de Maillol o la de Enrique Casanovas, por la apacible serenidad y el ritmo claro, de descanso, con que todo se ordena, incluso con cierta insipidez olímpica, revistiéndolo todo de formas de la vida cotidiana en Cataluña, con una tierna poesía de la vulgaridad.

Constituído este estilo, polo antitético del modernismo, cuando Maragall, a punto de morir, lo celebraba entusiásticamente, en 1911, los sueños modernistas habíanse deshojado por completo.

Mariano Pidelasserra.—*Pèl & Ploma*, al tiempo que servía de trampolín para Torres García, lanzaba otro pintor dos años más joven que él, Pidelasserra [515], que luchó muchos años para imponerse.

Mariano Pidelasserra y Brías, nacido en Bercelona en 1877, marchó muy joven, en 1899, a París, con su amigo Isern Alié, y allí se familiarizó con el ambiente postimpresionista, avecinando el puntillismo, pero así como Isern mantuvo el interés plástico en la zona del optimismo de la belleza, Pidelasserra, sin perder un interés fundamentalmente pictórico por sus temas, no dejó de interesarse, como lo revelan las maravillosas visiones parisinas de la colección Santiago Juliá, y la del patio de la industria paterna, de la misma, por temas con un contenido melancólico semejante al que buscaba Rusiñol, pero de un lirismo menos enfermizo y más familiar, hecho de aquel espíritu del

Prisonnier d'un bureau
Je connais le plaisir
De goûter tous les soirs
D'un moment de loisir

que da tal encanto a las pinturas, mucho menos densas pictóricamente, del poético Maurice Utrillo.

Una primera exposición de pinturas puntillistas sentimentales en la Sala Parés no le dió el éxito, como tampoco la gran manifestación de 1902, cuyo monumental retrato de *la Familia Deu* es de un normalismo, una abstención de ingredientes románticos o embellecedores que hace presagiar el espíritu que triunfará en la *Cala Forns* de Sunyer y que le valdrá la entusiástica adhesión de su panegirista Pujols.

Cuando trasladó su caballete al Montseny, el puntillismo perlino de su etapa parisiense se transformó en una dorada claridad que da atmósfera a los cuadros que en 1904 elogiaba Utrillo desde la revista *Forma* [516], y que en realidad prepara aquella suerte de neopopularismo a que se entregó muchos años más tarde, mezclado con enseñanzas postimpresionistas cuando se reincorporó a la pintura, bien lejos ya del ambiente del 1900.

Pujulá Vallés fijaba, en 1903, la personalidad de Pidelasserra como la de un ingenuo que se contiene y no quiere *épater,* que tiene un alma grande y una visión simple, y que, como buen puntillista, es un erudito del color.

Pablo Roig. — Como Torres García, Sunyer y Pidelasserra, Pablo Roig estaba llamado a pasarse a un concepto pictórico opuesto al del modernismo. Nacido en Premiá en 8 de diciembre de 1878, dióse a conocer como dibujante al ganar, en 1898, un concurso de portadas para el almanaque de la *Esquella de la Torratxa,* semanario en el que publicó sus dibujos, como en *Iris* y en *Hispania.* Para Homar, proyectó numerosos dibujos de marquetería de género prerrafaelita.

En 1899 se dirigió a París, donde debía vivir durante treinta y dos años y donde casó con una francesa. Su primera factura estaba, como en la mayoría de dibujantes renovadores de su tiempo, en la línea de Steinlen y de Toulouse-Lautrec, y de ella pasó

CASAGEMAS : Pastel. Colección Masoliver

CASAGEMAS : Pastel. Colección Masoliver

hacia formas expresionistas que le dieron un público entusiasta, particularmente en Bélgica. Sus ilustraciones para *La Femme et le Pantin* de Pierre Louys le introdujeron como uno de los más solicitados ilustradores de París, que hizo su especialidad del aguafuerte. Una de sus pinturas está en el Luxemburgo.

En 1933 se instaló en Premiá, y en 1944 volvió a ponerse en contacto, en las galerías Argos, con el público de Barcelona, con unas pinturas estructuradas dentro de un arabesco plano que sintetiza los hallazgos de Bonnard con los de Matisse, en un puro esteticismo impasible.

José Pey. — Nacido en Barcelona en 1875 y formado en Lonja, José Pey empezó su carrera de un modo paralelo a Pablo Roig, colaborando como ilustrador en varias revistas. *Hojas selectas* reúne la mayoría de su producción, de un estilo cercano al de Gual. Se había dado a conocer en 1896 al ganar una segunda medalla en la Exposición de Bellas Artes barcelonesa. Después, proyectó marqueterías para Gaspar Homar y decoró porcelanas para Antonio Serra.

Ricardo Opisso. — Si el grupo de artistas nacido entre 1875 y 1880 debía unánimemente abando-

PICASSO: Anuncio. 1903

nar el espíritu modernista y convertirse precisamente en el promotor de la gran reacción estética hacia la serenidad y el equilibrio que triunfó a partir del año 1910, siguiendo una gran oleada del gusto europeo, la generación nacida en los años 1880 a 1885 es la generación de la inquietud. Nada del clasicismo de Torres García, ni del mediterraneísmo de Sunyer, ni del neopopularismo de Pidelasserra, ni de las taraceas cromáticas de Pablo Roig. Galí y Picasso son los dos grandes jefes de línea de la inquietud que debía sacudir el ambiente a partir de 1920.

Ellos dos han mantenido la lucha. A su lado, Roviralta abandonó definitivamente la pintura, Casagemas se suicidó en plena juventud, Eugenio d'Ors no llegó nunca a ser un artista profesional, Ainaud abandonó, Ivo Pascual y Labarta salieron del mundo combativo, y Opisso quedó como representante perpetuo de la posición juvenil. Todavía ahora es algo de lo que fueron los artistas de los *Quatre Gats*, de lo que fué el Picasso juvenil.

Ricardo Opisso es hijo del que fué crítico de arte Alfredo Opisso y Viñas, nacido en Tarragona en 1847 y muerto en Barcelona en 1924, director de *La Ilustración Ibérica*, codirector de *La Vanguardia* y *L'Avenç*, *Catalònia* y *Hojas Selectas*.

Nació, también en Tarragona, en 20 de noviembre de 1880. Es descendiente del P. Montanya, sobrino de Emilio Sala y nieto de Felipe Jacinto Sala, coleccionista de pinturas.

Fué un autodidacta. Todavía muy joven, ayudó como delineante a Gaudí y pronto se dió a conocer por sus dibujos, que publicó en *Quatre Gats, Luz, Pèl & Ploma, Hispania, La Vanguardia, Cu-cut, Hojas Selectas, L'Esquella de la Torratxa, Le Rire, Fantasio, Froufrou, Review of Reviews, La Illustració Catalana*, etc.

Su estilo partió de las bases de Steinlen. No rehusó el ambiente del realismo negro nonelliano de los cuadros de miseria, pero su estancia en París y la revelación de Toulouse-Lautrec en su ambiente original le dieron elementos para enriquecer su expresión con ritmos refinados e ironías ácidas. La pintura de multitudes, iniciada por los impresionistas, dió origen a sus visiones de costumbres ciudadanas, oscilando entre las estampas del mundo elegante de Longchamps y las de los pilletes de la calle, las amas y los quintos y los saltimbanquis, las composiciones complejas del tipo del rigurosamente trabado *Arrabal de Barcelona* [517], sin que faltara el ambicioso tema de los episodios violentos, como *La Carga*, que dibujó en 1904, anterior al célebre óleo de Ramón Casas sobre el mismo tema.

Como retratista, en cambio, siguió las huellas de Casas, con una mayor acentuación de los caracteres globales y una menor matización.

Las necesidades de la vida han obligado largamente, después, a este artista a una producción febril y comercializada que ha perjudicado la evolución viva de su talento, hasta que, en su otoño, un retorno a la temática juvenil le convierte en una rara supervivencia de los años de entonces.

José María Roviralta. — Entre Grasset y Gauguin, a veces tremendamente vecinos de los de un Picasso de los años treinta, los dibujos de José María Roviralta, nacido en Barcelona en 1880, cuentan entre lo más importante de la estilización finisecular. En *Luz* los encontramos [518], ora en forma de una marquetería, con una figura reclinada estática, a lo Puvis, y dos, japonizantes, que pasean entre lirios; ora con una mujer de espaldas, con quimono, cara al mar; ora, en los mejores, con una cabeza manchada bárbaramente, en negro, acompañada de rojas amapolas recortadas, o con una cabeza irrealísima de floral cabellera.

También los encontramos en la revista de los *Quatre Gats*, en el número 6 [519] y en el 10 [520]. Especialmente reveladora de sus inquietudes es la composición simbolista titulada *Tot eren lliris blancs.*

PICASSO: Retrato de Jaime Sabartés

PICASSO: Pastel. Colección Plandiura

Tan interesante como dibujante resultó Roviralta como poeta. Fué, en efecto, el escritor del poema *Boires Baixes,* tan representativo de la mentalidad modernista, que sirvió de ocasión a Bonnin para el desarrollo de sus cinceladísimos dibujos.

PICASSO: Pastel. Colección Sala

Francisco de A. Galí. — Francisco de Asís Galí y Fabra, hijo del doctor en filosofía Bartolomé Galí, nació en Barcelona en 21 de noviembre de 1880, el mismo año en que nacieron Opisso y Roviralta.

Galí, que debía tener tanta importancia en la dirección que tomó, entre 1911 y 1923, el arte catalán, inició su inquietud artística ocupándose de arquitectura. De ello le quedó siempre un gran sentido de la resolución conjunta de los problemas de todos los bellos oficios, una especial sensibilidad para el orden y el equilibrio, y un noble respeto a los materiales.

Al lado de su vocación arquitectónica, pensó desde muy joven en la pintura, a la que debía terminar consagrándose, después de pasar por la academia de Hoyos y de emprender en 1899, a los diecinueve años de edad, su primera exposición personal, que tuvo muy mala crítica.

Galí escuchó, en sus comienzos, los consejos de Rusiñol y de Casas, y nos ha dejado de esta época sombrías pinturas algo vaporosas, a lo Carrière. Expuso también, en la época en que daba conferencias sobre Ruskin, telas de resonancia prerrafaelita, que pronto cedieron su lugar a las composiciones de masas abarrocadas, encuadradas por columnas salomónicas, frontones de volutas y panzudas cartelas, con que creyó encontrar la interpretación catalana del clasicismo que predicaba Xenius frente a las vaguedades nebulosas del Norte. Para afirmar lo concreto y luminoso se complacía en las figuras voluminosas, recortadas ante grandes celajes surcados por las golondrinas.

PICASSO: *Café Concert.* Óleo. Colección Viuda de Barbey

El neopopularismo latente en estas relizaciones le hizo profundizar el estudio de lo autóctono, que siguió por los caminos de inspiración de los azulejos y las xilografías, mezclando su sabor mediterráneo con el aire occitano de Cézanne, y aspirando a dar un carácter monumental a lo popular, de un modo paralelo al que empleó, para el mundo eslavo, Bakst, lo que explica el paradójico influjo del gran escenógrafo sobre su gramática decorativa. En su fe mediterraneísta, y para buscar los eslabones que faltaban en el arte del país entre el goticismo y lo barroco, dirigió sus miradas a Italia, re-

PICASSO: *Pueblo castellano.* Pastel

negando del foco nórdico, que se le antojaba corrompido, de París.

Este fué el ideario de sus ensayos pedagógicos en la escuela de *Art i Pàtria,* en la calle de la Frenería, y de la gran labor que realizó, desde 1908, en su *Escola d'Art* de la calle *dels Arcs,* en la que le siguieron el escultor Monegal, el pintor Mallol y el pintor y ceramista Aragay en la primera etapa, y después el grupo de arquitectos formado por Rubió Tudurí, Puig Gairalt, Bergós y Raventós y los pintores Joan Miró, Rafael Benet, E. C. Ricart, Espinal y Mirambell.

En 1911, la Mancomunidad de Cataluña debía convertir esta escuela en la base de la oficial *Escola Superior de Bells Oficis,* desde la cual irradió el arte de Galí de un modo decisivo, dentro de una dirección estilística de claridad sencilla, lejana ya de la lírica simbolista de sus comienzos.

Carlos Casagemas. — Uno de los más deliciosos artistas del 1900 fué sin duda Carlos Casagemas, nacido en Barcelona en 1881, que cultivó indiferentemente el óleo y el pastel. Dotado de una sensibilidad por la valoración de las luces que sólo halla parangón en Gimeno, habría sido un estupendo realista si no hubiera preferido, con acierto, jugar con las purísimas manchas de azul lechoso, de rosado o de violeta, que se bañan en los juegos de pardos y dorados de sus cuadros de costumbres.

Sus manchas adoptaban la forma de ameba cara a los seguidores de Forain y Lautrec, con prodigioso garbo, dando vida a unos arabescos muy movidos que sólo hallan parangón en ciertos pasteles de la época juvenil de Picasso.

Amigo íntimo de Picasso, se dirigió con él a París en 1900. Allí debía suicidarse, en un café, el mes de febrero del año siguiente, cayendo en brazos de Manolo Hugué.

Picasso. — Si, entre los de su generación, Galí consiguió dar una fisonomía propia al conjunto del arte catalán, Picasso consiguió hacer algo parecido sobre el conjunto del arte mundial. Fiel a algunas de las ideas sembradas por los hombres del ambiente de los *Quatre Gats* sobre su mente juvenil, Picasso ha sabido desarrollarlas y exprimirlas a lo largo de su vida. Muchos elementos básicos de lo que ha aparecido como una gran innovación personal, como una reacción contra el espíritu finisecular, en realidad residen precisamente en la aportación ideológica del fecundo ambiente catalán del 1900 [521].

Nacido accidentalmente en Málaga en 25 de oc-

PICASSO: Dibujo a la pluma

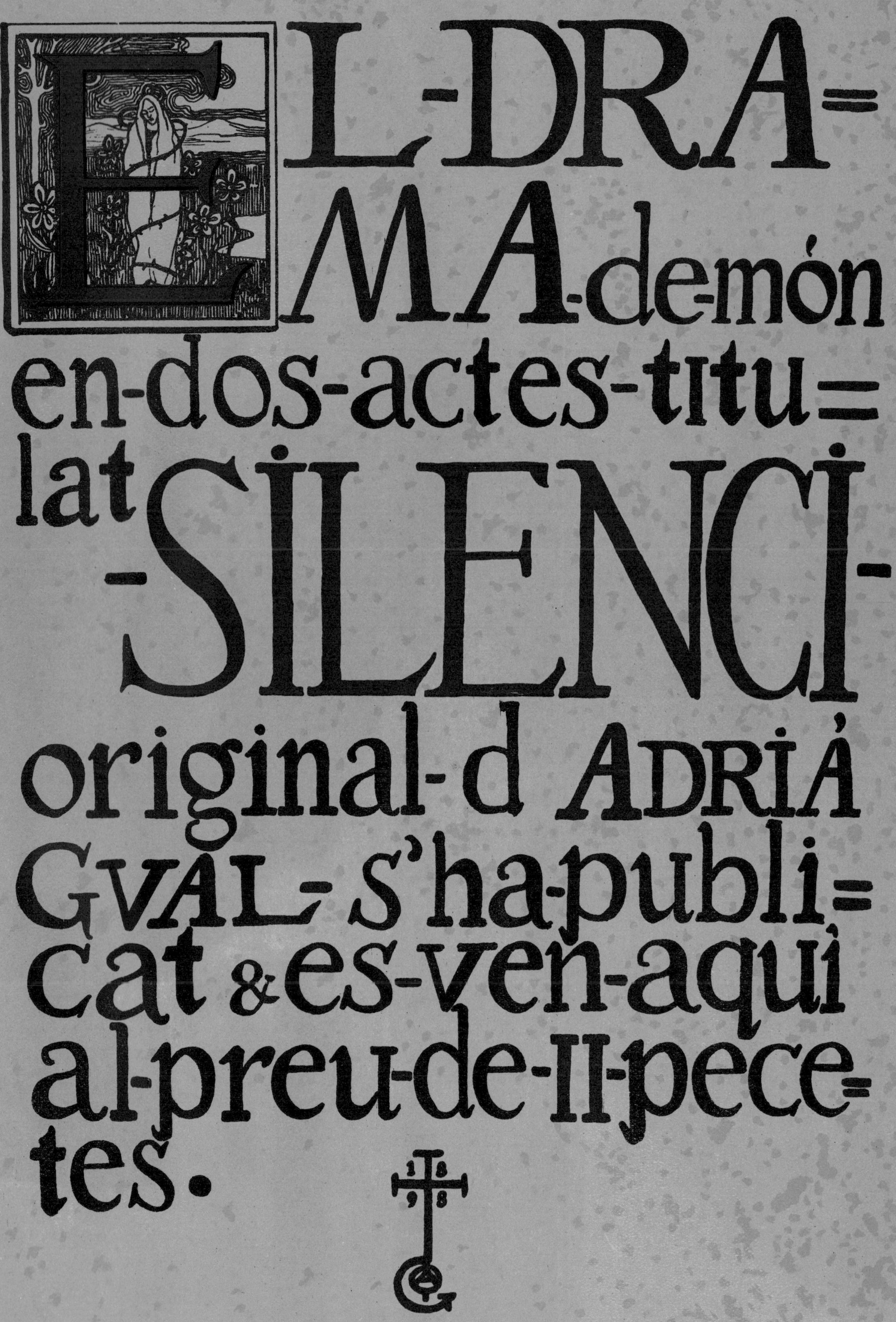
EL-DRA=
MA-de-món
en-dos-actes-titu=
lat -SILENCI-
original-d ADRIÁ
GUAL-s'ha-publi=
cat & es-ven-aquí
al-preu-de-II-pece=
tes.
1898

tubre de 1881, pasó fugazmente unos años infantiles en La Coruña, donde su padre era profesor de dibujo y pintura, para residir desde la adolescencia en Barcelona, donde formó su personalidad. Las obras anteriores a la etapa barcelonesa, como la *Pareja de viejos* del Museo de Málaga, el *Anciano* y el *Monaguillo* de la colección Sala, o *La chica de los pies desnudos* o *El hombre de la gorra* que le pertenecen, son puros trabajos de tipo escolar. Pero al introducirse, en 1895, en el ambiente artístico barcelonés, se le abrieron las perspectivas del mundillo renovador que capitaneaba Rusiñol, y se convirtió en uno de los asiduos de los *Quatre Gats,* no sin haberse dejado seducir, en el primer momento de desorientación, por los temas históricos de Moreno Carbonero y, después, por la pintura anecdótica de tema moralizante a lo Mas y Fontdevila, que aparece en su *Visita a una enferma.*

MANUEL AINAUD : *L'aplec de Sant Medir.* 1907

Como todos los de su generación, halló, a través de Casas, su forma expresiva en una imitación de este dibujante y en la adopción de las formas de Steinlen y Toulouse-Lautrec, pero rápidamente su curiosidad proteica le hizo adoptar los más dispares sistemas estilísticos, empezando por la especie de neogoticismo de inspiración germánica del *Menú* de los *Quatre Gats* (1898), que por algo correspondía a la que Rusiñol llamaba «gótica cervecería para los enamorados del Norte», y de la *Madre e hijo* de la colección Stransky, en la que adoptó el verticalismo de makimono japonés típico del gusto de Riquer y de Gual, heredado de los prerrafaelitas. Los primeros dibujos que publicó, en 1900 y en la revista *Joventut,* eran dibujos simbolistas, de una épica vitalista que es la misma de los poemas de Oliva-Bridgman que acompañan, y que relaciona su arte con el de Xiró.

La ideología de los *Quatre Gats,* que está en la raíz de su conducta artística, partía de lo que Brossa llamaba un «programa de acérrimo antiesnobismo literario y artístico» y de lucha contra el buen sentido, idea que Picasso todavía predicará en 1934. Se quería substituir el poder del dinero por el de la inteligencia [522], utilizando a la vez la energía erótica, lírica y épica. Brossa fijaba este programa en el que «el hombre, llevado de un legítimo orgullo iconoclasta, como consecuencia del medio moral creado en su inteligencia, llega a no admitir trabas en sus especulaciones, y de esta exaltación del individuo no queda en pie ningún mito, ni ídolo, ni entidad divina y humana que se opongan a la absoluta liberación de la individualidad». El escritor ya se daba cuenta de que estas teorías «serán calificadas por algunos de disolventes», pero añadía que «a un espíritu negativo juntan un espíritu positivo, reconstituyente y renovador de fuerzas perdidas». El arte aparecía como un «replegamiento interior», un «escepticismo hacia lo exterior», una «compensación al hastío de la vida en el encanto de la representación del Universo grabado en el fondo de la cámara obscura del Yo». A tales doctrinas se unía la preceptiva de Rusiñol [523] : «Arrancar de la vida humana no los espectáculos directos, no las frases vulgares, sino las visiones relampagueantes, desbocadas, paroxistas ; traducir en locas paradojas las eternas evidencias ; vivir de lo anormal y lo inaudito ; contar los espantos de la razón que se asoma al precipicio, el aplastamiento de las catástrofes y el escalofrío de lo inminente ; contar las angustias del dolor supremo y descubrir los calvarios de la tierra ; llegar a lo trágico frecuentando lo misterioso ; adivinar lo ignoto ; predecir los destinos dando a los cataclismos del alma y a las zozobras de los mundos la expresión excitada de terror ; tal es la forma estética de este arte espléndido y nebuloso, prosaico y grande, místico y sensualista, refinado y bárbaro, medieval y modernista al mismo tiempo.»

Estas eran las ideas que Picasso luchaba por in-

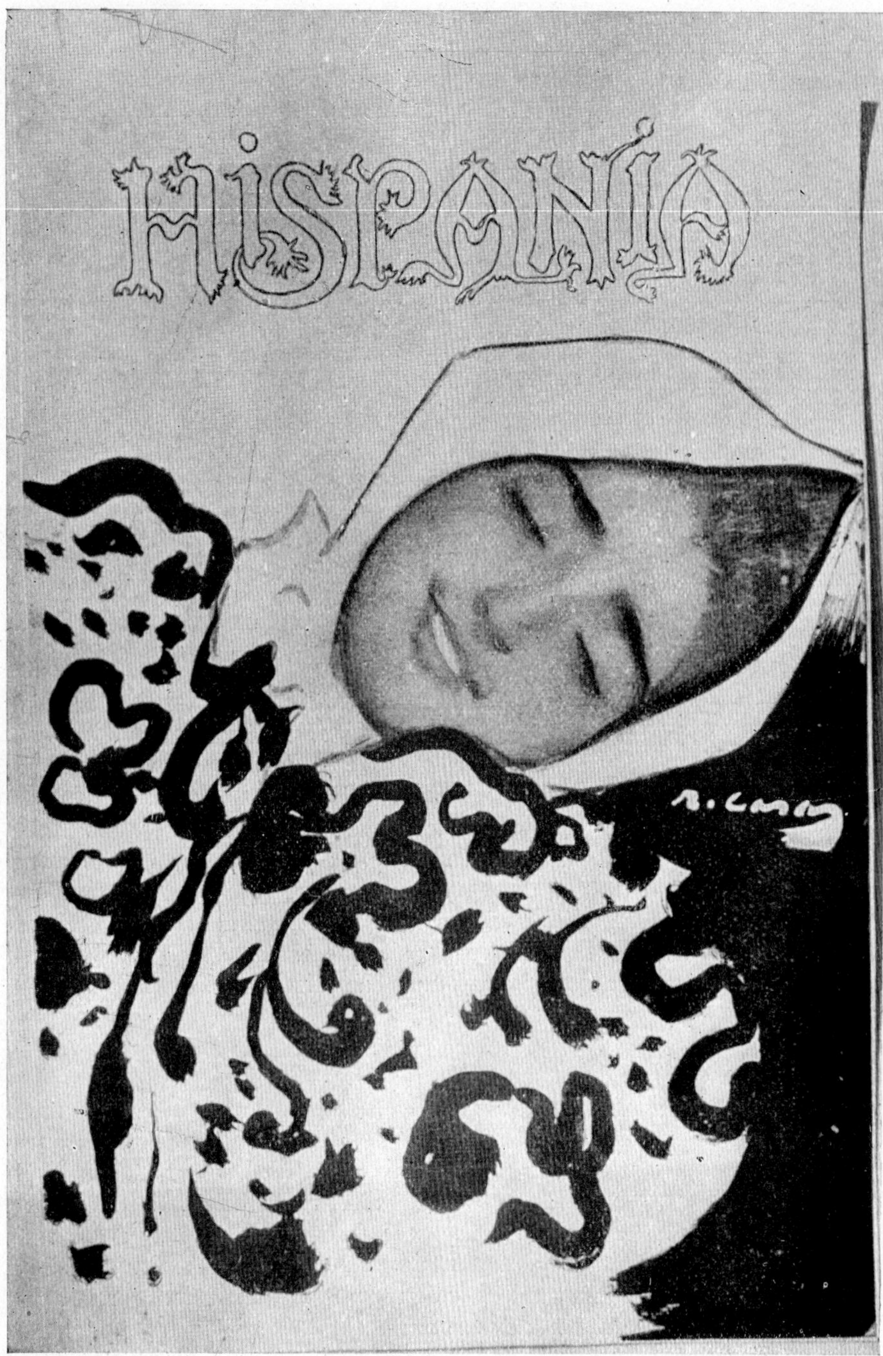

Ramón Casas: Cartel

terpretar plásticamente, en parte con la ayuda de su amigo, el simbolista Sebastián Junyent, y en parte con la sugestión de ciertas visiones de Nonell, recogiendo a través de ellos ecos de un mundo sincrético en el que cabían Carrière y Forain.

Con tal equipaje se dirigió a París, en septiembre de 1900, acompañado de Casagemas. Allí se instaló en un taller que le cedió Nonell y encontró su marchante en el catalán Pedro Mañach. Un fracaso comercial y un pequeño éxito entre el núcleo de jóvenes artistas parisienses, fueron la recolección que llevó por Navidades a Barcelona.

Elegantes e irónicas figuras de music-hall, menos decorativas y más vivas que las de Lautrec, monigotes en pastel croquizados, el mundo de los espectáculos, los cafés y las casas de tolerancia que interesó a Anglada, a Sunyer, a Urgell, fueron el pretexto para una técnica abigarrada y fosforescente, inclinada hacia una riqueza de color que fué a buscar entre las *bailaoras* de Andalucía, encuadradas por japonizantes arabescos.

Inquieto y ambicioso, en 1901 quiso trasladar la inquietud barcelonesa a Madrid, donde fundó, con Frascisco de A. Soler, la revista *Arte Joven*, dentro del género de *Pèl & Ploma*, sin demasiado éxito. Su arte iba adquiriendo una deformación sarcástica, una ascética eliminación de lo superfluo, adentrándose, al correr de estas fechas, en un muy precoz expresionismo, en el que se encontró con el Greco. El Greco le fué una ayuda muy eficaz para crearse una patética gramática, propia para expresar un tipo de poesía ambigua, en lo que lo sentimental va retirándose ante el sarcasmo. Los mendigos, las alcahuetas, los ciegos, los viejos verdes, la gente de circo, las madres escuálidas, los niños enfermos, fueron los temas del descenso a los infiernos de la «época azul», en que se purificó de todas las amarguras del mundo de su adolescencia, no sin antes haber utilizado el puntillismo estridente de *La Nana* y el colorido intenso de los pasteles sobre temas de toros y de cabaret.

En la «época azul», Picasso, dueño ya de sí mismo, concibió una adhesión a la materia y al tema que se manifestó con la ley del máximo de contactos y la ley del movimiento encadenado, por las cuales las formas vivas se funden en los objetos, y todas las líneas de fuerza de la composición se compensan y cierran sobre sí mismas, como en todo el arte esotérico orientalizante.

El baño de las tinieblas azules preparó, al dotar

JUAN G. JUNCEDA : Caricatura

CAYETANO CORNET : Caricatura. 1907

al artista de un método de expresión perfecto en sí mismo, la etapa del descubrimiento del poder de la forma que, en la «época rosa», después de su emigración a París en 1904, debía hacerle perder definitivamente el interés por el sentimiento, y fecundar su esteticismo para que pudieran ser alumbrados todos los experimentos formalistas que empezaron en la «época negra» (1907) y se concretaron a través del cubismo.

Eugenio Ors. — La gran importancia de Eugenio Ors, encubierto en el seudónimo de *Xenius,* en la reacción «novecentista» contra los ideales del modernismo, convierte en algo curioso los dibujos que se conservan de su juventud, cuando hablaba todavía de «la santa inquietud» con palabras anarquizantes que en el *Glosari* debía contradecir en beneficio de su flamante *civiltat.* Empezó, en efecto, su «batalla contra el realismo y contra toda anécdota», «en pro del arbitrarismo, de la estilización, de la composición», antes de terminar la frase añadiéndole «la belleza perenne y clásica» [524].

Había nacido Eugenio Ors y Rovira en Barcelona, en 1882, y en su espíritu había sembrado su madre un gusto por la cultura y por el romanticismo francés. Estudió para abogado y durante su paso por la Universidad fué fraguando su ideario, que debía cristalizar en una tesis doctoral a favor del imperialismo, que defendió en 1904 bajo el título de *Teoría del Estado Héroe.* Colaboró en *El Poble Català* y en el año 1906 publicó el comienzo de su *Glosari,* sucesión de comentarios de actualidad de la vida y de la cultura vistas a través de un prisma doctrinario. En 1908 la Diputación de Barcelona le envió a estudiar la enseñanza en el extranjero y alrededor de 1910 se consideró a sí mismo como un

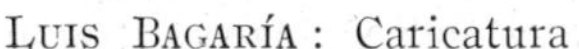

LUIS BAGARÍA : Caricatura

filósofo; participó en el congreso de Heidelberg y fué nombrado profesor del *Institut d'Estudis Catalans*. Estudió filología con Vossler y psicología con Lipps y en 1911 estableció el programa de política cultural que hizo suyo Prat de la Riba.

En este período de su vida, fué elaborándose su transformación desde la inquietud *Sturm und Drang* hacia el ideal de serenidad clásica, antimodernista. Por ello solamente nos interesa en su primera época, en la que sus dibujos de trazo nervioso y de proporciones alargadas, de una mordaz deformación expresionista, adoptaban plenamente el carácter de los ácidos ilustradores del *Simplicissimus*.

Ivo Pascual. — Los nacidos en 1882 han sido los últimos en conservar las preocupaciones modernistas o desarrollarlas en alguno de sus aspectos a lo largo de los años posteriores. En cambio, delante de la obra total de Ivo Pascual o de Labarta, parece extraño que en su juventud hubiesen participado en el movimiento que nos ocupa.

Ivo Pascual y Rodés, nacido en Vilanova y la Geltrú en 1883, empezó siendo un perfecto modernista. Su primera vocación había sido la arquitectura, que abandonó en beneficio de la pintura, para pasar a formar parte, en 1902, del grupo del *Cercle Artístic de Sant Lluc*. Fué su maestro Juan Llimona, con quien se inició en la pintura triste, de luces casi extinguidas, que él debía acentuar, abandonando el naturalismo de su maestro para adoptar una factura gauguiniana en las misteriosas visiones del crepúsculo reflejándose a través de los árboles a contraluz, en estanques quietos, todo ello sintetizado hasta la más elemental calidad de una taracea.

Grabado a la pluma de ISMAEL SMITH

Grabado a la pluma de ISMAEL SMITH

Vidal Ventosa. — Este tipo de simplificación por grandes manchas, como el gusto de la nocturnidad, inducen a recordar aquí la labor de pirografista de Vidal Ventosa, pintor en cuyo taller, la famosa *Guayaba* de la *Plaça de l'Oli*, pontificó el grupo que presidía la potente figura del juvenil Picasso. Vidal conserva un gran panel de madera pirograbado y teñido, representando, en el sintetismo aludido, una visión lunar del barrio de Vallcarca.

Manuel Ainaud. — A la misma generación de Pascual y Labarta pertenecía Manuel Ainaud, nacido en Barcelona en 1885 y que abandonó el arte en plena juventud. Ainaud perteneció al grupo de los negros, cultivador de los carbones fritos de precoz expresionismo a la sazón en boga. Su forma de expresión participaba de un sintetismo tan a ultranza que le hacía condensar la valoración sobre los contornos, y le permitía borrar los caracteres interiores de las caras de sus personajes. Su gran talento en la formación del arabesco se hace patente en composiciones de multitudes, como la *Sala de espera de un dispensario* o la *Plaza del Pino,* 1906, en las cuales se descubre una segunda intención de tipo social, que fija el carácter de la gente del pueblo, ya cortando su volumen como con un cuchillo, con tosca violencia, ya recurriendo, como en la tradición milletiana, a las figuras macizas, curvadas sobre sí mismas, con la cabeza hundida contra el pecho, en signo de sumisión.

RICARDO CANALS: *Retrato de Francisco Pujols*

Cartelistas. — El cartel, creación japonesa de los pintores de la escuela de los Tori-i, desarrollada en la Francia finisecular por Toulouse-Lautrec, por Chéret, Villette y Grasset, tuvo una gran difusión en la Cataluña modernista, donde aparecieron los coleccionistas y las exposiciones de carteles.

Alrededor de 1890, el tipo de cartel dominante era el progresista, con sus figuras alegóricas, sus cintas con leyendas entre palmas y atributos de las artes y las ciencias, de que fueron cultivadores José Luis Pellicer y Ribera.

La primera renovación en un sentido vitalista fué aportada por la tardía imitación de Gavarni que seguía, con tan poca maña, Ricardo Elías, al tiempo que Cuixart se orientaba hacia el prerrafaelismo con no más gracia y que Hoyos *(Cartel de la exposición de Bellas Artes de 1898)* y Dieguez conseguían trasplantar el estilo de William Morris. Ecos de Rossetti mezclados con elementos realistas daban forma, en los últimos años del siglo, a los carteles de Felíu de Lemus y a las cándidas versiones del mismo tipo de Domingo. Juan Llimona hacía suyo el colosalismo de Falqués, y Brunet mezclaba elementos clásicos con el latiguillo modernista, mientras Antonio Utrillo introducía el laurel reseguido de la temática decorativa vienesa y Dionisio Baixeras, adoptando un estilo completamente diferente del de su pintura, sintetizaba el prerrafaelismo británico con Puvis de Chavannes.

R. Casals y Vernis fué quizá quien comprendió el primero la eficacia que para el cartel tenía la adopción del tratado por manchas reseguidas, que nosotros llamamos de taracea, aprovechando la lección de la estampa japonesa. Luis Savall y Francisco Camins representaron el estilo lilial de Grasset.

En 1900 se celebró la primera exposición de carteles, en el local de la sección de Bellas Artes de *Els Muntanyencs,* situada en la calle de Escudillers Blancs número 8, 3.º. Allí pudieron verse carteles extranjeros junto a los de Rusiñol, Casas, Riquer, Miguel Utrillo y Antonio Utrillo. Carteles de Llaverías se exhibieron en *Sant Lluc* en 1900.

En 1901 tuvo lugar otra exposición en el *Cercle Artístic de Sant Lluc,* en la que se exhibieron carteles de Mucha, Hohenstein, Hassall, Privat, Siemon, Felíu de Lemus, Rusiñol, Riquer, Casas y Gual.

En su lugar nos hemos referido a los carteles de estos últimos artistas, entre los cuales Casas, con los del *Anís del Mono*, de los *Cigarrillos París*, del *Garaje Central*, de *Hispania*, de los *Quatre Gats*, del *Papel Boer* y de *Pèl & Ploma* [525], dió los mejores modelos.

Ilustradores y caricaturistas. — Si la pintura del 1900 se inclinó hacia lo literario, también la literatura de la época se orientó hacia lo plástico. Montoliu, Suriñac Senties, Reventós, Ors, Zanné, escribieron como si pintaran y algunos autores, como Víctor Catalá y Prudencio Bertrana [526], no se limitaron a escribir, sino que ilustraron ellos mismos sus obras.

El estilo sombrío a la moda se encarnó en las ilustraciones de Baixeras, publicadas en *Garba*, junto a las del joven Junceda, nacido en 1881, que se expresaba con nebulosidades a lo Carrière antes de hacer suyo el elegante arabesco lineal y las manchas negras con que debía imponerse en la Exposición de 1907. Sus ilustraciones de *En Gana, l'ordinari*, de Suriñac Senties, casi expresionistas, el anguloso tratado de *El niño con sus juguetes*, no dejan presagiar su evolución futura.

Llaverías, que con sus visiones acuareladas de la *Catalunya Grega* ayudaba a preparar la reacción clasicista, imitaba a Whistler de una manera evidente en su ilustración, con marco latiguillo, de un *Nocturn* de Félix Escalas, y tanto Baixeras como el neoclasicista *Apa* (Felíu Elías, nacido en 1877), no temían rodear también de *coups de fouet* sus dibujos.

En 1907, la línea fina y ondulante estilizaba a la mayoría de los dibujantes, entre los que Apa y Bagaría llegan al más depurado y artificioso sintetismo, dirección en que debía superarles, por su fuerza expresionista, la obra de dibujante de Smith.

Juan Grau Miró, el caricaturista gerundense nacido en 1883 y muerto en 1918, organizador del *Salón de los Humoristas*, perteneció a la misma corriente.

Destacado lugar cabe asignar a la obra de Juan Vila, que firmaba *D'Ivori*, en quien Joaquín Folch y Torres [527] vió el continuador de la línea de Riquer y Triadó. *D'Ivori* estudió el dibujo de estilo xilográfico primitivista de la escuela inglesa, que dejó un sello arcaizante permanente en su arte, tan poético.

La aspiración de Juan Vila a la poesía de lo simple e ingenuo supo conseguir un armonioso acuerdo con el espíritu de su tiempo, sin recurrir a artificiosos arcaísmos, en la obra deliciosa de Torné Esquius.

La colección Juliá conserva de éste una poética visión de *roulottes* y barracas de *Circo de suburbio parisiense*, con una gris soledad todavía rusiñolesca, pero con un ritmo formal a lo Torres García, que convierte el lienzo en una armonía plana de manchas de color simples ; pero lo más importante de su obra son los dibujos, de los que conocemos unas composiciones arbitrarias, de un gusto semejante al de Xavier Gosé, de 1904, en las que las figuras son cortadas por el marco como en ciertas obras de Degas. En 1905 expuso en la Sala Parés su visión del mundo a lo Francis Jammes : *Un banco en el parque, La salida de misa, El entierro, La gente del Oso, Los escribientes de la Virreina*, y en 1910 se dieron a conocer sus estampas de la vida infantil. Se trataba ya del espíritu de su obra maestra, el libro de los *Dolços indrets de Catalunya* [528], que proporcionaron a Juan Maragall, en una tarde de invierno, el gran bienestar que otorgan la simplicidad y la pureza.

Se trataba del clima poético en tono menor de los discípulos de Maragall, de Pijoán y Pujols.

PALLEJÁ : Muestra de papel para la pared

CONCLUSIÓN

Pujols, transformado en filósofo, agudísimo en estética, ha sido sin duda alguna quien ha podido concretar de un modo más exacto, y a la vez más vivo, la visión artística de los ojos modernistas.

En su *Pantología,* Pujols concibe una vasta unidad, basada en la escalera de la vida de Ramón Llull y en la tradición de Sibiuda, que engloba todo lo que existe, animado e inanimado, en un solo fenómeno : el de la *diastasa* o drama de la progresiva separación del espíritu respecto a la materia. Entre una concepción de los ángeles como vegetales despiertos en el cielo y de los vegetales como ángeles dormidos en la tierra, nada escapa a la visión matizada de un Universo impregnado de alma. El fenómeno estético le aparece, en este sistema, como un producto de la reversibilidad que hace que a la provocación, en el hombre, de hechos semejantes a los efectos producidos en su sensibilidad por las causas del Universo ambiente, corresponda como efecto, en la visión del Universo, un segundo hecho semejante a aquellas causas.

Este arraigo del hombre estético, inevitable y reversible, a una existencia que es materia y alma luchando por separarse, por caracterizarse, es la explicación del gran drama que alienta en la obra del enjambre de hombres modernistas que se agrupan alrededor del gran nombre síntesis de Gaudí y que darán su herencia al mundo a través del nombre de Picasso.

La importancia del modernismo en el desarrollo de la plástica y de la totalidad de la cultura del siglo XX ha sido desfigurada, durante años, por la oposición de medios entre las formas de expresión posteriores y las del 1900 ; pero a medida que las experiencias de los *ismos* pasan progresivamente a ser valoradas en su justo lugar de continentes para un contenido que durante cuarenta años no ha preocupado a la crítica, va tomando cuerpo la verdadera historia del conenido del arte de nuestro siglo. La oposición radical que podría aparecer por culpa de los lenguajes de dos épocas separadas por una oscilación de péndulo como la registrada entre 1900 y 1918, desaparece cuando, al conocer la oleada neorromántica que ha invadido la Europa posterior a 1945, podemos darnos cuenta de que en el fondo del movimiento oscilante de las formas de expresión hay una fluencia continua, que pasa precisamente por la secesión austríaca, el último prerrafaelismo inglés, el *art nouveau* de Bélgica y el modernismo catalán.

En arquitectura, en 1928 parecía que el funcionalismo de Le Corbusier iba a barrer los sueños de 1900. Hoy vemos que, en 1904, Adolf Loos hacía ya Le Corbusier *avant la lettre*. En 1950, parece que Frank Lloyd Wright barre a Le Corbusier con su arquitectura orgánica, y basta observar el arte de Gaudí para ver cómo el organicismo fué definido, con una amplitud no superada, en 1905.

En escultura, los grandes hallazgos de Moore, de Adam, de Zadkine, para citar los nombres más significativos de la plástica de 1950, representan respectivamente la fidelidad al estilo y al método de trabajo erosivo de la Naturaleza, la estilización poética de los productos banales de la industria y el aprisionamiento del espacio por líneas de fuerza. Los tres sistemas fueron cultivados en el modernismo : Sagnier, Gaudí, Juan Llimona, utilizaron innúmeras veces las formas erosivas. Jujol y Gaudí utilizaron la plancha metálica como hoy Adam. El grupo del monumento al doctor Robert, por Llimona, superaba a Zadkine en captación de espacio.

La pintura fué la más pobre entre las formas del arte modernista, porque los ecos del realismo a lo Daumier y del impresionismo le cortaron las alas. Pero hay que saber ver en las pinceladas de Mir o en las de Nonell algo más que reflejos de la pincelada de Monet. Deben mirarse estas pinturas cabeza abajo, y el espectador rutinario podrá admirar lo que tienen de cromatismo libremente vertido a lo Kandinsky o a lo Klee, o incluso de grafismo puro.

Y, por encima de todo, cabe considerar que si a Rusiñol, como pintor, le faltó técnica e inventiva, no escaparon a su mente lúcida las perspectivas de un arte sorprendentemente dilatado. De él aprendió, sin duda alguna, Picasso las bases de una concepción apasionada del mundo, en la que, rotas las amarras de toda normalidad externa, la vida misma del hombre en carne y espíritu se traduce en diagramas desconcertantes, pero subyugadores. El arte del siglo XX ha heredado del 1900 la inquietud simbolista que entonces creía naufragar, decadente, en los cenagosos pantanos de lo efímero, pero ha cobrado confianza al ver que, como en las especies vivas, cada muerte es reemplazada por nuevas vidas. Ahora nos damos cuenta, con Malraux, de que las obras de nuestro arte tienen un significado que precisamente radica en lo efímero. Desde el momento en que los artistas se ven precisados a poner bajo su firma la fecha, todo objeto de arte es una referencia. La evolución del arte no se ve, pero se siente. Es como una línea melódica, presente en el recuerdo cuando sólo oímos una nota.

De tal modo es así, que la voz y el trabajo de nuestros días no tendrían sentido si no formasen parte de una vasta familia de esfuerzos que incluye en sus principios el gran destello de fuerza vital en que consistió el modernismo.

SEBASTIÁN JUNYENT: Dibujo publicitario

NOTAS

1. José Doménech y Estapá: *Modernismo arquitectónico, Memorias de la Real Academia de Ciencias y Artes de Barcelona.* Marzo de 1912 (La comunicación fué pronunciada en la sesión del 22 de junio de 1911.)
2. La descripción del estreno de *Lohengrin* en Barcelona se halla redactada por José Rodoreda en la *Illustració Catalana*, 1882, pp. 150 y 163.
3. Artículos en forma de cartas escritas desde París para «La Vanguardia» de Barcelona bajo el epígrafe general de *Desde el Molino.*
4. *L'Avenç*, julio de 1893. En octubre del mismo año *L'Avenç* publicaba la primera traducción del *Also sprach Zarathustra* (1883) con el título de *Així va parlar Zarathustra.*
5. p. 202.
6. *L'Avenç*, 15 sept. 1893, pp. 257-264.
7. Joaquín Batet: *La Naturalesa o l'Art* en *La Renaixença*, 1871, p. 303.
8. Vid. A. Cirici Pellicer: *La decoración ochocentista catalana en barro cocido*, en *Anales y Boletín de los Museos de Arte de Barcelona*, Vol II, 2, abril 1944, pp. 39-64.
9. 1848-1910.
10. *Los globos aerostáticos de Mr. Montgolfier*, en «Ensayos Poéticos», Barcelona, imprenta Dorca, 1817.
11. *España. Sus monumentos y artes, su naturaleza e historia.* Barcelona, Cortezo, 1884. Textos de Pablo Piferrer y Francisco Pi y Margall. Notas y adiciones de Antonio Aulestia Pijoán.
12. Elías Rogent: *San Cugat del Vallés*, en el *Anuario* de la *Asociación de Arquitectos de Cataluña*, 1881.
13. M. Angelón: *Guía satírica de Barcelona*, 1859.
14. Mayo 1889, p. 85.
15. Reproducida en *L'Avenç*, 15 de enero de 1893.
16. La obra fundamental de Charles Darwin (1805-1882), *Descent of Man and Selection in relation to Sex*, es de 1871.
17. *Principles of Psychologie*, 1855-1872.
18. *Physiological Aesthetics*, 1877
19. *España*, ob. cit.
20. *San Cugat del Vallés*, ob. cit.
21. Herdert Spencer: *L'Utile et le Beau* (1852-1854), trad. francesa. Bordeaux, 1879.
22. A. Comte: *Discours sur l'ensemble du positivisme*, París, 1848.
23. F. Brunetière: *L'évolution des genres dans l'histoire de la littérature*, París, 1890.
24. Thomas Carlyle: *Characteristics*, 1831.
25. Thomas Carlyle: *Latter-Day Pamphlets*, 1885.
26. Ruskin: *The Poetry of Architecture*, 1837-8; *Modern Painters I*, 1843; *Modern Painters II*, 1846; *The Seven Lamps of Architecture*, 1849; *The Stones of Venice*, 1851-3; *Lectures on Archit. and Painting*, 1854; *Modern Painters III-IV*, 1856; *A Joy for Ever*, 1857; *The two Paths*, 1859; *Modern Painters V*, 1860; *Unto this Last*, 1860; *Munera Pulveris*, 1863; *Sesame and Lilies*, 1865; *The Crown of Wild Olive*, 1866; *Ethics of the Dust*, 1866; *Time and Tide*, 1866; *Red Lecture*, 1867; *On the Mystery of Life and its Arts*, 1868; *Queen of the Air*, 1869; *Lectures on Art*, 1870; *Aratra Pentelici*, 1871; *Fors Clavigera*, 1871-8; *The Eagles's Nest*, 1872; *Ariadne Florentina*, 1873; *The Art of England*, 1883; *The Pleasures of England*, 1884; *Praeterita*, 1885-9.
27. Prefacio a las *Orientales*, 1829.
28. Gautier: Prefacio a *Mademoiselle de Maupin*, 1834.
29. 1854-1936.
30. J. Roca i Roca: *Apeles Mestres*, en *L'Avenç*, 25 abril de 1889, pp. 57-63.
31. *L'Avenç*, 30 abril 1890, p. 94.
32. 1852-1930.
33. J. Sardá: *Narcís Oller*, *L'Avenç*, 25 oct. 1889, p. 164.
34. Catalina Albert, nacida en La Escuela en 1873.
35. J. Sardá, loc. cit.
36. Ignasi Valentí y Vivó, en *L'Avenç*, 1892, p. 381.
37. *L'Avenç*, 31 enero 1890, p. 19.
38. *L'Avenç*, 30 abril 1890.
39. *L'Avenç*, 30 abril 1890.
40. *Illustració Catalana*, 1903, pp. 301-302.
41. *L'Avenç*, 1892, p. 277.
42. Schopenhauer: *El mundo como voluntad y como representación*, 1818.
43. *L'Avenç*, enero de 1892, pp. 22-26.
44. *L'Avenç*, sept. 1892, pp. 257 y ss.
45. *L'Avenç*, enero 1893, pp. 12 y 13.
46. Posiblemente escrito en 1894, pues es el epílogo de un grupo de poesías entre las que figura la que leyó Maragall en la Fiesta Modernista de Sitges de dicho año.
47. *L'Avenç*, nov. 1892, pp 325 y ss.
48. *L'Avenç*, nov. 1892, p. 352.
49. *Festa Modernista del Cau Ferrat. Certamen literari celebrat a Sitges el 4 de novembre de 1894*, Barcelona, L'Avenç, any 1895.
50. *La columna de foc.*
51. Discurso de la Segunda Fiesta Modernista de Sitges, el 10 de septiembre de 1893.
52. E. Guanyabens: *Vesprada* en *L'Avenç*, 1893, p. 295.
53. *Illustració Catalana*, 1903, p. 94.
54. *Garba*, núm. 6.
55. *Nit i dia*, en *Garba*, núm. 8, 1906.
56. *Joventut*, 1900, XXIII.
57. *Joventut*, 1900, 395.
58. *Les flors del Gerro Blau*, del libro *Joventut*, 1900.
59. *Nocturna*, en *Joventut*, 1900, 233.
60. *La fulla que cau*, en *Joventut*, 1901, 19.
61. *Joventut*, 1901, p. 641.
62. *Elegia Idílica*, *Joventut*, 1903, p. 222.

63. *Les crisantemes, Joventut,* 1901, pp. 786-787.
64. *Delirium.*
65. En *Pèl & Ploma.*
66. *Pèl & Ploma,* 1903, p. 366.
67. *El castell buit.*
68. Poesía titulada * * *.
69. *La relíquia.*
70. *En mon jardí.*
71. *Villa de Raixa.*
72. *Floralia.*
73. *Pèl & Ploma,* 1903, p. 294.
74. *Del teu jardí,* en *Garba,* núm. 2, 1906.
75. *L'Amor del sepulcre,* 1902.
76. *Epíleg, Pèl & Ploma,* 1901, p 167.
77. *Profanació, Pèl & Ploma,* 1901, p. 173.
78. *Pèl & Ploma,* 1902, p. 257.
79. Discurso en la tercera Fiesta Modernista, en el Cau Ferrat de Sitges, 4 de noviembre de 1894.
80. 1900, p. s.
81. *Joventut,* 1900, p. 38.
82. *Joventut,* 1900, diferentes números.
83. Portadas del número de Año Nuevo de 1904.
84. Portadas del número de Año Nuevo de 1905.
85. Empezó a aparecer el 23 de diciembre de 1909. Casellas murió el 3 de noviembre de 1910.
86. 21 de julio de 1910.
87. 23 de diciembre de 1909.
88. 10 de febrero de 1910.
89. 11 de agosto de 1910
90. 8 de septiembre de 1910.
91. JOHH RUSKIN: *Fragments traduhits del inglès, amb un Assaig introductori per* CEBRIÀ MONTOLIU, Barcelona, *L'Avenç,* any 1901.
92. *Ruskin,* en *Joventut,* 1903, pp. 148-149.
93. *Pèl & Ploma,* 1901, p. 185.
94. RAMÓN CASELLAS: *Burne-Jones i el prerrafaelisme,* publicado en la reunión póstuma de artículos titulada *Etapes Estètiques,* 1916.
95. LUIS VÍA: *Saludem al sigle XX,* en *Joventut,* 1901, p. 3.
96. *Una villa que es mor,* 1904; *El Futurisme,* 1903; *De Poetització,* 1908.
97. *Joventut,* 1903, p. 307.
98. *L'Avenç,* 1905.
99. *Assaigs Estètics,* 1905, p. 8.
100. *Imatges i Melodies,* 1906.
101. *El poeta a la Verge,* en *Poesies,* 1905, p. 16.
102. *Lliri de Voluptat,* en *Poesies,* 1905.
103. *El Daimio,* en *Poesies,* 1905.
104. *Miniatura,* en *Imatges i melodies,* 1906.
105. *La Ballarina,* en *Poesies,* 1905.
106. En *Imatges i melodies,* 1906.
107. *Nocturn,* en *Poesies,* 1905.
108. *Theresia,* en *Poesies,* 1905.
109. *Walzer,* en *Poesies,* 1905.
110. *Scherzo,* en *Poesies,* 1905.
111. *1830,* en *Imatges i melodies,* 1906.
112. *Joventut,* 1900, pp. 347-349.
113. MAURICE MAETERLINCK: *Aglaraine et Sélysette.*
114. *Joventut,* 1900, pp. 475-476.
115. *Joventut,* 1900, p. 550.
116. *Joventut,* 1901, pp. 101-102.
117. *Meridionals i Septentrionals,* en *Joventut,* 1901, pp. 207-209.
118. G. ZANNÉ: *Le Cloître,* en *Joventut,* 1901, pp. 236-233.
119. *Joventut,* 1901, pp. 397-402.
120. MAETERLINCK: *Sur les femmes.*
121. *Joventut,* 1901, p. 569.
122. *Joventut,* 1903, pp. 490-491.
123. JOSÉ CARNER, nacido en 1884, contaba diecinueve años.
124. *Joventut,* 1903, p. 61.
125. MODEST VIDAL: *La música catalana* en *La Renaixença,* 1871, p. 10.
126. FRANCESC ALIÓ: *Cansons Populars Catalanas armonisades per.* Con prólogo de F. PEDRELL, titulado *La Música en lo Folklore català,* Barcelona, 1892.
127. PICÓ CAMPAMAR: *Cant popular alemany,* Barcelona, 1880.
128. Comentada por JOSEP RODOREDA en *La Illustració Catalana,* 1882, pp. 150 y 163.
129. *Illustració Catalana,* 1882, p. 215.
130. *L'Avenç,* 1893, p. 296.
131. *Un músic nou: Morera,* en *L'Avenç,* 1892, p. 351.
132. *L'Avenç,* 1893, p. 16.
133. El primer número apareció la segunda semana de octubre de 1898. Sólo hemos podido ver 12 números; ignoramos si salió alguno más.
134. Seudónimo de Miguel Utrillo.
135. *A. L. de Barán* (Miguel Utrillo) en *Luz,* núm. 5, 1898.
136. EDMOND DE GONCOURT: *Outamaro,* París, 1891.
137. *L'Avenç,* enero 1893, pp. 12-13.
138. *L'Avenç,* 1893, p. 271.
139. JOSEP MIQUEL GUARDIA: *Antics i Moderns,* en *L'Avenç,* 1892, pp. 65 y ss.
140. *Le Temps,* 31 julio, 1901
141. *Joventut,* 1900. pp. 201-202.
142. *Joventut,* 1901, pp. 128-130.
143. G. A. TELL LAFONT: *Balans,* en *Joventut,* 1900, pp. 579-580.
144. *Joventut,* 1900, pp. 706-708.
145. *Joventut,* 1903, p. 8.
146. *Joventut,* 1903, p. 229.
147. Rusiñol, en el discurso de Sitges, 10, sept. 1893.
148. *L'Avenç,* 1893, p. 271.
149. *L'Avenç,* 1893, p. 258.
150. *L'Avenç,* 1893, p. 262.
151. Discurso pronunciado en la Segunda Fiesta Modernista de Sitges, el 10 de septiembre de 1893.
152. *Pèl & Ploma,* 1901, pp. 70-71
153. EUGENI ORS: *A Madona Blanca Maria,* en *Pèl & Ploma,* 1901, p. 79.
154. *Música de Bach.*
155. *A l'Adriana.*
156. *A unes mans blanques,* en *Pèl & Ploma,* 1901, p. 92.
157. Barcelona, *L'Avenç,* 1901.
158. Barcelona, *L'Avenç,* 1901.
159. *Joventut,* 1901, p. 340.
160. *Garba, núm.* 4, 1906.
161. *Garba,* núm. 10, 1907.
162. *Pèl & Ploma,* 1902, p. 264.
163. Primera conferencia del *Ateneo Científico ds Valencia,* reproducida por Utrillo en *Pèl & Ploma,* 1902, pp. 369-376.
164. 1901.
165. *Pèl & Ploma,* 1902, pp. 260-269.
166. *Encís,* en *Pèl & Ploma,* 1902, p. 341.
167. *Pèl & Ploma,* 1902, p. 353.
168. *Pèl & Ploma,* 1902, p. 257.
169. Discurso leído por él, como presidente del Ateneo Barcelonés, en la inauguración del curso 1903-1904 (15 octb. 1903).
170. *Joventut,* 1903, pp. 454-455.
171. *Crepuscle,* en *Joventut,* 1900, p. 711.
172. *Tardor,* en *Joventut,* 1900, pp. 717-718.
173. *Buidor,* en *Garba,* núm. 9, 1906.
174. *L'Avenç,* 1893, pp. 289-290.
175. *Joventut,* 1900, p. 4.
176. *Joventut,* 1900, p. 103.
177. *Conscient,* en *Joventut,* 1901, p. 537.
178. ALFONS MASERAS: *Nota,* en *Joventut,* 1900, pp. 710-711.
179. *Música trista,* en *Joventut,* 1901, pp. 130-131.
180. 1905.
181. En *Mercure de France,* 1901.
182. *El sàtir,* en *Garba,* núm. 9, 1906.
183. *Pèl & Ploma,* 1902, pp. 248-253.
184. MARTÍ Y JULIÁ: *Erro,* en *Joventut,* 1900, pp. 673-676.
185. *Joventut,* 1901, pp. 238-239.
186. *Pèl & Ploma,* 1902, pp. 200-204.
187. *Pèl & Ploma,* 1901, p. 29.
188. X, en *La Ilustración Artística,* 1895, pp. 542-543.
189. Toulouse, 1903.
190. *La nit de Sant Joan,* en *Joventut,* 1903, pp. 422-424.
191. *Joventut,* 1901, pp. 253-255.
192. *Joventut* 1901, p. 269.
193. *Joventut,* 1901, p. 390.
194. *¿Culpable?,* en *Joventut,* 1901, p. 536.
195. *Joventut,* 1901. pp. 707-708.
196. *Joventut,* 1901, p. 713.
197. *Qüestions mesquines. El nu en l'obra d'art,* en *Joventut,* 1901, pp. 788-790.

198. *Joventut*, 1903, pp. 250-252.
199. *Joventut*, 1900, pp. 134-136.
200. *De Kant a Nietzsche*, París, *Mercure de France*, 1900.
201. 1831.
202. POMPEYUS GENER : *L'Evangile de la Vie* (escrito en 1900).
203. *Joventut*, 1900, pp. 473-475.
204. *Joventut*, 1900, pp. 581-582.
205. *Joventut*, 1903, p. 145.
206. Discurso leído en la sesión de *Art i Pàtria*, en el Ateneo Barcelonés, el 3 de febrero de 1901.
207. En especial *Inducciones*, 1901.
208. *Joventut*, 1900, p. 87.
209. LUIS VÍA : *El cant a la joventut de Zarathustra*, en *Joventut*, 1900, pp. 100-103.
210. *Joventut*, 1900, p. 169.
211. *Joventut*, 1900 pp. 345-346.
212. *Joventut*, 1900, p. 424
213. *Sensacions de Primavera*, en *Joventut*, 1901, p. 272.
214. FELIP CORTIELLA : *El cantor de l'Ideal*, Barcelona, *L'Avenç*, 1901.
215. *Joventut* 1903, p. 12.
216. *Heretgies*, en *Joventut*, 1903, pp. 154-155.
217. *Joventut*, 1903, pp. 207-208.
218. MAURICI SERRAHIMA : *Joan Maragall*, 1938.
219. *Poesies*, 1929, p. 60.
220. *Poesies*, 1929, p. 69.
221. *Poesies*, p. 65.
222. *Poesies*, p. 69.
223. *Poesies*, p. 80.
224. *Poesies*, p. 99.
225. *Poesies*, p. 100.
226. *Poesies*, pp. 112 y 162.
227. *La poesia de Joan Maragall*, en *Poesies*, 1929.
228. *Pròleg* a los *Escritos* de Soler y Miquel.
229. *Poesies*, p. 176.
230. *Poesies*, p. 158.
231. *Poesies*, p. 178.
232. *Poesies*, p. 181.
233. *Poesies*, p. 183.
234. *Poesies*, p. 213.
235. *Poesies*, p. 126.
236. *Poesies*, p. 90.
237. *Poesies*, p. 58.
238. *Poesies*, p. 51.
239. *Poesies*, p. 55.
240. *Poesies*, pp. 214 y ss.
241. *Garba*, núm. 7.
242. *Garba*, núm. 5.
243. EUGENIO D'ORS : *Glosari*, 1907, pp. 60-61.
244. Id. íd., p. 326.
245. ALEJANDRO PLANA : *Antologia*, 1914, p. XII.
246. *Cap al tard*.
247. Publicadas en 1907 bajo el título de EUGENIO D'ORS : *Glosari*, con caricatura de *Apa* y *Pròleg*, de RAIMON CASELLAS.
248. *Glosari*, p. 257.
249. *Glosari*, p. 259.
250. *Glosari*, p. 35.
251. *Glosari*, p. 262.
252. *Glosari*, p. 165.
253. *Glosari*, p. 61.
254. *Glosari*, p. 168.
255. *Glosari*, p. 421.
256. *Glosari*, pp. 503 y ss.
257. *Forma*, vol. I, artículo inicial, 1904.
258. *La Veu*, 3 de enero de 1911.
259. *La Veu*, 21 de julio de 1910.
260. *La Veu*, 10 de febrero de 1910.
261. JOSÉ DOMÉNECH ESTAPÁ : MODERNISMO ARQUITECTÓNICO. *Memorias de la Real Academia de Ciencias y Artes de Barcelona*, marzo de 1912. (La comunicación fué pronunciada en la sesión del 22 de junio de 1911.)
262. LLUÍS MARIA VIDAL : *Discurs del senyor president*, en *Butlletí del Centre Excursionista de Catalunya*, *febrer 1900 (sessió pública inaugural de l'any 1900.)*
263. ALEXANDER KOCH : *Premières impressions à l'Exposition de Turin*, en *Deustche Kunst und Deko* (ed. francesa), Darmstadt, 1902, p. 5.
264. E. HOWARD : *To-Morrow. A paceful path to real reform.* Londres, 1898; *Garden Cities of To-Morrow*, Londres, 1902.
265. FRANCESCO MILIZIA : *Dell'arte di vedere nelle belle arti del disegno secondo i principi di Sulzer e di Mengs*. Venecia, 1781.
266. Muerto en 1811.
267. MACARIO PLANELLA : *Del respecte als monuments arquitectònics*, en *La Renaixença*, 1874, pp. 54-70.
268. *L'arquitectura del nostre segle*, en *La Renaixença*, 1872, pp. 72 y ss. y 80 y ss.
269. *De la caracterisació en la arquitectura*, en *La Renaixença*, 1873, p. 8.
270. Este monumento y esta balaustrada se han atribuído a Gaudí como colaborador de Fontseré (RÁFOLS : *Antonio Gaudí*, 1929, pp. 13 y 16), pero son indudablemente de Vilaseca, que los construyó en 1885 (*Album Artístich de la Renaixença*, 1885).
271. *En busca de una arquitectura nacional*, en *La Renaixença*, 1878, pp. 149 y ss.
272. ORFEÓ CATALA : *Historial ab motiu del XXV aniversari de sa fundació*. 1891-1916.
273. Excepciones, como el claustro de la Cartuja de Montalegre, confirman la regla.
274. DOMÉNECH ESTAPÁ : *La fábrica de ladrillo en la construcción catalana. Anuario de la Asociación de Arquitectos de Cataluña para 1900*, p. 37.
275. Vid. notas necrológicas en *Arquitectura y Construcción*, 1898, p. 281.
276. No debe confundirse a Buenaventura Bassegoda Amigó con su hermano Joaquín, nacido en La Bisbal en 1854, que fué catedrático de la Escuela de Arquitectura, escribió una monografía de *La Catedral de Gerona* y un *Diccionario de Artistas Catalanes de la Edad Media*, y proyectó el edificio neogótico de la casa Casimiro Clapés, en la calle de la Diputación, 246, y el altar del mismo estilo dedicado a San Francisco en la iglesia de los Padres Dominicos de Barcelona. Fué uno de los primeros en divulgar el uso del hormigón armado. (J. B. : *Cemento Armado*, en *Anuario...*).
277. En la vieja fábrica Lebón de la calle Trafalgar, estucada, las columnillas del canto de las jambas en las ventanas neorrománicas, con hierro pintado para imitar piedra.
278. JERÓNIMO MARTORELL : *Estructuras en ladrillo y hierro atirantado en la arquitectura catalana moderna*, en *Anuario de la Asociación de Arquitectos de Cataluña para 1910*, pp. 119 y ss.
279. JAIME BAYÓ : *La bóveda tabicada*, en *Anuario... para 1910*.
280. La parte principal estaba terminada en 1912.
281. JERONI MORAGUES : *A. Gallissà*, 1914 (manuscrito inédito). Para el estudio de Gallissá nos ha sido muy útil este volumen manuscrito en que el cuñado de este arquitecto, Jerónimo Moragas, reunió cuantas noticias pudo sobre él. Va precedido de una cariñosa portada en cuyo texto se lee : *Quin bon exemple pels meus fills! Quin orgull per ses germanes!*, y que termina diciendo : *Fruiu-ne, aprofiteu-vos-en.*
282. L. DOMÉNECH Y MONTANER : *L'Antoni Maria Gallissà en la intimitat*, publicado en *La Veu de Catalunya*, 1903.
283. 1896, II, p. 133.
284. Para el conjunto de sus obras, SALVADOR SELLÉS : *Discurso leído en la sesión necrológica del Ateneo el 16 de mayo de 1904, bajo la presidencia de Juan Maragall.*
285. *Illustració Catalana*, 1901, p. 315.
286. Y editadas en libro en 1926.
287. En *Illustració Catalana* 1903, pp. 11-15.
288. 1907.
289. En *Empori*, 1907.
290. El tramo de fachada lateral contiguo a la esquina, que antes tenía tres ventanas en la parte alta, ahora tiene siete. La puerta mitral que da a la terraza era una ventana que se trasladó para que continuara junto a la esquina.
291. Los faroles son del reformador.
292. I. PUIG BOADA : *El temple de la Sagrada Família*, Barcelona, 1929.
293. Dato comunicado por Mauricio Serrahima.
294. Para la Sagrada Familia vid. I. PUIG BOADA : *El temple de la Sagrada Família*, Barcelona, 1929.
295. DOMÉNECH SUGRAÑES : *Disposició estàtica del Temple de la Sagrada Família*, en *Anuari de l'Associació d'Arquitectes de Catalunya*, 1922.
296. FRANCESC DE P. QUINTANA : *Les formes guerxes del Tem-*

ple de la Sagrada Família, en *La Ciutat i la Casa,* núm. 6, Barcelona, 1927.

297. FRANCESC FOLGUERA: *L'arquitectura gaudiniana,* Barcelona, 1929, pp. 258-260.

298. Hay una recensión muy completa en el *Anuario de la Asociación de Arquitectos de Cataluña para 1911.*

299. En la *Gazzette des Beaux-Arts,* París, 1910.

300. *Le Monde Artiste,* París, 1910.

301. *La Grande Revue,* París, 1910.

302. *Journal d'Asnières,* 1910.

303. *L'Art et les artistes,* París, 1910.

304. Son numerosos los escritos del filósofo y poeta sobre Gaudí. FRANCESC PUJOLS: *La Veu del Temple,* Barna., 1915; *En Gaudí,* en *Revista Nova,* 1914; *Representació universal del gaudinisme* y *L'Arquitectura moderna i l'estil amic,* 1921; *L'obra del nostre Gaudí,* en *L'Art de la Forja,* 1921, y *La continuació de les obres de la Sagrada Família,* en *La Veu de Catalunya,* 28 agosto 1926.

305. JOAN RUBIÓ: *Dificultats per a arribar a la síntesi arquitectònica,* en el *Anuari* de la *Associació d'Arquitectes de Catalunya,* 1913, pp. 64 a 79.

306. El azar ha querido que en el otro edificio citado del mismo arquitecto exista en la actualidad también un frontón, el llamado Frontón Colón.

307. 70 láminas, Barcelona, 1911.

308. De 1882 a 1888.

309. Desde 1899.

310. NIETZSCHE: *Unzeitgemasse Betrachtungen,* II.

311. Números VII y VIII, diciembre de 1909.

312. FELÍU ELÍAS: *L'escultura catalana moderna,* p. 135.

313. *L'escultura cat. mod.,* p. 182.

314. *El arte modernista en Barcelona,* Barcelona, 1943, p. 115.

315. vid. *Illustració Catalana,* 1903, p. 75.

316. *L'esc. cat. mod.,* p. 169.

317. JUAN TEIXIDOR: *La evolución plástica del arte de José Clará,* en *Anales y Boletín de los Museos de Arte de Barcelona,* invierno, 1941, pp. 13-29.

318. Citado por Texidor.

319. FELÍU ELÍAS: Ob. cit., pp. 172-173.

320. PAU G. Y CATALÁN: *Somni i Realitat,* en *Joventut,* 1900.

321. JORDI SARSANEDAS: *Enric Casanovas, escultor nacional,* en *Ariel,* febrero, 1948, pp. 16-17, da la noticia más precisa y completa sobre el artista.

322. ENRIC CASANOVAS ROY: *Desvari,* en *Joventut,* 1901, páginas 711-712.

323. P. 267.

324. vid. *Arquitectura y Construcción,* 1902, p. 113.

325. MONTAGUE WEEKLY: *William Morris.*

326. VALLANCE AYMER: *Will. Morris, his Art, his Writing and his Public Life,* 1897.

327. *William Morris,* Milán, 1947.

328 WALTER CRANE: *William Morris to Whistler.*

329. *News of Nowhere,* 1891.

330. PEVSNER: *Pioneers of the Modern Movement from Will. Morris to Walter Gropins,* 1945.

331. LABORDE: *Rapport* de la Exp. de Londres 1851 en la *Union des Arts de l'Industrie.*

332. ROGER SANDOZ y JEAN GUIFFREY: Prefacio al *Rapport général de l'Exposition française d'art décoratif à Copenhague,* 1909.

333. CHEVALIER: *Rapport général* de la Exposición de 1855.

334. RUPRICH ROBERT: *Flore ornementale,* París, 1866.

335. BAYARD: *Le style moderne,* París, s. d.

336. GRASSET: *La plante et ses appl. ornem.,* París, 1896.

337. En Brünn (actual Checoeslovaquia).

338. Estos artículos fueron reunidos en el libro «Palabras en el vacío», *Ins Leere gesprochen,* 1921.

339. FRANZ GLÜCK: *Adolf Loos,* París, 1931.

340. LOOS: *Ornament und Verbrechen,* 1908.

341. Tuvo efecto en San Felipe Neri, el 16 de junio de 1900.

342. LUIS M.ª FOLCH Y TORRES, en la *Revista Ibérica de Exlibris,* año III, núm. 2, Barcelona, 1905.

343. PUIG Y CADAFALCH, en el *Cu-Cut,* Barcelona, 1903.

344. BUENAVENTURA BASSEGODA: *Cuestiones artísticas. Arte Religioso,* en *Diario de Barcelona* del 22 de marzo de 1905.

345. PUIG Y CADAFALCH, loc. cit.

346. JOSÉ TORRES ARGULLOL: *Las dos tendencias;* en *Arquitectura y Construcción,* 1899, pp. 184-187.

347. *Arquitectura y Construcción,* 1898, p. 201.

348. En el libro RÁFOLS y FALGUERA, *Gaudí,* Barna., 1929, se afirma que algunos relieves eran de Gaudí (p. 271).

349. PUJOL Y BRULL comentó muy favorablemente esta decoración en *Illustració Catalana,* 1903, pp. 124-125.

350. R[ÁFOLS]: *Salvador Alarma,* en *Anales y Bol. de los Museos de Arte de Barna.,* 1941, pp. 58-59.

351. *Illustració Catalana,* 1903, p. 108.

352. EUSEBI BUSQUETS: *L'Art Decoratiu,* en *Joventut,* 1903, pp. 308-309.

353. Establecido en el número 4 de la calle de la Canuda

354. Cedaceros, 10.

355. Establecido en el número 9 de la calle de la Ciudad.

356. *Illustració Catalana,* 1892, p. 15.

357. En la calle de Caspe.

358. En la Rambla de Cataluña.

359. Entre Rambla de Cataluña y Balmes.

360. Establecido en el número 4 de la calle del Cardenal Casañas.

361. Asociados, formaban la razón social Hoyos, Esteva y Cía.

362. *La Ilustració Llevantina,* 1900.

363. PUJOL Y BRULL las elogia en *Ill. Cat.,* 1903, p. 44.

364. El primero es de Gaudí; el segundo, de Buenaventura Bassegoda, con escultura de Reynés.

365. Cortes, 611.

366. Actuales *Almacenes Santa Eulalia.*

367. *Arquitectura y Construcción,* 1900, pp. 120-121.

368. No confundirlo con su hermano José Luis, el dibujante.

369. SANTIAGO RUSIÑOL: *Album de detalles artísticos y plástico-decorativos de la Edad Media Catalana,* 1882.

370. PUJOL Y BRULL: *Cuiros artístics...* en la *Illustració Catalana,* 1903, pp. 172-3.

371. En el Museo de Historia de la Ciudad de Barcelona.

372. *Masriera y Carreras,* 1839-1929, Barcelona, 1929.

373. LUIS MASRIERA ROSÉS: *La serie en las artes suntuarias y la belleza del trabajo,* en *Memorias de la Real Academia de Ciencias y Artes,* Barcelona, 1948.

374. A. CIRICI PELLICER: *El pintor Antonio Caba,* separata de *Anales y Boletín de los Museos de Arte de Barcelona,* 1947.

375. M. URGELL: *Gent notable de Catalunya: En Fr. Masriera,* en *Art,* mayo de 1902.

376. BARÓN DAVILIER: *Fortuny,* París, 1875; J. YXART: *Fortuny,* Barcelona, 1882.

377. FELÍU ELÍAS: *Simó Gómez,* 1923.

378. FR. CASANOVAS: *Necrología del ilustre pintor catalán Baldomero Galofre,* 1903.

379. CARLOS JUNYER-VIDAL: *Catálogo* de la Exposición Caba-Miralles, 1948; JUAN CORTÉS: *El pintor Francisco Miralles,* separata de los *Anales y Boletín de los Museos de Arte de Barcelona,* 1948.

380. ALFREDO OPISSO: *Arte y Artistas catalanes,* 1899, páginas 155 y ss.

381. Ob. cit., p. 160.

382. Ob. cit., p. 161.

383. Ob. cit., p. 54.

384. Ob. cit, pp. 160 y 165.

385. No confundirlo con Juan Roig y Soler, escultor, nacido en Reus (1835-1918).

386. ALFREDO OPISSO: ob. cit., p. 110.

387. RODRÍGUEZ CODOLÁ: *Elíseo Meifrén. Catálogo de la Exposición homenaje,* 1941. B. DE PANTORBA: *Elíseo Meifrén,* 1942.

388. Ob. cit., p. 117.

389. JOAN MATES: *El pintor Gimeno,* 1935.

390. ALFREDO OPISSO: ob. cit., p. 90.

391. OPISSO: ob. cit., p. 92.

392. OPISSO: ob. cit., p. 9.

393. Editada en forma de libro en 1948.

394. ALFREDO OPISSO: ob. cit., p. 44.

395. Citado por R. CASELLAS: *La pintura decorativa en nuestros días.* II, en *Estilo,* núm. 5, 7 abril 1906.

396. En el art. cit.

397. JERONI ZANNÉ: *Imatges i melodies,* 1905.

398. *Jugend. Münchner illustrierte Wochenschrift für Kunst und Leben.*

399. *Joventut,* 1900, pp. 692-693.

400. Sobre Aubrey Beardsley y su papel en el origen del arte

«Fin de siglo», vid. NEVILLE WALLIS: *Fin de siècle*, Londes, 1947, páginas, 16, 46 y 47.
401. Editada por Leonard Smithers.
402. *Joventut*, 1900, pp. 6-11.
403. *Joventut*, 1900, p. 157.
404. OPISSO: ob. cit., p. 188.
405. *Joventut*, 1900, XXVII.
406. SEBASTIÁN JUNYENT: *L'art i la moda*, en *Joventut*. 1901, p. 118.
407. *Joventut*, 1901, p. 140.
408. *Joventut*, 1903, p. 149.
409. *Joventut*, 1903, p. 47.
410. *La Ilustración Artística*, 1891, pp. 802-803.
411. Tuvo efecto el 10 de octubre de 1898.
412. A. L. DE BARÁN [M. UTRILLO]: *Isidre Nonell*, en *Luz*, 1898.
413. El primer número apareció en febrero de 1899. El número 10, el 13 de abril del mismo año.
414. *Pèl & Ploma*, 1901, p. 19.
415. *Pèl & Ploma*, 1901, p. 178.
416. *Pèl & Ploma*, 1901, p. 185.
417. *Pèl & Ploma*, 1901, p. 22.
418. *Glosari*, p. 164.
419. R. CASELLAS: *Eugeni Carrière*, en *Etapes Estètiques*, 1916, pp. 127 y ss.
420. *The Gentle Art of Making Enemies.*
421. R. CASELLAS: *James Neil Whistler*, en *Etapes Estètiques*, publicado en 1916, pp. 37-53.
422. *Nonell*, p. 34.
423. *Etapes Estètiques*, p. 182.
424. *Pèl & Ploma*, 1903, pp. 219-223.
425. JOSÉ PLA: *Rusiñol y su tiempo*, 1942; CARLES CAPDEVILA: *La nostra gent: Santiago Rusiñol*, s. d.
426. P. 88.
427. Ibid., p. 72.
428. A. OPISSO: ob. cit., p. 170.
429. *Etapes Estètiques*, p. 74.
430. A. OPISSO: ob cit., p. 172.
431. SANTIAGO RUSIÑOL: *La casa del silenci*, en *Pèl & Ploma*, 1901, pp. 103-107.
432. *Etapes Estètiques*, p. 182.
433. R. CASELLAS: ob. cit., p. 106.
434. *Etapes Estètiques*, p. 106.
435. *Arte y Artistas catalanes*, p. 175.
436. Ob. cit., p. 18.
437. ORIOL MARTÍ: Una audició de *El jardí abandonat*, en *Joventut*, 1900, pp. 282-283.
438. J. M. JORDÁ: *Ramón Casas, pintor*, 1931; MANUEL ABRIL: *Ramón Casas*, Madrid, s. f.; Catálogo de la *Hispanic Society* de Nueva York; J. F. RÁFOLS, en *Anales y Boletín de los Museos de Arte de Barcelona*, 1942, p. 8.
439. *El Año Pasado*, p. 345.
440. La obra, hoy en el Museo de Arte Moderno de Madrid, fué reproducida en revistas del año 1894. La nota que conserva el Museo barcelonés, y que la *Guía* fecha en 1895, no puede ser su origen, sino una versión posterior.
441. *Las pinturas de Ramón Casas en el Círculo del Liceo de Barcelona*, 1948.
442. Tema que se repite en muchas variantes, en pintura y en cartelismo.
443. 1 febrero, 1899; 13 abril, 1899.
444. 1899 a 1903.
445. 1904 y 1907.
446. En la página 108, el cuadro de Opisso; en la 178, el de Casas.
447. ALFREDO OPISSO: ob. cit., p. 72.
448. Ibid., p. 73.
449. ROMÀ JORI: *La influència d'en Nonell en la pintura catalana*, en *L'Obra d'Isidre Nonell*, publicada por la *Revista*, 1917.
450. Su biografía base es la de ALEXANDRE PLANA: *Vida d'Isidre Nonell*, en la ob. cit.
451. Ob. cit.
452. JOAN MERLI: *Isidre Nonell*, 1938.
453. RAMÓN EUGENIO DE GOICOECHEA: *Isidro Nonell, el impresionista filósofo*, 1938.
454. *El pintor Joaquín Mir*, 1944.
455. *Isidro Nonell*, 1947.
456. J. F. RÁFOLS formó el Album Nonell, que se conserva en la Biblioteca de los Museos de Arte de Barcelona, en el que recogió cuantas críticas pudo hallar referentes al pintor.
457. 22 enero, 1895.
458. COLL I RATAFLUTIS en *La Veu de Catalunya*, 27 enero, 1895.
459. *Los cretinos de los Pirineos*, citado por R. BENET, 16 de enero, 1897.
460. *El Poble Català*, 25 de enero de 1910.
461. *Le Jour*, 20 enero, 1898.
462. *Diario de Barcelona*, 21 diciembre, 1898.
463. J. M. JORDÁ, en *La Publicidad* del 21 diciembre, 1898.
464. *La Revue Blanche*, 27 marzo, 1910.
465. ALFREDO OPISSO, ob. cit., p. 132.
466. *La Vanguardia*, 11 junio, 1902.
467. *El Liberal*, 18 junio, 1902.
468. JOAN BRULL: *Notes d'Art*, en *Joventut*, 1901, pp. 75-77.
469. *Joventut*, 1903, p. 83.
470. ALFREDO OPISSO: *Arte y artistas catalanes*, 1899, p. 127.
471. JOAQUÍN FOLCH Y TORRES: *La unitat en l'obra d'en Nonell*, en *L'obra d'Isidre Nonell*, p. 142.
472. FRANCESC VAYREDA: *La tècnica d'Isidre Nonell*, en ob. cit., p. 109.
473. R. CASELLAS: *El colorisme d'en Nonell*, en ob. cit., pp. 98-99.
474. RAMÓN REVENTÓS: *El pretès humorisme d'en Nonell. El sensualisme de la seva obra*, en ob. cit., p. 92.
475. EUGENI D'ORS: Pròleg a *L'Obra d'Isidre Nonell*. 1917, pp. 11-12.
476. FRANCESC PUJOLS: *La valor de combat de l'obra d'en Nonell*, ob. cit., pp. 83-84.
477. R. MARQUINA: *Ricardo Canals*, Madrid, s. d.
478. J. F. RÁFOLS, en ob. cit., da la fecha de 1877.
479. Unas veces firma en la forma oficial, otras con la ortografía correcta.
480. 1898.
481. Número 5, 1898.
482. *Joventut*, 1901, p. 374.
483. 1901, p. 186.
484. 1901, p. 22.
485. *Pèl & Ploma*, 1901, p. 129 (bajo el seudónimo de *Pincell*).
486. JOSÉ PLA: *El pintor Joaquín Mir*, 1944.
487. En *El escultor Manolo Hugué*.
488. *Quatre Gats*, número 6, 16 de marzo de 1899, y número 9, 6 de abril de 1899.
489. 1904, desde la p. 373.
490. F. LLIURAT: *Nicolás Raurich*, separata de *Anales y Boletín de los Museos de Arte de Barcelona*, 1945.
491. ALEXANDRE DE RIQUER: *Exposició Casas*, en *Joventut*. 1900, pp. 281-282.
492. *Luz*, núm. 5, 1898,
493. *Luz*, pp. 51-53.
494. *Luz*, pp. 53-57.
495. *Luz*, pp. 57-58.
496. *Luz*, pp. 58-59.
497. *Illustració Catalana*, 1903, p. 94.
498. *Etapes Estètiques*, pp. 17-34.
499. *Joventut*, 1901, p. 316.
500. Barcelona, 1905.
501. *Joventut*, 1903, p. 9.
502. *La Illustració Catalana*, 1909, p. 319.
503. 7 de noviembre de 1901.
504. ALBERTO DEL CASTILLO y A. CIRICI PELLICER: *José María Sert*, Barcelona, 1947.
505. MIGUEL UTRILLO: *El pintor José María Sert*, en *Forma*, 1904, pp. 326-344.
506. 7 de octubre de 1906.
507. *La Veu de Catalunya*, 3 de octubre de 1907.
508. HUTCHINSON, HARRIS: *The Art of H. Anglada Camarasa*, Londres, 1929.
509. Vid. JOAN BRULL, en *Garba*, 1900, p. 709.
510. Sobre JUAN PINÓS, vid. ALFREDO OPISSO, ob. cit., p. 139.
511. OPISSO, ob. cit., p. 144.
512. *Pèl & Ploma*, 1901, pp. 34-35.
513. TORRES-GARCÍA: *El dibuix educatiu a Mont d'Or* en *Illustració Catalana*, 1906, p. 797.
514. J. F. RÁFOLS tiene un libro sobre *Torres-García*, Barcelona, s. f.

515. Vid. F. PUJOLS: *El pintor Pidelasserra*, Barcelona, 1934, y el catálogo de la *Exposición Pidelasserra* de 1948, por F. P. VERRIÉ.
516. *Forma*, 1904, p. 169.
517. Publicado en *Quatre Gats*, 30 de marzo de 1899, y vendido en el comercio como obra de Picasso.
518. Portadas de los números 4, 6, 8 y 11 (1897-1898).
519. 16 de marzo de 1899
520. 3 de abril de 1899.
521. Desde el punto de vista histórico son interesantes el vago libro de SABARTÉS y el escrupuloso de JOAN MERLI. Desde el punto de vista crítico, consúltese A. CIRICI PELLICER: *Picasso antes de Picasso*, Barcelona, 1946.
522. JAIME BROSSA, en *L'Avenç*, 15 de enero de 1893.
523. Discurso de la Fiesta Modernista celebrada en Sitges el 10 de agosto de 1892, con una representación de Maeterlinck y música de Morera y César Franck.
524. E. D'ORS, *Etapes Estètiques* de CASELLAS, *Epíleg*, Barcelona, 1910.
525. MIGUEL UTRILLO: *La obra de Casas*, en *Forma*, 1904, página 310.
526. *Feminal*, 29 de diciembre de 1907.
527. Página artística de *La Veu de Catalunya*, 24 de noviembre de 1910.
528. Barcelona, 1910.

Durante la redacción del presente libro han aparecido dos importantes aportaciones al estudio del arte modernista catalán: la obra de J. F. RÁFOLS, *Modernismo y modernistas*, Ed. Destino, Barcelona, octubre de 1949, y el libro de MARÍA RUSIÑOL, *Rusiñol vist per la seva filla*, Ed. Selecta, Barcelona, 1950, que creemos necesario citar para completar el repertorio bibliográfico de este índice de notas.

ÍNDICES

ÍNDICE ONOMÁSTICO

ÍNDICE DE ILUSTRACIONES INTERCALADAS EN EL TEXTO

LA REACCION CLASICA

PANORAMA DE LA ARQUITECTURA

ARQUITECTURA RUSKINIANA

GAUDINISMO

DE LO CICLOPEO A LO LIRICO

LA ESCULTURA

LAS ARTES DECORATIVAS REVIVIDAS

LOS DECORADORES

LOS MUEBLISTAS

LAS FUENTES DEL MODERNISMO PICTORICO

LA PINTURA NATURALISTA

LA PINTURA IDEALISTA

LA GENERACION CENTRAL

LA GENERACION JOVEN

EL FORMALISMO FINAL

CONCLUSION

LÁMINAS EN COLOR

CUATRICROMIAS

OTRAS ILUSTRACIONES

LITOGRAFÍAS

En la sobrecubierta, chimenea de la casa Milá, por GAUDÍ.
Las guardas son reproducción de un modelo publicado por OLIVA DE VILANOVA en *Anuari Oliva*, 1907. Oliva, impresor, Villanueva y Geltrú.

ÍNDICE GENERAL DE MATERIAS

SE TERMINÓ LA IMPRESIÓN
DE ESTE LIBRO,
EL ARTE MODERNISTA CATALÁN,
DE A. CIRICI PELLICER,
EL DÍA 21 DE MAYO
DE 1951

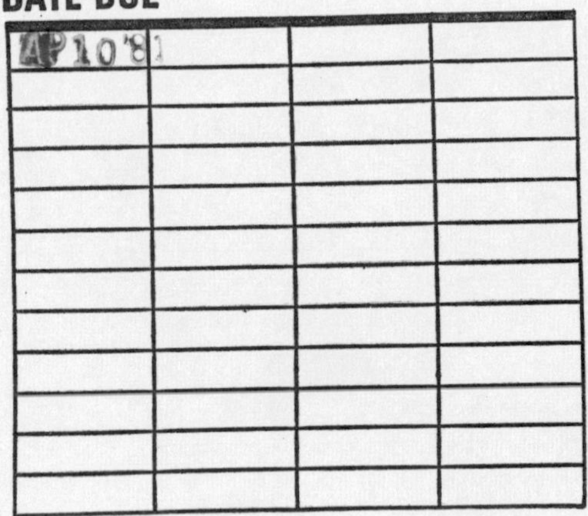